COCINA GALLEGA

ALVARO CUNQUEIRO

ARACELI FILGUEIRA IGLESIAS

y un estudio bibliográfico de Antonio Odriozola

COCINA
GALLEGA

EDITORIAL EVEREST, S. A.

MADRID • LEON • BARCELONA • SEVILLA • GRANADA • VALENCIA
ZARAGOZA • LAS PALMAS DE GRAN CANARIA • LA CORUÑA
PALMA DE MALLORCA • ALICANTE – MEXICO • BUENOS AIRES

Portada: Oronoz
Láminas: Oronoz (Madrid) y Foto Ruiz (Pontevedra)
Ilustraciones: A. Anievas

DECIMA EDICION

© by Herederos de Alvaro Cunqueiro y Editorial Everest, S. A. para las páginas 7 a 84
© by EDITORIAL EVEREST, S. A. para el resto de la obra
Carretera León-La Coruña, km 5 - LEON
Reservados todos los derechos
ISBN: 84-241-2219-4
Depósito legal: LE.327 -1991
Printed in Spain - Impreso en España

EDITORIAL EVERGRAFICAS, S. A. - Carretera León-La Coruña, km 5 - LEON (España)

ÍNDICE

PROLOGO
por ALVARO CUNQUEIRO

Le escuché decir una vez a un gran gourmet que si todos los hombres se nutren, solamente unos pocos saben comer, y añadía que es con la reflexión, con el pensamiento, como debemos elegir nuestros platos, y con la imaginación degustarlos, ya que sin imaginación toda la alimentación del hombre podía reducirse, seguramente, a unas píldoras. Lo cual quiere decir que son las gentes de imaginación, casi siempre, las que comen mejor, quizá porque como decía el conde de Clermont-Tonnerre «asocian su sustancia terrenal al lugar de donde son, y perciben entonces hasta su mismo meollo el lazo que los ata a la tierra que los soporta; sienten la secreta esencia de las cosas incorporarse a la suya, y así comulgan con su tierra en un festín de amor». Son gente, también, que conocen las verdaderas riquezas de la cocina propia, sin lo cual nunca será fácil apreciar el misterio de las cocinas ajenas.

Y en esto y en otras cosas que a la cocina se refieren, pensaba yo al escribir este libro, en el que hablo de la cocina gallega, del recetario usado por los gallegos en su cocina, y de los productos de tierra y mar que son más apetecidos por nosotros. La pregunta que me hago es si verdaderamente nosotros, los gallegos, hemos llegado por nosotros mismos a una cocina característica, con propia adivinación de felices asociaciones de elementos —o caso del lacón con los grelos—. Sabemos mal, y en muchos casos nada, de cómo se comía en la Galicia antigua y medieval, y aún en los pazos del siglo XVIII. Sabemos algo de cómo se fue haciendo en ciudades y

7

villas la cocina del siglo XIX, una cocina burguesa y eclesiástica de gran calidad, la cocina que nuestras madres ven aprender en el texto de Picadillo, con normas que llegan de fuera, con nuevos elementos como el arroz, y la generalización del consumo del aceite, que es cosa bien reciente. Esta cocina de nuestras abuelas y de nuestras madres es, sin duda, el máximo momento de la cocina gallega, con fórmulas muy equilibradas, en las que se busca mantener el sabor natural de los productos que entran en la composición de los platos, lo que por otra parte es lo propio del arte coquinario, que no es un arte del disfraz. Hemos de suponer que las grandes abadías, Oseira o Sobrado, Samos o Celanova, tenían en sus cocinas recetas de otras, incluso españolas —se sabe cuánta España corrió el recetario de Guadalupe— o francesas. Pero, ¿sabremos algún día cómo comía los capones de sus foros el obispo don Lourenzo de Orense el año 1230? ¿Sabremos cómo le aderezaban al rey Alfonso X el salmón que quería comer por Pascua Florida? ¿Tenemos alguna salsa propia? Hoy le llamamos borona o broa, palabra sin duda prerromana, a la bolla o pan de maíz, pero, ¿a qué se lo llamábamos antes de que, finándose el siglo XVI, viniese el maíz de América? ¿Se haría una galleta o bizcocho de mijo menudo? El mijo y la avena, las papas de arrandas, *fueron desapareciendo de la alimentación del gallego en los últimos cien años. Debo ser uno de los últimos gallegos que han cenado, en las frías noches invernales,* papas de arrandas, *papas de avena. Donde parece que haya más memoria de las recetas de antaño es en la repostería, en las tartas, melindres, almendrados, bizcochos y* bicas, *todavía famosos los de diversos lugares del país. Todos estamos de acuerdo en que los gallegos comimos siempre, desde el Eo al Miño, la suculenta lamprea, pero, ¿cuándo llegó a nuestra cocina la receta de Burdeos, célebre ya allá en los días de Montaigne? El gallego curaba la lamprea, como el bacalao o el congrio, y la comía seca, cocida. Todavía hoy se hace así. ¿Cuándo llegó a nuestras cocinas el arroz? ¿Cuándo comimos por vez primera los gallegos el arroz con leche, o un pollo con arroz, o un arroz en paella? El profesor Meijide Pardo tratando de los catalanes de la salazón en la ría de Arosa, nos cuenta lo que al final del XVIII y comienzos del XIX tenían en sus tiendas: vinos, aguardiente de caña, licores, jabones, aceite, alguna vez cacao, pero nunca arroz. Creo que el arroz entró en Galicia como dulce, arroz con leche. Braudel en su gran libro «Civilización material y capitalismo» dice que el arroz entró en varios países de centro y norte Europa como dulce. Con los maragatos llegaron en el XVIII los garbanzos del reino de León. Cosa reciente es que los gallegos comamos el* meixón, *es decir, las* angulas, *y todavía apenas si se comen las lentejas en la Galicia rural. La caldeirada en la Galicia marinera debe ser algo bien antiguo, pero naturalmente antaño sin la patata ni pimentón. El gallego nunca comió setas —que abundan en los campos y en el bosque antiguo— aunque es seguro que se las vieron comer a los romanos y a algunos monjes francos de las abadías de Cluny y del Císter.*

8

En fin, dejémonos de estas inquisiciones, y atengámonos a lo que hoy comen los gallegos, y cómo. Alabemos lo que da para comer la tierra, lo que da el mar, la gran diversidad de los productos que el gallego puede llevar a su mesa, los platos de rara perfección, los quesos, los vinos. Lo más de lo que va en estas páginas es experiencia personal, de gourmet, y de vez en cuando de cocinero.

LA COCINA GALLEGA
por ALVARO CUNQUEIRO

La matanza casera del puerco se hace muy bien en toda Galicia, especialmente en las villas. En la mayor parte de Galicia, muerto el puerco, con pequeñas antorchas de paja, se le queman las cerdas, mientras en otros lugares se le escalda y puede decirse que se le afeita. El día de la matanza queda el cerdo colgado del cambril, oreándose. En ese día se come el hígado, encebollado, frito en la sartén, bien pimentado, y con frecuencia algo picante. Ese mismo día, o al siguiente, también se comen los riñones, con arroz, o guisados con patatas, y siempre con un saludo de orégano. Cuando se mata el puerco se recoge la sangre, que va a servir para las morcillas y para las **filloas,** las crêpres del gallego, las hojuelas. El mismo día de la matanza se limpian las tripas, que van a ser usadas en los embutidos, y también el estómago y la vejiga: todo se deja en agua con unas arenas de sal y con unas rodajas de limón.

El segundo día de la matanza es el gran día. Por la mañana temprano se parte el puerco. Se parte en provincias tan ilustres como las del Imperio Romano, la solana, jamones y lacones, la cabeza o **cachucha,** se sacan el unto y los tocinos, se apartan las carnes y costillas, y el rabo. Al almuerzo, en los más de los lugares, se fríen unos filetes de lomo, adobados con ajo y perejil y envueltos en pan migado grueso. En la misma mañana, van al baño las carnes que han de ser saladas. Por la tarde, es la ocasión de picar la carne que va a ser embutida en los chorizos y la que va destinada a las longanizas. Se cortan los chicharrones, que se hacen poco a poco al fuego, y se va sacando la grasa que sueltan, colándola y pasándola a las ollas de barro en que ha de ser conservada todo el año. Cuando ya se ha sacado toda la grasa que ha de ser conservada, es la hora de echar unas manzanas asadas en los chicharrones que siguen al fuego, tostando ya, y también la hora de salarlos. Los gallegos a los chicharrones les llamamos **roxons.** Cuando han terminado de hacerse, comen de ellos los que han ayudado a picar la carne y en las tareas de la matanza. Si ha estallado alguna de las manzanas que se les echaron, entonces los chicharrones que están a su vera, toman un sabor especial.

Ya dijimos que por la mañana se ha salado. Abajo, en el fondo del baño, van los tocinos, y sobre ellos los untos, y luego jamones y lacones, y encima la cachucha, la solana, la costilla que se ha de comer salpresa, o si la cachucha, como acontece en ciertas partes de Galicia no va entera a la sal, que la desorejan y le apartan el diente —la mandíbula inferior—, estas piezas, con el rabo, van por encima. Convienen para una buena salazón días fríos y húmedos, mejor que tiempos de heladas, y hay que cuidar de que el todo esté bien cubierto de sal. La salazón no debe pasar de tres semanas, y antes de que éstas se cumplan, ya se echa mano de un pico de costilla o de un trozo de solana para un cocido. Hacen un caldo muy bueno, pero la tradición enseña que hay que quitarlas para otra olla antes de echar la verdura; en la segunda olla se dejan seguir cociendo con unas patatas, y el agua de esta cochura se escurre después en el caldo, que hay que aprovecharlo todo. Y ya se sabe que cuando está en la mesa, tras comer el caldo, la fuente con los trozos de solana y costilla, y las patatas, y una longaliza, siempre habrá alguien con memoria refranera que dirá: **entrecostos e soá, honra de mesa e proveito de cans...** Es decir, costilla y solana, honra de mesa y provecho de perros, que se hallan con un montón de huesos.

En los más de los lugares de Galicia, el día de los chicharrones es el día de la fiesta de la matanza. Van convidados los vecinos, las mujeres ayudan a partir las partes grasas del puerco apropiadas para hacer los chicharrones, y cortan y pican las carnes que han de ser usadas para chorizos y chanfainas o longanizas. Estas últimas llevan los bofes y carnes de poca calidad. Ya se pica poco a mano, y aun en las más remotas aldeas se pica a máquina. En los mismos barreños en los que se va echando lo que ha de ser embutido, se hace el amasado. Hay que picar ajo, pimientar, salar y aromatizar con un poco de orégano en polvo, y añadiendo agua se amasa, dándole vueltas a la masa, que llamamos **amoado,** de abajo para arriba. Cuando el **amoado** está bien amasado, entonces la amasadora hace una cruz en la superficie de la masa, y en la encrucijada se pone un ajo entero, sin pelar. Hay que defender el **amoado** del enemigo y del mal de ojo. Las mujeres que estén de menstruo, no pueden amasar. Hecho el amasado ya tenemos una de las gracias de la gula gallega, la **zorza.** La zorza debe estar un par de días en los barreños o tinas. Al segundo día se prueba, generalmente friendo un par de cucharadas de zorza en la sartén, para ver como anda la masa de sal, de color, de picante. Se le añade de lo que le haga falta, y se vuelve a amasar. Al otro día, son las largas horas de embutir.

Pero hay muchos gallegos que no se contentan por hacer la prueba de la zorza, sino que quieren comer de ella a la hora del almuerzo. Se echa una cucharada de manteca de cerdo en la sartén, y cuando está derretida y humeante, se echa la zorza. Un **amoado** bien hecho apenas suelta agua. Hay que estar revolviendo continuamente para que la zorza no se torre y endurezca. Cuando la zorza está frita —cuatro o cinco minutos—, en la grasa que queda en la sartén se hacen unos huevos y se fríen unas lonchas de pan, delgadas. Son muy indicadas las de pan de maíz. Y se come todo muy caliente. También se pueden cocer unas patatas, enteras, para acompañar a la zorza. O unas castañas, cocidas y peladas. Quizá éste fue el acompañamiento antiguo.

En la tarde del segundo día del amasado de la zorza, se hacen los chorizos, y las chanfainas o longanizas. El mismo día también se hacen las morcillas y se llena el estómago para hacer el botelo o androlla. Hay morcillas dulces, que ahora llevan azúcar pero antes llevaban miel. Hay un documento del siglo XII publicado en la Col. Doc. Hist. de la Real Academia Gallega, en el que se reunen para la masa «et manteiga et melle et pigmenta et cebollas». Hay morcillas **ceboleiras**, y las hay también picantes. Todas llevan sangre, de la que se recogió del puerco el día de la matanza. Las morcillas dulces llevan piñones, uvas e higos pasos, nueces. Las morcillas encebolladas pueden comerse con patatas, o con habas, lo mismo que las picantes. Unas y otras morcillas pueden también freírse. Las morcillas no se ahuman; simplemente se ponen a secar en las chimeneas. Los chorizos y las chanfainas se ahuman, quemando laurel bajo ellos. Por San Martín, o la Navidad o la Candelaria, pasa uno por una aldea o una pequeña villa gallega, y aspiras el aroma del laurel quemado, que están en alguna casa ahumando los chorizos. Es un perfume antiguo y aperitivo. Después de ahumados, se llevan a la cocina, donde se cuelgan cerca de la chimenea, bien estirados. Va muy bien que entre las ristras de chorizos se pongan ramillos de laurel. En tierras frías, como en el Cebreiro o en Fonsagrada, los cuelgan del desván, donde hay una ventana abierta cara al norte. Cuando los chorizos secaron, hay que ver cómo se van a guardar. Lo mejor es meterlos en ollas bien cubiertos de manteca de cerdo, y así se conservan muy bien, y no le perjudican nada a la manteca, y aunque endurecen un poco, no se pasan de tiesos. Otros pueden quedar en un saquito de lino, colgados en un lugar fresco, y son los mejores para crudo en las meriendas del verano.

Las longanizas y chanfainas no se conservan. Hay que comerlas en seguida. Están muy bien fritas en trozos, y cocidas enteras. Echada una en el caldo, le da un sabor muy característico a las berzas y a los grelos. Un caldo de calabazo y habas en el que coció una chanfaina, es perfecto. Una chanfaina o longaniza bien hecha, es una de las grandes cosas de la matanza.

Parece que sea cosa muy antigua el apetito gallego por comer las tripas del puerco. Primero se cuecen con una hoja de laurel y un ajo, y después de cocidas se pasan por la sartén, dándoles una vuelta con algo de grasa de puerco. Y se sirven con unas patatas cocidas. Hay grandes aficionados, especialmente en Lugo capital. Quizá les quedó la afición desde los días de los romanos, que como se sabe por Carcopino eran grandes comedores de tripas, como lo son todavía hoy los chinos. Y de China, precisamente, llegaba mucha tripa a Galicia, en estos últimos cien años, que en mi país siempre había déficit de ella para embutidos; venían en barricas, en agua salada. Pero la buena tripa es esa un poco grasienta del puerco gallego, de esos largos y atocinados puercos nuestros. Las tripas también se pueden cocinar a la plancha, y se comen rociadas con el zumo de un limón.

En lo que se refiere al chorizo, yo he tomado parte en una polémica sobre su tamaño: si largos y delgados, o cortos y gruesos. Un chorizo que va a ser cocido, o comido fresco, puede ser largo o delgado, pero un chorizo que va a conservarse meses para ser comido crudo, debe ser gordo, para que en su corazón le queden unas hebras frescas, que es lo que se pide.

En muchas partes se usa la vejiga para llenarla de manteca de cerdo. En otras, igual que el estómago, se usa para hacer una **androlla,** como la tripa más gruesa para hacer un botelo. Lo que va dentro de ambos es lo mismo: alguna punta de carne y de costilla, con sus huesos, adobadas como zorza. En algunos lugares ahuman y en otros no. El todo, seco, no muy curado, se cuece y se come con cachelos y grelos, o se echa en un cocido, por Año Nuevo o Reyes, o va al pote en Martes Lardeiro —martes del tocino, martes de Carnaval—, con las otras carnes del cerdo, y el rabo. Que hay entonces un grito de fiesta gallega que dice: **¡Alegría, alegrote, o rabo do porco no pote!**

Y aquí conviene decir que no hay tal «pote gallego» como plato. Pote, es el recipiente donde se cuece la carne con la verdura y las patatas, y no el contenido. Se dice, alabando la abundancia: «Me pusieron una potada de carne», o «Hicimos una potada de caldo». En Galicia no hay equívoco entre pote y caldo y la carne de cerdo que se echa en él, pero fuera sí. Uno lee en algunas cartas: «Pote gallego.» Pasa como con la paella, que paella es el recipiente donde se hace el arroz, arroz en paella. Habría que decir eso, «arroz en paella», pero ahora es común el decir solamente paella, y ya se entiende que es un arroz más o menos a la moda valenciana.

Con los mismos elementos de los callos de vaca, se hacen callos de puerco, en las más de las partes a la zamorana, es decir, con garbanzos.

En la cocina cuelgan los tocinos, los jamones, los lacones, la cachucha, las orejas, las pezuñas, los dientes, los rabos. Está un hombre comiendo una taza de caldo por la noche, o unas papas, y le echa una mirada a toda aquella cosecha, más hermosa que los jardines colgantes de Babilonia, y a lo mejor le apetece un torrezno, y los mejores torreznos son por lo delgado del tocino, con sus hebras, o a lo mejor no le apetece, pero es igual: el ánimo descansa un poco en aquella abundancia, que es el compango de los días que vendrán, y que para muchas casas labriegas no es tal abundancia, sino la escasa carne cotidiana que ablanda unas berzas o unos grelos, y que con unas patatas y unas tazas de leche hace almuerzos y cenas. Los torreznos más sabrosos son los hechos en las brasas, ni muy gruesos ni muy delgados, que los primeros salen sin tueste y los segundos se queman. Un buen torrezno debe llevar piel. Entre dos rebanadas de pan se aprieta el torrezno, que las moja, y es cosa muy apetecible. Se hace revuelto de torreznos con huevos, o tortilla, que el gallego llama de **liscos,** pequeños torreznos finos. Un torrezno entre dos rebanadas de pan, creo que ha sido el bocadillo natural del gallego durante siglos, a las once en los días invernales, o como merienda en las horas de entre lusco y fusco en las largas tardes del verano.

Al día siguiente de partir el puerco, adobamos el lomo, que el gallego tiene poco menos que mitificado, y al que llamamos **raxo.** Se asa o se empana. Cuando tratemos de empanadas hablaremos de la empanada de **raxo.** También se adoba costilla, que se parte, en un puerco medio, en tres hiladas, y después se cortan los **entrecostos,** es decir, los entrecots. El adobo, tanto del lomo o de la costilla, se hace con ajo, pimiento y orégano, un salpicado de limón, unas hojitas de hortelana y otras de laurel. La costilla, como el lomo, se come asada, pero también se empana. Entonces se dice que es empanada de zorza, aunque no lo es de la zorza propia.

LOS CALDOS

Los caldos más propios de los gallegos son los de coles, que llamamos berzas, y de grelos; es decir, en lo que toca a estos últimos, de nabizas, de cimóns y de grelos, que es todo la misma verdura, la del nabo. Nabizas es la primera verdura, **cimóns** cuando ya las hojas van creciendo y comienzan a poder ser aprovechados los tallos, y grelos cuando la verdura llega al final de su ciclo, comienza a **grelar,** es decir a echar semillas. Hay varias clases de nabos, y los llamados **mouros** (negros), son los más tardíos, de nabegas sombrías y frías. Son, también, los más amargos. El caldo, de berzas, de grelos, de repollo, se puede hacer de muchas maneras. Se puede hacer un caldo pobre, por toda grasa un poco de unto: se ponen las habas a hervir con el unto, y luego se echa la verdura picada, y a poco las patatas. Pero el caldo puede mejorarse, y entonces, cuando se ponen a hervir las habas, se añade la carne de cerdo, y al final la verdura y las patatas bien cortadas, y un chorizo que estalle en el caldo. En las más de las comarcas gallegas gustan del caldo espeso, y de que estén deshechas las patatas. Cuando se sirve el caldo, se aparta la carne del cerdo y el chorizo, de lo que algunos pican mientras va enfriando el caldo, y otros después de comer éste. Pero el mejor caldo es el que comemos cuando hacemos un poco de cocido, y ésta es la manera en casi toda la Galicia de las villas: se ponen las habas a cocer, la carne de cerdo, y cuando van a mitad de cochura, la carne vacuna, falda o jarrete, y si hay a mano un hueso de caña le va muy bien. Cuando la carne de cerdo y la de vaca dieron ya lo suyo al caldo, se pasan para otra tartera, donde van a seguir cociendo, con unas patatas enteras o partidas por mitad, y chorizos. En la tartera del caldo se echan la verdura y las patatas. Cuando todo está a punto, en la tartera del caldo se vierte el agua donde cocieron del todo la carne de cerdo y la vacuno. Y a servir el caldo. Éste es, a mi entender, el caldo perfecto. Un buen caldo debe ser abundante en verdura. Una criada nuestra alababa el caldo que nos hacía por la abundancia de verdura:

—¡Este caldo parece ensalada!

En diversos lugares de Galicia, cuando las amas de casa van a comprar la carne vacuna para el cocido, piden **carne de obriga.** Se llama así a la carne de segunda, falda, aguja, jarrete, y el nombre es memoria de cuando en la villa había «obligado de carne» —como en Betanzos, en Mondoñedo, en Lugo, en Ribadeo, en Ribadavia, en Noya, etc.—, que era carnicería en la que había de tener carne de ésta a la venta, por lo menos ciertos días de la semana. Este «obligado de carne» era común en las

Castillas, León, Andalucía... Recuerden una de las «Novelas ejemplares» de Cervantes, en la que un pariente de uno de los personajes «tenía en Sevilla un obligado de carne».

Un caldo invernal muy apreciado, sobre todo en ciertas comarcas de las montaña gallega, es el de castañas. Se pelan y hierven en agua con sal, y así que sufrieron una hervidura, se limpian bien, quitándoles la monda interior, y se parten por la mitad. En agua limpia con una cebolla y un diente de ajo vuelven a hervir. Cuando las castañas están bien cocidas, se hace un sofrito con abundante cebolla muy picada, pimentón y unas gotas de vinagre. El caldo de castañas es propio de los días de nieve, cuando cuesta trabajo ir a las huertas en busca de verdura, y es más cómodo arreglarse con lo que hay en casa. El caldo de castañas calienta el cuerpo más que ningún otro. Dicen los gallegos que **é un caldo moi farto,** un caldo muy harto. A poco de comer caldo de castaña, toda la familia es una rueda de regolgadores. Hay variantes, como cocer en un saquito, en el mismo caldo, unas castañas enteras, bien peladas, y comer éstas, después del caldo, con carne de cerdo fría que haya en la alacena. Desgraciadamente la castaña va desapareciendo de la cocina gallega. Ya no se cuecen castañas para un cocido, ya no se ponen guarneciendo un plato de caza, ya no se rellenan con castañas unas becadas —los gallegos decimos **arceas**—, ya que no hay en toda Galicia una castaña en almíbar... Ya ni siquiera, en las vísperas navideñas, o antes, por San Martín, se ve un niño en la calle con un collar de **zonchos** o **zamelos.** Éstos son castañas cocidas con monda, enteras, que se enhilan haciendo un collar. Yo he salido a jugar, de niño, con un collar de **zamelos** de seis vueltas.

Hay también un caldo gallego, muy propio de los días medianeros del otoño, cuando ya en las escaleras de los hórreos o en las solanas maduraron al sol los calabazos, y hay habas nuevas tardías. Es el caldo que llamamos de **calabazote.** Se ponen a cocer las habas, y cuando llevan algún tiempo hirviendo, se pica menudo unas patatas, y al final se cortan unos trozos de pulpa de calabazo, y se deja hervir el todo hasta que el calabazo se deshace. Se le añade un refrito con cebolla y pimentón, y gusta un poco picante. Es un caldo sabroso, ligero, que no pesa en el estómago. Este caldo, como el de castaña, no lleva unto, imprescindible en todos los otros caldos gallegos.

Galicia, tan marinera, no dio nunca con una sopa de pescado o de frutos del mar, y aún ahora mismo, ni en los grandes restaurantes gallegos es fácil el tomar una sopa de pescado de calidad. Creo que fueron las **caldeiradas,** de las que hablaremos, las que apartaron la imaginación del goloso gallego de las sopas de pescado, de los bisques... Se cuecen nécoras, centollas, lubrigantes, langostas, y tantos y tantos pescados, y se tira el agua. A nadie se le ha ocurrido que, este agua, podía ser la base de una sopa de pescado.

El gallego también hace caldos frescos, caldos de verano, con judías verdes, con puerros, y en primavera con la rama verde del cebollín, y potajes de garbanzos en las vigilias cuaresmales. Aunque parece que antiguamente lo propio de las vigilias eran las papas, de avena o de mijo. Pero ahora ya no hay mijo, ni quien lo muela a mano. Hay que ir a Escocia a tomar unas papas de mijo. Las papas de mijo tienen un punto que no es fácil: que el granito aparezca suelto y entero, y a la vez bien cocido.

Pero ya queda dicho: el caldo más nuestro, el que se conserva y se hace en toda Galicia, es el de verdura, berzas o grelos. Ahora, naturalmente, se hacen toda clase de sopas de pasta, de arroz. En algunas aldeas luguesas todavía se hacen las famosas sopas de manteca, con pan y cebolla, para la merienda de los niños, y hay en la cocina un toque de medicina popular mágica en el gran problema de los caldos para las paridas, si han de ser colados o sin colar, si han de llevar azafrán, y si llevan cebolla sí han de llevar perejil. Hay un refrán gallego que corta por lo sano, que cualquier caldo es bueno: **un pouco de caldo limpo e un pouco de desconfianza, nunca lle fixeron mal a naide.** No hace falta traducir.

ENSALADAS

No es el gallego un pueblo al que se le haya dado mucho por las ensaladas. Excepto por la de lechuga, a la que siempre añaden rodajas de cebollas. Se la aceita poco —fuimos, no se olvide, un pueblo sin aceite—, y se la avinagra bastante. Desde hace algunos años se le va tomando gusto al tomate, y ya es corriente en las villas que se le añada tomate a la ensalada de lechuga, pero no en las aldeas. La escarola fue más bien ensalada de las grandes abadías y de los pazos. La de lechuga es la mejor de las ensaladas; con sus hojas verdes y crocantes —valga el galicismo—, es la primavera lo que comemos. Yo he sido enseñado a ir a la huerta por ella, lavarla en agua muy fría, y dejarla en ella diez minutos antes aliñarla y comerla. Hay que comerla antes de que el vinagre trabaje en las hojas, y las ablande y haga perder su tersura. Hay en Galicia varias clases de lechuga: la pequeña, gris, aparece la primera, y luego viene la goda y la que llaman **abertosa,** que la hay casi todo el año, y al frío, a las mismas heladas, no le tiene miedo. Cuando hojas más grandes tengas, más el corazón será blanco y fino. La llamada roja, es una lechuga de primavera. El gallego sabe de antiguo lo que afirman los tratados de plantas medicinales más modernos: que la lechuga cura la impotencia masculina.

Hay en Galicia excelentes berros, y las gentes campesinas distinguen en ellos el macho de la hembra. Como a mí me gustan mucho, he realizado observaciones sobre los que los comen: en las antiguas ciudades y villas o aldeas en las que hubo grandes monasterios mendicantes, franciscanos o dominicos, se recogen y comen, y en otros lugares no, excepto en las ciudades modernas donde se venden en los mercados. Creo, pues, que fueron los menores y los de Santo Domingo los que nos enseñaron a comer berros. En ciertas partes de Galicia los usan como medicina, contra la urticaria, su infusión para enguajes en flemones de boca, etc. Cuando voy a la fiesta de la lamprea en Arbo, siempre veo en el menú que uno de los platos es cabrito de San Fiz asado con ensalada de berros. Pero nunca la dicha ensalada llega a mi plato.

Los grelos, además de para el caldo, o para acompañar, cocidos enteros, al lacón, hacen una ensalada muy buena. Se deben cocer enteros si es que después de cocidos y bien escurridos se les ha de añadir una ajada, cosa muy común en toda Galicia. Casi siempre esta ensalada lleva huevos duros. Pero hay una receta mejor: se parten los grelos, y se cuecen. Cocidos, se escurren muy bien. En una sartén se pone manteca de cerdo —o aceite— y se doran unos ajos; cuando los ajos están dorados, se añaden los grelos, y se revuelve continuamente hasta que chupan toda la grasa. Se sirven muy calientes, y pueden acompañarse con huevos estrellados. Si son grelos de final de temporada, y ya están amargos, y ponen amarillos los dientes del tenedor, se moja en la yema del huevo un trozo de tallo de grelo, y lleva entonces uno a la boca algo perfecto, y complejo, de sabor.

Otras ensaladas comunes en Galicia son las de judías verdes y tirabeques. Ambas con ajada o con aceite y vinagre. La casta más corriente de tirabeques en los valles gallegos, tiene un sabor muy especial, como un eco de mayo que perfumase desde lejos. La temporada del tirabeque es corta, y poco falta siempre para que se coman en demasía hecho; unos tirabeques de Betanzos, de Mondoñedo, de Padrón, de Ribadavia, de Monforte, todavía como papel de fumar de «El rey de espadas», son los propios para una ensalada. «Picadillo» da una receta para tirabeques rellenos de carne de ternera y jamón cocido, con un soplo de pimienta, rebozados en huevo y harina, y fritos en manteca de cerdo. No la aconsejo. Todo el débil perfume de los tirabeques se perderá, que mandará en él el sabor del relleno. Y el perfume del tirabeque, que viene una vez al año, y por tan poco tiempo, hay que disfrutarlo.

El gallego, que yo sepa, come desde hace poco tiempo la zanahoria, y no comía los cardos y las berenjenas, y tampoco los calabacines, hasta hace muy pocos lustros. Hay un par de recetas excelentes para los calabacines rellenos, que se me antojan compostelanas. Una de ellas es con relleno de carne, y la otra con relleno de bacalao, que supongo que sería para disfrutar en los días de abstinencia. Tampoco son de los gallegos los espárragos, aunque ahora se coman, y se comieran en los días medievales, que se sabe por documentos que en algunas abadías había esparragueras, pero no se extendió su cultivo y consumo entre los campesinos. Los monjes cluniacenses y cistercienses comerían espárragos, especialmente si andaban lentos de orina. El espárrago gallego es de excelente calidad. Tampoco el pepino entra en el apetito del gallego. Y las menestras tampoco se hicieron mucho en Galicia. La receta de las judías verdes con salsa de tomate, nos vino de Portugal, y la salsa de tomate va a unirse a las judías con pequeños trocitos de jamón. Puerros, alcachofas, remolacha de mesa, son productos de las huertas de los pazos y de las conventuales.

PIMIENTOS

Desde hace unos años aumentó en Galicia el gusto por los pequeños pimientos franciscanos de Herbón, que ahora los dan fritos en todas partes, solos y como tapa, o como guarnición de carne o pescado frito o a la plancha, o acompañando un cocido. A mí, como a muchos gallegos, me gusta que piquen algo, que es su mayor gracia ese picor suave que se extiende mansamente por la boca, y pide un chope de vino. Lo que hay que discutir es si el vino que se ha de beber con los pimientos de Herbón —o de Padrón o de Santiago, que es como se conocen en el país—, ha de ser blanco o tinto. Como se vasea generalmente en las tascas con blanco, la tapa de pimientos es acompañada con éste, claro. Pero si nos apartamos del mostrador de una taberna, y es una tarde de verano, y nos apetece entonces una pimentada con unas patatas cocidas para untar en el aceite en el que está la sal gorda que sirvió para salar los pimientos cuando acaban de freírse y aun están en la sartén, entonces yo estoy por el vino tinto, por un tinto ligero. En Betanzos, donde también tienes unos pequeños pimientos picantes, poco carnosos, afilados de punta, no tienen caso de conciencia, que los comen acompañados del vino del país, del «agudelo meigo» que es más un color y un perfume que un vino, un color perfumado. Las cosas son como son, y a veces las más humildes o pequeñas, son grandes misterios. Estás merendando una pimentada, y en el aceite de freír los pimientos, que ya dije que se les echa al final de la fritura sal gorda, rebañas con un pedazo de patata, y se le pega a éste una arena de sal, que viene a tu boca, y el todo aumenta de sabor, y llega al paladar algo de fondo y exquisito, y te dejas así, que no lo osas borrar ni con un zatico de pan ni con un sorbo de vino. Son esos instantes «chüen» de los gourmets de la antigua China, que Ezra Pound admiraba como algo de una indudable calidad, y pasos seguros en el camino hacia el éxtasis.

En las buenas huertas gallegas, en las buenas vegas bien regadas, se dan muy buenos pimientos. Llegaron al país a finales del XVII. No es por lo que los italianos dicen «por caridad de patria», por lo que yo sostengo que son de los mejores que se puedan gustar. Los hay morrones, pero también hay unas castas de pico, que engordan fácilmente, y colorean, bermejo brillante, en septiembre. En Betanzos y en Mondoñedo, los dejan en las tierras hasta que entra el invierno, y todavía se encuentran en los mercados en vísperas de Navidad. No aconsejo freírlo, por la feliz carnosidad que tienen, una carnosidad de «prima donna» de ópera, pero son excelentes para asar, sólo superados, en Occidente, por los de El Bierzo y de Ponferrada, los primeros de toda la pimentería conocida. «Picadillo» recomienda que se asen con la punta del tallo que conservan y las semillas, que sólo han de ser quitados cuando se vayan a servir, aliñados con sal, aceite y vinagre. Creo que limpios del tallo y semillas, y abierto así el boquete en la parte posterior, se hacen mejor por dentro. Después de asados, se dejan enfriar en un paño húmedo, y después se pelan. Cuando el arroz dejó de ser exclusivamente postre —arroz con leche—, se comenzaron a servir, en las mesas burguesas de las ciudades, pimientos rellenos de arroz con jamón, y eligiendo los más pequeños, de carne... Uno de los más vividos y coloreados recuerdos míos de niño, era el de las docenas de cestas llenas de pimientos rojos en la plaza del mercado, en Mondoñedo, mi ciudad, en las ferias anuales de San Lucas, y el ver cómo cargaban las dichas cestas los coches que iban a las ferias de Meira, de Lugo, de Villalba, a los mercados de La Coruña y del Ferrol. Ver cargar pimientos y pan, era lo que más me gustaba. Quizá todavía más el pan, por el olor, acabadas de salir las hogazas del horno. Cuando yo desde Vigo, donde resido, voy a pasar unos días a Mondoñedo, si es tiempo de pimientos, me traigo una cesta, y una hogazas de pan. A veces los pimientos tienen en su rojo una alargada mancha verde o púrpura, tal que parecen obra de pintura veneciana.

«Picadillo», el maestro de la cocina gallega, dice que los dados de jamón que se incorporan al arroz del relleno de los pimientos, se deben pasar por la sartén con una rodajas de chorizo. No lo hagan. El sabor del chorizo se opone al del pimiento. Las buenas recetas son las que no llevan contrarios entre sí. Por eso los griegos le llamaban «armónico» al cocinero.

REMATANDO CON VERDURAS Y LEGUMBRES

Del arroz ya se dijo en las páginas preliminares de esta descripción de la cocina gallega, que es cosa de hace pocos años entre nosotros, ya sea en paella, ya arroz blanco, ya milanés. La receta del arroz blanco nos vino de Cuba, y no había gallega que regresase de años de emigración en la Perla de la Antillas, que no enseñase a hacerlo en su aldea, servido con salsa de tomate y huevos fritos. Las habas no se llevan en la cocina gallega como guarnición, ni se hacen fabadas, como la de los asturianos —aunque son muchas las habas gallegas que comen en Asturias—. Fue cosa de gallegos antiguos cocer habas tiernas en leche, y comerlas con el añadido de una cucharada de miel. Me dicen que todavía lo hacen los monjes de Samos, que a lo mejor guardan la receta desde los días de Alfonso el Casto, que fue pupilo allí, hace mil años. Ya dije también que son muy poco gallegas las menestras, aunque quizá se pudieran comer, con los productos de las famosas huertas de Galicia, las mejores del mundo, o por lo menos tan sabrosas como las de Tafalla en Navarra... Todavía la mayor parte de Galicia ignora las coles de Bruselas, y sólo en las ciudades se sabe lo que son las alcachofas. Mi abuela materna trajo alcachofas al regreso de un viaje a Madrid, y en Mondoñedo se las mostró, y dio a probar, a un grupo de señoras amigas, que no sabían que tal cosa existiese. Estuvo presente en la prueba el deán de la S. I. Catedral, don Gervasio Rodil Osorio, muy liberal en cuestiones de cocina, pues comía caracoles, cosa que no hizo nunca ningún gallego natural.

Y termino este aparte con algo muy de mi gusto, que se hace todavía en mi casa, y se hacía en la cocina de las mejores familias compostelanas y luguesas: los **bertóns** rellenos; es decir, los cogollos de las berzas. Cuando se levanta la huerta vieja para plantar la nueva, se recogen los corazones de las berzas. Se limpian y escaldan, y rellenan de un picadillo de carne, con algo de tocino de jamón, y poca cebolla. Al picadillo se le añade huevo batido. Se rellenan los **bertóns**, y se atan con hilo, no se descompongan. Se les pasa por la sartén, que rehoguen algo, y en seguida se ponen en una tartera, con aceite en el que se doró un poco de cebolla picada, algo del caldo en que fueron escaldados, un poco de vino blanco seco, unas gotas de vinagre, y a cocer lentamente. Los **bertóns** deben llevar parte del tallo; con el poco agua que sueltan los **bertóns**, la salsa toma un sabor muy característico, amarguillo. Es sin duda uno de los grandes platos que nos quedan de la cocina gallega clásica, es decir, la de los pazos y los canónigos del siglo XVIII.

UN COCIDO

Aunque en estos tiempos corra más el lacón con grelos, siempre se encontrará a un puñado de gallegos citados para comer un cocido. Como se acostumbra a decir en el país, un cocido de cura. Un buen cocido lleva muchas cosas: jamón y lacón, carne fresca, tocino y chorizos, gallina y garbanzos, y por descontado, patatas. Y a la carne de puerco que va al cocido aún se le puede añadir oreja y hocico, y costilla salpresa, si la hay. Y con el agua en que coció la carne se puede hacer una excelente sopa, de arroz o de pasta. Hacen falta tres fuentes para servir un cocido, que en una va la carne de puerco con la verdura, en otra la carne de ternera con la gallina, y en otra los chorizos con los garbanzos. Yo todavía recuerdo grandes cocidos, comenzando por los vistos y comidos en casa de mis abuelos, en Riotorto, en la antigua tierra luguesa de Miranda, en los que venía a tabla otra fuente con castañas cochas, y con ellas una pelota de carne picada, bien especiada. Jarrete y falda son las mejores carnes y vacunas para un cocido.

Antes de que llegasen al país los garbanzos zamoranos, antes de que llegaran las patatas, el peso del cocido debían de llevarlo las castañas y nabos tiernos. He oído contar que en algunas partes acompañaban al tocino unas rebanadas de calabazo cocido.

Comer un cocido exige una cierta calma, y un saber de la repartición de la sustancias en el plato. Ahora se acostumbra a servir con el cocido una buena ensalada de lechuga, o salsa de tomate, o pimientos morrones asados. Yo entiendo que mientras se come la verdura, los grelos y el repollo, acompañando a la carne de puerco, todavía no es la ocasión de la lechuga, de la salsa de tomate o de los pimientos. Así, los mejor es ir comiendo la carne de puerco con la verdura que coció con ella, y cuando se llega a la segunda parte (galliña, carne fresca, garbanzos), será el momento de la ensalada, o de la salsa de tomate, o de los pimientos morrones. Prefiero la ensalada a los pimientos morrones, y éstos a la salsa de tomate. O mejor dicho, rechazo la salsa de tomate. Es nuevo y no es nuestro este sabor quitasabores.

Me he dolido muchas veces de la pérdida que tuvo la cocina gallega con la desaparición de las castañas, en parte por tantos castaños como murieron de la enfermedad que llaman de la tinta, en parte porque se fueron imponiendo las patatas, tantas veces insípidas. Pero el que no llevó a la boca una tajada de tocino **enfrebado,** con hebras con una castaña, tocino bien cocido que se deja aplastar con el tenedor, con la castaña, ése tal perdió uno de los sabores más cabales de la cocina nuestra antigua.

El cocido tiene que estar bien escurrido, y ha de servirse muy caliente. El cocido pide un tinto del país, el más sereno y graduado que se pueda. Pueden ser vinos chantadinos, de los riberos del Miño, de Asma o de San Fiz, o vinos de Ribadumia, que son, con los de Rubios, del condado de Salvatierra, los mejores vinos rojos gallegos. Hace años, estaba yo en el jurado del concurso de los vinos del condado susodicho, en la torre que está al borde del Miño frente a los prados y viñedos de los lusitanos, de la ribera de Monzón, de donde son algunos de los más ilustres blancos de Occidente, albariños, vinos verdes, con un perfume de fondo, que va y viene desde la alegría a la saudade; en aquella torre, en la que fue sala de armas, y que tiene una escalera doble de caracol, quizá para que suban y bajen sin encontrarse los fantasmas de doña Urraca, reina de Castilla, y del bastardo Pedro Alvarez de Soutomaior, digo que estábamos catando, y había que puntuar los vinos de 0 a 5, y a mi lado estaba otro catador, que en una ojeada que eché a su papel vi que escribía en vez de poner números. Le pregunté qué le ponía a aquel vino que estábamos catando, y me mostró la hoja: «Bueno para un cocido», había escrito. Sí, era un tinto de Rubiós, maduro, grave, harto, campechano. Sí, un tinto para un cocido. Aquel catador era, además, un gourmet.

Pese a todos los avances culinarios, y a las mutaciones de los tiempos, un cocido es el plato de honra del gallego en las grandes fiestas de los santos patronos, y en las familiares. Cocidos de cura, cocidos de boda.

LACÓN CON GRELOS

Ya dijimos antes, hablando del cocido, que ahora pinta más en las mesas el lacón con grelos, y ya lleva Galicia camino de no producir tantos lacones como se comen. Para el forastero en nuestra cocina, hay que decir

que el lacón son las patas delanteras del cerdo, en algunos lugares caste-
llanos llamados paletillas. Desde San Martín comienza la ronda del lacón
en Galicia, que ya no termina hasta martes de Carnaval. En los restaurantes, en las tabernas, en las casas particulares, y cuando unos amigos deciden un almuerzo comunal en los meses de invierno. El lacón vive horas
triunfales que no pudo ni sospechar «Picadillo». Por cierto que se me va a
permitir disentir de «Picadillo». Dice el maestro de la cocina gallega que a
las nueve de la mañana debe ponerse a cocer el lacón con mucho agua, y
que a las once hay que añadir los grelos y los chorizos. Ignoro a qué hora
comía «Picadillo», pero si era a las doce, los grelos estarían bien cocidos y el
lacón quizá no. Dice también el gastrónomo coruñés que con los grelos se
echan a cocer los chorizos, y a las doce las patatas, peladas y enteras.
Supongamos que el maestro «Picadillo» comía a la una, puesto que dice
cómo a esa hora había que ponerse a servir. A la una, muy bien, hora civil
europea, de comer. Pero los grelos echados enteros a las once, ya estarán
hechos unas papas, si cocieron a la andadura seguida y plena del lacón.
De dos horas para cocer un chorizo, sobra una   El lacón necesita sus dos
horas y media, y los grelos, chorizos y patatas, todo lo más tres cuarto de
hora... El lacón se puede comer salpreso, o poco después de salir del baño
de salar, o curado. En este caso hay que dejarlo veinticuatro horas a
remojo. «Picadillo» da como novedad, salida de la cocina de un comerciante
coruñés de finales del siglo pasado, el meter en el horno el lacón que
quedó a remojo, después de secarlo muy bien; se deja poco tiempo en el
horno, hasta que comience a dorar la piel, y entonces se saca, se limpia
muy bien con un paño, y se echa en el agua en que va a hervir. La receta
es muy antigua, y parece que proviene de la comarca de Sarriá, de Triacastela, de Portomarín de los Caballeros de Malta, de Loyo de los Caballeros del Temple, y de la abadía de San Julián de Samos.

Mi experiencia personal es que el lacón cueza solo, media hora por
libra por lo menos. Una hora de antes de la que se suponga que va a estar
perfectamente cocido, se retira para otra tartera parte del agua abundante en que está cociendo, y en esta tartera se echan los grelos, enteros,
bien limpios de hilos los tallos, y poco después las patatas, y unos minutos
más tarde los chorizos. Si se logra que los chorizos no rompan en la
cochura, mejor.

Han visto que he citado varias veces ya a «Picadillo», porque es el único
texto que tenemos en Galicia, y porque ya he dicho que reflejaba el gran
momento de la cocina burguesa gallega de finales del siglo pasado y
comienzos de éste, aunque ya con mucha receta foránea, lo que no hace
al caso. Cito para coincidir y para disentir. Si disiento es en virtud de

principios, de una filosofía de los sabores o por creer que una tradición es mejor que otra, o por disquisiciones que los grandes gastrónomos han hecho sobre platos semejantes a los nuestros de la cocina cristiana occidental. Y en esto del lacón me sale ahora mismo al punto de la pluma un caso de coinciencia. Ya se que con el lacón acostumbran a servirse grelos, patatas, chorizos. En la tradición germánica, los codillos de cerdo, van en el plato solamente con verdura. El lacón, entiendo yo, debe ir solo, y no demasiado cocido, con los grelos. Al cocer éstos, ha de estar la tartera destapada, y conviene remover despacio, con una espumadera, oreándolos, y así conservarán un verde más lucido. Si va chorizo con el lacón, he de observar que un bocado de chorizo picante destruye el sabor del lacón, o mejor, los sabores, que el lacón tiene un gusto diferente en el codillo, otro en el tocino de la parte superior, otro a lo largo de la caña, y no es el mismo sabor de la piel más gorda y grasa que el de la delgada y más seca. Soy de los que creen que hay que beber el caldo del lacón después de comer el lacón, y que el caldo de lacón no debe llevar el aroma del chorizo. Muy de gallegos de tierra de vino, es echar un golpe de vino, una **fecha,** decimos, en la taza o cunca en la que bebió el caldo, y hacer girar el vino, limpiando el interior, y beberlo, dándole así una despedida al lacón.

El lacón con grelos se ha impuesto, ya es como el plato mayor, y más notorio, de la cocina gallega. Hablando de la cocina nuestra con forasteros, así que se nombran los mariscos, ya sale a relucir el lacón, antes que las empanadas, que pasaban hace unos años, y no muchos, por lo más propio de la cocina de Galicia.

Hay muchos que prefieren el lacón cocido frío, cortado en lonchas delgadas. ¡Si lográsemos que lo sirvieran así, con un puré de castañas! También se hace lacón cocido, deshuesado y prensado. También, ya prensado, se puede mechar y trufar, que es receta muy del señorío del lugués, imagina uno, puede ser romano, y entonces se podrá «ver» en los baños calientes, en las termas lucenses, a los reumáticos y gotosos, curándose en aquellas caldas salutíferas el pretor y los jurisperitos, los centuriones y hasta un maestro de gramática llegado a la ciudad para enseñarnos a los bárbaros más occidentales, la lengua latina, la retórica, la poética. También se asa el lacón. Hay que adobarlo bien, con orégano, con pimienta. Lacón de la matanza, claro, que no ha ido a la sal. Debe estar un día largo en adobo, acariciado con vinagre, perfumado con ajo y con laurel. Se asa sosegadamente, aunque al final se apure el horno, para que encuentre la piel.

EL JAMÓN

Pieza noble del cerdo, entre nosotros mereció un hermoso canto de don Ramón Otero Pedrayo. Hay que decir que el labriego nuestro, escaso jamón comía hasta estos tiempos, que poco cunde en una casa labriega, y se vendían a los tratantes de Monterroso o de Dacón, de Sarriá o de Lalín, o a los asturianos, o se cambiaban por tocino con costilla, o se hacía trato con los maragatos cambiando los jamones por aceite, garbanzos, bacalao. O el dinero de los jamones servía para pagar las contribuciones que caían sobre las parvas tierras. El jamón del verdadero cerdo gallego tiene mucho tocino, aunque ahora con las nuevas razas y los diversos cruces entre estas, hay buenos jamones que curan muy bien en tierras de montaña. El gallego es gente de jamón crudo, cortado en tacos mejor que en lonchas finas de máquina. Al gallego le gusta el jamón cortado grueso.

Aparte crudo, el gallego gusta de hacer unas lonchas con abundante blanco, en la sartén, y romper encima un par de huevos. Cocer, solamente un buen trozo para un cocido, y ello en casas de más de mediano pasar. Que se coció jamón en vino en Galicia en los días de la que llamaremos «la cultura de los pazos», no hay duda. Jamón fresco, que no ha ido al baño de sal. Se cuece el jamón en tinto aguado, pero en la hora final de la cocción se le añade vino puro. Ya cocido, se colgaba en la cocina, cerca de la chimenea, a secar, durante un par de días, y estaba comestible, ahora sí que en largas lonchas. Me contó un vecino de ellos, un anciano que los conociera muy bien, que hace todavía sesenta o setenta años, los hidalgos de Tor, entre las cosas que se decían de ellos para alabar su riqueza, era que todos los años de Dios cocían, en época de matanza, un par de jamones en vino, y con unas manzanas tabardillas. Como si supieran la antigua receta de las Tierras Soberanas de Sedán, que yo he recordado en mi libro «La Cocina Cristiana de Occidente».

Los mejores jamones gallegos son, naturalmente, los de las comarcas montañesas, de las tierras altas y frías, Puebla de Trives, Cervantes, Fonsagrada, Lalín, Tierra de Montes, Triacastela, A Mezquita. El gallego tiene miedo siempre de que se le pierdan los jamones, y así los tienen en la sal más tiempo del que es menester, y el resultado es que están pasados de sal.

El jamón asado se ha ido imponiendo en estos últimos tiempos. Lo asan muy bien en Lugo, y en La Coruña, en las calles famosas de la Estrella y de los Olmos, en algunas tascas. Quizá en Lugo vaya al asador mejor adobado, en algunas tabernas. En una casa de comidas que había en Lugo, que tenía cierta fama, y estaba por detrás del palacio municipal, le hacían un adobo, que además de llevar las generales de la ley —ajo, pimentón, orégano, laurel, vinagre, sal clavo y comino— otra cosa llevaba en la que servidor no caía. El cocinero nunca me quiso decir su secreto, y un día, almorzando allí, a la muchacha que me servía la propiné por saber la receta del adobo. Miró para mi con sus ojos veros, muy miradores, y sonriente me respondió, corrigiendo mi gallego:

—Quererá decir vostede **o adubo**.

Pero no me dijo qué llevaba el adobo, ni como ella decía **o adubo**.

Como el lacón, el jamón hay que asarlo sin prisa. Hay que asarlo con el hueso. Y mejor está frío que caliente, y con cada tajada hay que pedir de aquella piel bien tostada, que quiebra en los dientes.

Quien fue mi antecesor como cronista de Mondoñedo, don Eduardo Lence-Santar, contaba y no paraba de un «pan de pernil» que un conde que vivía en un pazo en La Coruña le había enviado de regalo a Montero

Ríos, a su pazo de Lourizán; regalo que llegó a tiempo para una merienda política. Fui a ver al «Picadillo» por si venía allí el plato, y viene, y nada menos que nos dice el hidalgo cocinero que se trata de un plato «pre-rafaelista». Supongo que de los pre-rafaelistas ingleses. Pero, ¿a dónde irían comiendo «pan de pernil» a aquellos cuerpos delgados de su pintura, aquellos perfiles en los que se buscaba el aquilino del Dante, aquel en el que Christina Rosetti semejaba una princesa de Piero della Francesc? «Picadillo» nos dice que fue conocido con el nombre de «pan de pernil» por los antiguos, y que es para comido fiambre. ¿De dónde tendría la receta? ¿Estaremos verdaderamente delante de una receta antigua, de la cocina de los pazos coruñeses de Sigrás, de Almeiras, de las Mariñas? Se cuece el jamón con zanahorias, chirivías, cebolla y perejil, y se quita del fuego cuando no está hecho. Se corta en lonchas delgadas, sacándole lo blanco. Con éste, y con lomo de cerdo, se hace un picadillo, sazonado con pimienta, vino de Jerez «y el líquido de una lata de trufas». Se cubre un molde con masa de timbal, y se extiende en él una capa de picadillo al que se le han añadido trufas, y encima se pone una capa de lonchas de jamón, y sucesivamente capas de picadillo y capas de jamón hasta llenar el timbal. Se le hace una tapa de masa y se mete al horno. Cuando la masa tiene consistencia, se quita el pastel del molde, y se deja que siga haciéndose mansamente. Cuando está hecho, se saca del horno, se deja enfriar, «y se sirve como cualquier otro fiambre». Tiene algo de parecido con algunas formas antiguas de la famosa «quiche» de Lorena. Yo no lo probé nunca, pese a mi amistad con los pre-rafaelistas: **Life and world, and mine own self are changed/for a dream's sake...** La vida, el mundo y mi ser cambiaron/a causa de un sueño... De verdad que no me imagino a Cristina merendando «pan de pernil» y después yéndose a dormir, «fría y blanca, invisible para el amigo y amado, por fin durmiendo», **cold and white, out of sight of friend and lover/slleping at last...**

Ahora no hay que ir a casa del señor, del cura, del médico o del abogado para comer jamón. Ahora el gallego lo comé más o menos cuando quiere —aunque sea foráneo insípido, de cerdo de granja—, y ya come bien menos el cura, quizá.

El jamón, «padre de las enfermedades de los pazos antiguos», que cantó Otero Pedrayo, tiene una gran seducción, y mirarlo da como hartura, con su feliz color, cuando unas magras, violeta, púrpura, están en una fuente, en la mesa. A una dama sthendaliana, las magras del jamón de Parma, el verlas, le daba languideza. Quizá aconteciese lo mismo con las delicadas señoritas de los pazos gallegos.

Y FINAL DEL PUERCO

Me gusta eso que se lleva ahora en muchas tabernas del país de dar una tapa de oreja o de cachucha al que bebe una taza de vino. La terminología de las tazas hay que estudiarla. En Vigo, por ejemplo, le llaman taza a las cuncas pequeñas, y vaso a las cuncas grandes, casi el doble de la taza. En Orense hay una taberna que dá exclusivamente tapa de orejas, y por eso es conocido en toda Galicia como el «Bar Orellas».

En las ferias de Sarriá, por ejemplo, se pueden comprar unos mazos de uñas de puerco. Lo antiguo era comer las uñas de puerco cocidas con castañas. Ahora se cuecen y se comen con grelos, o con garbanzos. También se pueden cocer, secarlas bien con un paño, y darles una vuelta en la sartén, rebozadas en harina. Las uñas, como las orejas, tienen sus grandes aficionados.

El puerco, pues, dio lo suyo. Un amigo mío, desde la puerta de su cocina, le echaba una mirada a todo lo que colgaba en el techo de ella, tocinos jamones y lacones, y me decía que con aquello, y con los cerdos que se estaban criando en las cuadras, que ya podían venir temporales, lluvias, vientos y disturbios civiles, que él estaba bien servido y a seguro. Era el viejo, eterno tema del hambre en Galicia, que ha estudiado el Dr. García-Sabell, y que viendo mi amigo la carne colgada en la cocina, y escuchando gruñir los cerdos en las cuadras, se le desvanecía en el fondo de su memoria labriega. La obsesión del gallego por la cocina procede sin duda de las hambres de antaño. Hogaño, piensa que quizá estas abundancias no duren siempre.

LAS EMPANADAS

Hay quien sostuvo que las empanadas eran una invención de pueblo pobre. Que lo siga diciendo. Galicia es el país de las empanadas, y conviene decir que entre nosotros se han ensayado empanadas de casi todo. Algunas gozan de más fama y prestigio que otras. La de **papuxas,** avecillas de la ribera del Cabe, solamente se hacen en Monforte de Lemos. De Lugo y de gran parte de la Galicia fluvial son las empanadas de anguila. En las Rías Bajas, se hacen, con masa de harina de maíz, excelentísimas empanadas de berberechos y de vieiras. Las empanadas no necesitan una masa especial, y pueden hacerse con la misma masa del pan cotidiano. Aunque, naturalmente, se hacen masas diferentes para diferentes empanadas. Yo soy de una ciudad de pan famoso, con panaderas célebres. Las más de ellas, cuando van a enhornar, aderezan lo que tienen para comer —desde sardinas a conejo, carne o bacalao—, y hacen su empanada, siempre bien encebollada y aceitada, la de sardinas con tomate. Pan y compango al mismo tiempo. Y si no hay otra cosa a mano, se cortan unos torreznos, se pica un chorizo, se revuelve todo ello con cebolla en la sartén, y se hace una empanada que va en la boca del horno. Pero una buena empanada debe llevar su masa propia, una masa fina, que hay que estirar muy bien. Cuanto más delgado sea el pan de la empanada mejor. Si la empanada se hace con pan de hornada, se acostumbra antes de meterla en el horno a hacerle un agujero en el centro de la tapa, con su correspondiente tapón de masa. Cuando la empanada sale del horno, y antes de comerla, se le echa por el agujero la salsa, el **prebe,** que se dejó en un pocillo, cuando se preparó lo que va empanado.

Las empanadas de la Galicia del interior son más hartas de pan que las de la Galicia marinera. El pan de la empanada es de trigo, pero yo no reniego de una empanada de maíz, si es de pescado, sardinas, por ejemplo, o congrio, o de berberechos. Recuerdo como uno de los bocados más exquisitos que hayan entrado en mi boca, una empanada de berberechos, presentada en Villagarcía en un concurso. El pan, aunque hecho, estaba blando y fácil en la boca, y penetrado del sabor de los berberechos o **croques,** y éstos, que eran grandes, y estaban en sazón tersos, al **dente,** que diría un italiano. Llevó la empanada aquella, que la presentaban mis amigos Manolo y Josefa, de Vilaxuán, el primer premio. Un primer premio «per saecula saeculorum»... Cosas como éstas, debían poder conservarse como «Las Meninas» de Velázquez, por ejemplo.

En el país lugués especialmente, pero en general en toda Galicia la empanada más celebrada es la de lomo de cerdo, la de **raxo,** que ya dijimos. Una empanada solemne, y con la de zorza, las dos únicas empanadas que no deben de llevar cebolla. Dos grandes y apreciadas empanadas son la de anguila y la de lamprea. Una empanada de anguila, con anguilas de septiembre de los ríos de la Terrachá luguesa, o del Miño en Portomarín, es una gran cosa. Las mejores empanadas de lamprea son las que se comen en Caldas de Reyes, mejores que las de Tuy, Padrón, Santiago de Compostela. Las empanadas de Caldas son de lampreas del río Umia. La masa un poquillo gramada, empanadas redondas y pequeñas como las que le ofrecen a un obispo en un capitel románico del palacio de Gelmírez en Compostela. La lamprea, aunque cortada en trozos, va entera, enroscada, en la empanada. Se pide una empanada individual —y no por opiniones políticas, o por el individualismo ancestral del gallego—, y se levanta con lentitud la tapa, y entonces sale de su prisión aquel perfume acanelado de la lamprea, que también es para las narices de uno solo. Una buena empanada de lampresa es una gran cosa. La lamprea se pasa antes en la sartén, con cebolla, buen aceite, su sangre, y medio vasito de vino tinto. Nada de pimentón ni otras especies.

Y no quiero dejar de decir que en Ribadavia he comido grandes empanadas de anguilas, tan excelentes como las de Lugo o de Tuy. Recuerdo una de Ribadavia, yendo en un septiembre a las fiestas de Carballiño. Acababa de salir del horno. Las anguilas que contenían eran gruesas y grasas. Se escuchaba una campana, que era la de la torre de la iglesia de San Juan, donde fueron los caballeros del Hospital de Jerusalén, y servía la mesa una muchacha de ojos negros que sabía entornarse para agasajarnos con esa mirada de la raza de la Revelación; de la que es seguro que la muchacha lo fuese, superviviente de la sinagoga de la villa donde el Miño y el Avia se toman de la mano.

La más popular de las empanadas de la Galicia marinera es la de **xoubas,** o sardinas pequeñas, con mucha **zaragallada** o salsa con tomate, pimientos verdes, cebolla. En las Mariñas de Lugo se come empanada de congrio, llena de los trozos de la parte abierta, con poca espina. En las Rías Bajas hay excelentes empanadas de mejillón, y es de excepcional calidad la de vieiras. En muchas partes de Galicia se saben hacer buenos pastelones, hojaldrada la masa: pastelones de pollo, de salmón, de reo, de pichones...

La ronda de las empanadas gallegas es inacabable, e incluye al conejo casero: una empanada aromatizada, en muchos lugares, al anís. No hay fiestas sin empanadas. En los campos de las romerías se abren las cestas de la merienda, se tienden los blancos manteles, y en seguida aparecen las empanadas, unas doradas, otras siena, otras tostado de Venecia. Si la empanada es de pan de panadera, de esas grandes, ovaladas, abombadas, hay que darles la vuelta, y cortar por la tapa de abajo, quedando la de arriba como bandeja en la que yacen las tajadas. Todas las empanadas son buenas, pero algo menos que otras las de carne de ternera, por muy adobada que vaya. En las grandes casas de la Terrachá, de la llanura lucense, se comía empanada de liebre. Yo la he probado una vez, en casa de ilustres parientes, los Montenegro de Begonte, y desde entonces quedó en mi memoria aquella empanada como lo propio de una aristocracia campesina. Y si ya hombre, dado a escribir, imaginaba un banquete de la Tabla Redonda, uno de los platos, que quizá le daban a partir a Lanzarote del Lago para que le ofreciese el primor de una tajada a la reina doña Ginebra —que la cogía con la punta de los dedos como el muslo de pichón la priora de los cuentos de Chaucer, tan delicada—; digo que uno de los platos que llegaban a la mesa de los paladines era una empanada de liebre, hecha en molde, como la que yo comiera en casa de los príncipes de Montenegro, en Begonte; la liebre casi nadaba en una salsa espera, oscura, en la que iba la sangre, cebolla y perejil, y según me confiaron, un vaso de coñac.

El gallego siguel fiel a las empanadas, aunque se asegure que el aumento en el nivel de vida en los pueblos se traduce siempre en una disminución en el consumo de pan. Creo yo, además que al carácter del gallego le van las empanadas, que siempre son como una especie de caja o buzón secreto, que si se cortan a rebanar, nunca se sabe lo que trae dentro, si la tajada favorita o no. Es como investigar en una colina en busca de un tesoro.

Por Cuaresma, se hacen empanadas de bacalao, deshebrado, con mucho aceite, y pimientos morrones picantes. El pastel de riñones, que era famoso en Orense, nadie sabe hacerlo. Tampoco creo que se haga la empanada de ostras, y las almejas nunca se empanaron. Los humildes **croques,** los berberechos de Noya, esos sí.

LOS MARISCOS

Que el gallego marisqueaba desde los días prehistóricos, se sabe por los **concheiros,** los montones de conchas que se encontraron, y encuentran, desde Bares a las islas Cíes. Aquel antepasado nuestro, del que quizá no llevemos mucha sangre en las venas, pero tenemos en común ese lazo de parentesco no muy bien estudiado, que está formado, en parte, por el hombre como sujeto pirandelliano, entrando en la escena y saliendo él mismo y a la vez diferente, en parte por vivir una misma tierra, bajo un mismo cielo y nubes, al abrigo de los mismos valles y en las mismas riberas, orilla de los mismos ríos, parentesco por el paisaje, del que ya entrevió secretos el francés Gaston Bachelard; digo que aquel antepasado nuestro que hacía los **concheiros,** los «kjiokenmöddings» de los prehistoriadores, sería uno de los primeros hombres del mundo que osó comer lo que tenía dentro un monstruo de poderosas pinzas agresoras como una gran centolla, o un bogavante que levanta la cabeza, vikingo oteador vestido de azul. En los **concheiros** hay conchas de ostras, de almejas, de vieiras, de croques, restos de caparazones y de grandes patas de centollas o de bueyes de mar. Nuestro antepasado marisqueaba. El mar de Galicia, las Rías Altas y las Bajas, dan todo lo que los franceses suelen llamar «los frutos de la mar».

¿Por dónde comenzamos?

Por las ostras, que yo también comienzo por ellas cuando me doy una mariscada. Hay ostras y hay morrunchos, es decir, las ostras verdaderas, la ostrea edulis, y la ostra plicata, y puede ser que en algunos morrunchos comidos —iba a decir, bebidos—, en Brueu o en Noya, en Corcubión o en Cedeira, esté en mayor intensidad esa profunda mixtura marina que es la gloria sabrosa de las ostras. Hoy se practica intensamente en las costas gallegas, y en especial en las Rías Bajas, la ostricultura, y se comprueba la desaparición de los antiguos bancos naturales. El gallego ha sido tradicionalmente un gran comedor de ostras. En el mortero para la construcción de las murallas de Lugo han sido empleadas docenas de toneladas de conchas de ostras. El gallego no solamente comía las ostras crudas, sino que llenaba con ellas barrilitos que las contenían en escabeche. Hoy está en franco desarrollo la ostricultura, por ejemplo en O Carril y en las aguas de la isla de Cortegada, aunque haya ya pocas en los antiguos bancos de Arcade. Las mejores ostras son, claro es, las de los días invernales, y las mejores las cogidas cuando pasaron varios días sin llover, y cayeron heladas. La ostra necesita que la densidad del agua no descienda de 1.010 durante la época más lluviosa del año. Aunque la ostra aguanta bastantes horas fuera de su hábitat, cuanto más frescas mejor, sin que ellas consumieran todo el agua que guardan. Son aperitivas y golosas, y muchos comedores de ostras las saludan con unas gotas de zumo de limón. Bien está, pero cuanto menos limón mejor. Las ostras van bien para unas once después de una noche de farra. Deben tomarse bebiendo un blanco no muy seco, y frío. Y no más frío que las propias ostras, que conviene que lo estén. Está muy bien ponerlas sobre un lecho de hielo, abiertas sobre la concha izquierda, cóncava. Algún albariño de las viñas más próximas al mar, que es más dulce, será el mejor para las ostras. No soy partidario de atiborrarse de ostras: una docena, sorbida a modo, con un **grolo** de vino cada cuatro, basta. Los barrilitos de ostras en escabeche que pedían Samuel Pepys y el Dr. Johnson en las tabernas de Londres, eran de cinco docenas. La ostra tiene un sabor límpido y nítido, que pende de la escasez y mansedumbre de su poca carne; en la ostra hay tanto espíritu como carne. Balzac recomendaba que el comedor de ostras se fijase especialmente al comerlas en la parte central circuncidada por el hígado, y que allí metiesen, de entrada, el diente. Ninguna de las recetas de ostras, como el pastel al bechamel, por ejemplo, son comparables a la ostra viva salida recién del mar. Volviendo a las ostras en escabeche, en la

Galicia marinera se hacían muchos barrilitos, pero ahora, con el precio que alcanzan, ya no se hace casi ninguno, y casi puede decirse que va perdida la receta. Al padre de «Picadillo», cuenta éste, a su pazo de Anzobre, le mandaba ostras escabechadas como regalo de Navidad, un clérigo de Rianxo, en la ría de Arosa. A mi casa de Mondoñedo, siendo yo niño, también llegaban desde Cambados, regalo de mi tía abuela doña Concha Montenegro. La receta del clérigo de Rianxo y la de mi tía, creo que serían la misma. Otras recetas me dieron hace años en Cambados, don Manuel Silva y de la casa de los Fraga, y son la misma, con levísimas variantes. Se sacan las ostras de las conchas, bien enteras, y se les da una vuelta en la sartén, sin rebozar, y que nos las queme el accite, que ha de ser excelente. Ésta es la parte más difícil de la operación. Fuera ya de la sartén, se las deja enfriar, y ya frías se las va poniendo dentro del barrilito, y allí están en espera del escabeche, que se hace con el aceite que sobró de freír las ostras, más otro aceite limpio, dorando en la mezcla de ambos unos ajos, los cuales se tiran. Se añade al aceite vino blanco con vinagre, a partes iguales, y se pone a hervir con unas hojas de laurel, sal y unos granos de pimienta. Hierve que te hiervas hasta que se consuma un poco. Y cuando se piensa que ya está, se aparta del fuego, se deja enfriar, y cuanto más frío mejor, se vierte sobre las ostras. Yo pasé, llevo pasados ya, muchos años sin comer ostras en escabeche. Cuando las comía, aún no sabía que las había comido en las tabernas del East End londinense, de regreso de un día de trabajo en el Almirantazgo, o de una amorosa sesión vespertina, con música de laúd. Y ahora que no las como, que no las hallo, cada vez que leo en el «Diario» de Pepys o en la «Vida del Dr. Johnson», de Boswell —la mejor biografía que se escribió nunca, dicen los ingleses—, cómo ambos personajes van a las tabernas, se sientan cerca del fuego, o junto al ventanal si es verano, piden una pinta, o dos, de cerveza y un barrilito de ostras —que eran gallegas, embarcadas para Londres en Pontevedra o en Bayona—, y meriendan golosos y filosofantes, se me hace la boca agua, que es el eco de las ostras escabechadas que comí de niño.

Fui enseñado que las ostras hay que ir abriéndolas y comiéndolas. Ya dije que había quien estaba por los morrunchos, pero yo estoy por las ostras grandes, en la gran tradición que va de Gelmírez a Marcel Proust, por las ostras carnosas. Hay que sacarlas enteras de la valva, y llevarlas a la boca desnudas, como le enseñaba Balzac a comerlas a la Extranjera. Las encías deben ser bañadas por el zumo, por decirlo así, de la ostra, que inundará toda la boca. Balzac recomendaba morder cada poco la punta de una tostada levemente tocada por la mantequilla, para «neutralizar las papilas gustativas».

Las ostras han ocupado siempre un alto lugar en la gula del gallego. Cuando en 1416 los canónigos de Compostela, en nombre del arzobispo, señor de la ciudad, fijaban los precios de pescados, crustáceos y moluscos en el mercado compostelano, las ostras tenían entonces un precio doble que la langosta —que nunca ha sido, hasta tiempos recientes muy apreciada por el gallego—. Las ostras tenían diferentes precios si eran **enchousadas,** es decir, sin abrir, o **eschousadas,** es decir, abiertas. La langosta figuraba entre lo más barato que daba el mar, al lado de las jibias, los jureles, el pulpo, las sardinas...

Hay varias clases de almejas en el mar de Galicia: la llamada de caste o fina, su concha coloreada, casi siempre bronceada o leonada; la babosa, la **tapes pullastra,** algo mayor que la anterior, de valvas más frágiles y convexas, y sus dibujos y colores más variados: es la más apreciada para la cocina, con su carne algo más dura; la **babosa cadela** o **picuda,** la **tapes aurea,** que debe este nombre al color dorado del interior de sus valvas, y la almeja **roiba,** rubia, así llamada por su color rojizo. Los ribereños de las rías de Arosa o de Marín disputan sobre la calidad de unas y otras. Se cocinan a la marinera, o con arroz, o se comen vivas, con su gota de limón, como las ostras. Hay a quienes les gustan las almejas a la marinera picantes, pero yo no estoy a favor de ésto. Cuando más simplemente se cocinen estas cosas de tan delicado sabor o perfume, mejor es. Hay que salvar su sabor natural por encima de todo. Lo mismo pasa con los berberechos o **croques,** que lo mejor es abrir uno contra otro, acariciarlos con una gota de limón, y tragarlos.

Las almejas, los berberechos, las navajas, hacen muy buenos arroces, que no deben llevar más que el aceite en que se doró la cebolla y abrió el arroz, agua y el fruto de mar que corresponda. Las navajas están muy bien abiertas al vapor, y luego servidas con unas gotas de aceite y de limón. En lo que se refiere a las vieiras, hay que recomendar a los cocineros gallegos la simplicidad. Quizá lo mejor fuera el sacarlas de la concha, salarlas, rebozarlas en harina de maíz, y freírlas sin más. La antigua receta que «Picadillo» llama de las Rías Bajas, y que dice deberla al poeta Lisardo Barreiro —quien se la pasó en verso, para más señas—, la alteran en numerosas cocinas —incluso echándole una cucharada de salsa de tomate—. A una vieira le basta, después de limpiarla y quitarle el collarete oscuro, meterla al horno en su concha, con un poco de cebolla picada, aceite, perejil y unas gotas de limón, cubriendo la carne con una lonchita de jamón o un poco de miga de pan. La receta del poeta Barreiro, que la da por tradicional en las Rías Bajas, es en demasía complicada para que haya sido nunca popular. Hay que sazonarla con nuez moscada, pimienta, aceite, vinagre, y cubrirla con pan rallado a mano. ¡Ah, y también canela en polvo! ¡Pobres vieiras de las conchas del Santo Jacobo! Con media hora de horno no muy vivo, le basta a una vieira grande. La vieira debe de estar jugosa, no muy hecha. Ahora en Galicia, en los restaurantes, saben hacer brochetas de vieira con bacón. Y desde siempre, la gran empanada marisquera, es la de vieira.

Una de las grandes cosas de las gallegas costas, de las bravías, del Ortegal, del Finisterre, de las islas Ons y Cíes, de las rocosas costas de los ártabros, por donde anda con el viento y las grandes olas la voz del bardo Pondal, son los percebes. Aquí no hay otra receta más que cocerlos, con agua, sal y una hoja de laurel. Parece como si supieran, en los largos meses de los temporales invernales, que hay que ofrecer a los golpes de mar en las rocas, una estructura resistente: no crecer, engordar, aguantar el golpe de mar en la uña y en la raíz. Así están, digo yo, éstos como vikingo de negro vestidos en una «asamblea de los cascos», que era una de las maneras que los poetas escaldos tenían para denominar las batallas, en la condición óptima para ser comidos. En otras costas los hay más largos, delgados, pero nunca será el percebe gallego, pleno de sabor. Ahora andan escasos, y su kilo casi a doble precio que el de langosta o centolla. Y casi siempre cuando le ofrecen percebes, son éstos muy pequeños, y apenas si se puede llevar uno a la boca más que un gusanillo del color de la violeta. Pero de vez en cuando, de San Ciprián dos farallones orteganos, de Finisterre o de Corrubedo, llegan a la mesa, a la que uno está sentado, unos percebes como pulgar de carpintero, llenos, apretados contra su oscura ropa, en la que ya no caben, escupiendo, al abrirlos, por lo apretados que están, un zumo rojizo, lo que es una pérdida, que está mejor en la boca que en la camisa o en el rostro. Esos percebes justifican una larga espera, una golosa esperanza. Son como restos de una población estraña de un océano más antiguo que el nuestro. Los ingleses no los comían —tampoco la lamprea—, y hasta Shakespeare y Donne llegó la noticia de que de sus uñas nacían unas aves, el **bantra leupcosis,** la **barnacla cariblanca,** que los británicos llaman **barnacle goose.** Para Donne, y esto fue recogido en muchos libros científicos como una comparación muy acertada, el canto de una bandada de barnaclas, que pasa sobre el paseante cuando cae la tarde, suena «como una jauría de perros falderos» ladrando con su **gnuc, gnuc, gnuc,** repetido. Cuantas más noticias se tengan de las cosas de comer y beber, más nos gustarán éstas. Ya lo explicó muy bien Bertrand Russell en su famoso ensayo «Los conocimientos inútiles», cuando contaba cómo desde que supo que los melocotones vinieron de China, que unos huesos de melocotón los encontró el gran rey Ianiska en las bolsas de unos prisioneros chinos, que desde la India pasaron a Persia —de donde los nombres de algunas variedades, albérchigo, pejigo, etc.—, y que hubo en francés una confusión con precoz, de donde apricot, etc., le gustaban mucho más los melocotones. Con esto de verlos tan oscuros y diferentes, los percebes en piñas en las rocas, y encima saber que de sus cascos o uñas —y hay quien cuando come percebes se las abre y come lo que esconden—, vuelan unos gansos que salen en Shakespeare, y ladran a la hora vespertinos como perros de la reina Victoria, a mí, que ya me gustaban mucho, cada vez me gustán más, huéspedes valerosos de las rocas, que un Arrunx de Luca que sale en la «Farsalia», tendría por monstruos salidos de la tierra sin simiente alguna, en las peñas que se oponen a los golpes del Océano de Ossián y de Pondal.

Quedan, de mariscos, algunas cosas menudas, unas que no son de mucho mérito, como los llamados santiaguiños, que tiran a seco, aunque haya aficionados a comerlos, simplemente cocidos, o en tortilla con mucho

perejil —ahora parece que aprecian el santiaguiño en Madrid—, y otras que son más que excelentes, con un sabor fino, muy propio, como los camarones. Como mejor están es simplemente cocidos. El sabor del camarón es muy suyo, secreto. Hay que comerlos poco después de que hayan sido cocidos y antes de que enfríen del todo. Otra de las cosas del mar cuyo consumo aumentó excepcionalmente, es el mejillón. Es mucho más el mejillón que sale fuera de Galicia que el que se come en el país. La mejor manera de cocerlos es al vapor, o en agua hirviendo en una olla, pero poco agua, que el mejillón se haga en la que suelta. Se pueden comer cocidos, en salpicón, en escabeche, con arroz, en empanada. En Bretaña, de Francia, los cuecen con un bouquet de hierbas y un vasito de vinagre, y no los salan, que les echan es un poco de pimienta. La mayor parte de las recetas que corren en Francia, son bretonas, los mejillones a la moda de Saint-Malo, que llevan crema fresca; el gratinado de mejillones de Penthievre, o como llaman en bretón «Glas-gwer», con finas hierbas y yema de huevo. En Cataluña y Levante van a los arroces, y a las sopas de pescado.

Las cigalas se pueden comer, como casi todo el marisco, solamente cocidas. Pero si son grandes y están frescas, están muy bien a la plancha. Los aficionados le chupan la cabeza, que es donde está el centro del perfume suyo.

A mi sabio colega «Picadillo», en su famoso libro de cocina, se le olvidaron las nécoras, que los gallegos decimos en femenino, y los zoólogos en masculino, **Portunus puber,** de Portumno, el dios marino que presidía la entrada de las naves en los puertos, y púber por el suave vello en el exterior de su cuerpo. Es de lo mejor —dice Luis Villaverde en su libro «Mariscos de Galicia»—, del patrimonio marisquero gallego. Una buena nécora hembra, de febrero o abril, bien llena, con sus corales, su blanquísima carne de circasiana, es lo mejor de lo mejor. Cocerla, dejar que enfríe y comerla. Y buscar lo que haya de comestible en su casco o **cacho;** el cacho de la nécora no tiene nada que ver con el de la centolla; el de la nécora es un compendio de más sutiles sabores, en el mundo de los perfumes suaves, como el del camarón. Las nécoras también se comen rellenas, haciendo con todo lo que ha podido ser extraído de su cuerpo una pasta, con algo de leche y harina, y pimienta, y rellenando el cacho y metiéndolas al horno breves instantes. También se hacen excelentes croquetas con su carne. La nécora tiene grandes apasionados, que la prefieren a todo otro crustáceo.

Ahora tengo que hablar de las piezas mayores en el mundo del marisco. El gallego, no hay duda, gusta más que nada de la centolla —el gallego nunca dice centollo—, y después del lubrigante y de la langosta. Ya dije como cotizaban la langosta los canónigos de Santiago en el año de 1416, y aún hay hoy entre nosotros gente muy especializada que prefiere a la langosta no solamente un lubrigante —el **Homarus gammarus,** el **homard** francés—, sino un buey de enero, o un **patelo** de Sada en marzo. Para que se vea bien lo que es una centolla de nuestro mar, ahora andan por nuestros restaurantes y por nuestras tabernas centollas francesas, descoloridas, flacas, tristes y apocadas si les cae al lado en un escaparate una de las gallegas, rotunda, plata y carmesí tras la cochura, como la falda de la Infanta doña Margarita de Austria que pinto Velázquez. Una centolla de las que entran en las nasas de los grovios, los pescadores de O Grove que andan con sus artes por todo el litoral occidental, es el más exquisito fruto del mar, y dá en cada parte suya un sabor diferente, que uno es de las patas mayores, la carne como en capas sobre el cartílago interior, y otro el sabor de las patas más pequeñas, y otro el del cuerpo, y otro el del cacho, que si tiene corales y está espeso, color tierra de Siena, mejor. Lo único que se puede hacer es comer la centolla cocida, sin añadido de salsa alguna. En Galicia no entró la moda vasca del txangurro, eso que en las tabernas viguesas del Berbés, por ejemplo, nuestros cocineros se lo veían hacer todos los años a los marineros de allá, cuando amarraban, andando en la bostera del bonito, para celebrar sonoros el San Pedro, su patrón.

El lubrigante, en cambio, precisa otro trato. Entra azul prusia a cocer a la olla, y sale bermejo. Se puede comer en salpicón o en mayonesa, pero una buena muerte para un lubrigante de buen tamaño, es partirlo vivo en dos, y ponerlo a asar en la plancha, y por todo aderezo —también puede hacerse sin aderezo alguno— acariciarlo con algo de mantequilla, un soplo de pimienta y media copilla de coñac. Ya dicho, o ésto, o nada. Y cuando se sirve, el que quiera que le añada salsas, vinagreta, mahonesa, salsa tártara, o solamente unas gotas de limón. Néstor Luján, a quien debo citar en estas páginas por maestro de quien tanto aprendí, y por amigo, regresaba conmigo a Vigo desde una fiesta del vino albariño en Cambados, y al llegar a la ciudad de Martín Codax nos quedamos a cenar en un restaurante en Chapela, y acababa de entrar en él un lubrigante, vivo, bien atado, quizá el mayor que yo he visto en mi vida. Era como un caballero de la Tabla Redonda, un príncipe terriblemente armado que salía del Océano. Solicitamos que pasase inmediatamente a la plancha. De un golpe de hacha quedó el lubrigante partido en dos. Estaba la plancha de la cocina al rojo vivo, y allá se hizo en sus propias mantecas aquel noble señor. Pidió su cuerpo perfumado una larga mirada antes de que comenzásemos a devorarlo. Un amigo mío, que suele comerse solo y en silencio un lubrigante en la buena estación, lo come por este orden: primero caparazón, y luego pinzas, abdomen y patas. Cada vez son más los apasionados al lubrigante, y que posponen la langosta.

Y hay buena langosta en el mar de Galicia, desde Rinlo, en las Mariñas de Lugo, hasta La Guardia, donde el Miño encuentra el mar. En el Cantábrico las dichas de Rinlo y las de Burela, tienen fama, tiran a pequeñas, pero son más finas que aquéllas que tanto estiman en Francia y que llaman «les demoiselles de Caen». Acostumbran a pescarse langostas más grandes en las Rías Bajas: éstas, y las de las cetáreas de Bayona y de La Guardia, son también langostas de calidad, con una carne tersa y prieta. La manera más antigua de comer la langosta en Galicia sería simplemente cocida, lo cual justificaría el poco aprecio que le dio en siglos el gallego, porque la langosta necesita salsa. En los pazos, en las buenas casas burguesas, vendría a acompañarla, en el XVIII, una vinagreta, y más tarde la mahonesa, que no sabemos cuando por vez primera se hizo en nuestro país. Dionisio Pérez asegura que en una fiesta que dio Godoy, cuando lo hicieron príncipe de la Paz tras la «guerra de las naranjas», hubo **mayonnaise** con salmón, y no se sabe que antes se hubiese probado en Madrid. A Galicia llegaría la salsa a mediados del XIX, y sería pocos años después cuando apareció en las minutas eso de «langosta dos salsas», es decir, vinagreta y mahonesa. «Picadillo» da una receta de langosta con chocolate, que fue publicada en el periódico «Faro de Vigo» en 1899. Estas recetas con chocolate, langosta, perdiz, liebre, son dieciochescas, son del siglo del gran auge chocolatero en España. Más tarde llegaría a Galicia la langosta a la americana o a la armoricana, que esta gran cuestión está todavía muy oscura. Parece que la receta sea bretona, armoricana. Fue la langosta de la «belle époque». Cuando «Picadillo» da en su texto varias recetas de langosta, en la quinta edición, agosto de 1916, todavía no conoce la langosta a la americana o a la armoricana. Eso que era hombre leído y viajado. Pero ya estaba Carolina Otero comiéndola en los restaurantes de París.

Mi ilustre amiga Simone Morand, folklorista, quien recorrió Bretaña recogiendo canciones, y estudió el mobiliario campesino de la Alta y Baja Bretaña, los encajes, los bordados y los trajes bretones, en su famoso libro «Gastronomía bretona de ayer y de hoy», da dos recetas de langosta a la armoricana. Mme. Morand le había seguido el rastro a muchas recetas de Mont-Saint-Michel, de Nantes, de Rennes, de Brest y de Saint-Malo. La receta que Mme. Morand estima más antigua, y que llegó a París es la siguiente: se funden ciento cincuenta gramos de manteca; cuando ya está caliente se echa en ella la cola de la langosta, que estaba viva al partirla, troceada por los anillos. Se parte en dos la cabeza, a lo largo. Se quiebran las pinzas, y se hierven, que enrojezcan. Se añaden tres echalots picados, una cabeza de ajo, aplastada. Se sazona. Se riega con un vaso de vino blanco y con una copita de coñac o de armañac y se añade una tacita de crema fresca. Se cubre, y se deja cocer lentamente durante veinticinco minutos. Después se le quita a los trozos de cola la concha, y se colocan en la fuente en que han de ir a la mesa. Los corales, que se han dejado aparte, se esmagan con un tenedor con otros ciento cincuenta gramos de mantequilla. Se vierte esta pasta en la salsa de la cochura, removiendo bien. Cuando la salsa está ligada, se vierte encima de la langosta. Hay que servirla muy caliente. Un amigo de Proust le añadió a esta receta el adorno de algunas vieiras, sin concha, escalopadas y cocidas con la langosta. Andan por ahí otras versiones de esta receta —incluso con añadido de tomate—, pero ésta es la armoricana más antigua, recogida en la gran cocina bretona por Mme. Morand, y tal como viene en su libro, ed. Flammarion, París, 1965, pág. 212. En los Estados Generales de Bretaña, siempre había langosta, y recuerda el vizconde Chateaubriand, que a lo mejor iba a ellos un cazadorcillo de Morbihan, quien llevaba unos cuantos recipientes de latón para recoger en ellos las pruebas de las salsas, y llevarlas a su casa, a ver si su mujer le hacía algo parecido. Desde hace años saben en Galicia «griller» una langosta. Son mejores las pequeñas de Rinlo, para esto, que las grandes. Están bien así, grilladas partidas en dos, sin más aderezo.

Algo se me olvidará en este mundo nuestro de los mariscos. Las zamburiñas —parientas pequeñas y pobres de la vieiras—, por ejemplo, que son muy sabrosas fritas rebozadas en harina de maíz, o a la marinera, como si fueran almejas, o en escabeche. Hacen un excelente arroz, y también pueden ir a una empanada. También se me olvidaban las minchas, tan de tasca en La Coruña, que las dan de tapa, con alfileres de monja para extraer la carne fuera de la concha. Y he de mencionar el más humilde de todos los mariscos, la lapa de las rocas. Su carne dura tiene aficionados.

EL PULPO

El gallego es muy pulpeiro. Antes lo más del pulpo que se comía en las ferias de la Galicia interior era de media cura o de cura entera —es decir, secado en la orilla del mar, al sol y al viento—, pero ahora corre mucho pulpo congelado. El pulpo llegaba a Lugo, a Orense, a Monterroso o al Carballiño, procedente de Mugardos en la ría del Ferrol, de Bueu en la de Marín, de Muros, de las islas y riberas de la ría de Arosa. Hubo, siempre, pulpeiras famosas, de Sarriá, por ejemplo, que andan de feria en feria con sus grandes calderas, con sus alcuzas para el aceite, con sus sacos de sal y de pimentón, y sus platos de madera. El pulpo cuece en aquellas calderas de cobre, que se sostienen en trébedes encima del fuego. Casi siempre las pulpeiras «ponen» en un rincón de la feria, bajo las ramas de los robles o de los castaños. Si la feria es grande y concurrida, comienzan a cocer pulpo de víspera, al borde de la medianoche. Hay el testimonio de un francés, Jacques Mabille de Poncheville, quien haciendo el camino de Santiago a pie, hizo posada en Lugo, y saliendo a hacer el paseo por la gran muralla romana, entre las puertas de San Pedro o Toledana, y la del Castillo, en un campo entre dos cubos, vio unas mujeres vestidas de negro que se azacaneaban encendiendo fuego debajo de unas inmensas calderas negras, y creyó que aquellas serían las brujas o **meigas** de las que le habían dicho que era abundante Galicia, y que debían estar poco menos que preparando el aquelarre. Pero eran las pulpeiras del San Froilán.

El pulpo se cuece entero, y mejor es que sea mediano. La pulpeira tiene un gancho para sacar el pulpo de la caldera en la que coció —cuecen varios a un tiempo—, y con unas tijeras van cortando de él en el plato en que ha de ser comido. Cuando el pulpo está cortado, la pulpeira sala con sal gruesa, lo salpica con pimentón, y lo baña con aceite de la alcuza. Y ya está para comer. Hay ferias en las que es posible añadirle al pulpo unos cachelos, y otros pican ajo, de esos ajos de Zamora que cada diente tiene un reborde morado. El pulpo parece que quiere ser comido en la feria, a la sombra en el verano, al solcillo en primavera y otoño, o bajo techo de lona en invierno, o si llueve, apretándose en los bancos de madera los comensales, unos contra otros, con un buen pedazo de pan a mano para rebañar en el plato. Y vino tinto, claro, que es lo que le va al pulpo.

Hay fechas sonadas para el pulpo. Por ejemplo, en la feria de la Ascensión en Compostela, o en las fiestas de San Froilán, en Lugo, donde yo tengo hechos almuerzos que ahora, vistos con una cierta perspectiva, me parecen perfectos. Por ejemplo, pulpo y perdiz. Para mí, aunque alabe el pulpo compostelano de la Ascensión, los mejores pulpos son los de las ferias otoñales. En Arzúa, por ejemplo, debajo de los robles, y ya secas las hojas, y son los días tibios con algo de vendaval, los días del veranillo de San Martín, y estás pinchando un trozo de pulpo, y viene una hoja planeando y te cae en el plato, o sientes removerse las hojas ya caídas entre tus pies, y te da el sol y te acaricia, y pasa nube y te da la sombra, que sientes que te refresca, y entonces te regalas con un vaso de vino más, y estás viendo la feria y los tratos, la paciencia aldeana, la demora en el regateo, el ir y venir de las mentes sutiles en el negocio, el hablar generoso del que media en la compraventa, que parece que fuese el inventor de la equidad romana; uno hace que saca los billetes, otro que se va pero es sólo un pasito de fingida huida y un giro de cintura; otro toma de las manos a los que discuten un precio, y les habla al oído, y cuando parece que toda aquella dramática representación no sirvió para nada, que el trato se rompe, y ya puede otro comprador entrar a preguntar si se vende aquel ternero o aquella vaca, o aquella yegua, de repente todo se acuerda, salen de verdad a relucir los billetes, y termina el trato, y muchos para celebrarlo beben juntos una jarra de vino, y aún pican un poco de pulpo. O el vendedor se acerca solo a la pulpeira, llevando en la mano el ramal que le sirvió para llevar el ternero a la feria, y se sienta, invitándose a sí mismo, y a lo mejor le entra morriña por haber perdido aquella cría a la que le había tomado algo de cariño. Los gallegos decimos que **lle tiña algo de aquel.** Este **aquel** quiere decir cariñosa simpatía, entre otras cosas.

Amén del pulpo curado de la feria, y del congelado de nuestros días, se puede comer otro pulpo, el fresco, recién llegado del mar. Hay que mazarlo antes de cocerlo, ya con una piedra, ya cogiéndolo por la bolsa de la cabeza y golpeándolo contra una roca o las piedras del muelle. Un refrán gallego dice que en el pulpo todo está en la mazada. Cuando está en comida, a fines de verano —todo tiene su sazón, en la tierra y en el mar—, está muy coloreado, enrojece más el agua, el aroma es más intenso, y las ventosas y la piel están más gelatinosas. En algunos lugares, cuando el pulpo está a más de media cocción, le añaden unas patatas, que saldrán de la olla con el color de la violeta de Tolosa de Francia. Unos lo comen al estilo de las ferias, que ya dijimos, y otros le hacen un refrito con cebolla y pimentón.

Un problema que me plantea el pulpo de las ferias es el del aceite. Sé que está probada la antigüedad de las pulpeiras, que hay gentes que llevan el apellido Pulpeiro, que hay ordenanzas antiguas episcopales o de los concejos exigiendo un impuesto a las pulpeiras, que pagan las que acuden a las ferias... Sabemos que es cosa que ya se pudo comer en las ferias más antiguas del país. Pero, ¿y el aceite? ¿Entraba en la pobre Galicia tanto aceite para tanto pulpo de las ferias? ¿Llegaba para todos el poco aceite que daba Galicia? Se comía pulpo, ¿pero el aderezo de hoy es el primitivo? Por lo que toca al pimentón, no, porque nos vino de Indias. No sé a qué carta quedarme. Se comería las más de las veces cocido y salado. ¿Y cuál picante tenía el gallego a mano? Que la gracia del pulpo es que pique algo, y tire por el vino. Hoy el pulpo, bien aceitado, bien pimentado, es comunal, y no hay que esperar a las ferias para comerlo. En toda tasca de Galicia, a toda hora, todos los días de Dios se puede pedir una tapa de pulpo. Y el gallego la pide, le apetece siempre. Hay lugares, como Bueu y Carballiño, que le hacen fiesta. En otros tiempos era Arco, en la vecindad de la abadía bernarda de Oseira, en el Carballiño, donde estaba la flor de las pulpeiras, que competían con las de Sarriá, las de Silleda, las de Lugo, las de Arzúa.

PECES DE RÍO

Galicia es el país de los diez mil ríos: unos grandes, otros medianos, otros pequeños, otros regatos que bajan desde los montes a las vallinas y valles, que en una parte del curso suyo atorrentan, saltan, espumean, y en otras remansan. Hubo lagunas, que ahora desecaron —la de Antela, en Orense, bajo cuyas aguas estaba la ilustre ciudad de Antioquía de Galicia, y la de Valverde, en la laguna de Cospeito, en la Terrachá luguesa; desecaron y no investigaron si bajo las aguas había torres y jardines, y un campanero de las avemarías de las doce. Y aún hay **lamas**, pequeñas lagunas en el invierno de la citada Terrachá. Y si hablo de éstas es por las anguilas que en ellas engordan. En Rivadavia ahora mismo se quejan que con los embalses que hicieron en el Miño no remontan las anguilas, y en Arbo y Salvatierra que también hay menos lampreas y sábalos.

Y ya voy diciendo la nómina de los peces de los ríos nuestros. Debía comenzar por el salmón, que a fines de febrero o principios de marzo ya sube por los ríos, el Miño, el Lérez, el Umia, el Ulla, el Tambre, el Mandeo, el Sor, el Landro, el Masma, el Eo. «Es el más perfecto de los peces», dijo un conocedor. Por una de esas «cerebraciones inconscientes» que dijo don Ramón del Valle-Inclán, la primera vez que yo vi un salmón caído en la hierba de la orilla, recién pescado y aún latiendo, a la memoria me vino aquello que está en Shakespeare, en la boca de Marco Antonio, ante el cadáver de César:

—¡Como un ciervo alanceado por muchos príncipes, ahí lo tenéis!

El salmón de nuestros ríos es uno de los grandes salmones de Europa, y ya quedan en Europa pocos ríos por los que suba el salmón, amante de las aguas más puras. Hay que ir a Bretaña, a Irlanda, Escocia, Suecia. Los ríos de Europa están sucios. Y no se puede decir que para siempre, porque los ingleses, limpiando el Támesis, han logrado que ya se pesquen truchas y reos en el río de Londres, y anuncian que pronto podrá pescarse el salmón. Creo que Galicia da ahora más salmones que nunca dio. El salmón siempre fue escaso en Europa, y para comerlo eran pocos. Parece ser que la cantidad de salmón en los ríos europeos fue más bien constante. En Francia, en Inglaterra, en el País Vasco, en la Montaña y Asturias, y en Galicia, se dijo que había documentos en los que los obreros que trabajaban en construir un pazo, un monasterio, cerca de un río salmonero, o un puente sobre él, exigían que no les diesen salmón más de dos o tres días a la semana, que ya estaban hartos de él. No hay tales documentos, nadie los vio y leyó. Parecería que había mucho más salmón, porque pescado se comía en el país. Un salmón pescado en el Ulla se comía en Pontevedra, y el pescado en el Tambre, en Santiago. A la Corte, a Madrid, se enviaban desde el Ferrol media docena cada año, y la mitad no llegaba comestible. Ahora, poco después de pescado un buen salmón, sale en avión o en tren para Madrid, Barcelona, etc. Y se ahuma el salmón, cosa que antes no se hacía.

El gallego, por lo pronto, nunca tuvo tanto salmón a mano que pensaba que lo podía conservar, ahumándolo. El gallego comía el salmón cocido o frito, y no creo que a la parrilla. Por las recetas de «Picadillo» se ve cómo creía él que se ponía el salmón a la parrilla, y aunque «Picadillo» diga muy bien, el salmón se cuece, generalmente, «en agua con sal, y muchos le agregan cebollas, zanahorias y perejil, a nuestro juicio es quitarle mérito, pues el salmón tiene de suyo bastante sustancia para que necesite aromatizarse con elementos extraños», sus recetas dan pena. El salmón a la parrilla, según «Picadillo», ¡hay que bañarlo en aceite frito, salarlo y cubrirlo con pan rallado! Y aunque estima que la mejor salsa que le va al salmón es la tártara, termina diciendo, «mejor que con todas salsas con aceite y vinagre».

Si algún exquisito francés defendió contra el salmón fresco los «patés» de Nantes, y aún los oponía al salmón fresco y a los salmones ahumados de Escocia, hay que reconocer la calidad de la carne del salmón fresco, con esas finas capas de una delicada grasa alojadas en la carne. Creo que a la parrilla, grillé, es como el salmón da mejor su sabor. Y mejor quizá que los grandes salmones, los medianos que llaman de mayo. Un trozo, un **toro** decimos en Galicia, de dos centímetros de grosor, sin más que la sal, pasándole una pinceladita de aceite antes de ponerlo en la parrilla. Y ya está. Y el que quiera una salsa, que se la ponga en el plato, la que quiera. Una mahonesa con algo más de limón del usual, un poquillo de mostaza y unas alcaparras, va muy bien. Pero, nos quedamos sin respuesta a la pregunta: ¿cómo comía «do bo salmón» por Pascua el rey Alfonso el Sabio? ¿Cómo lo comía aquel hidalgo de Carrión, que llegó un día salmón a la plaza, y se le antojó a la mujer, y se arruinó por comprárselo, que dice una «cantiga» del Cancionero de la Vaticana? Nuestra cocina, tan rica en los productos naturales, es escasa en buenas recetas.

También remonta nuestros ríos otro salmónido, el reo, la «trouf of sea» de los ingleses, el «salmo trutta», emigrante como el salmón, y que es pescado en los estuarios y en las rías y ríos. El macho es muy hermoso. Hay muchos que lo prefieren al salmón, que tiene las rosadas carnes más livianas. Y todo lo que le vaya bien en la cocina al salmón, le va bien al reo. Quizá los mejores sean los que en el verano, en los días cereales, suben el Mandeo hasta la presa de Chelo, en Betanzos. Y son excelentísimos los que acuden a remontar el río Ouro en Fazouro, por las vísperas de San Lorenzo, que se tuesta en Foz en su parrilla. Nos imaginamos una estampa de cuando estaba el mariscal Pero Pardo en su Frouxeira, o hacía una salida por el campo, y le traían a escondidas unos reos del Ouro, y el mariscal se sentaba a asarlos, y a Pedro Mudarra, que lo cercaba por los Reyes Católicos, le llegaba el aroma. Con los reos se hacen en las villas de las Mariñas de Lugo y en Mondoñedo, unos excelentes pastelones.

Así como el Océano es fértil en peces, los ríos gallegos —ya dijimos que diez mil—, son fértiles en truchas. La más corriente es la «salmo fario», que vive siempre en los ríos y nunca baja al mar, cosa que hace ocasionalmente la trucha arco-iris, la «salmo iridens», con la que fueron repoblados algunos de nuestros ríos. Las mejores truchas son las de los meses que van de abril y mayo hasta la veda. Las más grandes no suelen ser las más sabrosas. Una trucha de diez centímetros de largo está muy bien. Los mejor es freirlas, rebozadas en harina de maíz. En el aceite que van a ser fritas, se echan unos trocitos de unto o un poco de jamón con blanco. La trucha frita exige la ensalada de lechuga. La trucha pequeña, recién pescada, aun coleando, se puede hervir en agua con sal, una hoja de laurel y perejil. Y a comerlas, con unas gotas de limón. Aunque en algunos lugares de Galicia empanan la trucha, la verdad es que no le da gusto ninguno al pan. Creo que es la peor de las empanadas gallegas la empanada de truchas.

Suben nuestros ríos la lamprea y el sábalo. Toda Galicia come lamprea a la bordelesa o empanada. Buena es la lamprea del Miño, la que se captura en los antiguos «pescos», construcciones de piedra en el cauce del río, que es muy ingeniosa invención. En Arbo, en la ribera pontevedresa del Miño, todos los años le hacen fiesta a la lamprea. La mejor lamprea es la que sube en los días invernales, y que no lleven mucha agua los ríos, porque caiga temporal seco, con heladas. Los refranes gallegos quieren la lamprea la coma «en marzo el ama y el abril el criado», y quieren que se coma «antes de que esté cucada», es decir, antes de que escuche cantar el cuco en los árboles de las orillas.

La lamprea era parte muy importante en la gula de los señores romanos, que aquí en Galicia debieron de comerla por cestas. Madre de la gota, como la carne de puerco y la venatoria, después tenían los romanos aguas salutíferas para curarla, y luego volver a la mesa, al triclinio, que no debe ser muy cómodo comer allí. Pero hay modas y modas. La lamprea, además de comerse fresca, se puede curar, y la curada comerse cocida, con verdura, o rellena con más lamprea, huevo, jamón. La lamprea curada se añadía a los cocidos en las comarcas donde se cura. Hoy lo común es la lamprea cocinada con su sangre, aceite, cebolletas, algo de vino tinto. En «Picadillo» encontré una receta que me parece la forma modificada de una muy antigua. «Picadillo» la da para la lamprea curada, pero debió utilizarse también para la fresca. Se cuece la lamprea, se escurre bien, se hace un refrito de ajos en grasa de unto, y se le añade una taza de vino, tinto. Ya los romanos, hay una nota de Carcopino, le echaban vino a la lamprea. La verdura de compañía, creo que solamente debió serlo de la lamprea curada.

Ya he hablado de las empanadas de lamprea. No me canso de decir que las mejores las he comido en Caldas de Reyes. Y he de confesar que antes de sentarme a almorzar, voy a uno de sus famosos balnearios, que protege un antiguo dios local, y tomo unos vahos, excelentes para garganta y nariz. Y así preparado, limpios los órganos del olfato y el gusto, me pongo a la tarea.

Otro pez que por las primaveras sube nuestros ríos es el sábalo. En algunas partes le llaman **saboia**, y aun **sable**. Precisa ríos de caudal y salones, que salta menos que el salmón y el reo. Este perezoso, en forma de lanzadera de telar, tiene mucha espina, pero la carne es suave, levemente prieta, y muy sabrosa. Hay poco sábalo, cada vez menos. Don Eladio Rodríguez en su «Diccionario» dice que en agosto los pescaban en Ribas de Sil. Ahora no llegan tan adentro, que los embalses no se lo permiten. El sábalo como mejor está es escabechado. Es uno de los platos más estimados de la cocina de Tuy. Allí, en la ciudad episcopal, fundada por Diomedes, un griego que pasó las Columnas de Hércules terminada la guerra de Troya, saben hacer el escabeche suave que le conviene, en el que se mezclan el sabor del laurel y el de la pimienta.

Y, ahora, tratemos de la anguila. Como ya dije, en Galicia no comíamos la cría, la angula, que en gallego decimos **meixón.** Si cogían **meixón,** iba para la tierra como abono. Ahora hay vascos en los ríos gallegos comprando toda la angula que pueden. La angula gallega es tan buena como la vasca, y nunca encontré diferencia entre una angula gallega y una de Aguinaga. Ahora vienen también japoneses a comprar angulas, y me parece natural, que más semeja la angula plato de cocina china o japonesa que de la empresa occidental. La angula sube por los ríos y se hace anguila. Llega al interior de Galicia y se pesca en toda agua, ríos, pequeñas lagunas —suelen ser las mejores— las **lamas** o grandes charcos de la Terrachá. Están buenas en cualquier estación, pero creo que las mejores son aquellas que en septiembre escuchan, no se sabe cómo, la llamada nupcial, y deciden bajar al mar. La angula llega a nuestros ríos asexuada, y la que remonta los ríos se hace hembra, y la que queda en los estuarios y las rías se hace macho. Las anguilas que se han asentado en Galicia, hembras, dejan las aguas en las que vivieron y buscan corrientes que las lleven al mar. Nunca se equivocan y son capaces de arrastrarse unos cientos de metros por la tierra, buscando desde la charca un río. El esposo espera a la esposa, y juntos se van hacia el mar de los Sargazos, en viaje de novios. Parece que muchos machos mueren por el camino, después de haber fecundado a la hembra. La anguila ya no retorna, pero al año siguiente están en las desembocaduras de los ríos nuestros las angulas. Las anguilas de septiembre están grasas, preparadas sus reservas corporales para la gran aventura marina. Tienen fama las anguilas del Miño en Portomarín, las del Avia, las del Cabe, las del Sil en el Barco de Valdeorras. Las anguilas se comen fritas, en empanada con acompañamiento de unas lonchas de jamón, y si son gruesas en salsa verde, y hacen buenos arroces. La anguila curada y ahumada, que es cosa muy de cocina de germánicos, ha de ser mediana, que si es grande no cura bien. Se come sin más, quitándole la piel, y nada de limón. Va muy bien con la anguila ahumada, fría, una verdura caliente: unas coles de Bruselas, por ejemplo, o unos cogollos de berza. La receta antigua de ahumar la anguila, se conserva en Noya. Se abren, se limpian, se salan, se secan muy bien, se envuèlven en un paño de lino y se meten en un cesto de mimbre que se cuelga dentro de la campana de la chimenea, donde se ahuman. Y cuando a un noyés le apetece anguila ahumada, bajan el cesto, cogen unas pocas, y con manteca le dan una vuelta en la sartén. Y ya están para el almuerzo.

No hay nadie que tratando de cocina, fuese capaz de decir todos los peces que pueden ir a ella. Y aún habría mucho que discutir en el mundo de las calidades, que hay un pez de nada que en un mes se pone, como dicen por aquí, «en comida», y le cambia el sabor. Hasta a una boga o a un sargo le pasa eso, o a una maragota. Hay diferencia entre una ventresca de bonito de comienzos de la costera, y la ventresca de un bonito que retorna, en septiembre, hacia el sur. En Galicia si ahora sacan una ventresca de bonito, es por influencia vasca, o asturiana. Ahora hay mucho bonito a la portuguesa, con salsa de tomate, pero en la Galicia marinera se come el bonito frito, y se hacen escabeches. Yo sostengo que como mejor está el bonito es en conserva, en aceite de oliva. Abre uno una lata, y aparece hermosísimo, con las curvas felices de su carne, de un ligero color tostado. Apetece. También se enlata, en algunas fábricas, la ventresca. Es un bocado impar.

El gallego considera unos ciertos peces como lo mejor que da el mar: lenguado, rodaballo, mero, y después merluza, robaliza o lubina, salmonetes y congrio. Un congrio grande, torado por lo abierto, que es donde no tiene espina, por el mes de mayo, con las patatas nuevas, los cebollinos y los guisantes de la tierra, es un plato mayor. El congrio también se cura al sol y al viento, como el pulpo. Se deja a remojo, se cuece y se come con ajada. El lenguado se come frito o a la plancha, y además en los restaurantes gallegos andan ya, más o menos incoherentes, todas las recetas tradicionales. Los marineros saben que el lenguado, al que aprecian, sin embargo no sirve para una caldeirada, o para los guisos que ellos acostumbren. Tradicionalmente se ha comido el lenguado frito. El rodaballo se come a la parrilla y a la plancha, pero va muy bien, como dice, «a la primavera», adornado con todos los primores terrenales. Un industrial vigués que viajó a Alemania por negocios, regresó todo desconsolado, porque en toda Germania no había podido conseguir, «ni en los mejores restaurantes», un rodaballo con ajada. El rodaballo está muy bien al horno, y a la portuguesa, con tal de que lleve poco tomate. El mero tiene fama incluso en el refranero castellano, «del mar el mero y de la tierra el cordero». Debe ser refrán montañés. Cualquiera de estos peces que van citados, congrio inclusive, tienen más bien sabor, son más bien dignos de una gran cocina que no la merluza, **a pescada, a peixota**, pero en una gran comida en la Galicia litoral, en día de fiesta, en boda o en almuerzo de cura, nunca falta una merluza grande, de las que llaman **do pincho,** por el arte con que se pescan, **o palamgre.** Una merluza con «dos salsas», vinagreta o mahonesa, que hace muy fino. Le va mejor la vinagreta, que la carne de la merluza en un poco estólida. Un buen trozo frito, rebozado con harina y huevo, está muy bien, a condición de que no esté frito en demasía. El gallego cuece y fríe mucho el pescado, y no le gusta ver su carne con ese punto rosado cerca de la espina. Una merluza rellena es plato de portugués, de la región de Oporto, pero ahora se lleva en Galicia. Son más sabrosas que las merluzas del Grand Sole, las pescadillas, y aún las mínimas, las que llaman graciosamente —porque parece que hacen que bailan al curvarlas para que con la cabeza se muerdan la cola—, **carioca**. Quizás les dio el nombre un marinero gallego que conoció el Carnaval de Río. Se comen fritas, con una buena ensalada, o con pimientos de Padrón. La lubina es gente muy fina en el mar. El gallego distingue según tamaño, robalos y robalizas. Una tía abuela mía tenía una receta que ya venía de su bisabuela: una lubina, o robaliza, se pone en una besuguera con agua, dos cebollas partidas en cuatro cada una, dos ramas de hinojo, una hojilla de laurel y perejil, y cuando va a estar cocida, y debe hervir seguido y fuerte, se le echa en el agua en que coció, que ha de ser poca, aceite y el zumo de un limón. Está muy bien. La lubina conserva ese sabor suyo, tan huidizo, a veces inasequible. Ignoro por qué el gallego ha decidido que la lubina necesita más limón que los otros pescados. En lo que ha acertado es en que la lubina, como el lenguado y el rodaballo, no sirven para escabeche, que es como si dijéramos el punto final de la cocina marinera.

El besugo, que nosotros llamamos **ollomol**, aunque se come frito, la receta más común es foránea, besugo al horno, como en Madrid y otras ciudades castellanas. No está en las comidas gallegas navideñas. Los tiempos cambian, y un pez que nadie quería y al que se llamaba despectivamente **peixe sapo**, por su forma, y ahora, a la catalana **rape**, de **rap**, ha pasado a primer plano. Hasta en algunos lugares lo sirven entremezclado con los trozos de langosta, por si pasa entre mahonesa de bote o con una vinagreta remontada. La cabeza del rape, con la del congrio, da las mejores sopas de pescado, y engrasa excelentemente las **caldeiradas**, de las que se hablará. El rape se come al horno, en salpicón, en filetes y frito. Es de los pescados que tienen sabor; a finales del verano, el rape da ese sabor de mar, de yodo y de misteriosas canelas submarinas, como el salmonete, que también tiene el suyo, y del que gusto tanto: los salmonetes pequeños para freír o a la plancha, y los mayores para el horno. A los más de los pescados que van al horno, el gallego los adorna al final de la asadura, con una capa abundante de miga de pan, migada entre las manos, y a la que en el almirez se ha machacado con un ajo, un poco de pimienta, zumo de limón y un vasillo de blanco. Esta capa de miga no debe tostarse, y debe salir del horno jugosa. Yo creo que es una receta compostelana del siglo pasado.

Ya dije que sería locura hacer la nómina de los pescados que la Galicia marinera, y la otra, que ahora no hay distancias, puede llevar a la mesa. Y no hay pez que no tenga su seguro amador: hay el amante de la faneca, el de los rubios o escachos, el de la raya con ajada o en salsa verde, el del pargo asado, el de las caballas acabadas de pescar, asadas allí mismo en la playa. Y hay los amigos del **corvelo** o abadejo, entre los que figuro, que es cosa delicada, y se rompe su carne al toque del tenedor... El gallego es muy dado a las ajadas con el pescado, y en lo que toca a asar, sólo estuvo firme, durante siglos, en las sardinas, de las que se hablará aparte. Se fríen muchos pescados, lo que es lo más fácil. En la Galicia marinera se hacen **caldeiradas,** que consiste en echar en una olla a cocer varios pescados diferentes —xoubas, raya, rape, mújel, congrio, etc.—, con patatas, tomate, pimientos verdes, abundante aceite, pimentón. La hacen para si los marineros en los barcos, y en las tabernas de los puertos pescadores. Hecho por lo fino, con cuidado de cocinero, es un gran plato, perfumado; plato único del que se repite varias veces.

Pongo aquí, y no debían ir en este aparte, los calamares, las luras, los chocos, las jibias, todos cefalópodos. Hay una villa nuestra, pomposamente titulada Villa Real de Redondela de Galicia, que es la más aficionada a los **chocos** de todas las nuestras, la más **choqueira,** —y a sus gentes se las conoce por **choqueiras**—, que logró una empanada insólita, la empanada de chocos, en la que el contenido se adentra en el continente, y se forma un cuerpo feliz, y el pan de la empanada es como la piel del cuerpo formado por los **choquiños.** Las **luras** de las Rías Bajas son de una extrema finura, y su tinta tiene un sabor dulce y persistente que es su encanto. Puestas en su tinta, debe echárseles muy poca agua, que sueltan ellas la suficiente. Supongo que aprovechar la tinta debe ser cosa antigua. El freír calamares, en cambio, me parece cosa reciente. Se limpian, se cortan, se salan, se rebozan en harina de maíz, y a la sartén, con bien aceite. Las patas son lo más sabroso, pero se venden en las tiendas calamares congelados, a los que se les ha eliminado las patas. Entre estos moluscos está la jibia, que se come como el calamar, guisada, pero su concha interior tiene una gran importancia en la medicina popular, y en todas las boticas gallegas había siempre dos o tres, porque los curanderos la recetaban para las dolencias del ganado. La jibia tiene una carne basta, pero sabrosa. Aunque la mejor cosa sean los más pequeños de esta tropa, los que los vascos llaman chipirones, que además de guisarlos en su tinta, también se pueden freír sin limpiarlos, lo mismo que las jibias menudas. Se les pasa por un chorrillo de agua, que suelten la arena, y con leve reboce de harina de maíz, a la sartén. Después de fritos, a la boca, a que suelten la tinta entre el paladar y la lengua del goloso.

LAS SARDINAS

La sardina es el único pez que el gallego, que yo sepa, viene asando desde siempre, aunque en muchas partes de la costa se asen las caballas o **xardas.** Las sardinas están en comida por el verano. El refrán que dice que la sardina moja el pan por San Juan, —**por San Xohán, a sardiña pinga o pan**—, no quiere decir que San Juan sea el momento mejor de las sardinas, sino que a partir de entonces la sardina comienza a estar en comida, a dar en el pan su suculenta grasa. Las sardinas que van a ser asadas pueden ser frescas, tal y como vienen del mar, pescadas a unas millas de la costa, sin limpiar ni escamar, o revenidas, saladas en un pilón o **pilo.** Yo prefiero las primeras, en la parrilla, sobre un brasero de sarmientos de vid, que todos están de acuerdo en que es el mejor, y saladas con sal gruesa mientras se asan. Y no es lo mismo asar sardinas a la parrilla que a la plancha. La plancha se lleva lo mejor de la sardina. La sardina fresca o revenida debe ir a la parrilla entera, con toda su tripa o **maga,** y repito, sin escamar, porque las escamas la protegen e impiden que se queme y tueste. Una sardina de julio o de agosto está perfecta para asar, tiene la grasa a punto, y la da generosamente cuando sacada del fuego se la tiende sobre un pedazo de borona o de pantrigo, o en los cachelos, si hay cachelos. Los cachelos se han de cocer con la piel, patatas enteras, más bien redondas y no muy grandes. Las sardinas revenidas no deben estar en la sal del **pilo** más allá de doce horas: salarlas al anochecer para almorzarlas al día siguiente.

La sardina asada es uno de los grandes bocados de las meriendas del verano en la Galicia marinera. Pide blancos frescos para limpiar la boca. Pero también las sardinas asadas hacen un buen almuerzo, de primer plato, aperitivo. La carne de una sardina asada en sazón, parece como si se diluyese en la boca.

El gallego come la sardina de muchas maneras: **esparradas,** que son abiertas, quitándoles la espina, rebozadas en huevo y harina, y fritas, o sin rebozar, y entonces entre dos sardinas se mete un picadillo de cebolla y perejil; **lañadas,** que son sardinas abiertas, no se les quita la espina como a las **esparradas,** y se ponen en sal al menos veinticuatro horas, y luego se lavan, y se cuecen con unas patatas y una cebolla, y se comen así, o se sazonan con aceite, vinagre y un ajo picado. Yo lo hago así. Me parece que esta que llamaremos vinagreta de pobre revela en la sardina los sabores más profundos y propios, un sabor diferente al que tengan las asadas, o las fritas, o las que van en empanada, con la **zaragallada,** o sea el compuesto de cebolla, tomate y pimiento verde.

El gallego debió, repito, haber comido siempre mucha sardina salada, de tabal. Sardina para los días magros, y en algunas zonas, como en Muros, secas y ahumadas con laurel, en cuyo lomo aparecen unos reflejos auríferos. Pero ahora mismo, en Galicia, la moda es la empanada de xoubas, o una caldeirada de xoubas, de las que ya hablamos, o las sardinas frescas asadas. En vigo hay una fiesta de la sardina, en la que asan cientos de docenas, y en Sada otra, en la que asan millares de sardinas para convidar a los forasteros.

Cada pez transforma los pastos del mar en una carne diferente, en un perfume distinto. La sardina toma para sí la tarea de fabricar una grasa marinada, una carne sutil y sin embargo harta. Aun en conserva, en aceite de oliva, la sardina nuestra, atlántica y céltica, con un vago espejo de plata cubriéndole el cuerpo, sostienen esos sabores suyos, inconfundibles. Lo mismo que la sardina de tabal, salida de nuestras salazones, que todavía hace pocos años encontraba uno en todas las tiendas aldeanas, las sardinas en capas circulares, bien prensadas.

EL BACALAO

Galicia está, río Miño o Raya Seca, pegada a Portugal, donde se alaban de tener una receta diferente de bacalao para cada día del año, y una más, si cae bisiesto. Pero ninguna de las recetas lusitanas de mayor importancia pasó a Galicia, y todavía podemos asegurar que sólo modernamente entraron en el país las diversas recetas que vienen en el libro de «Picadillo», y las más son modificaciones de las portuguesas, que ya pasaron por el texto de Muro, o por otros. El gallego comió, en tiempos pasados, más sardina de tabal que bacalao, y aún más congrio seco. Y el gallego no haría nunca una brandada, por ejemplo, que es uno de los platos máximos de la cocina bacaladera, sino una ajada, o una caldeirada. No es de nosotros el bacalao con coliflor, —o mejor coliflor con bacalao—, aunque ahora se cene en Nochebuena. Ni es de gallegos el asarlo en las brasas, ni todo ese mundo de pastelillos, albóndigas, croquetas, etc. Ni el ponerlo a la vizcaína, al pilpil, a la lionesa, a la moda de Provenza... Lo guisamos más o menos, y en la cocina burguesa se saben hacer, con unas masa «ad hoc», unas sabrosas empanadillas. También se hace empanada de bacalao, con mucha cebolla, mucho aceite. Bien hecha, es excelente.

Pongo aquí el bacalao para decir cómo estando tan cerca de Portugal, tanto que medio Portugal es una parte de la antigua Galaecia, y siendo los portugueses, nuestros hermanos, tan vicioso de él, nosotros lo somos poco, y no se ensayan en Galicia las grandes recetas, aunque se sepa hacer un bacalao con leche o con salsa de huevo, con pasas o en salsa verde —para esta salsa el bacalao sin cura, como viene en los bacaladeros de Terranova—. Eso sí, traen nuestros marineros saladas las cocochas, por llamarles así, del bacalao, y las lenguas. Como siempre, y también con el humilde bacalao, una cocina humilde la nuestra: con una verdura, con una ajada. Mientras en Lisboa, el señor duque de Palmela o el Cardenal Patriarca de las Indias Orientales, poco menos que con música de pífano y viola, veían, y olían, llegar a su mesa el bacalao capturado por los **lugres** que hicieran la costera de Terranova, y que vieron secar al aire las ninfas tájidas, conocidas de don Luis de Camoens: bacalao con almendras del Algarbe, bacalao con salsa de menta, pastel de bacalao con higos pasos y leche, bacalao con salsa de avellano, fritos de bacalao con salvia y dulce membrillo, etc. Y nosotros los gallegos, pasando el bacalao con una escasa ajada.

Dígase lo que se diga del ganado vacuno gallego como tal ganado, las carnes son muy buenas, y en especial la de los terneros recriados, y excelente de verdad la de cebón, esa que todavía en San Sebastián o en Bilbao ofrecen como carne de buey gallego. El mejor y más famoso de los cebones de Galicia era el de Cervo, en las Mariñas de Lugo, en las tierras en las que se levantó la fábrica de cerámica de Sargadelos: a los pastizales, cuando sopla norte, llega la caricia salada del mar. Se parte en Galicia un poco a la antigua, y no se encuentran tantas diferentes carnes en Orense o en Betanzos como en las carnicerías de París. Y nunca tuvimos entre nosotros un gourmet de calidad que nos enseñase a distinguir la carne de una res de la raza rubia gallega de la del ganado negro de la Limia; como los hubo en Francia, que mostraron las diferencias, muchas veces mínimas, sutiles, entre la de un ternero bretón y la de otro de Borgoña. Más fácil será reconocer la carne de un cebón de raza charolais, que dicen que es la más antigua raza vacuna de Occidente. Hace años que hubo en Galicia unos cuantos toros charolais, y a veces se reconoce algo de la casta normanda en esa alta, descomunal grupa de una vaca que una vieja lleva a pacer al borde del camino. Como en todas partes se eligen carnes para el cocido, o para freír, o para asar, y se come todo, desde los riñones a los sesos, pero el gallego no come las criadillas, ni aprecia las mollejas... Ahora se hacen en muchas partes de Galicia churrascos y parrilladas, que los enseñaron a hacer los gallegos emigrados en Argentina y en el Uruguay, y tienen éxito. Pero el gallego que ha estado siglos sin comer apenas carne de ternera, ahora, en cuanto puede, pide costilletas y filetes. En los días de feria, en las villas, los dos platos tabernarios son los callos, con garbanzos, y el estofado de carne. Y cuento lo que sigue para que se vea lo parvamente que vivíamos en tiempos no lejanos: un anciano, muy amigo mío, me contaba que iba a la feria de Meira, y en una taberna pagaba quince céntimos, y le echaban en un plato dos cucharones a reverter de la salsa del estofado, con cuatro o cinco trozos de patata, y mi amigo se apartaba a hacer sopas del pan que llevaba de casa en la salsa aquella, debajo de una higuera si era verano. Y como él, hacían muchos otros.

En Galicia priva más el cabrito que el cordero, y aunque el nuestro no sea país de asados, en muchos lugares se asa muy bien, al espeto, y hasta se le hace una fiesta en Moraña, en Caldas de Reyes, al cabrito al espeto. Así como una ternera que tiene fama en toda Galicia es la de Moaña, en la orilla derecha de la ría de Vigo, el cabrito más célebre es el de San Fiz, en tierras orensanas miñotas, pero ni Moaña da tanto ternero como nos ofrecen, ni San Fiz tanto cabrito. Ahora parece resurgir el espeto, y es cosa que hay que alabar.

En las aldeas todavía se cría mucho conejo, y existe una raza antigua, medio brava, gris con manchas blancas, que es muy sabrosa, especialmente si la comparamos con las grandes razas que vinieron de fuera, el amarillo que dicen del Canadá, o la raza colorada, dicha así porque tiene los ojos rojos. Antes, en las aldeas, se ponía estofado un conejo en los días de media fiesta, pero sobre todo en el día del santo patrón. Hoy se sigue empanando mucho conejo, especialmente para las meriendas de las romerías. Al extenderse el arroz por Galicia, se fue imponiendo un arroz con conejo, muy azafranado. Y como en Portugal, nos pueden servir unos zancos de conejo con tomate.

Pero un pollo, es un pollo; y una gallina, una gallina. En Galicia no comemos los pollos que llaman tomateros. Los dejamos que se recríen un poco. Tampoco comemos lechón asado. Debemos tener en el corazón una especial ternura, aunque lo más probable sea que, país pobre, no podíamos desperdiciar el alimento futuro. Un buen pollo asado todavía conserva su prestigio, y una buena gallina en un cocido honra una casa. En las aldeas, si hay invitados de atavío, se mata para el cocido una gallina que esté en puesta, y los huevos que tenía dentro se ponen cocidos a un lado, en la fuente de los garbanzos: unas yemas grandes, otras más pequeñas, otras como guisantes. Así se dice de la hartura de una casa y del gusto de agasajar. El pollo lo asan muy bien en Galicia, en manteca de cerdo, metiéndole dentro un par de manzanas —que siempre hay niños y ancianos, golosos de ellas, en las casas—. No lo asan al espeto, ni en el horno, sino en tartera de hierro, grande, en la cocina, y sin prisas, y que dore bien y no le estalle la piel, y llegue entera y dorada a la mesa. Hay recetas que recuerdan vagamente a la de la gallina en pepitoria, y con los menudos de la población de los gallineros se hacen modernamente sabrosos arroces. Una receta del siglo XVIII enseña a hacer pechugas de pollo o de gallina rellenas de carne de ternera o de lomo de cerdo. Se le levanta la piel y se mete el relleno, y luego se atan y se hacen en la tartera, con caldo en el que cocieron las patas y los menudos del ave, cebolla, zanahoria, perejil y vino blanco. Igualmente se pueden rellenar los muslos, y estoy con los que prefieren éstos a las pechugas.

En los ríos hay patos y en los palomares, palomas. A la cocina van los pichones. Los patos se comen estofados, o asados, como pollos. Pero no parece el gallego muy aficionado a ellos, y encima aparecen ahora patos de granja, no de los que andan vagabundos por los ríos y las orillas, y ya los dan en los restaurantes como «patos a la naranja», que me ha alegrado leer en una crónica de La Reynière que es un plato que quiere ser fastuoso y es baladí. Creo que es una receta antigua, y gallega, la del pato con nabos o con calabacines. Se asa el pato, y cuando está asado se parte en trozos, y en la grasa en la que se asó —ahora aceite, antes supongo que manteca, de cerdo o de vaca—, se rehogan nabos cocidos, cortados en rodajas, o calabacines, y se echan las tajadas del pato sobre éstas, se dejan que nabos o calabacines se hagan lentamente, con el añadido de un vasito de vino blanco y el zumo de un limón.

En Galicia se comió mucho pichón. Rectorales y pazos tenían palomares —«palomar y ciprés, pazo es», dice el refrán, avisando al viajero—, y en las aldeas muchas casas tenían palomar. Los pichones se estofan en mayo y junio con patatas nuevas y guisantes, y se hacen muy sabrosas empanadas, pero sobre todo excelentes pastelones hojaldrados. Pero en el común de la gente gallega, el pichón ha ido pasando a ser comida de enero, y se hace un caldo de pichón, en el que después de hecho se deshebra la carne del ave, y se sirve con media copita de jerez y la yema de un huevo. Unos pichones al espeto, solamente salados y frotados con ajo y aceite, o manteca de cerdo, es receta que no hay que dejar perder. El pichón va al espeto relleno con una hoja de laurel, y una miga de pan mojado en agua de anís. Si mientras el pichón se asa, despacio, un poco lejos del fuego, asamos o cocemos unas castañas para acompañarlo, miel sobre hojuelas. La burguesía gallega, y los clérigos, del siglo pasado, comieron mucho pichón en salsa rubia, con harina tostada que se deslíe en un poco de agua, y se le añade a la salsa, que lleva mucha cebolla y perejil, y azafrán. Donde más azafrán gasta el gallego, es en los pichones estofados y en los arroces, que en su ingenuidad los quiere amarillos. Y por culpa precisamente de los clérigos, de los señores abades, que así se llaman a los curas de parroquia en las Rías Bajas, estuvo a punto de imponerse una receta: rellenar los pichones, cuando estaban en el punto final del asado, con ostras. Yo disiento, por filosofía coquinaria, por respeto al sabor natural de las cosas. prefiramos tomar las ostras de aperitivo, y luego comamos el pichón y hagamos un buen almuerzo.

LOS CAPONES

Hablo de los capones de Villalba, de los capones de las aldeas vecinas a la villa, y de la Terrachá, y de las comarcas de Mellid y de Pallares, y de la Tierra de Miranda, y de las aldeas del obispado de Orense, y de muchos otros lugares de Galicia. Pero donde hoy abunda la caponería, y se siguen las antiguas tradiciones de ceba, es en Villalba de Lugo, en las aldeas próximas de Xermade y de Noche, de San Juan de Alba y de Goiriz, y tantas otras, cuyas gentes acuden puntuales con sus capones el diecinueve de diciembre a la feria villalbesa, bien estrabadas las aves en las cestas, sobre blancos manteles, bien pelados y limpios, con las enjundias sujetas con seis palitos de madera de abedul en la mitra. Al lado de las cestas, que lo son de tres, de cuatro y hasta de cinco pares, están en un plato los menudos, en los que entran las decaídas crestas, las mollejas, los hígados... La técnica que se usa para darles muerte y desplumarlos, permite que los cuerpos de los capones aparezcan suavemente dorados. Por Santos y Difuntos, y lo más tarde por San Martín, se escogen los mejores pollos, de tres o cuatro meses de edad, y castrados van a las jaulas que llaman **capoeiras,** puestas en lugar caliente, cerca del fuego, y allí quedan apretados unos contra otros, que la mejor cosa es que apenas se puedan mover los prisioneros. Y comienza la ceba, que se hace dándoles tres veces al día un amasado que se hace de harina con leche —lo tradicional era que en la alimentación entrasen tres harinas: de trigo, de centeno y de castañas; ahora la harina de trigo y maíz. Y de la masa se hacen unas pelotas que se le meten al pollo abriéndole a la fuerza el pico. Con el mucho alimento, con la inmovilidad, con el calor de la cocina o el lugar en que están las **capoeiras,** los capados adormecen, hacen largas siestas, y aún se les ayuda a ellas dándole tras las pelotas algo de vino dulce. Y van pasando los días, San Martín con su capa, San Andrés con el aspa del martirio, primero y segundo domingos de Adviento, y los capones engordando. En Villalba está prohibido presentar gallinas en la feria de los capones, como hacen en la Bresse y en Bayona de Francia. Con la larga y copiosa ceba, se les ablandan y palidecen las crestas, pierden el canto que gorgoritan en vez de quiquiritear, y parecen que supieran de su muerte temprana, porque atristan, inclinando la cabeza. Aunque a cada uno le lleváramos dos o tres gallinas jóvenes, ni las mirarían.

Matar bien un capón no es fácil, que ha de quedar su cuello limpio y sin heridas, y se mata por ello por la boca, y como ya dije, hay una técnica de deplumado bastante compleja, que es la que les concede ese color de oro viejo con el que comparecen ante el público, y para la admiración de los compradores foráneos, que suelen ser muchos, madrileños y catalanes especialmente.

Un capón se asa muy bien al espeto, con un ligero adobo de ajo, sal y limón, y con manteca de cerdo, o al horno, usando manteca o aceite, y sus enjundias. Se rellena con las manzanas que quepan, con ciruelas pasas. Si se asa al horno, hay que rociarlo con un vino blanco seco y con limón. Es un asado simple, y es el mejor, y yo me opongo a la moda de rellenarlo, y a la de servirlo sobre «una lechuga aderezada», como propone «Picadillo». Lo que le va bien al capón de compañía son un puré de castañas, o aún de patatas, o una verdura cocida, coles, por ejemplo, y no grelos, sino los cogollos de berza de que les hablé, cocidos con agua, sal y un poco de vinagre, y después, bien secos, rehogados en la sartén, en la grasa en la que se asó el capón.

Yo voy todos los años de Dios a Villalba, donde está la torre de los príncipes de Andrade, el 19 de diciembre, a la feria de los capones. Hasta hace pocos años la feria se celebraba en la plaza de Santa María, Santa María de Montenegro, donde está la iglesia. Me han tocado mañanas de heladas —la feria se hace muy temprano— en las que poco a poco, a tientas va saliendo el sol, y mañanas de nieve, y de lluvia con vendaval, que son mañanas tibias. En la feria andan amigos a comprar, y tengo amigos también entre los vendedores, como Angelito de Noche, e incluso parientes, como los de la Parada de Xermade. Trato como puedo, buscando lo mejor, a veces acompañado por expertos y grandes regateadores —como Chao, que gloria haya— y compro sin prisas los buenos pares que he menester, que tengo, por decirlo así, foros que pagar a amigos de Madrid, de Barcelona, de Vigo, de Pamplona... Cada vez es más difícil el regateo, porque llegan los tratantes que compran docenas para mandar fuera del Reino de Galicia. En Villalba ya tienen los carpinteros fabricadas cajas de madera, y en cada una caben dos pares, sabiendo entrecruzarles las largas patas. Y el Ayuntamiento pone a cada caja una etiqueta, con la torre de los condes de Villalba, y además cada capón lleva en las patas un sello de garantía. Garantía de que es pollo y no gallina, y de que fue cebado a la manera de la Terrachá, y que no es pollo de granja, engordado con piensos. Se trata de una feria a la que hay que ir siquiera una vez en la vida, para ver todo aquel campo de capones, puestas las cestas en fila, como surcos en los que florecieran extrañas plantas. Ahora la feria se hace a cubierto y lo agradecen las mujeres, pero yo siempre recuerdo cuando se hacía en la plaza, y si era día de nevada, caían los copos de nieve, **as folerpas** que decimos los gallegos sobre los capones, que poco a poco quedaban cubiertos por la nieve blanca. Y las aldeanas, las **chairegas**, bien envueltas en sus toquillas y en sus mantones, apenas mostrando la boca para discutir el precio y alabar sus capones, y calzando las zuecas de allí, que llaman **chinelas**, y son unos de los más bellos calzados del mundo, y hacen lindas las piernas. En mi memoria el recuerdo de las ferias villalbesas del 19 de diciembre, tienen tanto lugar como el recuerdo de los capones que he comido.

CAZA DE PLUMA Y DE PELO

La Galicia venatoria va dejando de serlo, lo más de ella acotada, muchos los cazadores, y tal como está dividida la propiedad, y con la repoblación forestal de pinos y eucaliptos, no hay cotos ni reservas que merezcan ser citados, excepto los montes de Cervantes en la alta montaña luguesa, o en el Invernadeiro, en Orense... La riqueza en caza de Galicia fue mucha, y las especies al alcance del cazador muy diversas. Todavía en los montes de Cervantes, donde son antiguos robledales y hayedos, se puede cazar **a pita do monte,** el urogallo, y en el Invernadeiro el corzo, tan gentil corredor. Volaba la perdiz en los montes nuestros, corría el campo la liebre, podía el cazador abatir la **arcea,** la becada, «la segadora del aire», o cachetear un gazapo que salía de entre unas peñas. En las lagunas como en la Antela o en la de Cospeito, invernaban patos, que bajaban del Norte helado, y que aún hoy se ven el fondo de las rías. El jabalí hozaba en los patatales, y el tejón se daba meriendas vespertinas de maíz. Pero los tiempos son otros, y hay más lobos y zorros que perdices y liebres en nuestros montes. En 1976 se prohibió en Galicia la caza de la liebre. Urogallos en 1977 solamente se pudieron matar cuatro, porque la subespecie gallega hay que protegerla. También se protege el gamo y el corzo.

Las perdices, en casi toda Galicia, se comen estofadas, y creo que es de siempre que cueza verdura con ellas, especialmente coles. La perdiz, después de medio dorada en aceite o manteca, recibe el caldo en que ha de hacerse, con vinagre, cebolla, pimienta, perejil y un vasito de vino blanco. Las perdices al espeto pueden ir rellenas —picadillo de jamón, trufas si están al alcance, cuatro castañas asadas por perdiz, el todo remojado en vino tostado, y coser la perdiz antes de clavarlas en el hierro— o no. Las becadas de la Terrachá, en los duros meses invernales, son incomparables, próvidamente alimentadas en las lamas. Para la **arcea** o becada, hay que usar en su salsa las vísceras y aún las tripas. En la literatura hay páginas deliciosas dedicadas a la becada, desde el conde de Clermont-Tonnerre hasta Rafael Puget y José María Castroviejo, quienes como va sola o en parejas, hasta los lugares crepusculares que ama, huyendo de la luz del día, y complaciéndose solamente en los bosques, en las fragas encharcadas, a la hora vespertina, cuando es más agudo el olor de las hojas muertas, y mientras las lunas de los meses de invierno lucen por encima del vapor helado de los tojales, ginestales y brezales. Ama la becada el aroma de la vegetación descompuesta, rebusca en la tierra con sus patas, y con su largo pico encuentra los gusanos y lombrices de los que se nutre. Alguien la vio bañarse al claro de luna, en enero, en las aguas heladas de las pequeñas lagunas. Todo esto es lo que se come cuando uno lleva a la boca un muslillo de becada.

En el pasado siglo llegaron a Galicia muchas recetas referentes a la perdiz, que generalmente se comían estofadas o en salsa de cazador, que viene a ser lo mismo. Se hacen perdices albardadas, a la catalana —la receta la habrán traído los catalanes de las salazones—, en pepitoria, con repollo, rellenas de ostras, con chocolate, y en pepitoria, como si fuesen gallinas las perdices. También se escabechaban perdices, cuando había sobrados bandos de perdiz en el país. Ya se escabechaban en el siglo XVIII, en la cocina de los pazos, donde había para ello unas grandes frascas de cristal. En el Ribeiro del Avia, después de la vendimia, cuando ya hay hojas en las vides de todos los colores de la pintura de Venecia, asaban la perdiz en un fuego de sarmientos, envueltas en las hojas más vivas de las antiguas cepas. La perdiz así asada, forma del paisaje dorado del otoño.

La carne de la liebre, dicen los entendidos, vale sobre todo por la dulzura rara de su sangre, que ha de ser, siempre que se pueda, utilizada. Alguien dijo que lebrato muerto poco después de haberse alimentado con la hierba caliente y aromatizada de una mañana soleada de septiembre, da tal aroma al cocinarlo que «puede embalsamar una iglesia». En Galicia hay una receta muy común, que pide que después de guisada la liebre con su sangre, aceite, perejil, ajo, un vasito de vino tinto, cuando poco falta para que pueda ir a la mesa, se le añade a la salsa un migado de pan con ajo, pimienta, más perejil y vinagre, todo el migado y estos ingredientes machacados en el almirez. Ignoro el por qué en algunas partes de Galicia le llaman a esta salsa «salsa Ramona», y si hubo una cocinera de este nombre. En otras partes, por la abundancia de perejil, le llaman «salsa verde», que no lo es.

Ya he dicho en el liminar a estas notas que lo que en estas páginas se dice nace de un poco de ciencia —lecturas, viajes, buenos restaurantes, conversaciones con ilustrados cocineros— y de algo de experiencia. Así cuento, con la humildad necesaria, y teniendo en cuenta la sabia lección dorsiana que mantiene que desgraciado aquel que sólo conoce las cocinas ajenas, pero desgraciado también aquel que sólo conoce la propia. No es de Galicia, creo, pese a la afición ya dicha del gallego a empanarlo todo, el pastelón de liebre, que ha de ser muy hojaldrado, y sólo debe recibir la liebre cuando ya está hecha en una tartera. La liebre entonces se parte y se echa en el molde donde la espera la masa del pastelón. Se cuela la salsa en la que se hizo la liebre, y que debió llevar su sangre y sus hígados, vino tinto, pimienta, perejil, cebolla, y se echa sobre la liebre, antes de tender la tapa del pastelón. La salsa ha de estar más bien espesa, y no ser mucha. Mejor es que sobre que no encharcar el pastelón. Y al horno. Siempre fui muy aficionado a este pastelón de liebre, y si hay ocasión pido que me hagan uno, y si es posible estoy en la cocina cuando le echan la salsa colada a la liebre, y en la mesa pido ser el que levante la tapa, para que me llegue todo el aroma. Y en verdad que vale para el pastelón de liebre lo que Giono decía de un lebrato alpino: embalsama él solo una iglesia.

A Boileau le gusta el conejo, pues decía «J'aime voir au lapin cette chair blanche e molle». Allá va, con su andar zizagueante este huésped singular de nuestros montes y bosques, «animal del silencio» dijo un poeta inglés. Salta sin hacer ruido sobre las hojas muertas del otoño. Pasa lo más del día metido en su tobo, que la experiencia le enseñó a cavar hondo, y se hace sociable a la noche, en la que se juntan los conejos para brincar y darse sobre la hierba a juegos y amores. Sin duda, dijo un cazador literato «que ama ver la imagen fantástica que la Luna da de él, alargando en su sombra sus móviles orejas». El conejo se come asado, guisado con patatas, con una salsa de limón y vino blanco y con arroz, cosa esta última reciente, pero receta a la que se han aficionado muchos gallegos. El conejo de monte tiene un sabor muy característico, tanto que los ingleses dicen que perturban con él los pastelones de montesina, en los que entran diversas carnes venatorias. Habiendo en el «Almanach» del conde de Clermont-Tornnerre, que en la Grand Chartreuse, un prior descubriera una nueva manera de guisar el conejo, que tanto abundaba en aquellas tierras suyas, y debía alimentarse de algunas de las hierbas que iban a perfumar su licor, decidí un día probar su receta, que es excelente: el conejo, ya limpio, se deja marinar con finas hierbas y vina-gre, y cubierto con agujas del pino. Al día siguiente, se asa entero o se fríe en trozos. Y así se comen a un tiempo el conejo y los rumores del pinar, que un poeta nuestro, Pondal, llamó quejas, **queixumes.** Rumores que el propio Pondal llevó al himno de Galicia preguntándose qué dicen los rumorosos, los pinos, en las verdes colinas. Y quiero ir aclarando que porque el conejo tiene en sus archivos un verso de Boileau, un elogio de Clermont-Tonnerre y una receta de un prior de la Grand Chartreuse, sabiendo ésto, me gusta más, como los melocotones a Bertrand Russell.

Y he aquí el corzo. Mejor dicho, allá va. Ya se ha dicho por los mayores «gourmets» que de todos los animales que galopan por los montes, el corzo parece haber sido destinado, por sus costumbres y sus gustos, a dar al hombre, además de los placeres de la caza, una alimentación perfecta. «Mientras que el ciervo, flaco y magnífico, dice el marqués de Armonville, reparte todas las fuerzas digamos que de su savia en el adorno extravagante de su cabeza y en sus ardientes amores, el corzo no da más que dos semanas al año a sus placeres carnales... Es el hijo del bosque; dulce y salvaje, sus pequeñas orejas están siempre atentas, y su pelaje tiene el tono de las hojas muertas del roble en el suelo. Se percibe el paso rápido de su silueta perfilándose sobre los troncos de los árboles, antes de sumergirse en las profundidades vivas del bosque». Nadie lo dijo mejor. Otros han dicho que ama los lugares altos y secos, bosques y fragas que tienen cerca tierras labradías, lo que le permite reunir las dos alimentaciones, la que le permite el bosque y la de los frutos que siembra el hombre. Come brotes de ginesta, pero también avena, y las hierbas de los altos pastizales, que penetran en la carne del corzo joven, una carne viva, sangrienta, de animal fuertemente oxigenado por el aire de altura, y que no conoce los relentes del establo ni la pesadez de los granos. Dicen que la carne de corzo ha de estar al sereno nocturno, después de frotada con vinagre, algo de pimienta y agua en la que cocieron unas hojas de laurel. El gallego lo come siempre asado, que desconoce las grandes recetas borgoñas y germanas, o las más perfectas, del principado de Sedán. El sabor del corzo es inconfundible, como el del urogallo, las dos grandes piezas venatorias que pueden ir a una mesa en Galicia.

Queda el jabalí, **o porco bravo.** Hay que tenerlo dos o tres días a marinar. El gallego adoba el puerco bravo como si fuese el doméstico, y luego lo asa. Un jamón de jabalí, en muchos lugares, si cazan puerco bravo, lo curan junto a los jamones del cerdo de la matanza familiar. Unas chuletas de jabalí, a la parrilla, son sabrosas; está uno sentado en la solana de su casa, frente al paisaje de las viñas que mueren, y a tus pies está el perro de casa, atento, sentado sobre las patas traseras, en espera de los huesos de las chuletas de jabalí que estás comiendo. Se impacienta de la lentitud de tus bocados, atraído por el aroma más profundo de la caza. Alguien dijo que la cebolla es el ajo de las decadencias, y será por eso que la cebolla no les va ni al corzo ni al jabalí, que son carnes de los renacimientos y de los tiempos de poder y de gloria. El gallego es poco comedor de pájaros, como el italiano, que es el europeo que más pájaros come, pero una encebollada de tordos no está mal. Ama en cambio la paloma torcaz, **os pombos,** a la que aplica las mismas recetas de la perdiz.

El último urogallo que he comido procedía de los montes vecinos de Ponferrada. Llegó a la mesa relleno de ciruelas pasas, bien asado, y acompañado de un fino puré de castañas. Metías en la boca una tajada de urogallo o chupabas un ala, y después un poco de puré mojado por la salsa y aplastando en él una ciruela, y borrabas de la boca el sabor de la **pita do monte,** para volver a encontrarlo de nuevo en otra tajada de aquella carne firme, oscura, somnífera que dijeron en las grandes abadías germánicas de antaño. Una carne que tiene un leve perfume insólito, y que te obliga a preguntarte de dónde le vendrá y lo que significa, y sugieres que debe venir ese perfume de la carne del urogallo, porque a éste le dieron muerte cuando en lo alto de un árbol cantaba de amor. Porque ya se sabe que mucho urogallo muere cuando le canta a la hembra desde alta rama, a la hembra que está al pie del árbol del amador, en espera de nupciales danzas. Será, dije más de una vez, como matar a Romeo cuando está en el balcón de Julieta Capuleto, diciéndole a ésta las dulcísimas, irrefutables palabras... Los pobres gallegos, que sólo podemos matar cuatro urogallos por año, nos sorprendemos cuando leemos que en el año 1975 se mataron en Finlandia treinta mil, en aquellos bosques a la orilla de aquellos lagos.

LAS CECINAS

No debía dejar pasar estos capítulos de las carnes sin hablar de las cecinas. Corominas ya explicó que **cecial** —Valladares da **cicial** como anticuado, en gallego— se dice del pez que secó y curó al aire, mientras que cecina se dice de las carnes saladas y secas. El congrio seco, **curado,** será, pues, cecial. Cecina procedería de un latín **siccina,** carne seca, que dio en gallego **chaciña,** carne de cerdo o de vacuno adobada, según Valladares, aunque hoy se nombre chaciña a la carne de cerdo picada y presta para embutir. Corominas recuerda los versos del «Libro de Apolonio»:

trayen grant abundancia de carnes montesinas,
de tocinos e vacas recientes e cecinas...

versos en los que está claro que a la carne de vacuno fresco se opone la seca, la cecina. Ya se hacen pocas cecinas, aunque he de hacer constar, y saber del asunto no le disgustaría nada a San Giraldo d'Aurillac, funda- dor de Santa María del Cebreiro, que me encontré en este lugar, y en la hospedería que lleva su nombre, en la primavera de 1973, con media docena de cecinas vacunas colgadas en la trascocina. La mejor cecina es la de un cebón. Está en la sal su tiempo, y cuando sale del baño se seca, ya al humo de la cocina, ya al viento que llega lamiendo nieve, al norte silba- dor. La cecina se puede comer cortando magras con el afilado cuchillo, o dejando a remojo un trozo, y luego se cuece con unas coles o unos grelos. Muchos veranos, en Sanxenxo, en casa del doctor Cedrón, de Ponfe- rrada, hijo y amador de la alta montaña luguesa, saludamos las buenas cecinas que trae para ayuda de las meriendas, y yo y otro amigo vamos invitados una tarde, y saludamos aquella carne roja, prieta, terca, tan sabrosa, mientras se va poniendo el sol. Hay quien prefiere la cecina de una vaca vieja. También se puede cecinar el corzo. Un primo mío, gran cazador, José María Moirón, de Riotorto en el arcedianato de Miranda todos los años mataba algún corzo en la fraga de Rioseco, una selva espesa en la que el lobo se esconde, y sobre la que siempre vuelan aves de rapiña, esas que los gallegos llamamos **peneireiros,** que traduciríamos por cedaceros, por como se mecen en el aire, como si una mujer tuviese en las manos un cedazo, que es el ave girando. Y si un corzo se comía asado, otro iba para cecina. Una gran carne, purpúrea.

Se debió cecinar mucho en la Galicia antigua, en las grandes casas y en los monasterios. Y en las aldeas, si sucedía que una res se quebrase una pata, o se pusiese a morir de un mal parto una vaca, o cualquier accidente pusiese a la muerte una cabeza, fuese ternero o buey. Había, en la po- breza campesina, que trocar aquella desgracia en compango. Hace poco tuve noticia de que la compañía de la cecina cocida, en algunos lugares de Orense y de Lugo son las castañas cocidas. Queda muy bien, y ésta debió ser la receta más antigua. Nunca he sabido que se comiese en el país cecina de oveja ni cabra, aunque sí he encontrado y probado, oveja sal- presa, metida poco tiempo en sal y luego cocida, con el añadido ahora de unas patatas, y al comerla se le echa por encima un riego de aceite y pimiento picante, como si fuese pulpo de feria.

GALICIA QUESERA

Galicia es quesera. En las más de las ferias gallegas, en cestas, sobre paja y blanco mantel, se ofrecen al feriante los quesos de la comarca.

Unos son mejores que otros, y algunos tienen sobrada fama. Los grandes quesos gallegos, **as tetillas,** los quesos de Arzúa, de Mellid, de Curtis, de Vilasantar, de Órdenes, los que se compran en las ferias y mercados de Santiago de Compostela, proceden de una extensa comarca de la Galicia central, en la que los quesos tienen forma y sabor característicos, y los buenos son los que se hacen desde los primeros fríos hasta abril, y aseguran que es por la entrada del nabo en la alimentación de las vacas. Son quesos blandos, mantecosos, que a veces necesitan de una tira de tela para ceñirlos, buscando que no se derramen. Como abundan más los regulares que los buenos, el goloso de quesos debe ir a ferias y mercados a buscar la pieza exquisita, y hay que solicitar de las queseras que con la punta del cuchillo los calen. El gallego dice, indiferentemente, calar o catar, por probar el queso. Ya es tópico que si un queso de tetilla, un queso de esa zona de la Galicia interior, a ambos lados de la carretera de Palas de Rey a Santiago, sale bueno, no hay otro como él. Y es verdad para quien le gusten los quesos lechosos, frescos, pero estos quesos nuestros tienen un sabor que les viene muy del fondo, y que se cuaja en la boca del degustador con una ternura infinita, que a muchos debe recordarles los días de teta y biberón, tan lejanos, pero que alguna memoria debieron dejar: es una caricia mansa, una blandura agridulce... Pero también es un queso, un queso hecho y derecho, como pueda serlo cualquier queso de Europa, desde el Vístula hasta la sierra da Estrela.

Servidor se acuerda de algunos quesos, comprados en la feria de Santiago, algunos jueves, y de otro comido en el Nogallás de Órdenes, y otros en Arca o en Teixeiro, o en Sobrado dos Monxes, y alguno en mi propia casa en Vigo, escogido a confianza en la tienda de la vendedora, quien me llevaba tras una cortina para enseñarme «sus tesoros ocultos» que decía, y que eran, naturalmente, los quesos que le acababa de traer un tratante de Curtis. Alguna vez he comido quesos de Tomiño, en el obispado de Tuy, que son tan buenos como los Port-Salut, y de la misma familia. Nosotros podíamos tener una gama de quesos frescos como Francia, para los meses invernales y los de verano, para las meriendas, y también para el final de las comidas, una tabla variada y compleja, en la que se completasen diversos y perfectos sabores. Con los frescos tetillas, yo me abstengo de vino. Y aunque dude que un queso puede ser la piedra de toque de un buen vino, acepto éste como compañía indispensable de los quesos hechos, sápidos y curados, que ellos mismos parece que lo piden, y naturalmente el vino ha de ser tinto. Al gallego no le gustan los quesos muy olorosos, del tipo de un Cabrales, por ejemplo, ni aún, en general, el amargor de algunos quesos de oveja de los rebaños montañeses, alimentados con hierbas duras y fuertemente perfumadas, como la genciana amarilla y el meo.

En muchas partes de Galicia se ponen quesos a secar, en un corredor o en el desván de la casa, en lugares abiertos al norte; quesos hechos en los días invernales, y que se comerán en el tiempo de la siega y de la trilla, y en las romerías del estío. Pocas veces son grandes quesos, pero los buenos, que hay cortarlos sacándoles, por su dureza, leves virutas, tienen un sabor muy propio, que muchos apreciamos.

Hay en nuestro país, además de los tetillas, quesos muy característicos, como los de Cervantes, que se pueden comprar en las ferias de Pedrafita, de Becerreá, de Baralla. Un queso que tuvo mucha fama en el país es el queso de San Simón, en la sierra de la Corda, que también es conocido como queso de Villalba, de forma cónica, que se debe al capo de madera en el que escurre, y se ahuma con corteza de abedul, con lo que su piel se viste de dorado oscuro, un dorado de Venecia. Podía ser uno de los quesos de la riqueza gallega, pero no lo es. Un buen queso de San Simón hay que buscarlo con un candil, o en casa de confianza pedir que le hagan media docena. Como en tantas cosas culinarias, la trampa se lo ha llevado todo. Y era un queso, además, que tenía tres o cuatro sabores diferentes, y uno era el algo seco del pico, y dentro tenía como capas, cada una con su saborcito, y en la base el queso estaba más mantecoso, y como era la última que se comía, ya estaba más hecha, untuosa, compacta, dulce. Y el todo siempre acompañado por el aroma del ahumado de abedul. La piel protegía una blandura especial del interior, una carnosidad que no se encuentra en otros quesos. El de San Simón es un queso para «chambrer», como los vinos, y concede sus gracias cuando se le come más bien tibio que frío; un queso que espera a ser comido en el alzadero de la chimenea de la cocina aldeana. Fue un buen queso, al que había que tratar con mucho respeto. Pienso, a veces, que ya nunca volveré a comer buen queso de San Simón, y me entran las melancolías del **ubi sunt**. Pero, allá por Navidades, cuando menos lo espero, me llega uno de regalo, de manos de amigo, y me lo reservo, y me hago avaro de él, y le prolongo la vida, ensoñando con él todos los quesos de antaño.

Ahora se hacen en el país quesos industriales, hechos con recetas que podemos llamar deshumanizadas, quesos hechos sin duda con mucha higiene, todos con un vago parecido por parte de madre, que es la leche. En vez de seguir las líneas tradicionales del queso gallego, se hacen otros, que pueden ser de cualquier parte, y nadie le enseña a nuestros campesinos a mentener los tipos de quesos de sus comarcas, mejorando la pasta, midiendo la grasa que han menester, y dándoles la cura que precisen.

Ahora el Estado da órdenes en virtud de las cuales los quesos que se venden en las tiendas de comestibles han de llevar etiqueta, número de registro y otra porción de bobadas inventadas por la burocracia. De modo que en un establecimiento de comestibles se puede vender un llamado queso gallego, insípido y acauchutado, y no un queso de Vilasantar, que abre su corteza, más fina que piel de recién nacido, para dejar salir aquella suave y fina, blanda pasta de su interior.

El requesón sigue siendo uno de los grandes postres del país gallego. El requesón debe hacerse con leche cuajada, o «podre» como dicen algunas comarcas, natural. En las antiguas cocinas había **calleiras,** como hornacinas cerca del fuego, para poner en ellas las ollas con la leche. En cualquier lugar de la cocina están bien las potas con la leche, saludadas por el calor, pero desde la Ascensión hasta mediados del otoño, la leche cuaja fácil. Y conviene dejarla, cuajada ya, un par de días, y está perfecta cuando se le arruga y oscurece la nata. Entonces se le quita ésta con una cuchara, y se aparta en una taza, mientras la leche se vierte en un saquito, o en un paño de blanco lino, y se pone a escurrir. Cuanto mejor escurrida está, cuando más agua suelte —los gallegos le llamamos **soro,** es decir, suero—, mejor requesón hará. La nata se le quita para añadírsela luego en el batido al requesón, y porque si se dejase ir con la leche —la leche a escurrir—, lo haría mal ésta, porque la nata taponaría la urdimbre del paño. Cuando ya se supone que la leche **desorou,** escurrió, se echa en una fuente honda, se le añade la nata, se bate bien, y cuando va medio batida se le añade azúcar al gusto. Y ya está el rebate bien, y cuando va medio batida se le añade azúcar al gusto. Y ya está el requesón, que debe comerse fresco, pero no frío.

En algunas aldeas de la montaña gallega, aún hay quien conserva el gusto de echarle miel en vez de azúcar, miel oscura y perfumada: el batido entonces exige más tiempo, y siempre le quedan al requesón unas venas doradas. Los mejores requesones son los de agosto, y hay requesones en los que parece que se puede reconocer el sabor de las hierbas de los pastizales de las veranías, y un botánico de despierto paladar podría herborizar en ellos. En la parroquia de Romariz en la vecindad de Mondoñedo, en la alta y oscura sierra de la Corda, había una anciana que era camarera de la Virgen del Carmen de su parroquia, y no sé de dónde le viniera la amistad con mi madre. Dos semanas antes de la fiesta aparecía en mi casa con los paños del altar, con los adornos de las andas, y aun con el manto de la Virgen o con el vestido del Niño, por si les hacía falta lavado y planchado de almidón, o recoser un forro o repasar un bordado, y mi madre se ponía de costurera y le hacía a la camarera de la Virgen todo lo que solicitaba, y lo bueno del caso es que la anciana no sabía el nombre de mi madre, y todo era decirle **señoriña.** Y cuando venía a traer la obra, como cuando antevíspera del Carmen acudía a buscarla, siempre nos traía requesón de regalo, un requesón un poco amargo, denso, dife-

.rente, que con todos los años pasados, lo recuerdo como el summum de todos los requesones del mundo.

En toda la Galicia campesina se cuaja la leche todo a lo largo del verano, y es tenida la cuajada por bebida refrescante, lo que es verdad. Mejor cuajarla en cuncas, y cuando está cuajada, revolverla bien, con un añadido de azúcar. Está mejor un poco fría, y muchos que la toman a hora de merienda le echan unas cortezas de pan. Yo soy de éstos. El que cuaja leche no debe andar mirando en las cuncas si ya a cuajado o no, que andar en ellas hace que la leche **desore,** y la más de ella se vuelve agua. La leche cuajada naturalmente tiene un sabor fresco y un acidillo muy propios, y no tiene nada que ver con el sabor del «yogourt». Ahora vuelve en nuestras aldeas el gusto por el requesón y por la leche cuajada, y servidor se preocupa que en los buenos restaurantes haya de ambas cosas, delicados postres nuestros. En algunas villas gallegas —Sarriá, Mellid, Mondoñedo—, se sabe hacer flan de requesón, que es simplemente el requesón metido en el molde, almibarado.

DULCES

Y ya estamos en la Galicia dulcera, en la Galicia de los bizcochos, de los almendrados, de las rosquillas de las fiestas, de los roscones varios, de las tartas, y de las filloas, nuestras hojuelas o crepês.

Sorprende, hoy que ya apenas hay almendros en Galicia, el gran gasto que Galicia ha hecho tradicionalmente de almendras. Todas las tartas gallegas, la compostelana, la de Mondoñedo, llevan almendra. En la Galicia del sur, en Ribadavia, en Allariz, se siguen haciendo excelentes almendrados. También en Betanzos: en Coirós solía detenerse el coche de línea de Asturias a La Coruña, y daba tiempo para entrar en una casa de comidas, que tenía unas mesas de piedra bajo la barra, a comprar los almendrados, exquisitos, todavía muchas veces calientes del horno. ¿De dónde venía la almendra en los días medievales y aun modernos, en los días de la Galicia sin caminos, o había almendros en el país, en los valles calientes del sur, en el de Monterrey, de Lemos, de Valdeorras? Como no se ha estudiado bien la evolución de los cultivos en Galicia, y no sabemos cuando llegaron el avellano y el cerezo, ni si la higuera es autóctona, como dice Michelet que lo es en las Galias... El cerezo, que Lúculo llevó del Asia Menor a Roma el año 42 a. de C., ¿lo trajeron a Galicia los romanos, o hubo que esperar a que plantaran sus primeros huertos los cistercienses?

Rosquillas fritas, rosquillas de horno, rosquillas anisadas, roscos de vino, que a mí me gustan bien coloreados por el vino tinto del país, por el **caíño** oscuro. Una libra de harina, un cuarto de manteca de vaca derretida y una cunca de tinto; se amasa bien, y al horno; al salir de éste, se le da a cada rosco un baño de almíbar. En Pontedeume hacen rosquillas de yema, que son muy celebradas, y en las romerías de la Galicia interior hay muchas rosquillas bañadas, ya blandas, ya duras, y las mejores que hoy se pueden comer son las de Silleda, muy a bien acaneladas. De muchos otros lugares son los melindres, que se pueden comprar todos los días en Ribadavia, también blandos o duros, y pedían el acompañamiento de un famoso vino dulce nuestro, ahora perdido, el gran **tostado** del Ribeiro del Avia. La viña que daba el mejor tostado era la llamada «verdello vello», que ahora nadie conoce en Galicia, pero ahora es fecunda en la isla de Madeira, y son de esta cepa alguno de los mejores vinos de allá. Pero el «verdello» en Madeira, con las virtudes del suelo de la isla, da un vino diferente al que daba en Galicia, y se equivocaría quien tomase el madeira por nuestro tostado de antaño.

En algunas villas, como en Villalba, por las fiestas del patrón, hacen excelentes bizcochos de almendra, que salen del horno duros de corteza pero blandos, a veces casi natilla por dentro, y son de los mejores que se pueden probar. En Vivero y Ortigueira hacen **colinetas,** también una especie de tarta bizcochada con almendra —hay que batir la masa hora y media larga—, y es excelente la que en Ribadeo hacen las monjas clarisas. Siendo comunal la receta de los mantecados, los de cada villa son diferentes. Un roscón redondo, bien crecido en el horno, y después bañado por encima, que quede blanco como la nieve, honra una mesa. La **bica** de Trives es de la familia de los excelentes bizcochos, y es una gran cosa. La tarta compostelana —que se repite todo a lo largo de Galicia, con ligeras variantes—, es de almendra, más bien baja, aplastada, con la corteza estallando y bien torrada.

Donde hay membrillos o **marmelos** —y del nombre del membrillo viene **mermelada,** que primitivamente sólo se pudo decir del dulce de membrillo— se hace pasta de ellos, y también se hace dulce de cerezas y compotas, y hay que suponer que en la época de la «cultura de los pazos» se hacían en la cocina de éstos toda clase de dulces de frutas. Yo no he llegado a conocer los barrilitos de frutas en conserva que hacían las monjas justinianas de Redondela, aunque sí los peces de almendra de unas monjas de Tuy, donde se hacen también los famosos **boleardos.**

Antaño los postres de las fiestas eran el requesón, la mantequilla fresca rizada y azucarada, y el arroz con leche, que ya dijimos que fue como el gallego comenzó a conocer el arroz.

Y no había casa en la que no guardasen los **canutos,** trozos de caña para hacer las famosas cañas. De tanto ir al horno, los **canutos** ya estaban algo quemados por las puntas. Se hacía la pasta hojaldrada, se envolvían con ella los **canutos,** y al horno. Saliendo de él, se dejaban enfriar, se sacaba de los **canutos** el hojaldre, con mucho cuidado, no quebrase, y se rellenaban las cañas con espesa natilla. Dije dos o tres veces a lo largo de este texto que cuento experiencias: una buena fuente con dos o tres docenas de cañas, en mi ciudad de Mondoñedo, era y sigue siendo un buen regalo para una fiesta onomástica, para cumplir con un abogado, con un médico, con un canónigo, y aun con el señor obispo. La burguesía gallega es muy afecta a las natillas, muy saludadas con canela en polvo, y a muchos les gustan con bizcochos borrachos: se ponen en una fuente los bizcochos, remojados levemente en vino dulce, moscatel oscuro el preferido, y encima, poco antes de servir, se vierte la natilla.

Por los días del Carnaval —el martes, en Galicia **martes lardeiro,** martes del tocino, del **lardo**—, aparte de las **filloas,** de las que ya se hablará, se hacen las consabidas flores y orejas, y las hojas de limón, que yo siempre creí que eran moda de Tuy —el país de Tuy es, por excelencia, para el gallego, el país donde florece el limonero—, pero luego he visto que se hacen en muchas partes de Galicia, en el Barco de Valdeorras, en Cambados, en el valle de Lorenzana. Se bate la harina con leche, y cuando ya está, se añaden huevos batidos. Se tienen preparadas hojas de limonero, más bien grandes y acabadas de coger del árbol, y se bañan en la pasta, y se fríen en manteca de vaca. En algunas partes, después de la fritura, retiran las hojas del limón y rellenan con natilla el huequecito, pero a mi me gusta ir comiendo alrededor de la verde hoja del limonero.

Otro dulce que saben hacer todas las cocineras de Galicia es la llamada leche frita, que en algunas partes llaman **leite de frades,** leche de frailes. A mí me gusta que sepa a limón y lleve abundante canela, que la pasta sea consistente y que los cuadraditos scan más bien pequeños, del tamaño de un bocado. También se hacen mucho las torrijas, no de pan migado, sino de grandes rebanadas de pan de trigo —aunque yo he comido excelentes torrijas de **borona,** de pan de maíz—; las rebanadas de pan se remojan en huevo, se bañan bien, se fríen, y después se echan en la leche, que hierve con un palo de canela, una corteza de limón y azúcar. Unos tienen las torrijas como cena de invierno, y los más como plato de Nochebuena, antes de la compota de pera.

Un postre que se extendió mucho en Galicia toda a finales del siglo pasado, fue la tortilla al ron. Un amigo mío me aseguraba que en Madrid apareció allá por los años ochenta, en las cenas galantes de los políticos, de los generales que sirvieron en Ultramar, y de los banqueros y de los hombres de negocios que se habían hecho ricos con los ferrocarriles. Pero en Galicia existe otra versión, la de que la tortilla al ron la trajeron los catalanes de las salazones. Ahora ya llegó el soufflé a nuestras mesas, pero antes de él, para ver llamas, se pedía tortilla al ron. La tortilla al ron y el brazo de gitano —en cada villa gallega hay su cocinera especialista, pero el mejor es el de las antes citadas monjas clarisas de Ribadeo— son los postres preferidos de las cenas amistosas de nuestras villas.

En muchas ciudades gallegas hay buen dulce de confitería, especialmente en Lugo y en Pontevedra, donde aún conservan ciertas fórmulas del tiempo pasado, pero en general se impone cada día más la pastelería internacional. En la época de «Picadillo», es decir, en la gran época de la cocina burguesa en Galicia, cuando las señoras iban a la cocina, todas sabían hacer excelentes natillas, buenos mantecados, hojaldres, cremas, merengadas, flanes, cañas, y todavía hay casas honestas, donde las recetas permanecen.

Y termino este capítulo diciendo, y estoy obligado a ello como Cronista de la Ciudad, que la más aparatosa de todas las tartas gallegas es la de Mondoñedo, que sobre un fondo de pasta ligeramente hojaldrada lleva una capa de cabello de ángel, otra de bizcocho borracho, y encima otra de almendra, molida más bien gruesa, y el todo muy almibarado, y cuando sale del horno se la adorna con frutas escarchadas, especialmente higos. Las tres capas son tres países de diferente sabor, y que se ayudan, y el todo es un dulce barroco, aunque se sospeche por la forma y por el adorno —las mismas tiras de masa que en la empanada del capitel del comedor del palacio de Gelmíres—, que puede proceder de los días románicos.

LAS «FILLOAS»

Nuestras «filloas» creo que son cosa muy antigua en la cocina gallega, e hice hace tiempo una inquisición en varias aldeas de diversas comarcas del país, sacando la conclusión de que si no hay tantas variantes como en Bretaña de Francia, hay muchas más de las que se sospechan, y alguna variación de gran calidad. También creo haber comprobado que la filloa gallega no ha sido utilizada, como la bretona, para rellenar con carne u otro pisto cualquiera, ni para sustituir el pan, remojando en las oportunas salsas. El gallego tiende a hacer las fillas lo más delgadas posible. El quid de la filloa consiste en su finura, en esa delgadez como de encaje de Camariñas. Todo lo que se ha hecho modernamente con las fillas es rellenarlas con natillas, crema pastelera o nata. La mezcla, que en gallego se llama **amoado,** se hace con leche, harina y huevos, y las fillas se hacen en plancha de hierro, cuadrada e inclinada para que se extienda mejor el **amoado** por ella, o en sartén. Las fillas de plancha suelen salir un poco más gruesas, y son cuadradas, mientras que las de sartén pueden salir finísimas, y son redondas. Con un hisopo se unta la plancha o la sartén con manteca de vaca, y ya vertido el **amoado** y cuajado, hay que saber darle la vuelta en el instante justo: la vuelta se hace a dedo, cogiendo la filloa por el borde, que se tuesta un poquito y se separa de la sartén. No es corriente en el país el echarle azúcar al **amoado,** que se echa a las fillas cuando ya están hechas y se van apiñando en una fuente. En algunas partes le echan al **amoado** unas gotas de anís. En otras partes se echan la harina y los huevos en el caldo en que ha cocido el lacón. Esto debe ser muy antiguo.

Hay fillas de harina de centeno, y hay las fillas de sangre, tan típicas de la Galicia interior: ya hecho el **amoado,** se le añade un cacito de sangre de cerdo, sangre que se recogió cuando la matanza, y al recogerla hay que batirla muy bien, para que no cuaje, y para que se conserve se pone en un lugar frío, con el añadido de una cebolla pelada. Las fillas de sangre no deben llevar mucha de ésta, y no han de ser oscuras en demasía. Yo dije una vez, algo pedante, que debían tener solamente aquel tostado de los rostros de las mujeres que pintó Piero della Francesca, de la reina de Saba, por ejemplo, arrodillada delante del rey Salomón, que la está mirando goloso. Un leve ocre, un tostado de Venecia, una piel de muchacha en las playas del verano, y nada más. Las fillas de sangre son las que yo prefiero. Las fillas de sangre no se acostumbra a rellenarlas. En diversas partes de la montaña gallega las endulzan con miel y no con azúcar. Y si no es tiempo de matanza y no hay sangre de cerdo, puede usarse sangre de pollo o gallina, o sangre de pichón.

Creo que se debían hacer fillas muchas veces al año, y especialmente en tiempo de invierno. Ahora sólo se hacen por la Candelaria, y el día máximo de ellas es el **martes lardeiro,** y en general, todos los días de Carnaval. Entre gallegos ahora es solamente un postre, pero es seguro que fue plato de mesa, merienda-cena de los días invernales, como sus parientes pobres, los **migados** o **faragullos,** que a mí me gustan tanto.

Para cuatro personas, se baten cuatro huevos; batidos, se les añade una tacita de agua, fría, y la harina, supongamos que cuatro cucharadas por huevo, y la sal. Se revuelve bien hasta lograr una pasta espesa. En la sartén, se echaron con manteca de cerdo o con aceite, unos torreznos de hebra, cortados muy delgados, **liscos** les llamamos. Cuando los torreznos van hechos, se vierte la pasta sobre ellos, y cuando comienza a freírse y hace dorada corteza, se revuelve una y otra vez, rompiéndola, esmigándola, y se deja que todos los trozos se frían muy bien. Cuando están hechos los **migados** o **faragullos,** se echan en una fuente y se endulzan con miel o con azúcar. Y lo más sabroso de los **faragullos** es el encontrar en un bocado escondido el torreznillo, que pone en la boca, junto al sabor de la miel, una gracia salada. Con los **faragullos** se acostumbra a beber leche, caliente o fría, y aún hay quien sopea con los **faragullos** en ella.

Yo no me canso de pedir, en mis viajes de invierno, postres de fillas en los lugares que los que acostumbro a caer a hora de almuerzo. Fillas rellenas o no, de sangre o perfumadas con naranjo o anís. Ya he logrado que algunos restaurantes las ofrezcan todos los días de Dios. Creo que las fillas deben ser restauradas en toda su importancia en la cocina gallega. Y aún más: si hemos comido lacón con grelos, debemos comer tras él, el gran plato fillas de caldo de lacón.

En mis memorias de los días infantiles, están tardes de vendaval y lluvia, o de nordeste y nieve, y en la vieja cocina, al fuego la sartén de hierro, y una criada haciendo fillas. Había que aguardar a que tuviese un buen plato de ellas para que nos dejase a los niños meter los dedos, endulzarlas con miel o azúcar, y llevarlas a la boca, todavía calientes. A veces, para más abundancia, las hacían en la plancha para la gente menuda, mientras en la sartén las hacían para ir a la mesa. Una filloa liviana, delgada, hija de un **amoado** fino y bien batido, la sartén suavemente engrasada con el hisopo, blanda y no tostada, es una delicia. No se debía autorizar a ningún restaurante a llamarse «gallego» si antes no aprobaba el examen de la filloa, y no estaba dispuesto a dar fillas cada día, conforme están dispuestos a dar a quien las pida esa confusa fantasía que son las crêpes Suzette.

FRUTAS

Nuestra Galicia es país de mucha fruta, aunque hay que decir que viejas castas, como las peras urracas, las manzanas camoesas, las cerezas vilariñas, van desapareciendo, y pocas de ellas, al cabo del año, ha probado el gallego. En cambio, hay más pavías ahora que hace años. La pavía es una especie de melocotón de los huertos calientes del sur galiciano, y de los ribeiros, especialmente el del Avia. Quizás una buena pavía en sazón, del ribeiro del Avia, tan perfumada, tan carnosa, tan llena de agua viva, sea la reina de las frutas nuestras. La pera urraca es como un fin de raza, como si todas las familias ducales de las peras del universo entero, dejaran en esta pera, más bien pequeña, vestida de oscuro verde, los últimos azúcares y aromas. Galicia abunda en cerezas en los valles, desde el de Lorenzana al Fragoso, desde Betanzos a Valdeorras. Se asegura que el cerezo lo trajo Lúculo a Roma desde el Asia Menor el año 42 antes de Cristo, y que pronto se extendió por todo el Imperio, especialmente por las Galias, y en Galicia encontró una tierra que le va muy bien, con esos mayos alternados de sol y bruma, y una lluvia de vez en cuando, en los días en los que las cerezas comienzan a pintar —que no cuando van para maduras, que entonces abren, o como dice el gallego, **rañan.** Hay cerezas vilariñas, pedresas, blancas, de pico, garrafales... También hay guindas. El gallego es muy dado a poner cerezas y guindas en aguardiente, con azúcar y canela en rama. Es el aguardiente de guindas, o de cerezas, uno de los licores favoritos del gallego.

Hay muchas familias de manzanas, y se pueden comer reinetas muy sabrosas, manzanas que maduran en la orilla misma del otoño, y que se conservan muy bien, como las tabardillas, a lo largo del invierno. Un poco fría, una reineta da todo su sabor, y no hay mejor manzana que ella para asar. Las manzanas camoesas, con una dulzura muy característica, tienen fama de llevar este nombre por el lugar de Camos, en la provincia de Pontevedra, de donde era originario el linaje de los Camoens, que pasó a Portugal, y en el que floreció don Luis, el de «Os Lusíadas». En castellano se llaman —la primera documentación en 1513—, camuesas. Américo Castro dice que camuesa debe venir del francés antiguo **camus,** chato, de nariz aplastada. Pero Corominas cree que es más natural que el nombre de una casta especial de manzanas proceda de una localidad que de una palabra pre-romana. Compárese **canaval,** clase de manzano agrio, en Fernández de Oviedo, nombre que viene, evidentemente, de uno los numerosos lugares gallegos llamados Canaval, cañaveral.

La roja y aurea hespérida camuesa
en un principio del dragón guardaba...

que alaba Lope de Vega en su «Jerusalén Conquistada», cree Nascente, según Corominas, que procede Camos, en Galicia, mientras que para Covarrubias sería «de un lugar de Portugal», que dio apellido a los Camoens. Severim de Faria asegura que hay noticias de que «los peros camoenses» tomaron nombre del lugar de Camoens, es decir, de Camos... De donde venga, en fin, la denominación no está muy claro, pero después de conocer todas las dificultades etimológicas y semánticas, desde el celta **camb-,** curvo, hasta **camuso,** chato, en Boccaccio, y **Camos** o Camoens, esta manzana nos gusta más, como a Bertrand Russell los melocotones desde que conoció su historia, que se remonta a los huesos de melocotón que el gran rey Janiska de la India encontró en los zurrones de los prisioneros chinos... Hay otras castas de manzanas menos sonadas: tabardillas, ramonas, piel de vaca, tenreiras, galanas, de San Juan... Un francés sostuvo que la manzana era autóctona en Occidente. Eva no le pudo dar una manzana a Adán, porque no la había en el Oriente Medio. Parece ser que el fruto prohibido ha debido ser una fruta con hueso. Una cosecha de manzanas extendida sobre paja, en el suelo o encima de unas arpilleras, perfuma toda la casa. Podríamos decir alguna vez con el poeta normando

l'odeur de mon pays était dans une pomme...

Hay en Galicia excelentes nueces y castañas —de un dulzor suave las llamadas de «paredes», pejigos varios, nísperos, ciruelas—, la claudia reina es una delicia de mieles diversas; era la gloria de los huertos de los pazos, y en los bosques hay **amorodos,** la fresilla pequeña y perfumada, y arándonos y sorbas. En los valles hay membrilleros, y junto a ellos naranjos y limoneros. Las naranjas agrias gallegas son excelentes para mermelada, y nuestros limones, que ya eran apreciados en Inglaterra en el siglo XVIII, tienen un sabor vivo y fresco verdaderamente incomparable.

Galicia parece haber sido, desde la remota antigüedad, país de higueras. Hay los higos verdes de San Juan, y las brevas miguelinas de finales de septiembre. En muchas casas de Galicia les ponen almíbar, cuando todavía están un poco verdes... Servidor, cuando echa mano a una fruta en su país, busca una pavía, una pera urraca, una manzana camoesa, una claudia verdeal de un árbol que ya conoció muchas primaveras, y ha envejecido muy lentamente.

LOS VINOS

Yo podía darle una vuelta completa a mi país con la taza cunca de mi apellido en la mano. Y comenzando por las cepas luguesas, siguiendo los

80

ribeiros del Miño, que son los primeros los de Portomarín de los Caballeros de Malta. En tiempos fueron en Loio las viñas de los templarios, que ya dijo Castellá y Ferrer «una montañuela toda llena de vides, pequeña». Vinos todos éstos ligeros y ácidos, con una aguja muy suelta y fresca. De aquí son muy buenos aguardientes —les hacen fiesta en Portomarín—, quizás los más graduados de Galicia, muy duros en su sequedad. Yo diría que su fortaleza y terquedad les vienen a estos aguardientes de que las viñas madres están plantadas donde fueron los camposantos de los templarios y los sanjuanistas, o a su lado, y acuden a las cepas por la sotierra laecales de los huesos de los soberbios caballeros de antaño, estrepitosos. Más abajo está el país de Chantada, con excelentes vinos tintos de los **ribeiros** de Asma y de San Fiz, que para mi son los mejores estos últimos, en los que entran caíño —cepa muy antigua: **caíño** viene del latín **calíginus,** oscuro, hosco—, mencía y tintilla leonesa. Son los tintos que las monjas de Chouzao mandaban a sus hermanas de San Paio de Altealtares, en Compostela. Se puede beber en Chantada y en Lugo. Son muy serios estos vinos chantadinos, con cuerpo liviano y suave, y aunque tinto, se deben de beber frescos, con el fresco de las bodegas de la orilla derecha del Miño en Belesar. Yo recordaré siempre un día en el que estuve en ellas, y estaban llenando el embalse de Belesar, acabado de construir, y ya cubrieran las aguas el viejo puente, que parece que era romano y luego rehecha en los días medievales, y de la flor de las aguas surgían las ramas de unos pejigos, floridas en rojo —era a comienzos de mayo—, y yo bebía vino sentado a la puerta de una bodega, y me parecía melancólica, pero la melancolía era mía, de ver tanta tierra pratense y aquellas florecillas rojas ahogar lentamente en las aguas oscuras del embalse.

Más abajo ya están tres ríos en los Peares. El Sil conoce las viñas de Valdeorras, que dan unos vinos toscos, mejores los tintos que los blancos, aunque sea posible beber allí uno de los blancos más antiguos del país gallego, el llamado **godello.** Los vinos del Cabe son flojos, pero alegres, como los de Quiroga. Hay tintos muy honestos por los **ribeiros** del Sil, con esbelto cuerpo, buenos compañeros en las laconadas del invierno y en las meriendas de las romerías del verano. Por allí corre un río, el Bibey, por donde hay unos viñedos que llaman Amandi. De este vino de Amandi se dijo que era «grato a Augusto». Hoy sabemos que no viajó a Roma, para que lo bebiese Octavio César, sino que fue su sobrino Tiberio quien hace dos mil años, cuando vino a dar fin a las guerras cántabras, lo bebió aquí, **in situ.** Se llamaba Cladius Tiberius Nero, y por tanto vino gallego y berciano como bebió, sus soldados lo conocían por Calidus Biberius Mero —y **mero** vale aquí por vino puro, sin mezcla, que los romanos le echaban agua y especias al vino, pero Tiberio el vino gallego lo bebió puro de uva—. Los mejores Amandi que yo he bebido me recordaron los vinos del Médoc, «las pálidas violetas del Médoc» que dijo el poeta. Un vino ilustre, sin duda, el de Amandi, muy cortés, recatando su «bouquet» al principio, pero después dejando que viva en la boca aquel lento perfume, que va y viene...

Sigue habiendo vinos en las orillas del Miño, que ya bebió a los otros ríos. En Ribadavia, el Miño recibe por su derecha al Avia. Los **ribeiros** del Avia dan los mejores de los vinos que son conocidos con la denominación de Ribeiro. En Gomariz, yo deletreaba los nombres de todas las cepas antiguas del país: caíño, brecellao, tintilla, tarrantés, treixadura, godello, lado, albariño... Ya sé que ahora hay otras cepas, que los viñaderos quieren cosechas largas, vendimias hartas, y que las cepas tradicionales de Galicia dan poco. Pero aún hay grandes tintos en Beade, en Gomariz, en Leiro —donde es la fiesta de los vinos ribeiráns—, en Cabanelas. Yo prefiero de los blancos los que llevan algo de albariño y de treixadura o de tarrantés: son los vinos para aperitivo de los estudiosos, como Otero Pedrayo o el P. Feijoo, y a la caída de la tarde, preparan el alma para la contemplación de las brillantes estrellas, que llegarán puntuales. Los albariños del Ribeiro de Avia son diferentes de los albariños de Arbo, y éstos de los de Soutomaior o del Salnés; hay una gama completa de albariños, como puede haberla de azules en los paisajes primaverales de Patinir.

Miño abajo damos con Salvatierra y su condado, célebre desde Pedro Madruga. Digo los nombres mayores de los vinos del Condado: Rubiós, Tortoreos, Meder. Quizás el vino tinto gallego de más calidad sea el de Rubiós. Hoy se bebe mucho blanco del Condado, especialmente en Vigo. Si en Ribadavia, por mayo, le hacen fiesta a los vinos del Ribeiro, en agosto, el día de San Lorenzo, le hacen fiesta en Salvatierra al vino del Condado. Otros vinos miñotos son los del valle del Rosal. Dicen que antes de la filoxera había allí mucho albariño, mucha treixadura, mucho tarrantés. Hay blancos muy buenos, con su alegre aguja, espumeantes. Los tintos ligeros van muy bien con la lamprea, como los blancos con las anguilas fritas o empanadas, y con el sábalo. Conceden locuacidad, blancos y tintos, al bebedor. Y hay que advertir al forastero que se niegue a beber en los bares de las ciudades esa mala agua gaseada que dicen ser blanco del Rosal.

Atrás, en Orense, dejamos los vinos del valle de Monterrey, los vinos de Verín. Yo solía beber en La Coruña blancos de la cosecha de don Benito Blanco Rajoy. Los tintos del valle de Monterrey más se parecen a los vinos de Valdeorras que a los del Ribeiro de Avia. Son unos vinos graves y francos, algo secos. En Verín se hacen excelentes aguardientes, y como es tierra fronteriza, y hay contrabando de café, se hace en toda esta parte de la provincia orensana el famoso licor café, que tanta mente nubla en Verín, en Ginzo, en Allariz, en Celanova...

Al albariño del antiguo «condado salinario», de la Tierra del Salnés, se le hace fiesta todos los años en Cambados, el primer domingo de agosto. Acuden puntuales a someterse a juicio los albariños de las viñas próximas al mar, que son algo más dulces, y los de tierras adentro, que son más secos. Tantos años llevé yo catando, que ya sabía de qué parroquia eran, si de Padrenda o de Ribadumia. Creo que es el albariño el primer blanco de nuestro país, y uno de los mejores vinos de Occidente. En la orilla portuguesa del Miño están los albariños de Mozón, tan cuidados. Una varia gama de oros amanece en las copas de la cata del albariño. No recuerdan nada las cepas madres del Mosela, de donde trajeron este vidueño los monjes cistercienses. En Ribadumia, en Barrantes, se celebra la fiesta del tinto de allí, excelente. Ya queda poco vino **espadeiro,** al que alabaron don Ramón del Valle-Inclán y el poeta Ramón Cabanillas. Yo logro todos los años algunas botellas. Si hubiese un hombre tan compañero, tan compango del hombre, irías por el mundo adelante con él de la mano. Un vino humanísimo, espiritual, desperezador, acariciante, serio como un signum notarial.

Hay que ir al Ullán a beber unos vinos flacos y ácidos, o darle una vuelta a la península del Morrazo y probar los blancos de Nerga, de Hío, de Donón. Los vinos del Ulla se deben en Santiago, en las ferias, cuando se come pulpo. Es uno de los vinos que placen a José María Castroviejo. Las cepas más septentrionales de Galicia son las de Betanzos, que dan el que fue llamado «o agudelo meigo». Una rama de laurel sobre la puerta, dice que aquella es bodega y hay vino. Tiene ese color lucido de la piedra que llaman espinela. Vino escasamente graduado el betanceiro, en los buenos años tiene una gracia inolvidable.

Se hace muy buenos aguardientes en casi toda la Galicia vinícola. El gallego sostiene que cuando peores son los vinos de una tierra, mejor aguardiente se hace allí. Ya hablamos de los de Portomarín. Son muy buenos los valdeorreses y los ribeiráns, secos y más duros los del Condado, finos y perfumados los del Salnés, suaves los del Ulla y los de Betanzos. Con los aguardientes, ya dijimos, se hace licor de café, y de guindas o cerezas, y copiando la ciencia cartujana, aguardientes de hierbas, muy estomacales, y muchas veces de excelente calidad.

En los últimos tiempos se puso de moda quemar aguardiente, la famosa **queimada.** Por si alguien quiere la receta, es ésta la que me parece más correcta: seis cucharadas de azúcar por litro de aguardiente, y la corteza de un limón. Nada de verterle cuando el aguardiente va ya quemada, un pocillo de café, que le roba a la **queimada** todo su sabor. En cambio, al final de la quema, le va muy bien una taza de vino del país.

A los gallegos nos gustan nuestros vinos. Quizá porque tienen más ganas de hablar que nosotros mismos, gente lacónica, o porque tienen un sabor fugitivo, y buscándolo, sentado ante su taza, el gallego rememora gentes, tiempos, lugares, amores, despedidas.

RECETAS DE COCINA GALLEGA
por ARACELI FILGUEIRA IGLESIAS

CONSEJOS PRÁCTICOS

Aceite

El aceite de oliva para utilizarlo en repostería podemos refinarlo poniéndolo a calentar con una corteza de limón o de naranja. Para cocina basta con freír primero un trocito de pan, que puede estar mojado en vinagre.

Arroz

Si al arroz le echamos en la cocción unas gotas de limón abre con más facilidad.

Al arroz con leche puede incorporársele el azúcar después de cocido. Así se agarra menos.

Caldos

El caldo gallego queda mucho más sabroso si se hace de víspera y se calienta.

Es costumbre en algunas zonas de la montaña el echarle al caldo de berza, repollo o grelos, un puñado de castañas pilongas, previamente remojadas.

El caldo pasado por pasapuré o batidora, da una excelente crema de legumbres.

Para espesar el caldo se deshacen algunas patatas, machacándolas en el cucharón con un tenedor, o apretándolas con la espumadera o la espátula, contra las paredes de la olla.

Puede hacerse caldo para varios días. Resulta muy práctico y está más sabroso, pero hemos de tener en cuenta que tenemos que hervirlo todas las noches. Aunque lo conservemos en nevera, es mejor recocerlo, pues coge mucho más sabor.

La verdura para el caldo en unas zonas de Galicia se pica muy menuda y en otras se deja en trozos grandes, eso depende de los gustos y de las costumbres de los distintos lugares.

Carnes

Las carnes de cerdo saladas conviene desalarlas dejándolas en agua entre doce y cuarenta y ocho horas, según el tamaño y el tiempo que hayan estado en la sal.

Los guisos que se hagan con estas carnes, hay que probarlos antes de sazonarlos, pues puede que ya no sea necesario echarles más sal, que la que suelta la carne.

Chorizos

En tiempo caluroso o en sitios muy secos, si se quieren conservar los chorizos gallegos, sin que se sequen demasiado, basta con envolverlos primero en un papel, y luego meterlos en una bolsa de plástico, cerrarla y colocarlos en la parte menos fría del frigorífico. También se conservan muy bien en grasa de cerdo o en aceite.

Dulces

La harina que se utilice para repostería debe estar previamente tamizada. Así los bizcochos quedan mucho más esponjosos.

Si los bizcochos queremos que queden jugosos por dentro, podemos ponerlos a horno muy fuerte. Así se hacen antes y no se resecan. Conviene taparlos con un papel untado de grasa para que no se arrebaten, si se trata de bizcochones o roscones. El bizcocho de espuma, en molde plano, no es necesario cubrirlo. Para comprobar si están en su punto basta con pincharlos con una aguja o un alambre.

La almendra para pasteles y tartas se pela metiéndola en agua hirviendo, y después de haberla dejado secar, se ralla con máquina o se filetea con cuchillo.

La mayoría de las recetas de pasteles, tartas y bizcochos de almendra, pueden hacerse también con coco rallado, nueces o avellanas.

La confitura y almíbares, es mejor envasarlos en frascos pequeños (sirven vacíos los de cristal que vienen con mermeladas o frutos secos). Pues si no se van a consumir grandes cantidades, evitamos que al abrirlos entre aire, que es lo que hace que fermenten y se descompongan.

Las cremas, natillas, besamelas, etc., que lleven harina o maicena, deben moverse con espátula de palo o con una tablilla, pues la cuchara tiene menos puntos de contacto con el recipiente que la espátula y así se evita el que se peguen. Lo mismo ocurre con los dulces de frutas.

Filloas

Si nos sobran filloas, el día siguiente podemos rellenarlas de verdura, carne, pescado o marisco, enrollarlas y freírlas rebozadas en huevo batido y pan rallado.

A las filloas, de la clase que sean, si les echamos 50 gramos de margarina o de manteca de vaca, al hacer la pasta, ya no es necesario engrasar la sartén más que la primera vez para templarla, pues no se agarran y se desprenden con facilidad cuando están doradas.

Flameado

Si vamos a utilizar ron o aguardiente para flamear algún plato, es conveniente mezclarlo con un poco de azúcar y calentarlo antes de prenderle fuego.

Huevos

A los huevos batidos para tortilla de patata, si le añadimos un poco de caldo limpio, queda la tortilla mucho más jugosa.

Si se echan a cocer huevos que han estado en la nevera, se rompen con facilidad y resulta difícil quitarles las cáscaras. Es mejor tenerlos algún tiempo a la temperatura ambiente antes de ponerlos a cocer.

Lacón

Para que un lacón salado, que llevemos fuera de Galicia, no se seque demasiado en lugar de dejarlo al aire, lo envolvemos primero en papel, lo metemos en una bolsa de plástico y lo colocamos en la parte baja de la nevera. Si son muchos los días que queremos conservarlo, conviene sacarlo al aire cada ocho o diez días para que no se humedezca demasiado y se estropee.

Manteca de vaca

La manteca de vaca puede hacerse en casa conservando la nata que forma la leche al hervirla. Se pone a cocer la nata, luego se cuela y se aprovecha la manteca amarilla que suelta, y que queda en la parte superior del recipiente, en el fondo suele depositarse algo de suero, que al enfríar toma color blanco.

En la mayor parte de los platos puede sustituirse la manteca de vaca por mantequilla o margarina y algo de leche, si se trata de masas o de repostería. Para freír puede usarse el aceite. Aunque lo típico de la cocina gallega es la manteca de vaca o de cerdo y le da a los platos un sabor especial.

Masas y empanadas

Las cantidades de harina que se dan para las masas, empanadas, roscas, etc., son orientadoras, pues depende mucho de la calidad de la harina y del resto de los ingredientes. Debe echárseles la que admitan.

Si a la masa para fritos, chulas o buñuelos (que vienen siendo muy parecidas), además de la levadurina, le añadimos las claras batidas a punto de nieve, quedan más esponjosas.

Para que las roscas, bizcochos, empanadas, etc., se doren por la parte superior sin llegar a quemarse, basta con cubrirlas con papel de aluminio o un papel cualquiera untado de grasa y .dejar que termine la cocción.

La masa para empanadas y la de pan pueden hacerse en cantidad, para varias veces, pues se conserva perfectamente en el congelador, si la envolvemos en papel de aluminio o la metemos en una bolsa de plástico.

Para trabajarla hay que dejarla descongelar a temperatura ambiente. Queda como recién hecha.

Si no se encuentra un lugar templado para poner a levedar la masa que lleva levadura prensada, puede encenderse el horno al mínimo, cuando esté caldeado meter la masa cubierta por un paño, apagar el horno y esperar a que suba. Mientras se prepara el plato se vuelve a encender y cuando tenga la temperatura adecuada se mete el pan, la empanada, etc.

La masa de pan puede adquirirse en panaderías. Para hacer la empanada basta con gramarla con la grasa del rustrido del relleno o con manteca de cerdo, de vaca, aceite frito o margarina.

Para que la masa de empanada tenga bonito color, basta con humedecerla una vez estirada, y en la parte que va a estar en contacto con el relleno, con agua en la que se ha disuelto un paquete de azafrán. Se mojan las manos y se colocan sobre la masa o se pinta con un pincel.

Cuando las empanadas se hacen con masa corriente o de pan, conviene guardar una taza de la grasa del rustrido, y cuando están a media cocción se le echa por el agujero del centro, y se mueve la empanada hacia los cuatro lados para que se impregne bien de grasa la capa superior. Por último, se pinta con un poco de grasa. A estas empanadas no hace falta echarles el huevo batido por encima. Y hay que tener en cuenta que la masa debe estirarse mucho para que resulten finas y jugosas.

Las empanadas pueden prepararse sobre papel untado de grasa: manteca, aceite, etc., sobre latas o en la misma placa del horno engrasada y enharinada.

Cocidas en horno de leña tienen más sabor.

En horno de gas se colocan primero en la parte baja y cuando ya está casi cocida se enciende el grill para que se dore por encima.

En Galicia era costumbre en las casas particulares el levantarle la tapa a la empanada antes de servirla, para que se viera su contenido, e incluso los comensales elegían masa del fondo o de la tapadera según los gustos. Hoy se ha adoptado la costumbre de tabernas y bares de servirla tapada y troceada.

De todas formas, a las empanadas y los pastelones de liebre, lamprea o anguila, aunque se presentan tapados, siempre se levanta la tapadera en la mesa para servirlos.

Mariscos

El agua de la cocción del marisco puede utilizarse para sopas, cremas, para cocer o guisar pescado y para hacer croquetas, fillas, etcétera.

En los mercados de los puertos suelen venderse colas de marisco: cigalas, gambas, etc., a las que se les han separado las cabezas. Tienen por lo general precios muy asequibles y se hacen con ellas salpicones y tortillas que resultan muy bien de precio.

Pueden congelarse en casa después de cocidos y pelados, y guardarlos para cuando se necesiten. Para que recobren todo su sabor hay que dejarlos a descongelar desde la noche anterior en la parte baja de la nevera o a temperatura ambiente.

El marisco congelado se cuece igual que el fresco, pero hay que dejarlo a descongelar antes de echarlo en el agua hirviendo, sino se queda muy seco.

El «boi» es un marisco delicado, que no admite fácilmente la congelación, pues se queda excesivamente seco y no recobra la jugosidad que tenía de fresco. Por eso al hacer un salpicón aunque tengamos congelados el resto de los mariscos, debemos procurar que sea fresco.

El marisco ha de estar muy fresco. Lo mejor es comprarlo vivo y de no ser así debemos fijarnos en que tenga un color intenso, pues después de muerto, con el paso del tiempo va perdiendo coloración.

El marisco debe comprarse vivo, pero para cocerlo, sobre todo los crustáceos, es mejor matarlos antes, dejándolos media hora en agua dulce, pues si se cuecen vivos y no se tiene mucho cuidado, a las nécoras y las centollas se les rompen las patas con facilidad.

Si queremos cocer de víspera el marisco para que no se ponga seco lo cubrimos con un paño mojado en el agua de la cocción y escurrido. Puede dejarse en un sitio fresco; sin que sea necesario meterlo en el frigorífico.

La mayor parte de los mariscos: gambas, langostinos, cigalas, camarones, etc., pueden presentarse pelados. No puede hacerse lo mismo con los percebes, pues se resecan y pierden sabor.

Si queremos presentar ardiendo una fuente de mariscos no tenemos más que colocarlos con las conchas o los caparazones hacia arriba, rociarlos de coñac y prenderlos fuego. El coñac prende con facilidad y si se lo echamos en el momento de sacarlos a la mesa no cogerán sabor, ya que el licor no llega a penetrar en la carne del marisco: cigalas, lubrigantes, langostinos, gambas, santiaguiños, etc.

El salpicón de marisco debe llevar solamente marisco y no pescado. Al de pescado se le puede mezclar algo de marisco y queda mucho más sabroso.

Para evitar fraudes en muchos sitios se sirve el marisco para salpicón escogido y limpio, pero con la salsa aparte, para que se vean los mariscos que lleva. Así cada comensal se sirve la salsa a su gusto. Incluso a veces se acompaña de varias salsas.

Al comprar el pescado hemos de tener en cuenta que para que esté fresco ha de tener los ojos transparentes, la carne tersa y las agallas rojas. Es mucho mejor comprar pescado congelado, que poco fresco.

Al pescado congelado se le quita muy bien la piel cuando todavía está duro, nada más retirarlo del congelador. Y se descongela mucho mejor si lo rociamos con zumo de limón.

Para cocer el pescado al vapor, si no tenemos un recipiente apropiado, basta con que lo coloquemos en una besuguera con agua y los ingredientes necesarios, y cubierto con papel de aluminio de forma que quede bien tapado, lo dejemos cocer a fuego lento. Si es grande el recipiente, puede colocarse entre dos hornillos de la cocina.

El pescado puede cocerse entero, o en trozos si es muy grande. Hay que tener en cuenta que para quitarle la piel es mejor hacerlo en caliente y después de cocido.

El pescado resulta mucho más sabroso si se echa en el agua de la cocción un puñado de marisco (berberechos, mejillones, etc.), o se pone en el agua sobrante de la cocción del marisco.

NOTA:

Los ingredientes de todas las recetas están calculados para seis personas.

mariscos

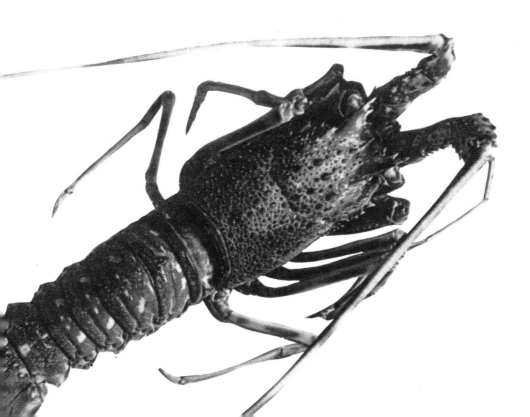

1. Almejas a la marinera a la coruñesa

Ingredientes:

1 kilo de almejas (mejor negras)
2 cebollas grandes picadas
3 dientes de ajo
Sal, pimienta, clavo y nuez moscada
2 cucharadas de harina
2 vasos de agua
1 vaso de vino blanco
1 vaso de aceite
2 cucharadas de zumo de limón
2 hojas de laurel
1 ramillete de hierbas finas

Se lavan las almejas en agua templada y se tienen en agua fría un buen rato.

En una sartén se fríe la cebolla picada y antes de que esté dorada se sazona con la sal, pimienta, clavo, nuez moscada y el ajo picado. Se espolvorea todo de harina y se deja cocer hasta que esté medio tostado.

Se echa entonces el agua dejando que forme una espesa papilla.

Cuando dé tres hervores se le añade el vino blanco, el zumo de limón y el laurel y las hierbas finas. En el momento en que empiece a hervir a borbotones se le echan las almejas, se meten en el horno dejándolas cocer durante tres cuartos de hora.

Se sirve en cazuela de barro o en fuente.

2. Almejas al natural

Ingredientes:

2 kilos de almejas grandes
3 limones

Las almejas se lavan en agua de mar o en agua con sal. Se abren y se presentan sobre hielo picado o en cestillas con hojas en el fondo (helecho, limonero, higuera, etc.), y adornadas con los limones cortados en cuatro trozos en forma artística. Se abren en el momento de ir a comerlas.

De la misma manera se comen «os longueirons» (navajas) y los «croques» (berberechos).

3. Almejas con arroz

Ingredientes:

1 kilo de almejas
2 ¹/₂ tazas de agua
1 taza de arroz

Lavar las almejas y cocerlas en abundante agua fría con laurel y sal.

Colar el agua (si tiene muchas arenas se pueden lavar de nuevo las almejas).

2 cebollas
1 cucharada de perejil
2 dientes de ajo
1 cucharada de pimentón
Azafrán y sal
1 vaso de aceite
1 hoja de laurel

Hacer un rustrido con el aceite, la cebolla picada, el perejil y los ajos. Añadir el pimentón, las almejas y 2 $\frac{1}{2}$ tazas del agua de cocerlas (en las que habremos disuelto un poco de azafrán), y una taza de arroz. Dejar cocer destapado.

Puede servirse en la misma cazuela adornando con limón o en fuente.

4.   Almejas en salsa verde

Ingredientes:

3 kilos de almejas
1 hoja de laurel
3 cucharadas de perejil picado
5 cucharadas de cebolla picada
Miga de pan
Vinagre y aceite
Azafrán y sal

Las almejas se lavan bien y se ponen a abrir en muy poquito agua con sal y laurel y tapadas como si fueran al vapor. Una vez abiertas, se separan de sus conchas, y se reservan. El agua de la cocción se cuela.

En aceite se dora la cebolla y el perejil picado, se le echa el agua de la cocción del marisco, un chorro de vinagre, sal, azafrán y miga de pan deshecha. Cuando esté cocido se le añaden las almejas y se deja cocer todo junto, unos diez minutos.

(Puede cocinarse también con sus conchas o con una de ellas. Y si no se dispone de tantas almejas se pueden poner con patatas. Para ello hay que echar un poco más de agua o caldo a la salsa y dejar cocer las patatas antes de echar las almejas, pues tardan más tiempo.)

5.   «Ameixas á mariñeira»

Ingredientes:

2 kilos de almejas
$\frac{1}{2}$ vasito de agua
$\frac{1}{2}$ vasito de vino blanco
1 cucharada de harina
1 vaso de aceite
1 cebolla picada
1 rama de perejil
1 cucharada de pimentón
Sal

Las almejas se lavan muy bien en agua fría para que suelten las arenas.

En una tartera se pone el aceite y se echa la cebolla picada, cuando esté blanda se le añaden las almejas y un| poco de perejil picado y se deja que se abran en el agua que van soltando.

En un vaso con agua y vino se deslíe la harina y el pimentón y se les agrega a las almejas cuando estén a medio abrir, y se revuelven tirando de las del fondo para arriba. Una vez cocidas se sirven caliente.

Hay a quien le gustan picantes y echa un poco de pimienta o pimentón picante, pero pierden parte de su sabor.

6. «Ameixas á mariñeira ao meu xeito»

Ingredientes:

2 kilos de almejas
1 vaso de vino blanco
1 cucharada de harina
2 cucharadas de pan rallado
3 cucharadas de cebolla picada
3 dientes de ajo
1 rama de perejil
1 cucharada de pimentón
1 hoja de laurel
1 ¹/₂ litros de agua
Sal y aceite

Las almejas se lavan muy bien y se ponen a cocer en agua con sal y laurel. En cuanto den un hervor y estén abiertas se retiran. Se sacan de la olla con espumadera y se lavan en el caldo para que suelten bien las arenas (incluso si tienen muchas se escurren).

Se lavan al chorro de agua fría. El agua de cocerlas se cuela por colador fino o con un paño.

En una tartera se pone a dorar la cebolla en el aceite, se agregan los ajos machacados con el perejil en el mortero, antes de que la cebolla esté dorada del todo se le añade la harina, el pan rallado y el pimentón. Por último el vino blanco, y un vaso y medio de caldo de la cocción de las almejas. Se deja cocer todo bien moviendo con una cuchara de madera unos diez minutos.

Se incorpora esta salsa a las almejas que tenemos en una cazuela de barro y se deja que den una hervor todo junto. Se sirve con la misma cazuela.

(También pueden hacerse en tartera y servirlas en fuente.)

7. Calamares en su tinta

Ingredientes:

1 kilo de calamares
2 cebollas medianas
2 tomates medianos
1 cucharada de harina
1 cucharada de perejil picado
5 cucharadas de aceite
1 vaso de vino blanco

Se limpian los calamares y se separan del cuerpo todo lo que cuelga. Se retira la bolsita de tinta y se ponen en un tazón con medio vasito de vino.

Se le arranca los ojos y las tripas y se tiran.

También se retira el espadón, que es una parte dura y plana que se quita con facilidad. Después se pasan por varias aguas, metiendo el dedo dentro de la bolsa para que queden bien limpios. Se ponen a escurrir.

1 rebanada de miga de pan
frito
2 vasos de agua
Sal y pimienta

Si son grandes se cortan los cuerpos con la ayuda de unas tijeras y si son pequeños se dejan enteros.

En una sartén se pone el aceite y cuando esté caliente se echa la cebolla, muy picada, se deja estofar a fuego lento y se le añade el tomate pelado, sin semilla y cortado en trocitos. Se rehoga y se le añade la harina, el agua y los calamares. Se deja cocer durante una hora con la tartera tapada y se le agrega la miga de pan frita, el perejil y el ajo machacado en el mortero. Se sazona con una pizca de sal y con pimienta, y se le añade la tinta mezclada con el vino y se dejan cocer hasta que estén tiernos.

La cocción suele durar unas dos horas.

Se sirven con patatas cocidas o con arroz en blanco.

En algunos lugares de Galicia los guisan con las patatas. Para ello basta añadirles las patatas cortadas en trozos a la hora y media de cocción, y un poco más de agua.

8. Calamares fritos

Ingredientes:

1 kilo de calamares
100 gramos de harina
Sal, aceite para freir

Limpiar los calamares y cortarlos en rodajas. Dejar escurrir. Secar con un paño. Salar y rebozar de harina.

Freír en abundante aceite caliente, pueden taparse para que no salten, procurando darle vueltas de vez en cuando.

Servir calientes en fuente adornada con lechuga y rodajas de limón.

9. Calamares rellenos

Ingredientes:

1 kilo de calamares
100 gramos de jamón
2 huevos duros
3 cucharadas de pan rallado

Los calamares deben ser de tamaño regular. Primero se limpian, se les separa el cuerpo de todo lo demás, se le cortan las aletas y se pican junto con las patas y el jamón.

En una sartén se ponen dos cucharadas de aceite y se fríen cuatro cucharadas de cebolla.

7 cucharadas de cebolla picada
1 cucharada de pimentón
1 cacillo de caldo
1 vaso de vino blanco
3 cucharadas de harina de maíz
1 cucharada de perejil
1 cucharada de harina tostada
Sal, pimienta y aceite
9 rebanadas de pan frito

En un recipiente se mezcla el picadillo hecho anteriormente con el pan rallado, el huevo duro, la cebolla rehogada, el perejil y una cucharada de vino blanco.

Se sazona de sal y pimienta y se amasa para mezclar bien todos los ingredientes. Con esta pasta se rellenan los calamares y se cierran con un palillo o se cosen.

Se rebozan en la harina de maíz y se fríen en aceite caliente. Una vez fritos se van colocando en una tartera.

En la sartén y con el aceite sobrante se fríen tres cucharadas de cebolla, se le añade el pimentón, el caldo y el vino blanco, se sazona de sal y pimienta, y se le agrega una cucharada de harina tostada para que espese la salsa. Se vierte esta salsa sobre los calamares y se deja cocer hasta que estén tiernos.

Se sirven cortados en rodajas, bañados por la salsa pasada por el chino y adornada con picatostes.

10.   Camarones cocidos

Ingredientes:

1 kilo de camarones
3 hojas de laurel
Agua y sal

En una olla se pone abundante agua con un poco de sal y tres hojas de laurel. Cuando rompe a hervir se le echan los camarones vivos de modo que queden bien holgados (si no se tiene una tartera grande es mejor hacerlo en dos veces), se dejan cocer unos cinco o siete minutos y se retiran y se escurren. (Pueden enfriarse al chorro de agua fría en un escurridor pero muy poco tiempo, sólo el suficiente para que el agua fría ponga la carne más tersa). Se estiran luego sobre una mesa y se salan. De esta forma quedan más brillantes y con un color más intenso. Para que cojan bien la sal debe estar todavía calientes.

Se sirven fríos con las hojas de laurel por en medio, en cestillos de paja sobre hojas o en fuente.

(Para comerlos se separa la cabeza del cuerpo con las uñas, se pela parte del cuerpo y se aprieta la cola para que salga toda la carne, los corales de las hembras y las partes blandas de la cabeza de los grandes también pueden comerse, si no se chupan.)

11.   Centolla cocida

Ingredientes:

1 centolla grande o dos medianas
6 hojas de laurel
1 cucharada de sal
Agua

Las centollas se colocan en una tartera, se cubren de agua y se les echa la sal y el laurel (si están vivas conviene atarlas o tapar rápidamente la olla).

Se acerca la cazuela al fuego y se dejan cocer una media hora. Se escurren luego rápidamente y se dejan enfriar. No conviene dejarlas en el agua más tiempo que el necesario para la cocción.

Se puede cortar una pata y comprobar si ya están bien cocidas.

Una vez frías se separa el caparazón del cuerpo, se trocea éste siguiendo la dirección que marcan las separaciones que tiene por la parte de abajo.

Se separan las patas y se cascan con unas pinzas o se presentan enteras y se colocan éstas en la mesa.

Se coloca en una fuente o en una cestilla de paja el caparazón con una cuchara para servir su contenido en el centro, con los trozos del cuerpo y alrededor las patas.

Todo lo que contiene el caparazón, que se llama «cacho», se come, menos una membrana dura. Hay quien prepara el «cacho» con un poco de miga de pan y una copa de vino blanco, pero tiene ya suficiente sabor por sí mismo como para no tener que añadirle nada.

12. Cigalas a la plancha

Ingredientes:

6 cigalas grandes
100 gramos de mantequilla
2 limones
1 vaso de coñac
Sal

Se cortan las cigalas con un machete por la mitad.

Se untan de mantequilla, se rocían de zumo de limón y se salan. Se colocan sobre plancha o parrilla caliente, con los caparazones en contacto con la plancha, pues es por donde tardan más en asarse, luego se les da la vuelta. Una vez asadas se colocan en una fuente, con los caparazones para arriba. Se rocían con coñac y se les prende fuego en el momento de servirlas.

(Si se quiere puede mezclarse el coñac con un poco de aguardiente. Como se sirve rápidamente el marisco no coge sabor a licor, sirve solamente para flamearlo.)

13. Cigalas cocidas

Ingredientes:

1 ¹/₂ kilos de cigalas medianas
o grandes
3 hojas de laurel
2 cucharadas de sal
Agua

En una olla poner al fuego el agua con el laurel y la sal. Cuando rompa a hervir echar las cigalas; y desde que espume dejar cocer unos cuatro minutos (algo más si son grandes). Retirar y ponerlas a escurrir en una tabla con el laurel.

Si se van a conservar algunas horas antes de servirlas, mojar un paño limpio en el agua de la cocción y una vez escurrido colocarlo encima del marisco, ya frío, y ponerlo en un sitio fresco. (No es necesario meterlas en el frigorífico, pues se resecan.)

14. Cigalas fritas

Ingredientes:

*1 kilo de cigalas pequeñas
muy frescas
Aceite
Sal
Limón*

Poner a calentar un poco de aceite en una sartén grande. Echar las cigalas frescas y pequeñas, freírlas y mirar de vez en cuando la sartén para que no se agarren. Salar a medio freír. Y al retirarlas rociar con zumo de limón y volcarlas en una fuente. Puede adornarse con rodajas de limón.

(De esta misma forma pueden ponerse las gambas y los camarones. Y estos mismos mariscos sin las cabezas.)

15. «Croques con arroz»
(Berberechos o verderones)

Ingredientes:

*1 kilo de berberechos
6 pocillos de arroz
12 pocillos de agua
2 cucharadas de cebolla picada
1 vaso de aceite
Azafrán
Sal
Limón*

En una tartera se pone el aceite y en él se dora la cebolla, luego se le echa el arroz y se le dan varias vueltas. Se le añaden los berberechos después de haberlos lavado muy bien y por último el agua en la que hemos disuelto el azafrán, para que ponga amarillo el arroz. En cuanto esté cocido se sirve.

Se le pueden poner unas gotas de limón, que ayuda a que se abra el arroz y le da muy buen sabor al marisco.

(Esta misma receta sirve para navajas, almejas o zamburiñas.)

16. «Croques e longueiróns abertos na plancha»
(Berberechos y navajas)

Ingredientes:

*2 kilos de berberechos o navajas
2 limones
1 vaso de aceite
Sal*

Se lavan bien los berberechos grandes o las navajas y se colocan sobre la plancha. Tan pronto van abriendo se pasan a una fuente, se les separa una de las conchas, se rocían de limón y aceite y se espolvorean de sal.

17. Choquiños fritos

Ingredientes:

1 kilo de choquiños (calamares pequeños)
6 cucharadas de harina de maíz
1 limón (zumo)
Sal
Aceite para freír

Se lavan los choquiños y se les quita la parte dura del interior del cuerpo pero procurando que no se rompa la bolsa de la tinta. (En algunos lugares si son pequeños se dejan). Se salan, se rebozan en harina y se fríen cn abundante aceite. Se rocían de zumo de limón o se sirven acompañados por el limón cortado en trozos para que se puedan aderezar a gusto de los comensales.

18. Choquiños guisados

Ingredientes:

1 kilo de calamares (choquiños)
1/4 kilo de cebollas
5 dientes de ajo
1 manojito de perejil
1 cucharilla de pimentón
3 clavos de olor
Pimienta, sal
1 taza de arroz
2 1/2 tazas de agua
1 1/2 vasos de aceite

Lavar los choquiños y limpiarlos retirando con cuidado la bolsa de tinta y reservarla. Colocarlos en una tartera y ponerlos a hervir.

Hacer un rustrido con la cebolla picada, el aceite, dos dientes de ajo y el perejil, la pimienta y el clavo.

Cuando los choquiños rompan a hervir echarles encima el rustrido y la tinta, previamente disuelta en medio vasito de agua, y dejar cocer hasta que estén blandos.

Arroz en blanco: Poner a freír 3 dientes de ajo en medio vaso de aceite, echar el arroz y darle unas vueltas para dorarlo, añadir el agua (2 1/2 de agua por parte de arroz) y luego el perejil.

Dejar cocer hasta que se separen los granos.

Colocar los calamares en una fuente redonda y el arroz moldeado en montoncitos alrededor. Para moldear el arroz basta con echarlo en una tacita de café previamente humedecida con un poco de agua, aplastarlo un poco al llenarlo y darle la vuelta, dándole un golpe seco en la parte inferior de la taza para que se desprenda con facilidad.

19. Ensaladas de patatas y mejillones

Ingredientes:

1 kilo de patatas
1 kilo de mejillones
1 lechuga
1 huevo cocido
1 cebolla
2 cucharadas de perejil picado
2 cucharadas de vinagre
1 cucharada del caldo de los mejillones
1 vaso de aceite
Sal y 2 hojas de laurel

Poner a cocer los mejillones en agua con sal y laurel. Separarlos de las conchas. Reservar.

Cocer las patatas con sal y una hoja de laurel cortadas en rodajas gordas.

Lavar la ensalada. Separar seis hojas de las mejores, picar el resto.

Colocar en una fuente la lechuga picada de fondo. Encima las patatas y sobre estas los mejillones. Verter sobre todo ello una salsa hecha con la cebolla muy picada, el huevo, el perejil, el aceite, el vinagre, sal y una cucharada del agua de cocer los mejillones, todo mezclado.

Adornar la fuente con las hojas de lechuga.

20. Guiso de mejillones

Ingredientes:

1 ¹/₂ ó 2 kilos de mejillones
7 patatas medianas
3 pimientos verdes
1 cebolla grande
3 dientes de ajo
2 hojas de laurel
2 cucharadas de perejil picado
2 huevos cocidos
¹/₂ vasito de vino blanco
sal, pimienta, tomillo y azafrán
aceite y agua
3 cucharadas de pan rallado

Limpiar los mejillones y cocerlos en agua con el laurel y la sal. Quitarles las conchas y reservar parte del agua.

Mondar las patatas. Cortarlas en rodajas finas y freírlas en abundante aceite. Una vez fritas colocarlas escurridas en una cazuela de barro.

En el mismo aceite, rehogar la cebolla, los pimientos y el ajo, todo troceado. Cuando estén blandos verter el rustrido sobre las patatas. Ponerle también los mejillones. En un vaso del agua de la cocción disolver el azafrán y rociar el guiso. Sazonar de sal, pimienta y tomillo. (Poca sal, pues hay que contar con la que lleva el agua de los mejillones.) Echarle el vino y arrimar la cazuela al fuego, para que cueza lentamente unos siete minutos.

Espolvorear de pan rallado y meter al horno a gratinar hasta que forme costra.

Picar el perejil y los huevos duros y echarlos sobre el guiso en el momento de servirlo.

21. Langosta a la armoricana

Ingredientes:

3 langostas medianas
300 gramos de manteca de vaca o mantequilla
3 chalotes picados
1 cabeza de ajo machacada
1 tomates
1 vasito de vino blanco
1 vasito de coñac o armañac
1 taza de leche fresca
Sal y pimienta

La langosta se parte en vivo separando la cola de la cabeza. A la cabeza se le quitan los corales y se reservan. Las pinzas se cascan y con las patas se colocan sobre la plancha para que enrojezcan y se les quita la carne.

En una tartera se ponen a derretir 150 gramos de mantequilla cuando esté caliente, se le echan las colas de las langostas troceadas por los anillos, los chalotes picados, una cabeza de ajos machacados y cuatro tomates pelados.

Se sazona de sal y pimienta. Se riega con el vino y el coñac y se le añade la crema de lecha fresca.
Se tapa y se deja cocer lentamente durante veinticinco minutos. Luego se retira la langosta y se ponen los trozos en la fuente en la que se va a servir.

Los corales se estrujan con un tenedor con el resto de la

mantequilla. Se vierte sobre la salsa de cocción de la langosta y se remueve bien. Cuando la salsa esté ligada, se echa encima de la langosta y se sirve caliente.

Hay quien le añade unas vieiras sin concha, lo blanco, y lo rojo, cocidas con la langosta.

22. Langosta a la plancha

Ingredientes:

3 langostas
Sal
Salsas
(Manteca y limón)

Tres langostas de tamaño regular, más bien pequeñas, y en vivo con una macheta se cortan por la mitad y se asan en la plancha.

Untada ésta si se quiere con un poco de manteca derretida con unas gotas de limón. Se retiran cuando estén asadas.

Se comen solas o acompañadas con salsa mahonesa, tártara o salpicón, servidas en salseras aparte.

23. Langosta cocida

Ingredientes:

1 langosta grande o dos
medianas
6 hojas de laurel
1 cucharilla de sal
3 ó 4 litros de agua

La langosta se ata y se pone a cocer en agua fría con laurel y sal, entre media hora y tres cuartos de hora según el peso. Se retira del fuego y se deja enfriar. Se corta el caparazón por la parte de abajo con unas tijeras, se le quita la carne de la cola, entera, se corta en rodajas y se colocan sobre el caparazón unas rodajas montadas sobre otras. Se adorna con lechuga y limón, las partes comestibles de la cabeza y las patas. La cabeza por fuera se deja entera.

Se sirve con la salsa mahonesa y el salpicón en salseras aparte.

24. Langostinos cocidos

Ingredientes:

1 kilo de langostinos
3 litros de agua
5 hojas de laurel
Sal

Se pone a hervir el agua con el laurel y la sal.

Cuando rompa a hervir se echan los langostinos y se dejan unos quince o veinte minutos según el tamaño. Se retira, se colocan en un escurridor y se ponen al grifo de agua fría para que se ponga tersa la carne.

Se sirve con salpicón, vinagreta, salsa mahonesa o salsa tártara.

25. «Lubigantes a viveiresa»

Ingredientes:

2 lubrigantes
2 cebollas picadas
5 dientes de ajo
1 cucharada de pimentón
1 cucharada de vinagre
2 hojas de laurel
Agua, aceite y sal

Los bogavantes se parten vivos en varios trozos y se ponen a cocer en poca agua con sal y laurel y a fuego moderado.

En una sartén en un poco de aceite se dora la cebolla picada, se le añaden luego los ajos machacados. Se retira y se le echa el pimentón y el vinagre.

Se vierte este rustrido sobre el marisco, y que cueza todo junto un poco y se sirve.

(Esta receta sirve también para la langosta.)

26. Lubigante a la plancha

Ingredientes:

1 lubrigante grande
100 gramos de mantequilla
1 diente de ajo machacado
1/2 copa de coñac
Sal y pimienta

Se parte el lubrigante de buen tamaño cuando aún está vivo y se coloca con la concha para arriba sobre la plancha. Se unta de vez en cuando con una mezcla de mantequilla derretida, ajo machacado, coñac, sal y pimienta, por la parte del caparazón primero para que la vaya tomando poco a poco. Se deja asar bien y se sirve partido en trozos con alguna salsa o simplemente con limón.

27. «Luras» con tomate

Ingredientes:

1 kilo de «luras»
1/2 kilo de tomates maduros
2 rebanadas de pan frito
2 dientes de ajo
1 cucharada de perejil picado
1 cucharada de harina
de maíz
5 cucharadas de aceite
1 cebolla picada
Sal y pimienta

Se limpian las «luras», se reserva la tinta, y se trocean. En una tartera se pone el aceite y cuando esté caliente se echa la cebolla, se deja estofar y se le agrega el ajo, el perejil, los tomates limpios y sin semillas, y las luras. A la media hora de cocción se le añade la tinta, mezclada con la harina, y un poco de agua. Se sazona de sal y pimienta y se deja que prosiga la cocción. Unos diez minutos antes de servirlos se le añade el pan frito machacado en el mortero para conseguir una salsa espesa.

28. Mejillones a la marinera

Ingredientes:

3 kilos de mejillones
2 hojas de laurel
2 cucharadas de cebolla picada
1 cucharada de perejil picado
1 cucharada de pimentón
3 cucharadas de harina
1 vaso de vino blanco
2 vasos de caldo de la cocción
Sal y aceite

Se lavan y se limpian los mejillones y se ponen a cocer en una tartera con muy poca agua, sal y laurel. Muy bien tapados como si fuera al vapor. Cuando se abran se retiran, se separan de las conchas y se colocan en una cazuela de barro.

En una tartera se pone un poco de aceite y se dora la cebolla, luego se le incorpora el perejil y se tuesta la harina. Se le añade poco a poco el caldo colado de la cocción del marisco, el vino blanco y el pimentón. Se deja cocer unos diez minutos y se vierte sobre los mejillones dejando que cueza todo junto y meneando la tartera para que no se agarre la salsa al fondo y espese.

Se sirve en la misma cazuela.

29. Mejillones al vapor

Ingredientes:

2 kilos de mejillones
2 hojas de laurel
Sal
2 limones

En una cazuela amplia se colocan los mejillones después de bien limpios y lavados en agua con sal. Se le ponen encima las hojas de laurel, se tapa y se espera que vayan abriendo los moluscos con el agua que ellos mismos sueltan. Si algún mejillón no se abre con facilidad es señal de que no está en buenas condiciones.

Se les quita una de las conchas, se rocían con el zumo de limón y se sirven al natural o con alguna salsa, mahonesa, salpicón, vinagreta, etc.

Pueden colocarse en una «patela» o en otro tipo de cestilla sobre hojas y adornado con un limón cortado en seis gajos.

(También se pueden poner en la tartera a abrir con zumo de limón y sin el laurel.)

30. Mejillones con salpicón

Ingredientes:

1 ¹/₂ kilos de mejillones
1 limón
1 vaso de aceite
1 cucharada de vinagre
1 cucharada de caldo de los mejillones
1 cebolla picada
2 cucharadas de perejil picado
1 huevo duro
Sal

Después de limpios y bien lavados en un poco de agua con sal, se ponen los mejillones en una cazuela con el zumo de limón. Se tapa y cuando estén abiertos se les separa una de las conchas y en la que queda el mejillón se echa una cucharada del salpicón hecho con el resto de los ingredientes.

También se les pueden quitar las dos conchas y colocarlos en cazuela de barro con el salpicón por encima.

31. Mejillones en concha de vieira

Ingredientes:

2 kilos de mejillones
12 conchas de vieira
2 hojas de laurel
¹/₄ litro de leche aproximadamente
3 cucharadas de harina
1 cucharada de cebolla picada
2 cucharadas de mantequilla
2 huevos
Pimienta y nuez moscada
Sal

Se cuecen los mejillones en muy poquita agua con sal y laurel. Se cuela el agua de la cocción y se reserva. Se separan los mejillones de las conchas y se reservan doce de los más grandes, el resto se pican no excesivamente menudos.

En la mantequilla se dora la cebolla y luego se le añade la harina, se deja tostar un poco removiendo siempre con cuchara de palo y se le va incorporando un cacillo del agua de cocer los mejillones y leche hasta formar una besamel.

Cuando esté casi cocido se le añade el picadillo y se sazona de nuez moscada, y pimienta. Se le incorporan las yemas y se vierte en las conchas de vieira. Se les echa luego por encima las claras batidas a punto de nieve mezclándolas sólo un poco con la besamel. En el centro se coloca un mejillón y se mete al horno hasta que estén dorados.

(Con este mismo preparado se pueden rellenar las conchas de mejillón si éstas son grandes o si no tenemos las de vieira.)

32. Mejillones en escabeche

Ingredientes:

3 kilos de mejillones
3 vasos de aceite
1 ¹/₂ vasos de vinagre
1 ¹/₂ vasos de vino
1 cabeza de ajo
6 hojas de laurel
1 ramita de tomillo
1 cucharilla de orégano
8 clavos
16 granos de pimienta negra
1 cucharilla de pimentón dulce
Sal
(Zanahorias y pepinillos en vinagre)

Después de limpios los mejillones se ponen a cocer con el vino en un recipiente tapado hasta que se abran.

Se retiran de las conchas y se colocan en una cazuela. El caldo de cocer los mejillones se cuela y se reserva. En el aceite se doran los ajos, se retiran, se deja enfriar un poco y se le añade el pimentón, el tomillo, el laurel, el orégano, el clavo, la pimienta y la sal. Por último se le agrega el vinagre y la misma cantidad del caldo de la cocción de los mejillones, se deja cocer unos minutos y luego se vuelca en la tartera del marisco dejándolo cocer unos diez minutos. Se deja enfriar y se pone en un recipiente de barro, cristal, etc. de forma que el caldo cubra bien los mejillones, se deja reposar en sitio fresco unas veinticuatro horas y se conserva bastantes días más si se quiere. Pero hemos de procurar que la salsa cubra siempre el marisco para que este no entre en contacto con el aire.

Se les puede añadir unas zanahorias y pepinillos en vinagre cortados en lonchitas muy finas.

33. Mejillones en escabeche al estilo de «Picadillo»

Ingredientes:

3 kilos de mejillones
Aceite
Vinagre

Los mejillones, una vez lavados y cocidos en agua, se dejan enfriar y se separan de las conchas y se secan.

En una sartén con abundante aceite se fríen los bichos, se escurren y reservan.

Al aceite sobrante se le añade otro tanto de vinagre y se rebaja con un poco del agua de la cocción. Se sazona con bastante pimienta, pimentón, sal y hojas de laurel, y lo dejamos cocer. Una vez cocido y frío el escabeche, se le unen los mejillones y se guardan en tarros de cristal o de barro.

34. Mejillones en su concha

Ingredientes:

2 kilos de mejillones
$^1/_2$ litro de besamel espesa
2 hojas de laurel
2 huevos batidos
1 plato con pan rallado
Sal y aceite

Se cuecen los mejillones en muy poca agua con el laurel y la sal. Se les quita una de las valvas y se dejan en la concha a la que están más sujetos.

Se les escurre el agua, se cubren de besamel sazonada con pimienta y nuez moscada, se dejan enfriar y se reboza la parte rellena en huevo y pan rallado y se fríen.

35. Mejillones encapotados

Ingredientes:

1 $^1/_2$ kilos de mejillones
1 vaso de vino blanco
1 hoja de laurel
$^1/_2$ litro de besamel espesa
2 yemas de huevo
2 huevos batidos
1 plato con harina
1 plato con pan rallado
Aceite para freír
Sal

Los mejillones una vez limpios y raspados se ponen a cocer con un poco de agua, el vino blanco, el laurel y sal, en una tartera tapada hasta que se abran.

Se sacan de las conchas y se dejan un rato en un plato con el caldo de la cocción colado y el laurel.

Luego se escurren y se pasan por una besamel espesa sazonada de sal, pimienta y nuez moscada a la que hemos añadido las dos yemas de huevo, y echa con la mitad de leche y la otra del caldo de la cocción de los mejillones.

Se van sacando a una placa engrasada, ya fríos se rebozan en harina, huevo batido y pan rallado.

En el momento de servirlos se fríen en abundante aceite, se escurren y se colocan en fuente sobre servilletas de papel con blonda.

36.   Mejillones guisados

Ingredientes:

2 kilos de mejillones
1 cebolla
1 cucharada de perejil picado
1 cabeza de ajo
1 pimiento muy picado
1 tomate
1 vaso de aceite
Sal, pimienta y azafrán

Se cuecen los mejillones en agua y sal y se separan de las conchas y se colocan en una tartera junto con un poco de agua de la cocción.

Se prepara un rustrido con el aceite, la cebolla y los ajos, al que se añade el pimiento y el tomate picados, se sazona con sal y se deja cocer durante un cuarto de hora.

Puede servirse con patatas cocidas o arroz en blanco.

37.   Nécoras cocidas

Ingredientes:

12 nécoras
6 hojas de laurel
1 cucharada de sal
Agua

En una tartera se echan las nécoras, el laurel y la sal. Se cubren de agua, se pone la cazuela al fuego y se deja cocer el marisco una media hora. Se retira, se escurren y se dejan enfriar con las hojas de laurel por el medio.

Se sirve en «patelas» (cestillas) de paja, sobre hojas de hiedra, limonero, higuera o servilletas.

(Para comerlas se separa el caparazón del cuerpo y las patas. Con un tenedor o con la pinza de las patas delanteras se retira la parte oscura y los corales y se comen. Luego el cuerpo se parte por la mitad y se separa cada pata con su correspondiente parte del cuerpo, con los dedos se va separando la carne y se come. Las patas se parten por las junturas se hace presión en uno de los extremos y se les extrae la carne. No siendo la parte dura del caparazón y las patas y las membranas blancas del cuerpo, que también son duras, todo lo demás es comestible).

38.   «Nécoras recheas»

Se cuecen las nécoras con laurel y sal. Se escurren y se reserva un poco del caldo de la cocción.

12 nécoras
Salsa besamel
Pimienta, laurel y sal

Se deja enfriar y se les aprovecha toda la carne que se pueda del cuerpo de las patas.

Con harina, mantequilla, leche y un vaso del caldo de la cocción del marisco se hace un besamel ligero, a la que se incorpora la carne de las nécoras y el «cacho» y se sazona de pimienta.

Se rellenan con ella los caparazones y se meten al horno hasta que estén doradas.

39. Ostras a la parrilla

Ingredientes:

3 docenas de ostras
100 gramos de pan rallado
100 gramos de manteca derretida
1 limón

Extraer las ostras de sus conchas. Rebozar con pan rallado y colocarlas en una parrilla. Verter sobre ellas la manteca derretida. Dejar dorar. Al ir a servirlas rociarlas de zumo de limón.

40. Ostras al natural

Ingredientes:

5 docenas de ostras
6 limones
Hielo picado

Las ostras han de estar vivas. Se abren con un aparato especial o bien sujetándolas con un paño con la mano izquierda y metiendo un cuchillo cerca de donde se unen las dos valvas. Se hace presión y se levanta la más plana. Se dejan presas en la otra, con la punta del cuchillo se le sacuden las arenas y los trocitos de concha y se colocan en unas fuentes sobre hielo picado o en cestos sobre helechos u otras hojas, y se presentan adornados con limón.

Se debe poner también a la mesa unas bolitas de mantequilla en mantequera o en un platito, y pan de mollete o pan tostado.

(Las ostras deben abrirse en el momento en que se van a comer; mientras, pueden conservarse en agua de mar o en la nevera.)

41. Ostras en escabeche

Ingredientes:

6 docenas de ostras
1 ¹/₄ litros de aceite fino
12 dientes de ajo
1 vaso grande de vino blanco
seco
1 vaso grande de vinagre
3 hojas de laurel
5 granos de pimienta
Pimienta molida y sal

Las ostras se abren, se quitan de las conchas y se secan.

En una sartén se pone abundante aceite y se van friendo las ostras sin rebozar. Se retira parte del aceite para una cazuela y se pone aceite nuevo para que todo él coja el sabor de las ostras y no se queme. Una vez fritas todas, se cuela el aceite y en él se doran los ajos (se retiran si no queremos que los lleve el escabeche), se deja enfriar un poco el aceite y se le echa el vino blanco, el vinagre, el laurel y la pimienta. Se deja cocer hasta que el vinagre pierda el sabor a crudo. Se sazona de sal y pimienta y se espera a que se enfríe.

En un barrilito o en un recipiente de barro o cristal, se colocan las ostras y se cubren totalmente con el escabeche frío, y se tapa el recipiente.

Se pueden conservar bastante tiempo.

42. Ostras fritas

Ingredientes:

Ostras
Harina de maíz
Aceite
Limón

Se abren las ostras, se separan de la concha, se limpian, se dejan escurrir y se rebozan con harina de maíz. Se fríen en abundante aceite y se rocían con zumo de limón.

Es una receta para ostras muy grandes o para aquellos a quienes no les gustan crudas.

También se pueden freír sin rebozar y ponerlas de nuevo en las conchas con una cucharada de besamel clarita y meterlas al horno, hasta que estén doradas.

43. Percebes cocidos

En una olla se pone a calentar el agua con el laurel y la sal, cuando rompe el primer hervor se echan los percebes, y en cuanto empiecen a formar espuma se retiran y se escurren.

1 kilo de percebes
1 hoja de laurel
1 cucharada de sal
2 ¹/₂ litros de agua

Se sirven calientes o fríos, según el gusto, en patela o en fuente.

(Para comerlos se separa con la ayuda de la uña del pulgar la concha del crustáceo del caparazón que cubre el pedúnculo, de forma que éste quede unido a la concha. Se come la carne y la «uña» del percebe se chupa).

44. Pulpitos con tomate

Ingredientes:

1 ¹/₂ kilo de pulpitos
1 tazón de salsa de tomate
2 dientes de ajo
1 cucharada de perejil picado
1 vasito de vino blanco
1 vaso de aceite
Sal, pimienta y romero

Lavar bien los pulpitos y dejarlos escurrir. Poner el aceite en una sartén, añadir los ajos, el perejil y una ramita de romero y rehogar los pulpitos por espacio de diez minutos.

Rociarlo luego con el vino blanco y la salsa de tomate, sazonar de sal y pimienta y dejar cocer una hora aproximadamente. Si espesa demasiado aclararlo con un poco de agua fría durante la cocción.

Servir caliente en cazuela de barro.

45. Pulpo a la feria

Ingredientes:

2 kilos de pulpo
1 cebolla pequeña
1 vaso de aceite de oliva
1 cucharada de pimentón dulce
1 cucharada de pimentón picante
Sal gruesa

Lavar el pulpo para quitarle el limo que trae. Mazarlo para que ablande.

Poner el agua a hervir con la cebolla en una cacerola (mejor de cobre y puede suprimirse la cebolla entonces), cuando rompa a hervir introducir el pulpo en la cazuela y levantarlo dos o tres veces, volviéndolo a meter. Dejarlo cocer durante 45 minutos, pincharlo y si está blando retirarlo del fuego. Cuando se vaya a servir, después de haberlo dejado reposar unos 15 minutos, quitarlo de la cazuela y cortar en trozos no muy gruesos con tijeras. Sazonar con sal y aceite y espolvorear de pimentón (la cantidad puede variar según lo picante que se desee).

46. Pulpo a la sochantre

Ingredientes:

1 ¹/₂ *kilos de pulpo*
2 *cebollas*
2 *pimientos*
3 *tomates*
2 *cucharadas de perejil*
4 *dientes de ajo*
Sal y pimienta

Mazar y lavar el pulpo. Cocer y trocear. Hacer un rustrido con la cebolla y los pimientos muy picados. Cuando esté dorado incorporar el tomate pelado y el perejil machacado con los dientes de ajo. Sazonar de sal y pimienta. Añadir el pulpo troceado y dejar cocer revolviendo frecuentemente para que no se pegue, durante unos doce o quince minutos.

Servir caliente en cazuela de barro.

47. Pulpo al ajo

Ingredientes:

1 ¹/₂ *kilos de pulpo*
6 *dientes de ajo*
¹/₄ *litro de aceite*
Sal

Se lava el pulpo y se maza. Se cuece y una vez cocido se parte en trozos pequeños que se saltean con el aceite y con los ajos picados. Se sirve en cazuela de barro y se presenta hirviendo a la mesa.

48. Pulpo con ajos

Ingredientes:

1 ¹/₂ *kilos de pulpo*
6 *dientes de ajo*
1 *cucharilla de pimentón picante*
1 *cucharada de pimentón dulce*
1 *vaso de aceite*
Sal gruesa
Agua

El pulpo puede ser congelado, curado o fresco. En los dos primeros casos no es necesario mazarlo, pero si es fresco el secreto de que esté tierno consiste en mazarlo antes de cocerlo.

Se pone a hervir abundante agua en una olla a poder ser de cobre o de porcelana (en aluminio no queda tan bien). El pulpo se mete y se saca tres veces «para asustarlo», pues así escaldado queda más tierno. Se deja cocer durante dos horas y media o tres. Si no va a servirse en el momento es mejor no retirarlo del agua. Se corta luego en trozos con una tijera y se sazona con sal gruesa, el pimentón picante y el dulce (la cantidad de picante varía según el gusto), los ajos muy picados y el aceite. Todo en crudo. (Para la ajada se doran los ajos, pero en este caso no.) Puede servirse tanto caliente como frío, preferiblemente en platos de madera.

49. Pulpo estilo «Illa»

Ingredientes:

1 ¹/₂ kilos de pulpo
6 patatas
Sal
1 vaso de aceite
4 dientes de ajo
2 cucharadas de pimentón

Lavar el pulpo. Poner al fuego una cazuela con agua, cuando empiece a hervir echar el pulpo, cuando éste lleve unos 35 minutos y veamos que está tierno añadirle las patatas peladas y cortadas en trozos gruesos.

Cuando se vaya a servir se retira el pulpo y se corta en rodajas con la ayuda de unas tijeras. Se sazona de sal y se coloca en el centro de una fuente y alrededor las patatas vertiendo sobre todo ello una ajada.

50. Salpicón de mariscos

Ingredientes:

12 cigalas
1 buey
1 langosta
12 langostinos
Salpicón

El marisco se cuece con laurel, se deja enfriar y se limpia. Los cuerpos de las cigalas y la cola de la langosta se cortan en rodajas y a los langostinos se les pela la cola, pero se dejan enteros.

En una fuente se coloca todo el marisco limpio y desmenuzado en el centro de la misma y los langostinos y unas rodajas de langosta adornándolo alrededor.

Dada la calidad de los mariscos es mejor servir el salpicón en salsera, para que cada comensal se sirva la salsa que quiera.

Para que resulte más vistoso el plato si se trata de una fiesta podemos colocar la langosta reconstruida, como si estuviese llena en el centro y alrededor el salpicón, y los langostinos. Sobre el lomo de la langosta hace muy decorativo rodajas de limón partidas a la mitad o de huevo duro, con media aceituna negra en el centro.

51. Vieiras

Ingredientes:

6 vieiras grandes
¹/₄ litro de aceite
2 cebollas picadas muy finas

Se limpian las vieiras abriéndolas con un cuchillo, en vivo, despegándolas de la concha plana y dejándolas sobre la cóncava. Se les quita una especie de flecos que tienen y se lavan al chorro de agua fría. Se las deja escurrir el agua y se sazonan de sal. Con

1 cucharada de pimentón dulce
100 gramos de pan rallado
Sal

el aceite y la cebolla se hace un rustrido, cuando haya tomado color, se le agrega el pimentón dulce.

Se cubren con él las vieiras y se espolvorean de pan rallado. Se meten al horno fuerte durante quince minutos.

(Hay quien al limpiarlas les separa a las vieiras una bolsa negra que tienen. Es muy sabrosa.)

52. Vieiras al albariño

Ingredientes:

12 vieiras
200 gramos de mantequilla
3 dientes de ajo picados finos
$^1/_4$ litro de leche
150 gramos de harina
$^1/_2$ litro de vino albariño
150 gramos de champiñones
2 limones
5 yemas de huevo
2 copas de coñac
2 cucharadas de perejil picado

Abrir las vieiras, lavarlas y dejarlas sobre la parte cóncava sin separarlas de la concha.

Deshacer la mantequilla y dorar en ella los ajos, añadiéndole la harina y la leche hirviendo. Revolver constantemente. Incorporarle el vino, el coñac, el jugo de los limones y las yemas de huevo batidas, sin dejar de revolver fuerte para que no se corte.

Añadir los champiñones picados muy menudos.

Echar esta mezcla sobre las vieiras y meterlas a horno fuerte durante diez minutos.

Espolvorear de perejil picado y servir.

53. Vieiras con jamón

Ingredientes:

12 vieiras
12 lonchitas finas de jamón
ó 100 gramos de jamón picado
muy fino
3 cebollas
2 ramitos de perejil
1 cucharada de pimentón dulce
1 limón
Sal y pimienta
Pan rallado

Las vieiras una vez limpias se salan y rocían con zumo de limón.

En una sartén se pone a dorar la cebolla, cuando esté transparente se le añade el perejil y el jamón muy picaditos, se sazona de pimienta y sal, retirándola del fuego e incorporándole el pimentón. Poner unas cucharadas de este rustrido en cada vieira, espolvorearla de pan rallado y meterlas al horno.

Hay quien coloca una lonchita muy fina de jamón debajo de cada bicho colocándole luego el rustrido por encima.

54. «Xibia» con arroz

Ingredientes:

1 jibia grande
1 cebolla picada
1 cucharada de pimentón
1 vaso de aceite
250 gramos de arroz
4 vasos de agua
Sal

Se limpia la jibia, se corta en trozos y se pone a cocer en agua con sal hasta que esté tierna.

En una sartén se calienta el aceite y dora la cebolla. Cuando esté blanda se le añade el pimentón y se incorpora este rustrido a la jibia, se sazona con sal y si tiene poca agua se le echa más, pues ha de tener tres vasos cuando se le añade el arroz, que será unos veinte minutos antes de servirla. Se deja cocer con el arroz un cuarto de hora y luego se retira del fuego y se tiene en reposo unos cinco minutos.

El arroz debe quedar jugoso con una salsita espesa.

55. «Xibia» con patatas

Ingredientes:

1 ¹/₂ kilos de jibias
2 cebollas picadas
2 dientes de ajo
1 cucharada de perejil picado
7 cucharadas de aceite
1 vaso de vino blanco
500 gramos de patatas
Caldo de pescado o agua
Sal

Se limpian bien las jibias, sin tirar la tinta, y se cortan en trozos no muy grandes.

En una cacerola freímos en el aceite la cebolla y el ajo picados muy finos. Pasados unos cinco minutos echamos los trozos de jibia para que se hagan lentamente. La sazonamos de sal y le incorporamos el vino blanco y el perejil picado. Lo dejamos cocer diez minutos y le añadimos las patatas mondadas y cortadas en trozos. Se cubre con caldo de pescado o con agua, y se deja cocer hasta que las patatas estén tiernas.

56. «Zamburiñas» a la marinera

Ingredientes:

2 kilos de zamburiñas
2 cucharadas de cebolla picada
3 dientes de ajo
1 cucharada de pimentón
3 cucharadas de harina
2 hojas de laurel
1 vaso de vino blanco
Agua y aceite
Sal

En una tartera se pone aceite. Se dora la cebolla y se le añade el ajo machacado, y la harina, el pimentón, el laurel y el vino blanco. Se le agregan luego las zamburiñas bien lavadas, un poco de agua y sal. Se les da la vuelta con frecuencia y cuando estén abiertas y la salsa espesita se sirven en la cazuela de barro.

57. «Zamburiñas» al jerez

Ingredientes:

1 ¹/₂ kilos de zamburiñas
1 cebolla picada muy fina
4 dientes de ajo
3 cucharadas de perejil picado
2 copas de jerez seco
1 vaso de agua
100 gramos de harina
Sal, pimienta, nuez moscada

Se lavan las zamburiñas y se separan de las conchas. Se pasan por harina y luego se rehogan en aceite. Se colocan en tartera, se les añade un vaso de agua y se dejan cocer cerca de un cuarto de hora.

Con el aceite sobrante se hace un rustrido con la cebolla, el ajo y el perejil hasta que esté todo muy blando, se le añade una copa de jerez y se pasa por el colador chino.

Se le incorpora a las zamburiñas y se las deja cocer a fuego lento sazonándolas de sal, pimienta y nuez moscada.

En caso de quedar suelta la salsa, se puede espesar con harina tostada o maicena.

En el momento de ir a servirlas se les agrega la otra copa de jerez.

Se sirven en fuente redonda adornando con rodajas o triángulos de pan frito.

58. «Zamburiñas» fritas

Ingredientes:

4 docenas de zamburiñas
Harina de maíz
Aceite o manteca
Limón y sal

Se abren las zamburiñas, se salan y se rebozan en harina de maíz. Se fríen en abundante aceite y se sirven adornadas con limón para que cada uno los sazone a su gusto.

caldos
cocidos y . . .

59. Androia

Ingredientes:

1 vejiga de cerdo
Costilla de cerdo con el hueso
Ajos
Orégano
Pimentón dulce y picante
Pimienta
Sal

La costilla con el hueso se pica muy menuda y se adoba con los ajos machacados, el orégano, el pimentón, la pimienta y la sal. Se deja en zorza varios días dándole vueltas de vez en cuando y luego se rellena la vejiga.

Se come cocida con verdura, y no puede faltar en los grandes cocidos.

60. Arroz a la concha

Ingredientes:

100 gramos de panceta
1 taza de arroz
2 ¹/₂ tazas de caldo de las almejas
500 gramos de almejas
2 dientes de ajo
1 cucharada de perejil picado
1 cebolla
1 tomate
1 hoja de laurel
Aceite, azafrán

Lavar las almejas y cocerlas en agua fría con sal y laurel. Separarlas de la concha y colar el caldo.

Hacer un rustrido con la panceta en cuadraditos, la cebolla, el tomate y los ajos picados, añadir luego el perejil y las almejas. Unirle el arroz y las dos tazas y media del caldo de las almejas y un paquete de azafrán. Dejar cocer destapado.

Puede servirse en conchas de vieira.

61. «Arroz cos ris do porco»
(arroz con los riñones de cerdo)

Ingredientes:

2 riñones de cerdo
1 cebolla picada
4 cucharadas de manteca de cerdo
1 taza de arroz
2 ¹/₂ tazas de agua
1 cucharada de pimentón
Sal, pimienta y nuez moscada

Los riñones de cerdo se cortan en trocitos y se limpian muy bien quitándoles la grasa y los conductos. Se ponen en un colador y se les echa sal gruesa. Se tienen así unas dos horas y luego se coloca el colador de agujeros grandes debajo del grifo de agua fría y se lavan muy bien moviéndolos de vez en cuando para que suelten toda la sal, y después de un cuarto de hora se escurren y se secan.

En una cazuela se pone la cebolla picada, encima los riñones y se rocía con la manteca de cerdo derretida. Se deja cocer a fuego muy lento unos veinte minutos, se le agrega luego el pimentón, se le da varias vueltas con cuchara de palo, se sazona de sal, pimienta y nuez moscada y se le echa el arroz, cuando empiece a abrir se le añade el agua y se deja que siga cociendo hasta que esté tierno.

62.   «Bolos do pote»

Ingredientes:

500 gramos de harina de maíz
200 gramos de tocino en tiras
Agua
Sal

Mezclar la harina con el agua y la sal hasta formar una masa. Apretar bien con las manos y formar unos bollos ovales dentro de los que metemos las tiras de tocino, y volver a apretar, con las manos. Cuando esté el caldo o el cocido a media cocción se echan en la olla y se retiran una vez cocidos, dejándolos escurrir para que queden secos.

Se comen en el momento de hacerlos, después del caldo o con el cocido.

63. «Cachucha e orella»

Ingredientes:

$^1/_2$ «cachucha» (cabeza de cerdo)
2 orejas de cerdo
6 chorizos
6 patatas
1 cebolla

Después de desalada la «cachucha» y las orejas durante veinticuatro horas en abundante agua, se ponen a cocer en una olla con la cebolla. Cuando estén casi tiernas se le agregan los chorizos y las patatas enteras o partidas en dos. Se deja que termine la cocción y se separa la carne de los huesos de la «cachucha» y se trocea. También se cortan las orejas y los chorizos.

Se sirven las carnes en el centro, con las patatas alrededor.

(Con el caldo puede hacerse una sopa de fideos o de arroz muy sabrosa.)

64. «Calandracas»

Ingredientes:

Cortezas de pan de maíz
Agua
Manteca de vaca cocida
Azúcar

Un desayuno muy popular en Galicia es el que se hace con las cortezas que sobran del pan de maíz. Se dejan cocer en agua con azúcar y cuando ya está el pan casi deshecho, se le incorpora manteca de vaca cocida. La cantidad depende del gusto y del presupuesto familiar.

65. «Caldiño de ceboletas»

Ingredientes:

1 taza de habas (judías blancas tiernas)
12 cebolletas
6 patatas pequeñas
3 dientes de ajo
1 cucharada de pimentón
1 trozo de unto
1 vaso de aceite
Sal y agua

En una olla con dos litros de agua se ponen a cocer el unto y las habas. Luego se le agregan las patatas peladas y cortadas en trocitos pequeños, y la parte verde de las cebolletas cortada en rodajas finas.

En una sartén se pone a calentar el aceite, y se le echan tres cebolletas picadas y los dientes de ajo. Cuando está blanda la cebolla se retira del fuego y se le agrega el pimentón. Luego se incorpora a la olla del caldo y se deja que siga cociendo. Debe de quedar poco espeso. Si se quiere se le puede echar también un poco de tocino, un hueso de jamón o algo de cerdo.

66. Caldo

Ingredientes:

1 cucharilla de unto
100 gramos de tocino
1/2 gallina
1 hueso de caña
150 gramos de habichuelas
500 gramos de patatas
2 manojos de grelos (1 repollo
o asa de cántaro)
3 litros de agua
Sal

Poner a cocer la gallina, el tocino, el hueso, el unto y las habichuelas en agua fría. Cuando estén a medio cocer añadir la verdura troceada fina y luego la sal y las patatas en taquitos.

Hay que tener en cuenta que si es necesario añadirle agua, ésta debe ser caliente o templada para que no interrumpa la cocción. que debe durar unas tres horas, a fuego lento y con la olla tapada.

Servir en «cuncas».

67. Caldo de calabazote

Ingredientes:

1 trozo de calabazote (1 kilo)
1 taza de habas nuevas
6 patatas pequeñas
3 cucharadas de cebolla picada
1 cucharada de pimentón dulce
Algo de pimentón picante
1 vaso de aceite o manteca
Sal

Se ponen a cocer las habas en agua fría. Cuando estén casi tiernas se les agregan las patatas peladas y picadas y la pulpa del calabazote cortada en trozos como de tres centímetros, y se deja hervir a borbotones hasta que el calabazote esté deshecho. En una sartén se pone a calentar el aceite o la manteca. Se dora la cebolla y retirado del fuego se le echa el pimentón dulce y una pizca del picante, que le da mucho sabor. Se vierte este rustrido sobre el caldo, se deja cocer unos minutos y se sirve.

68. «Caldo de calacú ou botefa»

Ingredientes:

1 trozo de calabaza (calacú o botefa)
1 trozo de tocino de hebra
200 gramos de habichuelas
100 gramos de harina de maíz
Sal
Agua

El tocino picado en trocitos se pone a cocer en agua fría con las habichuelas (después de tenerlas a remojo desde la víspera). Cuando estén a media cocción se le agrega la calabaza mondada y cortada en trozos, y por último la harina de maíz disuelta en un poco de agua y mezclada con calabaza machacada para evitar que se formen grumos. Se sazona de sal y se deja a fuego lento hasta que esté todo tierno.

69. Caldo de castañas

Ingredientes:

1 ¹/₂ kilos de castañas
1 cebolla
1 diente de ajo
4 cucharadas de cebolla muy picada
1 cucharilla de vinagre
1 vaso de aceite
1 trozo de tocino
¹/₂ oreja de cerdo
Sal y agua

Se mondan las castañas y se ponen a cocer en agua con sal, dejando que den un hervor. Se escurren y se pelan. En abundante agua limpia se pone la cebolla entera, el diente de ajo, y el trozo de tocino y de oreja (o de algo de cerdo que se tenga en casa, en trozos de lacón, unas costillas, un trozo de «cachucha», etc.) y las castañas peladas. Se deja cocer durante unas horas hasta que esté todo bien cocido y se le agrega un rustrido hecho con el aceite y la cebolla picada, al que se le ponen unas gotas de vinagre, que le da muy buen sabor.

El cerdo se puede comer después del caldo con unas patatas cocidas o bien trocearlo y comerlo con las castañas. Y en el líquido del caldo hacer unas sopas con pan, echando en una «cunca» que contenga trozos de pan cortados muy finos, el caldo hirviendo.

NOTA: El cerdo debe desalarse en agua con anterioridad. Y si se quiere hacer con castañas pilongas hay que dejarlas a remojo desde la noche anterior.

70. Caldo de cocido

Ingredientes:

¹/₂ kilo de carne de vaca (falda, aguja, etc.)
1 hueso de caña
1 hueso de jamón
1 trozo de lacón
1 trozo de costilla
1 trozo de «cachucha» (cabeza de cerdo)
1 oreja
1 tazón de habas (judías blancas)
2 chorizos
1 kilo de patatas
Verdura (nabizas, grelos, repollo o berzas)
Agua

En abundante agua fría y en una olla grande se echan las habas y la carne de cerdo. Cuando esté todo a medio cocer se le pone la carne de vaca y el hueso de caña. Pasada una hora se retiran las carnes a una tartera, se cubren de caldo (sin las habichuelas) y se les agregan los chorizos y seis patatas cortadas en rodajas gruesas y se deja cocer a fuego lento.

En la olla del caldo se ponen el resto de las patatas muy picadas y la verdura, y se deja cocer hasta que esté todo bien deshecho.

Cuando se va a servir el caldo se le agrega a la olla el líquido de la tartera en la que hemos hecho el cocido para que le dé más sabor y éste se sirve escurrido. Las carnes en el centro y adornado con las patatas.

En algunos sitios es costumbre reciente el acompañarlo de salsa de tomate en salsera aparte.

NOTA: Las carnes de cerdo saladas y las judías blancas deben dejarse la víspera en remojo en agua fría.

71. Caldo de Cuaresma

Ingredientes:

750 gramos de judías verdes
150 gramos de habichuelas
500 gramos de patatas
1 trozo de unto
1 vasito de aceite de oliva
1 cucharada de pimentón
Sal y agua

En una olla con agua fría poner a cocer las habichuelas remojadas y el unto. A media cocción añadir las patatas cortadas en dados pequeños y las judías verdes picadas menudas. Cuando esté casi cocido retirar el unto, escurrirlo y ponerlo a derretir en una sartén, añadirle el aceite de oliva, retirarlo del fuego, echarle el pimentón y verter el rustrido sobre el caldo. Separar unas patatas, machacarlas y volverlas a la olla para que espese un poco (si se quiere se le puede echar al rustrido un poco de cebolla picada y ajo).

72. Caldo de gallina

Ingredientes:

1/4 kilo de carne de gallina
Los menudos
Las patas
1/2 cebolla
1 zanahoria
1 rama de perejil
1 puerro
1 hueso
Agua y sal

En dos litros de agua se ponen todos los ingredientes, los menudos bien limpios y las patas de la gallina previamente chamuscadas y peladas. Se deja hervir durante tres horas, procurando quitarle la espuma de los primeros hervores para clarificar el caldo. Una vez bien cocido se pasa por un colador y se sirve.

Puede servirse solo, como caldo limpio, o bien ser empleado para una sopa de pasta o de pan.

(Con los huesos y la salsa que sobren del pollo asado y las zanahorias, el puerro, el perejil y la cebolla, bien cocido y luego colado, da un caldo muy sabroso).

73. Caldo de verano

Ingredientes:

200 gramos de judías verdes
200 gramos de guisantes
3 zanahorias medianas
5 cucharadas de arroz

Se pone en una olla agua en abundancia con el tocino y se deja cocer durante algún tiempo. Se le agregan luego las judías verdes, limpias de hebras y picadas en trozos como de dos centímetros, las zanahorias peladas y picadas, las patatas y los guisantes, mondados y también picados. Se deja cocer una

6 *patatas pequeñas*
4 *cucharadas de cebolla picada*
2 *dientes de ajo*
1 *cucharada de pimentón*
1 *trozo de tocino*
1 *chorizo*
1 *vaso de aceite*
Agua y sal

media hora y se le agrega el arroz y el chorizo. Después de que ha cocido otro buen rato se le incorpora el rustrido.

Para hacerlo ponemos a calentar el aceite, le agregamos la cebolla y el ajo bien picados, cuando esté todo dorado lo retiramos del fuego y le añadimos el pimentón.

74. Caldo con chorizo

Ingredientes:

1 *hueso de jamón*
1 *trozo de costilla de cerdo*
1 *cucharada de unto*
1 *trozo de rabo de cerdo*
1 *chorizo*
1 *taza de judías blancas*
8 *patatas medianas*
Verdura (grelos, nabizas, berza o repollo)
Sal y agua

En una olla grande llena de agua fría casi hasta el borde, se le echan el hueso de jamón, la costilla, el trozo de rabo, el unto y las judías blancas, después de haberlas tenido a remojo unas horas. Se deja cocer una hora y media y se le añaden la patatas picadas muy finas y en tacos o en rodajas como para la tortilla de patatas. Cuando estén cocidas se le agrega la verdura en abundancia, previamente lavada y cortada, el chorizo, que se pincha para que suelte la grasa, y la sal. Se deja hervir destapado, hasta que todo quede perfectamente cocido.

Para que espese se le pueden deshacer unas patatas, machacadas con un tenedor contra el mismo cacillo en que las hemos retirado.

El caldo está mejor a los dos o tres días de haberlo hecho, pues conviene que cueza mucho y cada vez va cogiendo más sustancia.

Cuando se sirve el caldo se separa la carne y el chorizo.

NOTA: Las carnes de cerdo hay que desalarlas dejándolas en agua fría desde la víspera.

75. Caldo con rustrido

Ingredientes:

1 *hueso de cerdo (jamón, lacón, etcétera).*

En una olla se ponen los huesos de ternera y de cerdo con las judías blancas, después de haberlas tenido a remojo. Se deja hervir y una vez bien cocido se retiran los huesos. Añadimos un

1 hueso de ternera (rodilla)
1 chorizo
1 trocito de unto
1 taza de judías blancas
3 cucharadas de grasa de cerdo
o aceite
1 cucharada de pimentón dulce
3 patatas grandes
Grelos, repollo o nabizas

chorizo, un trocito de unto y las patatas montadas y picadas. Cuando estén a media cocción le agregamos la verdura, lavada y picada.

En una sartén aparte ponemos grasa de cerdo, o aceite, le añadimos el unto ya cocido, que sacamos del caldo y lo machacamos, deshaciéndolo en la grasa. Le agregamos un poco de pimentón dulce, volcamos este rustrido en el caldo y dejamos que siga cociendo un buen rato.

76. Caldo limpio

Ingredientes:

¹/₄ parte de una gallina
100 gramos de codillo de jamón
200 gramos de carne de vaca
1 hueso de rodilla
2 zanahorias
1 puerro o 1 cebolla
1 rama de perejil
2 litros de agua tibia
Sal

En una olla, o en un puchero de barro, se ponen todos los ingredientes y se deja que dé un primer hervor y se espuma. Luego se baja el fuego y dejamos que cueza lentamente bien tapado dos horas y media o tres. Conviene espumarlo, de vez en cuando, para que pierda grasa y se clarifique, obteniendo así un caldo mucho más concentrado y digestivo.

Una vez cocido y antes de servirlo se cuela y se sirven los ingredientes aparte.

77. «Caldo probe»

Ingredientes:

500 gramos de habas (judías blancas)
1 trozo de unto rancio
700 gramos de patatas
1 repollo (o grelos o berzas)
3 litros de agua
Sal

Después de haber dejado las habas en agua a remojo, desde el día anterior, se ponen a cocer en agua fría con el unto por única grasa. Cuando ya estén casi cocidas, pasada una hora y media aproximadamente, se le echan las patatas cortadas muy menudas y cuando estén tiernas se le agrega la verdura, que se puede cortar fina o gruesa según el gusto, y se sala. Debe cocer mucho, y a fuego lento, para que las patatas estén casi deshechas.

78. Callos a la gallega

Ingredientes:

1 ¹/₂ kilos de callos de vaca o
ternera
3 patas o manos de ternera
¹/⁴ kilo de garbanzos
3 chorizos
1 cebolla
1 cabeza de ajo
1 rama de perejil
100 gramos de jamón
100 gramos de tocino
2 limones
1 vaso de vinagre
1 cucharada de pimentón dulce
1 cucharilla rasa de pimentón
picante
1 cucharada de cebolla picada
1 cucharada de pimiento rojo
picado
Cominos, sal y clavo
Miga de pan

Los callos se raspan con un cuchillo y se trocean, y luego se lavan varias veces con agua fría y caliente. Luego se echan en un barreño con agua fría, el vinagre y los limones cortados en trozos. Se restriegan bien hasta que queden completamente blancos y se vuelven a lavar.

Se parten las patas en varios trozos y se ponen a cocer con los callos cubiertos con agua fría. Cuando rompa a hervir se escurren y se les pone otra agua limpia dejandolos cocer de nuevo. Al empezar a hervir se le ponen los garbanzos, remojados la víspera, una cebolla, una cabeza de ajo, una rama de perejil y un trozo de tocino. Se deja cocer lentamente, y cuando ya estén tiernos se machaca en el mortero un trozo de miga de pan y unos cuantos garbanzos ya cocidos.

En una sartén se rehoga en aceite la cebolla y el pimiento rojo machacados en el mortero.

Se le agrega la pasta del pan y los garbanzos, el clavo, el pimentón picante y dulce y los cominos. Se vierte este refrito sobre los callos. Se le agregan los chorizos y el jamón cortados en trozos y se deja cocer suavemente hasta que estén tiernos y jugosos.

(Hay quien los sazona también con pimienta y nuez moscada. Y en lugar del refrito machaca simplemente la cebolla, los ajos y el perejil de la cocción con la miga de pan para que espesen.)

79. Ceboleira (morcilla de cebolla)

Ingredientes:

Sangre
Cebolla
Pimienta
Clavo
Cominos
Sal
Miga de pan
Tripa gruesa

La miga de pan se mezcla con la sangre y la cebolla picada, previamente dorada en grasa de cerdo. Se sazona de pimienta, clavos, cominos y sal. Se embucha en tripas de cerdo, procurando que no queden muy apretadas, y se ahuman con ramas de laurel durante varios días.

Para comerlas se cuecen con habas, verdura o cachelos.

80. Cocido de carnaval

1 trozo de lacón
1 trozo de jamón
1 rabo de cerdo
$1/2$ «cachucha» (cabeza de cerdo)
$1/4$ de gallina
$1/4$ de carne de ternera o vaca
$1/4$ de tocino de hebra
6 chorizos
1 repollo
1 kilo de patatas medianas
$1/4$ kilo de garbanzos

Las carnes de cerdo se dejan en agua desde la víspera para que pierdan sal.

En una olla grande se echa el lacón, el jamón, la«cachucha», la ternera la gallina y los chorizos. Se pone a hervir y cuando lleve una media hora se retiran los chorizos y se le agregan los garbanzos en una bolsa de malla, si se quieren cocer con las carnes. Si no, se retira un poco de agua y se cuecen aparte.

Se deja cocer lentamente y a media cocción (cosa de una hora y media) se saca un poco de caldo, se pone en una tartera y en ella se cuecen las patatas peladas partidas en dos trozos y el repollo después de bien limpio y troceado.

Una vez bien cocido se vuelven a las ollas los chorizos para calentarlos, y se sirven en una fuente las carnes; en otra las patatas y la verdura, y en una tercera los garbanzos escurridos y mezclados con el chorizo partido en dos o en cuatro trozos, para que cojan la sustancia.

(Con el caldo de la cocción se suele hacer una sopa de fideos.)

81. Cocido gallego

Ingredientes:

1 repollo o un manojo de grelos
1 trocito de unto
$1/2$ kilo de tocino de hebra
$3/4$ kilo de costilla de cerdo
1 mano de cerdo
1 oreja
1 trozo de cabeza de cerdo
1 kilo de aguja o jarrete de ternera
$1/4$ kilo de habichuelas
6 chorizos
$1/2$ kilo de patatas (o una por persona)

Poner en agua fría el unto y las habichuelas. Cuando empiece a hervir echar las carnes de cerdo. Así que lleven una hora de cocción añadir la verdura y más tarde las patatas y el chorizo.

Con el caldo, al que le añadimos un papel de azafrán, se hace una sopa de fideos o de otro tipo de pasta.

82. Croquetas de marisco

Ingredientes:

³/₄ de litro de leche
¹/₄ litro de caldo de marisco
100 gramos de mantequilla
100 gramos de harina
2 huevos
Picadillo de mariscos
Nuez moscada, pimienta y sal
Pan rallado y aceite

Derretir la mantequilla en un cazo al fuego. Añadirle la harina de golpe. Se bate bien y se le va incorporando la mitad de la leche caliente poco a poco, luego el agua de la cocción del marisco y por último el resto de la leche. Cuando ya esté bien espesa la besamela, se le incorpora un picadillo hecho con restos de marisco (centollas, cigalas, mejillones, almejas, etc.), se sazona con sal, pimienta y nuez moscada y cuando esté bien cocida la masa, se echa en una fuente o en la mesa de mármol untada de grasa y se deja enfriar.

Se forman las croquetas, se rebozan en huevo y pan rallado y se fríen en abundante aceite caliente.

83. Chanfainas (longanizas)

Ingredientes:

Carne de cerdo
Ajo machacado
Orégano
Cominos
Clavo
Sal
Tripa de cerdo
Agua

La carne de cerdo, no muy magra para que esté jugosa, se pica en trozos gruesos y se adoba con abundantes ajos machacados, un poquito de orégano, cominos, agua y sal. Y se deja en zorza tres días moviéndola dos veces al día.

Para las longanizas se pueden aprovechar todas las carnes que no se han empleado para hacer los chorizos: mollejas, los pulmones, el corazón etc. Se forman en tripas delgadas y se anudan más largas que los chorizos.

84. Chicharrones prensados

Ingredientes:

1 lengua de cerdo
2 orejas de cerdo
2 kilos de tocino fresco con piel
2 cebollas
4 clavos de olor
3 granos de pimienta negra

Pelar las cebollas y pincharles los clavos.

Poner en un recipiente las cebollas enteras, la pimienta y la lengua, las orejas y el tocino cortado en trozos. Cubrir con abundante agua y dejar cocer. Salar. Escurrir el agua y prensar las carnes, en un recipiente alargado o redondo para formar los chicharrones.

Desmoldar y cortar como fiambre.

85. Choflas (butifarras)

Ingredientes:

Carne de cerdo
Tripa de cerdo
Clavo
Pimienta
Canela
Sal

Las puntas que sobran de la carne que se picó para los chorizos se sazonan de sal, pimienta, clavo, canela, se meten en las tripas y se cuecen.

Pueden hacerse blancas o rojas. A las rojas se les echa pimentón. También hay quien les pone cebolla. Resultan más sabrosas pero se conservan menos tiempo.

86. Chorizos

Ingredientes:

Carne de cerdo
Orégano
Pimienta en grano
Pimienta molida
Ajo picado
Pimentón dulce y picante
Sal
Agua

La carne de cerdo, preferentemente de los lomos con alguna grasa, se pica del tamaño de una nuez. Se hace un adobo con todos los ingredientes dejandola en zorza hasta el día siguiente en que se prueba, friendo una poca en la sartén. Después de rectificar lo que sea necesario, se da vueltas y se repite la operación al segundo día; y al tercero se forman los chorizos atándolos de unos quince centímetros de largo.

Pueden curarse al fuego de ramas de laurel o al aire.

87. Chorizos «ceboleiros»

Ingredientes:

Carne de cerdo
Cebolla
Calacú (calabaza)
Pimentón picante y dulce
Orégano
Clavo
Nuez moscada
Pimienta
Sal
Sangre de cerdo

Estos chorizos llevan la misma cantidad de carne de cerdo que de cebolla y calabaza.

Una vez bien picadas todas las carnes: bofes, papadas, livianos y grasa en rama, se mezclan con la cebolla picada cocida, bien escurrida y pasada en la sartén con grasa de cerdo. Y la calabaza también cocida y escurrida. Se sazona de pimentón picante y dulce, orégano, clavo, pimienta, nuez moscada y sal. Después de moverlo todo bien se le echa un poco de sangre de cerdo.

En tripa gruesa se embuten y se atan chorizos de unos diez centímetros de largo. Se ahuman con laurel dos o tres veces y se dejan que terminen de secarse al aire o al calor del fuego.

Se comen cocidos con habas, verdura o cachelos y también se echan al cocido.

Hay que tener en cuenta que no se conservan mucho tiempo.

88. Chulas de calabaza

Ingredientes:

³/₄ de kilo de calabaza
6 huevos
150 gramos de pan rallado
Sal y pimienta
Manteca de cerdo

A la calabaza se le quita la piel y las pepitas y se pone a cocer en agua con sal. Una vez cocida se reduce a pasta y se mezcla con los huevos y el pan rallado y se sazona de sal y pimienta.

Con esta masa se forman unas tortas, se rebozan en huevo y pan rallado y se fríen en manteca de cerdo. (Pueden sustituirse los 150 gramos de pan rallado por patata cocida.)

89. Chulas de grelos

Ingredientes:

1 manojo de grelos
500 gramos de patatas
2 huevos
1 taza de caldo de la cocción de
los grelos
1 yema de huevo cocida
1 cucharada de vinagre o vino
1 cucharada de cebolla picada
1 cucharada de harina
Pimienta, canela y sal
Aceite para freír
Un plato con harina

Cocer los grelos y las patatas peladas y enteras. Una vez cocidos, escurrirlos y picarlos. Con las patatas se hace un puré muy espeso que se mezcla con los grelos. Se forman unas bolas pequeñas, se rebozan con harina y se fríen.

Una vez doradas se van colocando en una cazuela de barro. En el aceite sobrante después de colado doramos la cebolla, se le agrega luego la harina y una vez tostada se le añade el caldo de la cocción de los grelos, sazonado con pimienta, canela, sal, el vinagre y una yema de huevo cocido machacado y desleída en unas cucharadas de la salsa. Se mezcla todo bien y se vierte sobre las chulas, dejándolas un rato a fuego lento, sin que lleguen a hervir.

Se sirven muy calientes en la misma cazuela.

90. Chulas de pescado

Ingredientes:

1/2 kilo de pescado (cocido, frito
o guisado)
750 gramos de patatas
50 gramos de mantequilla
2 huevos
1 vasito de leche
1 cucharada de harina
1 vaso de agua o caldo
1 cucharada de cebolla
1 vasito de vino blanco
1 cucharada de perejil
1 plato de harina para rebozar
Sal, pimienta y nuez moscada
Aceite para freír

Las patatas se pelan, se cuecen, se pasan por el pasapurés y se les agrega la leche, la mantequilla y el pescado limpio de pieles y espinas. Se mezcla todo bien y se le incorporan luego los huevos de uno en uno. (Si queda muy espeso añadirle más leche o un poco de caldo de la cocción del pescado.)

Con esta masa se forman unas bolas, no muy grandes, que se rebozan en harina y se fríen en abundante aceite. Se retiran y se colocan en una cazuela de barro.

En la sartén, en el aceite sobrante, poner la cebolla y cuando esté blanda echarle la harina y esperar a que se dore. Se le incorpora luego el caldo de la cocción del pescado, o agua caliente, poco a poco. Se le agrega el perejil. Se sazona de sal, pimienta y nuez moscada y se rocía con el vino blanco. Se deja cocer a fuego lento y se vierte la salsa sobre las chulas. Poner la cazuela a fuego moderado y dejar unos minutos para que tomen el sabor de la salsa. Hay que moverla de vez en cuando para que no se peguen.

(Suelen hacerse las chulas de bacalao o de algún pescado que sobró de otra comida.)

91. El desayuno del cazador

Ingredientes:

6 chorizos
12 lonchas de «bacón» o panceta
6 tomates
6 cebollas pequeñas
12 huevos
Aceite

En una sartén con aceite poner a estofar la cebolla picada. Cuando esté transparente añadirle el chorizo cortado en rodajas, y así que ha teñido la sartén se le colocan encima las lonchas de bacón cortadas en tiritas. Cuando el tocino esté transparente pasar la mezcla a una cazuela de barro y echarle el tomate picado. Cuando esté blando escalfar los huevos.

Puede hacerse también en cazuelas individuales.

92. Filloas de verdura al horno

Ingredientes:

12 filloas de caldo o de leche
1 kilo de verdura (grelos,
espinacas, repollo, berza, etc.)
1 ¹/₂ litros de leche
75 gramos de mantequilla
8 cucharadas rasas de harina
Sal, pimienta y nuez moscada

La verdura se cuece en abundante agua con sal, se pica y se reserva.

Se hace una besamela con la mitad de la mantequilla, la harina, pimienta y nuez moscada. Se mezcla la mitad de la besamela con la verdura, se deja dar un hervor y una vez que esté templado se rellenan con esta crema los filloas. Se enrollan y se colocan en una fuente refractaria, untada de mantequilla. Se cubren con el resto de la besamel, se le ponen unas bolitas de mantequilla y se meten al horno.

(Puede espolvorearse de queso rallado si se quiere.)

93. Filloas gratinadas

Ingredientes:

30 filloas pequeñitas
1 cebolla picada
1 tomate
100 gramos de jamón
200 gramos de carne picada frita
1 cucharada de foie-gras
Salsa besamela
Aceite

En una sartén se pone a dorar la cebolla picada en el aceite, se le anade luego el tomate, la carne y el jamón picados. Añadimos luego el foie-gras, y grasa de freír la carne. Con esta pasta rellenamos las filloas, que se colocan en una fuente refractaria, se cubre de salsa besamela y se meten a gratinar al horno.

94.   Filloas rellenas de grelos

Ingredientes:

12 filloas de caldo o de leche
1 manojo de grelos
1 cebolla
2 dientes de ajo
50 gramos de piñones
2 huevos
Aceite y sal
Pimienta y nuez moscada

Los grelos se cuecen en abundante agua con sal y destapados. Se escurren y se pican.

En una sartén con seis cucharadas de aceite doramos la cebolla muy picada, luego le agregamos los ajos machacados, los grelos y los piñones y lo sazonamos de pimienta y nuez moscada.

Se rellena cada filloa con un montoncito de verdura y se enrolla. Se rebozan en huevo batido y pan rallado y se fríen en abundante aceite.

Se sirven muy calientes. Pueden tomarse solas o con salsa de tomate.

95.   Filloas rellenas de marisco

Ingredientes:

Para las filloas:
200 gramos de harina
4 huevos
1 cucharada de aceite o
manteca
1 vasito de leche
Agua de cocer el marisco
Sal y pimienta
Aceite para untar la sartén
Para el relleno:
1/2 kilo de mejillones
1/2 kilo de berberechos
12 cigalas
1 cebolla picada muy menuda
50 gramos de mantequilla
3 cucharadas de vino blanco
1 huevo cocido picado
2 cucharadas de pan rallado
Para la besamela:
2 cucharadas de mantequilla
2 cucharadas de harina
6 cucharadas de agua de cocer
el marisco
1/2 vaso de leche
Pimienta
50 gramos de queso rallado

Hacer las filloas con la harina, los huevos, la manteca, la sal y la pimienta todo mezclado. Luego incorporar la leche y por último el agua de la cocción del marisco que admita, hasta formar una masa ligera. Hacer unas doce filloas de unos quince centímetros de diámetro y reservarlas.

Después de cocido el marisco por separado con laurel, quitarle las conchas a los mejillones y a los berberechos y limpiar las cigalas dejando solamente la carne.

Dorar la cebolla en la mantequilla, añadir el marisco y el vino, dejar cocer unos minutos y agregarle el huevo cocido picado y el pan rallado. Si queda muy espeso poner un poco de caldo de la cocción del marisco, rellenar con esta mezcla las fillóas y doblarlas como un sobre.

En la mantequilla tostar la harina y añadirle la leche y caldo del marisco, hasta formar una besamela ligera. Sazonar con pimienta y echarla sobre las filloas rellenas que tendremos colocadas en una fuente de horno. Espolvorear de queso rallado y meter a horno fuerte.

NOTA: Puede utilizarse cualquier tipo de marisco.

96. Filloas rellenas de zamburiñas

Ingredientes:

12 filloas de leche o de caldo de mariscos
3/4 de litro de leche
3 cucharadas de harina
2 cucharadas de mantequilla
1 lata de 200 gramos de zamburiñas

Hacer una besamel con la mantequilla, la harina y la leche. A media cocción incorporarle las zamburiñas y la salsa. Si queda muy suelta espesarla con una cucharada de maicena disuelta en leche fría o en agua.

Rellenar las filloas con la crema de zamburiñas y servirlas en fuente redonda formando una flor con una concha de vieira, en el centro (si se tiene), o un cogollo de lechuga.

(Para que no se enfríen, si no se sirven en el momento, pueden calentarse un poco en el horno, pero ha de estar muy flojo, también pueden freírse o cubrirlas con besamela y gratinarlas.)

97. «Foie-gras» de cerdo

Ingredientes:

1/2 kilo de hígado de cerdo
1/2 kilo de tocino fresco
1/2 kilo de lomo de cerdo con grasa
300 gramos de manteca de cerdo en rama
6 cucharadas de coñac
Pimienta blanca molida
Nuez moscada
Sal
(Una lata de trufas)

En la máquina se pica el hígado, el tocino y el lomo de cerdo, de forma que quede muy menudo Si es necesario se pasa por el pasapurés hasta conseguir una pasta muy fina. Se sazona de sal, pimienta, nuez moscada, y se rocía con el coñac. En un molde forrado con la manteca de cerdo se vierte la mezcla después de que hayan pasado unas horas, para que coja bien el sabor del adobo.

Se puede colocar sobre la pasta trufas picadas y tapado meterlo al horno al baño María durante tres horas. Ya cocido se saca del horno y una vez frío se sirve o se conserva en el mismo molde. También se puede pasar a tarrinas de barro cubiertas por grasa de cerdo.

(En lugar del molde con tapa puede emplearse fiambreras resistentes al fuego.)

98. Huevos con tostadas

Se mojan las tostadas de pan, en leche y luego se pasan por huevo batido y se fríen sin que lleguen a dorarse demasiado.

6 rodajas de pan de bolla
½ litro de leche
8 huevos
Sal, aceite
Papel de aluminio

Se separan 6 yemas de las claras y se baten a punto de nieve reservando las yemas.

Se ponen las tostadas sobre papel de aluminio en la placa del horno. Se hace un montoncito sobre ellas con la clara y en el centro se le pone la yema entera y se mete al horno fuerte, hasta que se doren.

Pueden también colocarse en placa de horno y servirse ya directamente con ella.

99. Huevos encapotados

Ingredientes:

8 huevos
¾ litro de leche
6 cucharadas de harina
1 cucharada de mantequilla
Pan rallado
Sal, pimienta y nuez moscada
Aceite para freír

En aceite bien caliente se fríen seis huevos. Se retiran y se les recorta un poco la clara para que queden iguales.

Se pone en un cazo la mantequilla y cuando esté derretida se le añade de golpe la harina, se bate y luego se le va incorporando poco a poco la leche caliente hasta formar una besamela espesa. Se sazona de sal, pimienta y nuez moscada y cuando esté bien cocida se retira.

Se introducen en la pasta los huevos uno a uno procurando que se bañen bien y se van colocando en una fuente o en la mesa de mármol untada de aceite. Cuando estén fríos se desprenden de la fuente y una vez rebozados en huevo batido y pan rallado se fríen en abundante aceite.

(En lugar de huevos fritos pueden utilizarse tambien huevos cocidos enteros o partidos en dos a lo largo.)

100. Jamón cocido de la montaña pontevedresa

Ingredientes:

1 trozo de jamón
Agua

En la montaña pontevedresa el jamón después de tenerlo en sal quince días se ahúma.

Para que quede más sabroso se pone a cocer sin desalar y a media cocción se retira y escurre, para dejarlo secar hasta el día siguiente, que se toma cortado en·lonchas. De esta forma queda más jugoso y tiene la consistencia de la carne.

101. Lacón cocido

Ingredientes:

1 lacón de unos 2 kilos
12 patatas pequeñas
1 cebolla
Agua

Se pone a desalar el lacón, si es curado, unas cuarenta y ocho horas y si se ha conservado en sal, veinticuatro.

También puede cocerse fresco, aunque resulta menos sabroso. Una vez desalado se seca y se mete al horno o se coloca sobre la plancha y se deja un tiempo sin que llegue a asarse ni a dorarse demasiado. Se retira y en caliente con la ayuda de un paño se le arrancan las cerdas, frotando con fuerza. Aún caliente se echa en una olla con abundante agua hirviendo, se le agrega la cebolla y se deja cocer unas dos horas y media, luego se le echan las patatas mondadas y se deja que siga cociendo a fuego vivo hasta que esté tierno.

Se sirve caliente cortado en trozos gruesos y acompañado por las patatas. (Si sobra puede servirse frío cortado muy fino como aperitivo.)

102. Lacón con grelos

Ingredientes:

1 lacón
6 chorizos
6 patatas grandes
2 manojos de grelos

Poner a desalar el lacón en abundante agua fría durante dos días.

En una olla grande colocar el lacón y cubrir con abundante agua, dejar cocer lentamente. Cuando esté cocido se le añaden los grelos y por último las patatas mondadas y enteras, y los chorizos.

Con el caldo se hace una sopa de pasta, añadiéndole un poco de sal si es necesario.

Conviene cocerlo todo junto, pues el ácido de los grelos le quita grasa al lacón y le da un sabor peculiar al plato.

103. «Lacón con grelos a o forno»

El lacón puede ser curado o «salpreso», que quiere decir que se ha conservado en sal poco tiempo. En el primer caso hay que

Ingredientes:

1 lacón
6 chorizos
2 manojos de grelos
6 patatas grandes
Agua

dejarlo a remojo cuarenta y ocho horas y conviene darle tres cortes para que se desale con facilidad. En el segundo basta con lavarlo muy bien. Si ha permanecido bastante tiempo en el baño de sal, es necesario dejarlo a remojo unas veinticuatro horas.

Una vez desalado se mete al horno o sobre la plancha, se dora un poco, se retira y se le pasa un paño para que suelte todas las cerdas, y sin dejar que se enfríe se echa en agua hirviendo y se deja cocer a borbotones, una hora por kilo de lacón o quizá algo más.

Una hora antes de lo que se piensa que debe de estar el lacón se retira parte del agua en la que está cociéndose para otra tartera y allí se echan las patatas y poco después los grelos, enteros y bien limpios y un poco después los chorizos.

Se sirve en una fuente el lacón cortado en lonchas gruesas o entero con los chorizos alrededor y en otra las patatas con los grelos.

(Con parte del agua del lacón y parte de la que sobró de cocer los grelos, las patatas y los chorizos se hace una sopa de fideos que resulta muy sabrosa.)

104. Lacón prensado

Ingredientes:

1 lacón
Agua
Puré de castañas

Si el lacón es curado lo dejamos durante cuarenta y ocho horas a desalar en abundante agua, cambiándosela varias veces para que pierda mejor la sal. Lo secamos y lo pasamos por la llama para quemar las cerdas.

Se pone a cocer en abundante agua durante unas tres horas. Cuando se le desprenda el hueso con facilidad lo retiramos, lo deshuesamos, lo envolvemos en un paño, lo cosemos para darle la forma y lo prensamos durante unas doce horas.

Se sirve frío cortado en lonchas finas y acompañado por un puré de castañas espeso, que se hace como la «sopa de castañas» pero añadiéndole menos cantidad de leche.

(Ver receta número 120.)

105. Llostro

Ingredientes:

Costilla de cerdo
Cabeza de cerdo
Orégano
Ajos
Sal
Agua
Tripa gruesa de cerdo

Picar muy menudos los huesos pequeños de la cabeza y costilla de cerdo, procurando que lleven carne adherida. Sazonar con orégano, abundantes ajos machacados y sal. Echar un poco de agua y dejar en adobo durante veinticuatro horas.

Rellenar las tripas gruesas, y atarlas cada veinte o veinticinco centímetros. Curarlas al humo.

Se comen cocidos con cachelos, con habas o con verduras.

106. Miolada

Ingredientes:

1 trozo de espinazo de cerdo
y la cabeza
2 sesos de cerdo o de vaca
100 gramos de manteca
4 huevos
Rebanadas de pan mojado en
leche
Ajos, pimentón y sal

Los huesos del espinazo y la cabeza se parten y se adoba con los ajos machados, pimentón y sal. Luego se ponen a cocer en un puchero cubiertos por agua. Cuando rompe a hervir se espuma y se deja cocer más lentamente.

Cuando estén cocidos se les añade la manteca de cerdo, el pan mojado en leche, los huevos batidos y los sesos bien limpios. Se deja hervir y cuando esté bien cuajado el huevo se sirve. (Si se quiere se pueden retirar los huesos y separarlos de la carne, dejando sólo el caldo y los pequeños trozos de cerdo, antes de añadirle el pan, el huevo y los sesos.)

107. Morcilla de arroz

Ingredientes:

¹/₂ kilo de arroz
¹/₂ kilo de grasa de cerdo
en rama
1 litro de sangre
1 cebolla
1 cucharada de perejil picado
Pimentón dulce y picante
Pimienta
2 dientes de ajo
Canela molida
Tripa gruesa

Poner a cocer el arroz, sin que se ablande del todo, y dejarlo enfriar.

La cebolla picada menuda se cuece y se deja escurrir (puede cocerse la víspera para que esté bien seca).

Picar la grasa y agregarle el arroz, la cebolla, el perejil picado, los ajos machacados y el pimentón, doble cantidad del dulce que del picante, mezclarlo con la sangre, sazonar con pimienta, canela y sal.

Llenar tripas de las gordas procurando que queden flojas, y atarlas.

Después se cuecen durante una media hora y se comen en un buen cocido o fritas en rodajas.

108. «Papas de millo»

Ingredientes:

1 litro de agua
12 cucharadas de harina de
maíz
1 patata grande
1 vaso de leche
Sal

Se pelan las patatas y se trocean como para tortilla. En una cazuela se pone la harina de maíz y se le va incorporando el agua fría, luego se le echan las patatas y se pone a cocer moviendo constantemente hasta que esté completamente cocida la patata y se haya formado una pasta. Se le incorpora la leche sin dejar de revolver y se sazona de sal. Se sirven muy calientes. (Si espesa demasiado puede aligerarse con un poco de agua caliente o leche.)

109. «Papas de rixóns» (chicharrones)

Ingredientes:

*1 taza de grasa de la que queda
de hacer los chicharrones
10 cucharadas de harina
de maíz
Agua y sal*

En la tartera en la que se han hecho los chicharrones y con la grasa sobrante, aproximadamente una taza, es con la que se hacen estas papas añadiéndole harina de maíz, sal y agua. Se remueve constantemente con cuchara de palo y han de quedar más bien espesas. Tanto que si se enfrían y al día siguiente quieren calentarse suele hacerse en la sartén, pues al enfriar se ha formado como una masa.

Se sirven muy calientes en «cuncas» de barro o de madera.

110. Potaje mareado

Ingredientes:

*250 gramos de garbanzos
250 gramos de judías verdes
250 gramos de calabaza
250 gramos de berenjenas (dos)
250 gramos de patatas
1 cucharada de pimentón
1 cebolla
1 tomate
2 dientes de ajo
Aceite, sal*

Poner los garbanzos a remojo y cocerlos.

Pelar las patatas y cortarlas en cuadraditos. Hacerle lo mismo a las berenjenas y la calabaza. Limpiar las judías y partirlas.

Poner a freír aceite con la cebolla y el ajo picados y la carne del tomate, rehogar las verduras.

Cuando estén fritas echarlas en la olla de los garbanzos y en el aceite que quedó de rehogarlas poner una cucharadita de pimentón dulce, darle una vuelta y verterlo en la cazuela del potaje dejando cocer a fuego lento, durante 30 minutos aproximadamente, hasta que forme salsa.

111. «Potaxe de vixilia»

Ingredientes:

*200 gramos de garbanzos
500 gramos de patatas
1 cebolla
2 dientes de ajo
4 cucharadas de arroz
100 gramos de bacalao*

En una olla grande se pone abundante agua, con los garbanzos (que tendremos a remojo desde el día anterior). Cuando estén a media cocción se le agrega las patatas peladas y muy picadas, el arroz, y la verdura después de lavada y troceada muy menuda, y el bacalao, previamente desalado, en pedacitos pequeños. En una sartén se pone el aceite, se deja dorar la cebolla y los ajos, se retira del fuego cuando esté tierna la cebolla y se le

1 vaso de aceite
1 cucharada de pimentón
Acelgas, espinacas o grelos
Agua y sal

agrega el pimentón. Se vuelca luego el rustrido sobre el potaje y se deja que siga cociendo hasta que las patatas estén casi deshechas.

112. Puré de castañas

Ingredientes:

500 gramos de castañas
Agua
Hinojo

Se pelan las castañas y se ponen en una cazuela cubierta de agua caliente con el hinojo. Cuando rompe a hervir se dejan cocer despacio unos minutos hasta que se desprende la piel, se mondan y se van echando en una cazuela que contenga agua caliente.

Se ponen a cocer de nuevo y cuando estén blandas, se escurren, se pasan por tamiz, formando una especie dé ralladura.

Según la utilización que vaya a tener el puré se mezcla con leche o con nata para acompañar los asados, con crema pastelera, con chocolate o con nata montada para los postres.

113. Puré de codornices

Ingredientes:

4 codornices
¹/₄ kilo de gallina
100 gramos de jamón
2 litros de caldo limpio
1 vaso de vino blanco
1 latita de trufas

En el caldo se ponen a cocer las codornices, desplumadas y limpias, la gallina y el jamón. Se deja cocer a fuego lento y, cuando todo está bien cocido, se separan las carnes de los huesos, se pican las carnes y se pasan por la batidora con un poco de caldo. Se cuela todo el caldo, se mezcla con el puré y se deja cocer a fuego lento con el agua de las trufas y el vino blanco, un cuarto de hora. A los diez minutos de cocción se le incorporan las trufas cortadas en rodajas muy finas.

(Pueden sustituirse las trufas por dos huevos cocidos picados pero resulta mucho menos sabroso.)

114. Sopa con mariscos

Ingredientes:

200 gramos de almejas
200 gramos de berberechos
200 gramos de mejillones
1 trozo de pescado sin espinas
1 cucharada de harina
1 zanahoria mediana
1 cebolla
2 dientes de ajo
2 cucharadas de puré de tomate
1 vaso de vino blanco
1 ramita de perejil
1 hoja de laurel
100 gramos de pan
Sal, pimienta y azafrán
Aceite y agua

El pan se corta en lonchas y se pone a dorar en el horno.

Las almejas, los berberechos y los mejillones se ponen a cocer en agua con el laurel, después de haberlos lavado al chorro de agua fría para que suelten todas las arenas. Una vez abiertas se separan de sus conchas y se reservan y el caldo se cuela y se coloca en una olla.

En una sartén ponemos a estofar la cebolla picada y los ajos. Una vez cocido se le agrega la harina, se rehoga y luego se le añade el tomate y el pescado limpio de espinas (mejor rape) y cortado en dados pequeños; la carne de las almejas, los mejillones y los berberechos. Se rocía de vino blanco y se deja hervir unos minutos. Pasado este tiempo se vuelca en la olla en que tenemos el caldo de la cocción de los mariscos, se sazona de pimienta y se le agrega el azafrán disuelto en un poco de agua y se deja cocer a fuego lento durante un cuarto de hora. Si queda muy espeso se le puede aumentar agua caliente.

En el momento de servirlo se vierte en la sopera sobre el pan tostado y se deja reposar unos cinco minutos.

115. Sopa de ajo

Ingredientes:

1 panecillo
5 dientes de ajo partidos en dos
1 cucharada de pimentón
Aceite (¹/₂ litro
aproximadamente)
2 huevos
1 ¹/₂ litros de caldo o agua
Sal

En el aceite se fríe el pan cortado en trocitos pequeños. Se colocan en una cazuela y en el aceite sobrante se doran los ajos, se retiran del fuego y se les echa el pimentón. Toda la mezcla se vierte sobre el pan. Se le agrega el agua, se sala y se deja cocer un cuarto de hora. Entonces se baten los huevos, se les incorpora a la sopa y en cuanto dé un hervor se sirve.

116. Sopa de almejas

Ingredientes:

500 gramos de almejas
1 cebolla
1 vaso de aceite
2 dientes de ajo
1 cucharada de perejil
1 paquetito de azafrán
100 gramos de sopa de fideos
Agua, sal y laurel

Cocer las almejas en agua fría con sal y laurel. Colar el agua y separarla.

Hacer un rustrido con el aceite, la cebolla picada y el ajo. Cuando esté dorada la cebolla añadir el perejil. Separar las almejas de sus conchas. Lavarlas de nuevo si contienen arena.

Poner a cocer un litro de agua de la cocción de las almejas, echarle el rustrido, el azafrán disuelto en un poco de agua y las almejas. Cuando rompa a hervir añadir la pasta de fideos o de estrellitas.

117. Sopa de almejas y arroz

Ingredientes:

500 gramos de almejas
1 cebolla muy picada
50 gramos de arroz
2 dientes de ajo
1 rama de perejil
1 hojita de laurel
1 cucharada de perejil picado
Azafrán, aceite, sal y agua

Se lavan muy bien las almejas en agua fría cambiándoles varias veces las aguas. Se ponen a cocer en dos litros de agua con el laurel y el perejil. Una vez cocidas se cuela el caldo y se separan las almejas de sus conchas.

En una cazuela se echan cinco o seis cucharadas de aceite, se doran la cebolla y los ajos picados y luego se le agrega el perejil también picado muy fino y el arroz, luego las almejas y el caldo de la cocción, se deja a fuego lento una media hora y poco antes de servirlo se deslíe el azafrán en un poco de caldo y se le añade a la sopa.

(Puede hacerse también con berberechos y con mejillones, o un poco de cada cosa.)

118. Sopa de arroz y patata

Ingredientes:

100 gramos de arroz
3 patatas medianas
2 zanahorias
1 cebolla picada

En un litro y medio de agua se ponen a cocer las patatas y las zanahorias peladas y cortadas muy pequeñas, luego se le añade el arroz y se deja cocer a fuego lento.

En una sartén con el aceite se dora la cebolla y los ajos muy picados. Se retira, se deja enfriar y se les agrega el pimentón. Y

2 dientes de ajo
1 cucharada de pimentón
1 vaso de aceite
Sal y agua

se incorpora a la sopa después de haberle puesto la sal. (Se le puede echar un poco de unto al empezar a cocer y si se quiere luego se separa y se derrite con el rustrido.)

119. Sopa de cangrejos de mar

Ingredientes:

12 cangrejos
2 hojas de laurel
2 clavos de olor
1 cucharilla de cominos
3 cucharadas de vinagre
1 copa de coñac
6 nueces picadas
3 dientes de ajo
1 cucharada de perejil picado
Miga de pan
Aceite

Se ponen a cocer los cangrejos, después de lavarlos en abundante agua, con el vinagre, el laurel, el clavo, los cominos y la sal. Una vez que estén cocidos se retiran y en el caldo se echa el coñac, las nueces picadas y un rustrido hecho con el aceite, el ajo y el perejil picado.

Se espesa con miga de pan y se deja cocer todo un poco.

120. Sopa de castañas

Ingredientes:

500 gramos de castañas
1 ¹/₂ litros de leche
50 gramos de manteca o mantequilla
¹/₂ limón
Agua, sal y pimienta
Cuadraditos de pan frito.

Se pelan las castañas (cuanto más frescas mejor, si están recién cogidas resulta más rico), se colocan en una tartera, se cubren de agua y se le agrega la pulpa de medio limón. Se pone la cazuela al fuego y cuando comience a hervir a borbotones, se baja y se deja cocer moderadamente una media hora. Se escurre, se le quita la segunda piel y se coloca en una cazuela que contenga medio litro de leche caliente. Se sazona de sal y pimienta y se deja cocer las castañas de nuevo. Se hace un puré fino con batidora o pasado por tamiz, se aclara con el litro de leche y se comprueba si está bien de sal. Si queda un poco suelto se espesa con una cucharada de maicena. Se le agrega la mantequilla, se bate y se calienta al baño María hasta el momento de servirlo.

Se sirve en sopera con cuadraditos de pan frito.

121. Sopa de hortalizas de la Pardo Bazán

Ingredientes:

150 gramos de manteca de cerdo
2 cebollas picadas
3 zanahorias medianas
1 cucharada de perejil picado
200 gramos de espinacas
200 gramos de lechuga
200 gramos de acelgas
200 gramos de guisantes
100 gramos de tirabeques
100 gramos de repollo
Rebanadas de pan frito
Sal

Se pone en una tartera la grasa de cerdo y así que esté caliente se echa la cebolla, cuando esté a medio pasar se le añade las zanahorias y el perejil todo muy picado. Al estar bien pasado todo se le agregan el resto de las verduras cortadas muy menudas, pero sin picar, y se sala. (Si es necesario se le añade un poco de agua.) Así que termine de cocerse se tuestan rebanadas de pan y se doran. Se ponen en la tartera alternando capa de pan, capa de verduras, cuidando de que la última capa sea de pan. Se baña con un poco de caldo, y se mete a horno fuerte hasta que la capa superior forme costra.

Se sirve en la misma tartera.

122. Sopa de lacón cocido

Ingredientes:

2 litros de caldo de lacón
2 zanahorias
100 gramos de pasta (fideos, etcétera)
Azafrán
1 huevo

Se pelan las zanahorias y se cortan en trocitos muy pequeños, se pica también la cebolla del caldo de cocer el lacón, y se pone al fuego de nuevo. Cuando rompe a hervir se echa la pasta y se deja una media hora antes que esté completamente cocida y un poco deshecha. Unos minutos antes de retirarlo se deslíe el azafrán en dos cucharadas del caldo y se le agrega a la sopa para darle color.

Se sirve en sopera y puede añadírsele un huevo batido, removiendo bien para que cuajen en forma de hebras o el huevo cocido muy picado.

123. Sopa de manteca

Ingredientes:

Medio pan de centeno
6 cucharadas de manteca de vaca

El pan cortado en rodajas finas se pone en una cazuela y se cubre con agua. Cuando rompa a hervir se le incorpora la manteca de vaca y la sal y se deja cocer hasta que estén bien

6 huevos
Agua y sal

blandas. En el momento de servirlo se escalfa en una cazuela un huevo por persona y se sirven.

(Es una sopa rápida pues la cocción del pan no debe llevar más de diez minutos. Si se utiliza pan de trigo no debe echársele tanta manteca, con una o dos cucharadas es suficiente.)

124.   «Sopa de manteiga con cebolas»

Ingredientes:

3 cebollas grandes
1 ¹/₂ litros de caldo limpio
100 gramos de manteca de vaca
Pan de bolla (de trigo y centeno o de trigo de montaña)
Sal

Las cebollas se cortan muy finas y se fríen en la manteca hasta que estén bien blandas pero sin que lleguen a dorarse.

Se le escurre la grasa y se coloca en una cazuela de barro.

Se ponen encima rodajas de pan cortadas muy finitas, y tostadas. Se cubre con el caldo y se mete al horno para que se dore. Cuando esté ya seca la parte del pan se puede bañar con la manteca que sobró de rehogar la cebolla. (Puede también freírse el pan en manteca en lugar de tostarlo y entonces no es necesario meterlo en el horno.)

Se sirve en la misma cazuela.

125.   Sopa de marisco

Ingredientes:

150 gramos de pan
4 cucharadas de cebolla picada
1 cucharada de perejil picado
1 diente de ajo
2 huevos cocidos
1 cucharada de pimentón
Pimienta
Agua de la cocción de mariscos
Algo de marisco desmenuzado
Aceite

Esta sopa se hace cuando hemos cocido algún marisco sea del tipo que sea. Se cuela el agua y se reserva para hacer la sopa. Se dejan también unas patas o unas almejas, lo que queramos, para poder desmenuzarlo y añadírselo al caldo.

El pan se corta en cuadraditos, se dora en el aceite y se reserva. En el aceite sobrante ponemos a estofar la cebolla muy picadita; cuando esté blanda le añadimos el perejil y el diente de ajo. Se sazona de pimienta y se le agrega el pimentón. Se vuelca este rustrido sobre el agua de cocción de los mariscos y se deja dar un hervor.

En una sopera se ponen los picatostes de pan frito, los huevos duros picados y el marisco desmenuzado, se le vuelca encima el caldo hirviendo y se deja reposar uns minutos antes de llevarlo a la mesa.

126. Sopa de pan

Ingredientes:

1 panecillo
1 vaso de aceite o manteca
de cerdo
4 dientes de ajo
1 cucharada de cebolla picada
¹/2 cucharada de perejil picado
1 cucharada de pimentón
1 litro de agua
Sal
6 huevos

El pan cortado en rebanadas se coloca en una tartera, se cubre con el agua, se sazona de sal y se deja cocer a fuego lento. En una sartén se doran en el aceite los ajos machacados, la cebolla y el perejil, luego se le agrega el pimentón y se vierte sobre la sopa. Se mete la cazuela en el horno para que forme costra y si se quiere en el momento de servirla se la escalfan unos huevos.

127. Sopa de pan pegada a la tartera

Ingredientes:

1 trozo de pan (dos panecillos
o mejor pan de bolla)
Caldo
Grasa sobrante de un asado

En la grasa sobrante de un asado, un capón, un lomo, un jamón, etc., se doran las rodajas de pan cortadas muy finas, se colocan en cazuela de barro o en fuente refractaria. Se cubren con un poco de caldo y se meten al horno para que se forma costra, hasta que el líquido se haya reducido.

Si se quiere se le pueden intercalar algunas sobras del asado cortado en trocitos menudos.

Es una sopa muy sabrosa y que se suele hacer después de un día de fiesta, Navidad, el día de un santo, una boda etc.

128. Sopa de pan y chorizo

Ingredientes:

100 gramos de pan
1 chorizo
3 dientes de ajo
1 pimiento morrón asado o
de lata
2 tomates
1 litro de caldo limpio o agua
Sal y aceite

El pan cortado en rebanadas se tuesta en el horno. Así que esté dorado se retira y se coloca en una·cazuela.

En la sartén con aceite se hace un rustrido con el chorizo cortado en rodajas y el pimiento y el tomate picados muy menudos y desprovistos de piel y de semillas. Se rehoga bien y se le añaden los ajos machacados. Se vierte sobre las rebanadas de pan tostado y se le agrega el litro de caldo limpio o el agua. Se sala y se deja cocer a fuego lento durante quince o veinte minutos.

Se sirve en sopera o en pote de barro.

129. Sopa de pasta

Ingredientes:

100 gramos de pasta (fideos, estrellas, etc.)
2 litros de agua
1 trozo de panceta (75 gramos)
1 chorizo
Sal

En una olla se pone a cocer la panceta y el chorizo. Cuando lleve una hora, y esté ya blando el tocino, se le echa el chorizo y la pasta y se deja que siga cociendo hasta que la pasta esté un poco deshecha y se sazona de sal si es necesario.

(Se le puede poner también al caldo un cuello o unas patas de pollo, o recortes de grasa de la carne de ternera o de cerdo.)

130. Sopa de pescado

Ingredientes:

2 litros de agua
1 cabeza de rape
1 trozo de pescado blanco
1 cucharada de perejil
1 cebolla
1 hoja de laurel
3 dientes de ajo
2 tomates
Pan o fideos
Sal, pimienta y azafrán
Aceite
Almejas

En una olla se pone el pescado, el agua y el laurel y se deja cocer una media hora.

Se echa el aceite en una tartera y se dora la cebolla picada muy fina, se le añaden los tomates pelados y partidos y se deja cocer a fuego lento. Se le agregan luego los ajos y el perejil machacados con la sal en el mortero y el pan cortado en trocitos pequeños, se rehoga y se le incorpora el caldo de cocer el pescado previamente colado. Se deja cocer un cuarto de hora a fuego lento.

En una cazuela aparte se cuecen las almejas. Se separan de las conchas. Se cuela el caldo y se une a la sopa junto con los bichos. Se le añade también el rape y el pescado, limpio de espinas, se sazona de pimienta y se deja cocer unos minutos. En un poquito de caldo se deslíe el azafrán y se le agrega también.

Por último se baten los huevos y se vierten sobre la sopa, se remueve bien y se sirve. Si se quiere que forme costra, una vez incorporados los huevos y sin revolver se mete al horno para que se dore el huevo.

(En lugar del pan puede echarse pasta, por ejemplo fideos no muy finos.)

131. Sopa de tapioca

Ingredientes:

1 hueso de caña
100 gramos de tocino de hebra
¹/₄ kilo de pollo (ala, cuello, pechuga o menudillos)
1 cebolla
2 zanahorias medianas
1 copa de coñac
4 cucharadas de tapioca
3 clavos de olor, sal y pimienta
1 huevo

Poner a cocer en dos litros de agua el hueso, el tocino, el pollo, las zanahorias y la cebolla en la que hemos pinchado los clavos. Sazonar de sal y pimienta. Cuando esté todo bien cocido retirar la cebolla y las zanahorias y picarlas menudas. Separar la carne del pollo y reservarla. Colar el caldo. Acercarlo de nuevo al fuego y añadirle el picadillo de la cebolla, las zanahorias y el pollo. Dejar que dé un hervor y echar la tapioca, revolver para que no se pegue. Cuando esté cocido incorporar una copa de coñac y el huevo batido.

132. Sopa montañesa

Ingredientes:

Pan de bolla de trigo y centeno
o de trigo de montaña
3 chorizos
6 huevos
$1/2$ litro de caldo limpio

El «mollete» de pan se corta en rodajas, se tuestan al horno y se colocan en una tartera o en cazuela de barro, una capa de tostadas y otra de lonchas de chorizo de centímetro y medio de grosor. Se cubre con otra capa de pan y así sucesivamente hasta que la tartera esté mediada. Se vierte sobre la mezcla el caldo, se tapa la tartera y se deja a fuego muy lento hasta el momento de servirlo en que se aviva un poco el fuego y se escalfan los huevos en la sopa. Cuando están cuajados se saca a la mesa en la misma cazuela.

133. Tortilla de camarones

Ingredientes:

12 huevos
$1/2$ kilo de camarones
2 cucharadas de perejil picado
Aceite
30 gramos de mantequilla
Laurel y sal

Cocer el marisco con laurel y sal, dejar enfriar, pelarlo y rehogarlo en la mantequilla con el perejil muy picado. Se le escurre la grasa y se reserva para hacer tortillas individuales de dos huevos del tipo de las francesas o dos grandes redondas.

Caliente el aceite se echan los huevos y cuando estén a medio cuajar se le pone el marisco. Se envuelve y se sirve, adornados con ensalada de lechuga y tomate.

Las tortillas pueden hacerse igual con otro tipo de mariscos: santiaguiños, langostinos, nécoras, centollos, colas de gambas, colas de cigalas etc.

134. Tortilla de grelos

Ingredientes:

1 kilo de corazones de grelos
8 huevos
2 cebollas nuevas
Aceite

Cocer los corazones de grelos en agua con sal y un chorrito de aceite. Es conveniente que no lleven nada de verde de la parte de las hojas. Cuando estén casi tiernos se escurren.

En una tartera con un decilitro de aceite se ponen a estofar la cebolla cortada en rodajas finas y los corazones de grelos. Cocerlos tapados y a fuego lento hasta que estén muy tiernos.

Si queda mucho jugo se dejan un rato más destapados. Se retiran del fuego, se le añaden los huevos batidos y se cuajan dos tortillas, como si fueran de patatas, pero teniendo en cuenta que tardarán más tiempo en hacerse.

Pueden servirse acompañadas de salsa de tomate en salsera aparte.

(Esta tortilla puede hacerse también de corazones de acelgas, de judías verdes, de tirabeques, alcachofas o de cualquier verdura. Debe quedar muy dorada por fuera y jugosa por dentro.)

135. Tortilla de chicharrones

Ingredientes:

1 tazón de chicharrones
2 cucharadas de cebolla picada
6 huevos

En una sartén se ponen los chicharrones, se acerca al fuego y cuando estén calientes se les añade la cebolla picada. Al estar blanda se le incorporan los huevos batidos y se forma una tortilla como si fuera de patata. Se deja dorar por un lado y se le da la vuelta, hasta que esté cuajada.

136. Tortilla de «liscós» (tocino)

Ingredientes:

250 gramos de tocino
8 huevos
2 cucharadas de agua
Sal

Cortar en cuadraditos el tocino y freírlos en una sarten. Verter sobre ellos los huevos batidos con el agua, salar.

Dejar que cuaje la tortilla por un lado y envolverla o darle la vuelta.

137. Tortilla de ostras

Ingredientes:

3 docenas de ostras
10 huevos
15 cucharadas de harina

Quitar las ostras de las conchas, trocearlas y ponerlas en un plato con limón y una pizca de sal.

Batir los huevos y, poco a poco, incorporarles la harina procurando que no se formen grumos. Añadirles leche hasta

Leche
Manteca de vaca
Limón
Sal

conseguir una pasta de la consistencia de unas natillas claras. Echarle entonces las ostras y en sartén caliente untada de manteca formar las tortillas redondas o dobladas al estilo de las francesas.

(De la misma forma pueden hacerse tortillas de otro tipo de marisco: berberechos, mejillones, zamburiñas, colas de gambas, de cigalas, etc.)

138. Tortilla de patatas guisada

Ingredientes:

1 tortilla de patatas
2 dientes de ajo
1 cucharada de perejil picado
1 cucharilla de harina
2 cucharadas de aceite
1 cucharilla de pimentón
1 taza de agua o caldo
Sal

Se hace una tortilla de patatas corriente o con cebolla y chorizo y se deja en la misma sartén.

En una sartén aparte se echa las dos cucharadas de aceite y se dora en ellos la harina. Se le agrega el pimentón, el agua o caldo, el perejil y los ajos machacados y se deja cocer unos minutos. Luego se echa en la sartén de la tortilla, se arrima al fuego y se va levantando la tortilla con un cuchillo para que penetre la salsa por debajo y no se pegue.

Pasados unos cinco minutos se coloca en una fuente y se sirve caliente. Puede adornarse con pimientos asados o fritos.

139. Tortilla guisada

Ingredientes:

6 huevos
2 yemas de huevo cocido
Miga de pan remojada con leche
2 cebollas picadas
1 cucharada de perejil
2 dientes de ajo
1 taza de caldo
Sal, pimienta, canela y azafrán
Manteca de cerdo y aceite

En una sartén se fríe cebolla picada, en manteca de cerdo, y cuando empiece a ablandar se le añade el pan remojado en leche y una cucharada de perejil picado. Se remueve bien y a los cinco minutos se le echan los huevos batidos con la sal, se forma una tortilla seca, y se coloca en una cazuela de barro.

En la sarten con un poco de aceite se pone una cucharada de cebolla picada, los ajos machacados y un poco de perejil. Cuando la cebolla está tierna se le agrega el caldo y se sazona con pimienta, canela y azafrán. En tres cucharadas de salsa se deslíen las dos yemas de huevo y se incorporan al guiso dejándolo hervir todo junto unos minutos. Servir en la misma cazuela.

140. Tostadas de pan rellenas

Ingredientes:

18 tostadas de pan
3 huevos
100 gramos de pan rallado
Pasta de croquetas
Aceite o manteca
½ litro de leche

Se cortan delgaditas las tostadas y se mojan en leche y luego en huevo. Se dejan escurrir y se le coloca encima la pasta de croquetas y se pasan por el pan rallado. Se baten dos huevos y se rebozan en ellos y luego se fríen o meten en el horno con una cucharilla de manteca encima para que se doren.

Se sirven calientes.

legumbres y...

141. Acelgas con ajada

Ingredientes:

1 kilo de acelgas
¼ kilo de zanahorias
1 kilo de patatas
1 decilitro de aceite
2 dientes de ajo
1 cucharadita de pimentón
Vinagre y sal

Se cuecen en agua con sal las patatas cortadas en cuadrados grandes, las zanahorias en rodajas, y las acelgas picadas.

Al ir a servir, se escurren y se les vierte encima la ajada.

Ajada: Se calienta el aceite y se le echan los ajos cortados en cuatro trozos. Una vez dorados, se retiran y se le añade el pimentón y el vinagre.

Esta receta sirve para las judías verdes, coliflor, repollo, asa de cántaro, grelos, tirabeques, etc.

142. Acelgas con pasas

Ingredientes:

1 kilo de acelgas
½ kilo de patatas
100 gramos de pasas
50 gramos de piñones
1 cebolla
1 diente de ajo
Sal y aceite

Cocer en agua con sal las acelgas enteras y separarlas.

Freír las patatas partidas en cuadraditos.

Poner a estofar la cebolla y el ajo. Cuando esté dorado, añadir las pasas, los piñones y las acelgas picadas.

Presentar en fuente redonda o alargada, colocando en el centro la verdura y alrededor las patatas fritas.

143. Asa de cántaro con bacalao

Ingredientes:

1 kilo de bacalao
1 kilo de asa de cántaro
½ kilo de patatas
1 vaso de aceite
1 cucharada de pimentón
3 dientes de ajo
1 cucharada de vinagre

Lavar el asa de cántaro y ponerla a cocer cortada en varios trozos cada una de las hojas. Añadir al agua un chorrito de aceite. Dejar cocer durante una hora, cuando empiece a estar tierna añadir el bacalado previamente desalado y las patatas cortadas en tacos. Sazonar de sal.

Hacer una ajada con el aceite, los ajos, el pimentón y el vinagre.

Escurrir la verdura al ir a servirla y verterle encima la ajada.

144. «Bertóns recheos»

(corazones de berzas rellenos)

Ingredientes:

12 «bertóns»
300 gramos de carne picada
200 gramos de tocino de jamón
picado
6 cucharadas de cebolla picada
2 huevos
1 vaso de caldo
1 copa de vino blanco seco
3 cucharadas de manteca
de cerdo
1 vaso de aceite

Los «bertóns» (corazones de berzas) se limpian y se escaldan en agua hirviendo. Se escurren y se reservan.

En una sartén poner tres cucharadas de manteca de cerdo y dorar otras tantas cucharadas de cebolla. Rehogar también la carne picada y el jamón. Al retirar del fuego se le añaden los huevos batidos y con este picadillo se rellenan los corazones de berza. Se atan con un hilo y se colocan en una cazuela, en la que tenemos el resto de la cebolla dorada en el aceite, se ponen unas encima de otras y se rocían con el caldo y el vino, dejando que cuezan hasta que estén tiernas.

Una vez bien cocidas se desatan con cuidado para que no se salga el picadillo y se sirven en fuente cubierta por la salsa.

145. Budín de verdura

Ingredientes:

500 gramos de patatas
1 kilo de verdura
Leche
Mantequilla
2 dientes de ajo
2 huevos
1 rama de perejil
(si es verdura verde)
1 cebolla
Pan rallado
Aceite
Sal y pimienta

Las patatas se mondan y se cuecen con sal.

Se pica la verdura y se cuece por separado con un chorrito de aceite y sal.

En una sartén grande se pone un poco de aceite y se dora la cebolla picada, se le añade luego el ajo machacado con el perejil y por último la verdura cocida y muy escurrida (si son grelos le va muy bien el echarle medio chorizo muy picado).

Se rehoga todo y se mezcla con el puré que habremos hecho con las patatas pasadas por el pasapurés, un poco de leche y mantequilla, sal y pimienta.

A toda la mezcla se le incorporan los huevos enteros, de uno en uno, y se vuelcan sobre un molde o una tartera de porcelana, untada de grasa (aceite, mantequilla, margarina, etc.) y espolvoreada de pan rallado.

Se mete al horno una media hora hasta que forme costra. Se deja enfriar un poco, se desmolda y se sirve adornado y acompañado con salsa de tomate o mahonesa, o cubierta por la salsa.

(Puede hacerse de repollo, berzas, grelos, judías verdes, acelgas, espinacas, etc.

Queda muy rico con las patatas y verduras sobrantes de un cocido o del lacón con grelos. También puede utilizarse puré de sobre hecho con menos líquido para que quede espeso.)

146. Cachelos (1)

Ingredientes:
1 kilo de patatas
1 hoja de laurel
Sal y agua

Poner a cocer las patatas con monda en agua con sal y laurel. Una vez cocidas, escurrirlas y quitarles la monda en caliente. Se sirven con pescado frito.

147. Cachelos (2)

Ingredientes:
1 kilo de patatas
Sal

Partir las patatas en dos pedazos, salarlas y colocarlas en un recipiente de barro con agua hasta la mitad. Tapar y poner a hervir. Cuando las patatas estén medio cocidas se las escurre el agua y se meten en el horno hasta que estén tiernas.

148. Calabacines guisados

Ingredientes:
1 kilo de calabacines
1/2 kilo de pimientos verdes
2 berenjenas
1 kilo de tomates
2 dientes de ajo
1/2 kilo de patatas
2 huevos
1 vaso de aceite grande

Picar las cebollas muy menudas y ponerlas a freír.

Añadir luego los pimientos cortados en tiras después de haberles quitado las semillas.

Pelar los tomates y añadirlos al guiso junto con los calabacines cortados en cuadritos y las patatas de la misma forma, no demasiado pequeños para que no se deshagan, y las berenjenas. Añadir los dientes de ajo picados, un vaso de agua y dejar cocer a fuego lento.

Servirlo en fuente honda añadiéndole los dos huevos batidos antes de sacarlo de la tartera.

Se presenta adornado con rodajas de pan frito.

149. Calabacines rellenos

Ingredientes:

6 calabacines medianos
100 gramos de jamón de York
150 gramos de carne de pollo cocida
1 huevo
1 cebolla
100 gramos de mantequilla
100 gramos de queso rallado
Laurel, tomillo y sal
2 dientes de ajo
Perejil picado

Cortar los calabacines a la mitad horizontalmente.

Quitar la pulpa y cocerlos en agua con sal y escurrirlos.

Picar muy fina la pulpa y ponerla a estofar junto con la cebolla, el ajo y el perejil, en un decilitro de aceite. Sazonar con la sal, el laurel molido y el tomillo. Añadir el huevo. Rellenar con esta mezcla los calabacines y colocarlos en una fuente de horno.

Espolvorear de pan rallado y poner sobre cada uno de ellos una bolita de mantequilla. Meter a horno medio durante 20 minutos regándolos frecuentemente con su propio jugo.

Servir caliente en la misma fuente.

150. Coliflor de Navidad

Ingredientes:

1 coliflor mediana
50 gramos de harina
2 huevos
Aceite para freír
Sal, pimienta y nuez moscada
1 vaso de vino
1 vaso de agua
12 almendras

Prepararla como la frita y hacer una salsa con un decilitro de aceite, y la cebolla picada. Cuando esté estofado se le añaden doce almendras picadas y dos dientes de ajo, una pizca de pimienta y nuez moscada y una cucharada colmada de harina. Cuando esté dorada se le añade un vasito de vino y otro de agua y se vierte sobre la coliflor, que hemos colocado en una sartén.

La dejamos que cueza con la salsa como un cuarto de hora, meneándola para que adquiera consistencia.

Se sirve en fuente redonda honda o en cazuela de barro.

151. Coliflor en ensalada

Ingredientes:

1 coliflor pequeña
1 kilo de patatas medianas
2 dientes de ajo
1 decilitro de aceite

Se ponen a cocer en abundante agua con sal las patatas partidas en cuatro trozos y la coliflor, la penca separados los ramitos de la misma y cortada en trozos las hojas verdes. Una vez cocida se escurre al ir a servirla y se le vierte encima la salsa.

Salsa: Se fríe la cebolla y los dientes de ajo, cuando están

1 cucharada de pimentón
1 cucharada de vinagre
1 cebolla pequeña
Sal

dorados se separa del fuego y se echa la cucharada de pimentón y el vinagre sin dejar de revolver.

Se presenta colocando la verdura en el centro y las patatas alrededor.

152. Coliflor en salsa blanca

Ingredientes:

1 coliflor mediana
50 gramos de harina
¹/₂ litro de leche
150 gramos de mantequilla o margarina
Sal, pimienta y nuez moscada

Poner a cocer la coliflor en abundante agua hirviendo y dejarla cocer destapada para que salga blanca. Cuando los tallos estén flexibles y tiernos retirarla del fuego, colocarla debajo del grifo de agua fría en un escurridor para que quede tersa.

Separar luego con cuidado los ramitos y colocarlos en una fuente de horno.

Con la mantequilla, la harina y la leche sazonada con la pimienta y la nuez moscada hacer una besamela y verterla sobre la coliflor. Meterla al horno a gratinar.

153. Coliflor frita

Ingredientes:

1 coliflor mediana
50 gramos de harina
2 huevos
Aceite para freír
Sal

Se cuece la coliflor y después de enfriarla se separan los ramitos, que se rebozan en harina y huevo y se fríen.

Se presenta en fuente sobre servilleta blanca de papel con blonda.

154. Chirivías con tocino

Ingredientes:

1 kilo de chirivías
200 gramos de tocino de hebra

Se raspan o mondan las chirivías, se cortan en rodajas y se ponen a cocer en agua con muy poca sal.

En un poco de aceite se doran las cebollas y el ajo muy

1 diente de ajo
3 cucharadas de cebolla
Aceite, agua y sal

picaditos. Tan pronto como la cebolla esté dorada se le agrega el tocino cortado en dados como de un centímetro.

Cuando están transparentes se retiran y se vuelca sobre las chirivías escurridas dejando que cuezan a fuego moderado unos diez minutos antes de servirlas.

En fuente redonda se sirven y pueden adornarse con huevos duros en rodajas o partidos en seis trozos, o con picatostes de pan frito.

155. Fritos de acelgas

Ingredientes:

1 kilo de acelgas
100 gramos de magro de tocino
1 chorizo
1 cebolla
1 diente de ajo
1 huevo
2 cucharadas de harina
1 vaso de leche
1 cucharada de levadurina
Sal, pimienta

Cocer las acelgas enteras. Escurrirlas y separar los tallos, picar las hojas y rehogarlas con la cebolla, el ajo y el magro de tocino cortado y el chorizo en cuadraditos.

Hacer una pasta mezclando el huevo, la harina, la sal y la pimienta incorporándole la leche poco a poco, o bien todo junto en la batidora. Añadir la levadurina. Introducir en esta masa los tallos y freírla. Deben quedar impregnados de masa. Si queda demasiado suelta añadir algo más de harina, y si no, agua.

Presentar en fuente redonda la verdura en el centro y los tallos alrededor.

156. Guisantes guisados

Ingredientes:

³/₄ de kilo de guisantes desgranados
¹/₄ kilo de zanahorias
¹/₂ kilo de patatas
2 cebollas pequeñas
1 vasito de aceite
1 diente de ajo
2 hojas de laurel
1 vasito de vino blanco
1 vaso de agua
Sal

Pelar las patatas y las zanahorias y partirlas en cuadraditos.

En una cazuela se echan los guisantes, el aceite y la cebolla picada y las zanahorias y se deja cocer durante un cuarto de hora. Luego se le añaden las patatas, los dientes de ajo, las hojas de laurel y el vasito de vino, se deja cocer a fuego lento.

168

157. Habas con orejas

Ingredientes:

¹/₂ kilo de habas rojas del país
1 oreja de cerdo
1 cebolla picada
1 vaso de aceite
2 cucharadas de harina
2 dientes de ajo
100 gramos de chorizo
Tomillo, romero, orégano,
1 hoja de laurel, sal

Dejar de víspera las habas y la oreja a remojo. A ésta cambiarle las aguas dos o tres veces para que pierda la sal. Cortar la oreja y el chorizo en trocitos, no muy pequeños. Poner a cocer las judías con el chorizo y la oreja, cubiertos de agua fría. Cuando rompa a hervir se añade un poco más de agua fría para romper el hervor y que sigan cociendo despacio.

Y se espolvorean de romero, tomillo, orégano y se les añade una hoja de laurel.

En una sartén se pone el aceite y cuando esté caliente se le agrega la cebolla picada y el ajo. Cuando empieza a tomar color se le añade la harina para que se dore. Se incorpora a las judías el refrito y se deja cocer muy lentamente. Suele tardar unas dos horas. Y si se hace en olla a presión unos cincuenta minutos.

158. Habas con tocino

Ingredientes:

2 kilos de habas tiernas (habas lobas)
150 gramos de jamón
200 gramos de tocino de hebra
50 gramos de manteca de cerdo
2 cebollas
¹/₄ litro de leche
1 vaso de aceite frito
100 gramos de pan rallado
Perejil

Se pone al fuego la manteca de cerdo con el tocino y el jamón cortado a cuadraditos. Cuando empieza a dorarse añadir la cebolla picada. Rehogarla y echarle las habas desgranadas y la rama de perejil. Dejarlas cocer lentamente durante diez minutos, sin dejar de moverlas, con cuchara de palo. Agregar la leche, la sal y la pimienta y bien tapado dejar cocer a lumbre suave durante hora y media. Ya tiernas, pero cuidando de que no se deshagan, se echan en fuente refractaria, se espolvorean de pan rallado y se rocían con el aceite frito. Meterlas a horno fuerte cinco minutos.

159. Habas rojas con tocino

Ingredientes:

¹/₂ kilo de habas rojas (judías encarnadas)

Dejar a remojo las judías el día anterior.

Picar la cebolla, cortar el magro de tocino en lonchas. Poner a cocer las judías con el vino y agua hasta que las cubra. Cuando

300 gramos de magro de tocino
1 cebolla
1 cucharada de harina
1 vaso de vino tinto
50 gramos de manteca
1 diente de ajo, tomillo, sal y
pimienta

rompan a hervir añadir más agua para que cuezan lentamente. (Si se consume el agua durante la cocción hay que echarles más, pues si no pierden la piel.) Añadir una rama de tomillo y una hoja de laurel. Dejar cocer lentamente, pero sin que pierdan el hervor.

A media cocción añadir un refrito hecho con la manteca, la cebolla picada, el ajo y la harina. Mover la cacerola para que se mezcle bien.

160. Judías blancas con cerdo

Ingredientes:

500 gramos de habas blancas
500 gramos de costilla
$^1/_2$ oreja
$^1/_2$ rabo
1 cebolla
1 hoja de laurel, tomillo,
perejil
Sal

Dejar a desalar el cerdo y las habas a remojo desde la víspera.

Poner a cocer las habas, la costilla, el rabo y la oreja, en agua fría de modo que las cubra.

Añadir la cebolla picada, el laurel, el tomillo y una rama de perejil. Mantener el fuego suave sin que deje de hervir durante hora y media. (50 minutos en olla de presión.)

Para servir, trocear la costilla, la oreja y el rabo. Colocar en fuente honda.

Si se quiere espesar añádase una cucharada de harina disuelta en un poco del caldo y una pizca de azafrán.

161. Judías verdes con chorizo

Ingredientes:

1 kilo de judías
$^1/_2$ kilo de patatas
2 chorizos
1 decilitro de aceite
1 cebolla
1 diente de ajo
2 huevos duros
Sal

Limpiar las judías. Pelar las patatas y trocearlas.

En una tartera poner a calentar el aceite. Echarle luego la cebolla picada y el ajo. Dejar dorar y añadir el chorizo cortado en rodajas. Darle unas vueltas. Echar las judías y las patatas. Añadir un vaso de agua y dejar cocer a fuego lento. Salar.

Servir en cazuela de barro adornada con el huevo duro en rodajas o picado.

162. Judías verdes con jamón

Ingredientes:

1 kilo de judías verdes
2 cebollas
150 gramos de jamón
1 vaso de aceite
Perejil y sal

Cocer las judías en agua con sal y escurrirlas.

En una cacerola poner el aceite, el jamón y la cebolla picada. Cuando está dorada, añadir las judías y dejarlas saltear durante cinco minutos.

Al ir a servirlas, espolvorearlas con perejil picado.

163. Judías verdes con tomate

Ingredientes:

1 ¹/₂ kilos de judías
1 kilo de tomates
1 diente de ajo
2 huevos duros para adornar la fuente
4 cucharadas de aceite
1 cebolla
Sal

Limpiar las judías cortándolas las puntas y los bordes donde tienen las hebras. Cocerlas en agua hirviendo con sal.

Ponerlas en un escurridor para que pierdan toda el agua.

En el aceite rehogar la cebolla bien picada y el ajo. Añadir los tomates pelados, dejar cocer a fuego lento y tapado. Revolver de vez en cuando para que no se pegue (es preferible utilizar cuchara de palo). Salar. Cuando esté hecho pasar por tamiz o batidora.

Poner a calentar el tomate junto con las judías.

Servir adornado con rodajas de huevo duro.

164. Legumbres estofadas

Ingredientes:

500 gramos de legumbres
2 cebollas
1 rama de perejil
1 diente de ajo
1 cucharada de harina
1 hoja de laurel
1 cucharilla de pimentón
1 vaso de aceite
1 huevo cocido
6 rodajas de pan frito

Cocer las legumbres: judías blancas o rojas, lentejas, garbanzos, etc. Después de haberlas dejado a remojo desde la noche anterior. Se ponen a hervir cubiertas de agua y cuando rompen el primer hervor se les añade más agua fría, sal, la hoja de laurel, la rama de perejil y el ajo.

Se las deja cocer a fuego lento hasta que estén tiernas y luego se les añade un refrito hecho con el aceite y la cebolla picada al que hemos añadido el pimentón y la harina. Para que no se queme el pimentón es conveniente retirar la sartén del fuego.

Se sirven en cazuela de barro o en fuente honda rodeadas de pan frito y espolvoreadas de huevo cocido.

165. Lentejas guisadas

Ingredientes:

500 gramos de lentejas
1 cucharada de harina
1 cucharada de pimentón
4 cucharadas de aceite
2 dientes de ajo
Laurel, perejil, sal y pimienta

Se ponen a cocer las lentejas cubiertas de agua fría. A fuego lento y añadiéndole más agua siempre que lo necesiten.

Se fríe en el aceite la rebanada de pan y un diente de ajo. Retirarlos al estar dorados. Añadir la cebolla picada y cuando esté dorada retirar la sartén del fuego y echar la harina y el pimentón. Volcarlo sobre las lentejas sin que dejen de cocer.

En mortero machacar el otro diente de ajo y el pan frito, añadirle un poco del caldo de las lentejas y verterlo sobre ellas. Dejar que se forme una salsa espesa.

Servir en cazuela de barro. Si se quiere se las pueden escalfar unos huevos. Basta con dejar la cazuela al fuego siete minutos para que cuajen.

166. Lentejas guisadas con zanahorias

Ingredientes:

500 gramos de lentejas
2 chorizos
250 gramos de zanahorias
2 cebollas pequeñas
1 diente de ajo
1 rama de perejil
Sal, pimienta
y nuez moscada

Poner las lentejas a remojo el día anterior o seis horas antes.

Cocer las lentejas cubiertas de agua con las zanahorias cortadas en cuadraditos y dos chorizos en rodajas. Añadir la sal, pimienta y nuez moscada. Dejar cocer a fuego lento durante una hora y añadir un refrito de cebolla muy picada, el ajo y por último el perejil. En olla de presión veinte minutos. Servir en fuente honda procurando que las rodajas de chorizo queden por encima.

167. Nabos a la crema

Ingredientes:

1 ¹/₂ kilos de nabos
1 vaso de aceite
50 gramos de mantequilla
2 huevos
1 litro de caldo
¹/₄ litro de nata
1 cucharada de fécula de maíz
1 cucharada de perejil picado
1 cucharilla de azúcar

Partir los nabos en cuatro partes y darles forma redondeada. Echarlos en agua hirviendo con sal y mantener el hervor durante cinco minutos.

En una sartén que contenga el aceite y la mantequilla, cuando esté caliente, echar los nabos y dejarlos dorar después de haberlos espolvoreado de sal y azúcar. Sacar con espumadera los nabos y colocarlos en una cacerola que contenga el caldo. Tapar y dejar cocer a fuego lento hasta que se haya consumido todo el líquido. Añadir la nata sin batir y dejar cocer otros cinco minutos.

Desleír en dos cucharadas de leche las dos yemas de huevo y una cucharada de maicena. Verter sobre los nabos y mover constantemente para que espese la salsa, pero sin dejar que hierva.

Servir muy caliente espolvoreados de perejil.

168. Patatas a la manteca

Ingredientes:

1 kilo de patatas
250 gramos de manteca de vaca

Pelar las patatas y cortarlas en rodajas como de medio centímetro cada una. Secarlas con un paño. Freírlas en la manteca. Colocarlas en una fuente refractaria o en cazuela de

1 cucharada de harina
1 ramito de perejil
1 vaso de caldo o agua
Sal y pimienta
2 yemas de huevo

barro. Se añade a la manteca que queda de freírlas una cucharada de harina, perejil, sal y pimienta, y el caldo.

Se deja cocer y cuando están tiernas se retiran y al ir a servirlas se le agregan dos yemas de huevo desleídas en agua.

(La manteca ha de estar bien caliente para evitar que se cuezan.)

169. Patatas a la importancia

Ingredientes:

1 kilo de patatas
2 huevos
2 cucharadas de cebolla picada
1 cucharada de perejil picado
2 dientes de ajo
Sal, azafrán y pimienta
Agua y aceite

Las patatas se mondan y se cortan en rodajas gruesas. Rebozadas en harina y huevo, se fríen y se colocan en una cazuela de barro.

En una sartén en el aceite que sobró de freírlas dorar la cebolla, cuando esté blanda se le añade el perejil picado y el ajo machacado. Se vierte el refrito sobre las patatas, se sazona de sal y pimienta y se le echa el azafrán disuelto en agua.

Cubiertas las patatas con agua o caldo, se dejan cocer a fuego lento hasta que estén tiernas.

Se sirve en la misma cazuela.

170. Patatas al horno

Ingredientes:

1 kilo de patatas
150 gramos de manteca, mantequilla o margarina
1 manojo de perejil
Sal y pimienta

Elegir patatas pequeñas o bien cortarlas y redondearlas de modo que queden iguales. Pelarlas. Ponerlas en agua y dejarlas cocer sin que ablanden del todo, como cosa de diez minutos. Escurrirlas y colocarlas en fuente de horno cubiertas con la mantequilla. Meter a horno fuerte para que se doren. Poco antes de retirarlas sazonar de pimienta y añadirles el perejil muy picado.

Servir muy calientes en legumbrera tapada.

Sirven como guarnición de carnes y pescados.

171. Patatas al vapor

Ingredientes:

1 kilo de patatas
Sal
Agua

Las patatas peladas y cortadas en trozos o redondeadas se colocan en un recipiente especial o en un cacharro que se introduce en otro que contiene agua para que se cuezan con el vapor que ésta suelta. También se pueden cocer en la olla de presión colocándolas en el cestillo metálico, sin dejar que toque el agua que hemos puesto en el fondo. Tardan en cocerse unos diez minutos.

172. Patatas asadas

Ingredientes:

1 kilo de patatas
1 cebolla
2 dientes de ajo
1 paquetito de azafrán
1 cucharadita de pimentón
Orégano, tomillo, sal y pimienta
1 vaso de aceite
1 cucharada de manteca

Pelar las patatas y cortarlas en tacos.

Machacar en el mortero los ajos, la sal y el perejil. Sazonarlo de orégano, tomillo y romero. Añadir el azafrán, el pimentón y el vaso de aceite. Incorporar toda la mezcla y verterla sobre las patatas que habremos colocado en una fuente refractaria. Cortar la cebolla en rodajas y colocarla entre las patatas. Meter a horno fuerte. Darles la vuelta de vez en cuando para que no se quemen. Cuando empiecen a estar doradas colocar la manteca en bolitas sobre ellas para que adquieran mejor color.

Pueden servirse como guarnición de asados o con huevos fritos.

173. Patatas con chorizo

Ingredientes:

1 kilo de patatas
3 chorizos
2 cebollas
1 vaso de aceite
2 vasos de agua
Sal

Picar la cebolla y rehogarla en la misma tartera en que vamos a hacer el guiso.

Añadir las patatas peladas y cortadas en trozos pequeños, los chorizos en rodajas y el agua. Salar y dejar cocer a fuego lento. Si queda demasiado espeso añadir un poco más de agua y si por el contrario queremos espesar la salsa basta con agregar un poquito de harina o maicena desleída en agua.

174. Patatas con pimientos y huevos fritos

Ingredientes:

1 kilo de patatas
5 pimientos verdes
6 huevos
Sal y aceite para freír

Cocer las patatas, cortarlas en rodajas gruesas.

Freír los pimientos a fuego lento. Cortados en tiras y después de haberles quitado las semillas.

Freír los huevos.

Colocar en una fuente las patatas. Echar encima los pimientos con su salsa. Poner los huevos alrededor.

175. Patatas con queso

Ingredientes:

1 kilo de patatas
200 gramos de queso gallego
100 gramos de pan rallado
1 cucharada de perejil picado
50 gramos de harina
2 huevos
Sal y aceite para freír

Cocer las patatas con monda en agua con sal. Pelarlas. Cortar un trozo de uno de sus lados y hacer un hueco. Rellenarlo con queso, pan rallado y perejil. Envolver las patatas en huevo batido y harina. Freírlas. Servir muy calientes en fuente con servilleta de blonda de papel o en legumbrera tapada.

176. Patatas en conchas

Ingredientes:

500 gramos de patatas
1 vaso de leche
1 cucharilla de manteca de vaca derretida
Sal, pimienta y manteca para untar las conchas

Se cuecen las patatas. Se deshacen en la leche y se les añade la manteca derretida, sal y pimienta. Se untan de manteca seis conchas de vieira, se rellenan con las patatas y se meten al horno. Cuando están doradas se pinta la superficie con manteca y se sirven.

177. Patatas en ensalada

Ingredientes:

1 kilo de patatas
1 manojo de perejil
1 vaso de aceite
2 cucharadas de vinagre
Sal y pimienta
1 hoja de laurel

Se pelan las patatas y se trocean. Se ponen a cocer con una hoja de laurel y se escurren.

Se sazonan con aceite, sal, vinagre, pimienta y perejil picado.

Pueden servirse frías o calientes según el gusto y pueden servir de guarnición a carnes, pescados o huevos.

178. Patatas en salsa de leche

Ingredientes:

1 kilo de patatas
$^1/_4$ litro de leche
1 cebolla
1 manojo de perejil
1 cucharada de maicena
100 gramos de manteca
de vaca
Sal y pimienta
1 vasito de leche para desleír
la maicena

Pelar las patatas y cortarlas en rodajas como de un dedo de grosor.

Picar la cebolla y el perejil.

Desleír la maicena en el vasito de leche.

Poner a cocer el cuarto litro de leche con la manteca, la sal y la pimienta.

Cuando empieza a hervir incorporarle poco a poco la maicena revolviendo constantemente con cuchara de palo. Echar en esta salsa las patatas, la cebolla y el perejil. Tapar y dejar cocer a fuego lento. Cuando estén tiernas se sirven.

Si espesan mucho le podemos añadir un poquito de agua.

179. Patatas estofadas

Ingredientes:

1 kilo de patatas
1 vaso grande de aceite
1 vaso pequeño de vino blanco
1 diente de ajo
2 cebollas
1 rama de perejil
Pimienta, sal y una hoja de laurel

Pelar las patatas, cortarlas en cuatro trozos y ponerlas a cocer. Cuando estén a media cocción retirarlas y escurrirles el agua.

Colocar en tartera las patatas, las cebollas en rodajas, la rama de perejil, los ajos y la hoja de laurel.

Sazonar de sal y pimienta, tapar la tartera y dejar cocer a fuego lento.

(Puede colocarse un papel de estraza o de aluminio entre la tapadera y la tartera para facilitar la cocción. También puede utilizarse la olla a presión; de ser así, no es necesario cocerlas previamente, basta con que le añadamos un vasito de agua y podemos colocarlo todo en crudo.)

180.   Patatas guisadas

Ingredientes:

1 kilo de patatas
2 cebollas medianas
2 pimientos verdes
1 tomate grande
1 cucharada de perejil picado
2 dientes de ajo
1 vaso de agua o caldo
1 vaso de aceite
Pimienta, tomillo, azafrán y sal

Mondar las patatas y cortarlas en cuadraditos.

Quitarles las semillas a los pimientos y picarlos. Trocear también la cebolla y el ajo.

Escaldar el tomate, pelarlo y cortarlo.

Poner en una tartera las patatas, los pimientos, el tomate, la cebolla y el ajo. Espolvorear de perejil y sazonar con pimienta, tomillo y sal.

Disolver el azafrán en el agua y echársela por encima. Añadirle el aceite, procurando que las patatas no queden cubiertas completamente por el líquido.

Dejar cocer a fuego lento hasta que estén tiernas.

Se sirven solas o acompañando huevos, carnes o pescados.

181.   Patatas rellenas

Ingredientes:

6 patatas grandes
200 gramos de carne picada
50 gramos de tocino magro
2 cebollas
50 gramos de pan rallado
1 vasito de vino blanco
2 cucharadas de harina
1 huevo
1 vaso de aceite
1 diente de ajo
Perejil, sal y zumo de limón

Pelar las patatas y cortarlas en dos. Vaciarlas con una cucharilla de legumbres.

Picar la carne, el tocino y la cebolla, echar la mezcla en un bol y añadirle el pan rallado, la yema del huevo, la sal, la pimienta, el limón y el perejil, formar doce bolitas.

Rellenar las patatas. Untar la parte de la carne con la clara de huevo un poco batida. Pasar por harina. Freír en aceite caliente. Colocar las patatas en una cazuela con el relleno hacia arriba.

En el aceite sobrante freír la cebolla picada y el ajo. Cuando esté dorada agregar la harina desleída en un poco de agua, y el vino blanco, dejar que rompa a hervir y verter sobre las patatas. Sazonar de sal y dejar cocer hasta que estén tiernas. Si se consume la salsa es conveniente añadirle más agua o caldo.

182. Patatas soufflé

Ingredientes:

700 gramos de patatas
Agua
Sal
Manteca de cerdo

Una vez peladas las patatas se cortan en rodajas del tamaño del canto de un duro, y después de tenerlas durante una hora en agua muy salada, se secan con un paño y se fríen en manteca de cerdo. A medio freír hay que escurrirlas y ponerlas al aire hasta que estén completamente frías. Luego se vuelven a echar en una gran cantidad de manteca de cerdo (o aceite) muy caliente. A medida que se van dorando ahuecan tomando la forma de un buñuelo.

Es conveniente servirlas inmediatamente, en el momento de salir de la sartén, de lo contrario se bajan y pierden vistosidad.

183. Pimientos asados

Ingredientes:

6 pimientos rojos, amarillos o verdes
1 cucharada de vinagre
1 vaso de aceite
Sal

A los pimientos se le quitan las semillas y se meten al horno en una fuente refractaria hasta que estén asados, teniendo cuidado de darles la vuelta de vez en cuando. Se retiran, se envuelven en un paño y cuando estén fríos se pelan.

Se sazonan con aceite, sal y vinagre y se sirven acompañando carnes, huevos o pescados.

184. Pimientos de Herbón o de Padrón

Ingredientes:

3/4 de kilo de pimientos
(medio ciento)
Aceite
Sal gorda

Los pimientos se lavan. Se secan y se les quita el tallo (en algunos sitios se lo dejan si son pequeños y para tapa). Se pone abundante aceite y se echan cuando no está todavía muy caliente, se dejan freír, se retiran y se salan con sal gruesa.

El secreto está en que se hagan poco a poco, y el aceite al principio no esté muy caliente, pues como tienen una piel fina si ésta se quema pierde mucho sabor. Al final se puede subir un poco el fuego. Si no se fríen en una sartén grande con abundante aceite, conviene darles vueltas de vez en cuando.

185. Pimientos fritos

Ingredientes:

6 pimientos grandes
$^1/_2$ litro de aceite
Sal fina

Se limpian los pimientos con un paño húmedo y se les quita el rabo y las pepitas. Se cortan en tiras a lo largo. En una sartén se pone el aceite a calentar y cuando esté templado se echan los pimientos y se dejan freír a fuego lento hasta que estén tiernos. (Pueden taparse con una tapadera.) Se salan poco antes de retirarlos, con sal fina.

Se sirven con patatas cocidas, y huevos, acompañando carnes, pescados fritos, etc.

186. Pimientos morrones asados

Ingredientes:

6 pimientos rojos
1 vaso de aceite
1 cucharada de vinagre
Sal

Poner a asar los pimientos con el aceite y la sal. Cuando estén blandos retirarlos y quitarles la monda, y las semillas. Cortar en dos trozos y aderezarlos con el jugo que han soltado al asarlos y una cucharadita de vinagre.

Se sirven con «cachelos» o con las patatas del cocido.

187. Pimientos rellenos de arroz

Ingredientes:

6 pimientos carnosos (rojos, verdes o amarillos)
2 dientes de ajo
1 taza de arroz
2 $^1/_2$ tazas de agua
250 gramos de jamón en tacos muy pequeños
1 huevo
3 cucharadas de cebolla picada
1 cucharada de harina
2 vasos de agua o caldo

Los pimientos se lavan y se les quita el rabo y las simientes dándoles un corte todo alrededor del tallo para que salgan con facilidad. Se salan por dentro y se reservan.

En una cazuela se dora el jamón y el ajo en la manteca de cerdo, luego se le agrega el arroz y el agua y se deja cocer hasta que el arroz esté casi tierno, pero no cocido del todo. Se deja enfriar un poco y se rellenan los pimientos. Rebozada la parte del arroz en harina y huevo batido, se fríe en una sartén con aceite hasta que esté dorado. Luego se tumba el pimiento y se fríe por todos los lados, y se colocan en una tartera o en cazuela de barro.

1 cucharada de manteca
de cerdo
Sal, pimienta, nuez moscada
y azafrán
Aceite y harina

En cinco cucharadas del aceite sobrante se dora la cebolla picada, se le añade la harina y se le da vueltas con una cuchara de palo, luego echarle caldo y sazonar de nuez moscada, pimienta, azafrán y sal. Se deja dar un hervor y se echa en la cazuela de los pimientos. (Agregar un poco más de caldo si es necesario, hasta dejarlos medios cubiertos.) Cocer a fuego lento hasta que estén tiernos.

Se sirven en cazuela de barro o en una fuente redonda, cubierta con la salsa.

188. Pimientos rellenos de carne

Ingredientes:

12 pimientos (rojos, verdes o
amarillos)
2 tomates
200 gramos de carne de ternera
picada
200 gramos de carne de cerdo
picada
2 cebollas picadas
2 dientes de ajo
1 cucharada de perejil picado
1 vaso de vino blanco
100 gramos de miga de pan
mojada en leche
1 huevo
1 zanahoria picada
2 cucharadas de pan rallado
Sal, pimienta y nuez moscada
2 vasos de agua o caldo
Aceite

En una cazuela con un vaso de aceite se dora en él cinco cucharadas de cebolla picada, se le agrega luego el tomate picado y la zanahoria y se rehoga todo muy bien. Luego se le echa el pan rallado, el vino blanco y dos vasos de agua o caldo y se deja cocer a fuego lento mientras se rellenan los pimientos.

Los pimientos, desprovistos del rabo y las semillas, se cortan a la mitad.

En medio vaso de aceite rehogamos el resto de la cebolla y el perejil, le incorporamos luego la carne picada, sazonamos de sal, pimienta y nuez moscada, lo retiramos del fuego, le amasamos la miga de pan mojada en leche y el huevo. Con esta pasta rellenamos la mitad de la punta de los pimientos. El resto lo cortamos en redondo y hacemos una tapadera, que la unimos al pimiento con unos palillos.

Freímos los pimientos en abundante aceite y los vamos colocando en una cazuela de barro. Le echamos encima la salsa que tenemos preparada y los dejamos cocer a fuego lento hasta que estén tiernos. (La salsa puede pasarse por la batidora o por el chino si se quiere que resulte más fina. Y si resulta demasiado espesa puede aligerarse con agua caliente. Si se quieren sin salsa basta con rellenarlos, colocarlos en cazuela de barro, rociar de aceite, cubrir con papel de aluminio y meterlos a horno moderado una media hora.)

189.   Puré de patata

Ingredientes:

1 kilo de patatas
50 gramos de mantequilla
1 vasito de leche
Sal
Pimienta
Nuez moscada
(2 huevos)

Pelar las patatas; o cocerlas con monda en agua con sal y pelarlas una vez cocidas. Pasarlas por el pasapurés en caliente. Agregar la leche, la mantequilla, la sal, la pimienta y la nuez moscada. Batir con la espátula y una vez bien mezclado todo, está dispuesto para ser utilizado. Si se quiere menos espeso basta con añadirle un poco más de leche.

Pastelitos de puré

Para formar pastelitos se le añaden al puré dos yemas de huevo y luego las claras batidas a punto de nieve. Con la manga pastelera de boquilla rizada, se forman montoncitos, sobre placa de horno engrasada y espolvoreada de harina y se meten al horno hasta que estén bien dorados.

Se sirven calientes como adorno de platos de carne o pescado.

Empanada de puré

Con puré de patata se pueden formar empanadas con el mismo relleno que las de masa. Frecuentemente se hacen este tipo de empanadas, con las patatas y las carnes sobrantes del cocido. Con un rustrido de cebolla, pimientos y parte de las verduras del cocido.

Se preparan en cazuela de barro o en fuente refractaria y se sirven acompañadas de salsa de tomate.

empanadas
y masas

190.   «Bica da folla»

Ingredientes:

500 gramos de masa de pan
de maíz
2 chorizos
2 trozos de jamón
8 hojas de verdura

Se coloca una hoja de berza y sobre ella un trozo de masa de pan y dentro un chorizo, se cubre con otra capa de masa y otra hoja de berza. Se hace lo mismo con otra rellena de jamón. Se mete al horno y cuando está cocida se saca, se le separa la verdura y se come no muy caliente.

Es típico hacer estos bollos para los niños cuando se lleva a cocer al horno de leña el pan de maíz, pero puede hacerse también en el horno de casa.

191.   Empanada de almejas

Ingredientes:

1/2 kilo de masa de empanada
1 kilo de almejas
2 dientes de ajo
3 cebollas
1 cucharada de perejil picado
2 cucharadas de pan rallado
Aceite, sal y azafrán
1 hoja de laurel

Las almejas se colocan en un escurridor de verduras y se lavan bien al chorro de agua fría para que suelten el limo y las arenas. Se echan luego en una cazuela con poca agua y el laurel y se ponen al fuego hasta que abran. Se separan de las conchas y se reservan. El agua de la cocción se cuela con un colador y un paño para que no lleve ninguna arena.

En una sartén grande se fríe la cebolla muy picada, el ajo y el perejil.

Se le agregan luego las almejas, unas cucharadas del caldo de la cocción, el pimentón y el azafrán. Se le da unas vueltas en la sartén y se deja enfriar.

Se estira la masa con el rodillo, se unta una lata de grasa y se coloca una capa fina de masa, luego se echa el relleno, se extiende por igual por todos los lados y se cubre con otra lámina de masa. Se adorna, se pinta de huevo y se mete a horno medio fuerte, hasta que esté completamente dorada. Conviene pincharla con un tenedor haciendo un dibujo para que no se infle, y se cueza mejor el relleno.

192.   Empanada de «anguia torada»

Ingredientes:

$^1/_2$ *kilo de masa corriente*
o de pan
$^3/_4$ *de kilo de anguila*
2 cebollas
1 lata de pimientos morrones
1 limón
Azafrán, sal y aceite

Se limpia la anguila, que puede ser pequeña, se le quita la piel, se sazona de sal y se trocea.

En una sartén se fríe la cebolla cortada en rodajas finas, cuando esté blanda se sazona con la sal y el azafrán. Se le añade la anguila y se rocía con el limón. Se le ponen los pimientos partidos en tiritas, se deja cocer todo unos minutos, se retira, se le escurre la grasa y se deja enfriar.

Con el aceite que hemos retirado se grama la masa, se divide a dos partes y se hace la empanada.

193.   Empanada de anguila o de lamprea

Ingredientes:

1 anguila gruesa (1 kilo)
o una lamprea
3 cebollas partidas en rodajas
1 paquete de azafrán
1 cucharada de agua
$^1/_4$ *litro de aceite*
Sal y pimienta
700 gramos de masa de pan

Se limpia la anguila y se sala. En una tartera con el aceite caliente se pone a estofar la cebolla. Cuando esté tierna se sazona de sal y pimienta y se le agrega el azafrán disuelto en una cucharada de agua. Se coloca encima la anguila enroscada y se deja cocer unos seis minutos. Se grama la masa de empanada corriente con el aceite del guiso. Para ello se extiende un poco la masa, se le echa algo de grasa, se envuelve y se estira varias veces. Luego se le pone otro poco de grasa y así sucesivamente. Cuando ya esté bien gramado se divide en dos partes, se entira la más pequeña, se coloca sobre la lata redonda preparada con la harina y en ella se coloca la anguila enroscada y el guiso de cebolla bien repartido. Se extiende el resto de la masa. Se cubre con ella la anguila, se le deja un agujero en el centro, se adorna y se mete al horno fuerte hasta que esté dorada. Puede pintarse con un huevo batido mezclado con una cucharada de agua, para que tenga mejor color.

194. Empanada de bacalao

Ingredientes:

1 kilo de bacalao
2 cebollas
2 cucharadas de perejil picado
1 cucharada de salsa de tomate
1 ¹/₂ vasos de aceite
150 gramos de pasas sin rabo
1 paquetito de azafrán
1 cucharilla de pimentón
1 chorizo cortado en rodajas
o en pedacitos
150 gramos de pimientos
morrones
1 huevo batido para untarla
Masa de empanada

Dejar el bacalao dos días en remojo para quitarle la sal. Echarlo en tartera y cubrir de agua. Dejarlo que dé un hervor. Escurrirlo y quitarle las espinas.

Hacer un rustrido con el aceite (en el que hemos dorado con anterioridad una rodaja de pan para quitarle el rancio), la cebolla picada y el perejil. Rehogar luego las pasas sin los rabos y añadirle el pimentón y la salsa de tomate. Incorporarle el bacalao y darle unas vueltas en la sartén, junto con el chorizo y los pimientos cortados en tiras, y el azafrán disuelto en agua.

Estirar parte de la masa y colocarla sobre la placa del horno untada de aceite, o en una empanadera. Untar la masa con un poquito de azafrán mojado en agua. Verter el relleno.

Estirar la otra masa, mojar la parte que se va a quedar en el interior con azafrán, cubrir, retirar la que sale por fuera y adornar, con la ayuda de un tenedor.

Con un pincel untar de huevo batido la capa, antes de meterlo al horno.

Dejar en el horno hasta que esté dorada. Cosa de tres cuartos de hora.

195. Empanada de berberechos

Ingredientes:

2 kilos de berberechos (ó 5 latas
de 200 gramos)
2 hojas de laurel
Sal
2 cebollas grandes
100 gramos de jamón en
taquitos
2 chorizos cortados en
cuadraditos
1 ¹/₂ vasos de aceite
1 huevo batido

Lavar los berberechos, colocarlos en una tartera con abundante agua fría, sal y las hojas de laurel. Arrimar al fuego y dejarlos cocer hasta que se abran. Escurrirlos y quitarles las conchas. Pasarlos por la sartén con una pizca de aceite para que suelten el agua.

Hacer un rustrido con la cebolla picada y el aceite, dejándola estofar hasta que esté dorada. Añadir los berberechos, el jamón y el chorizo, y darles una vuelta. Estirar la masa, colocar encima los berberechos. Tapar y adornar. Pintar con huevo batido para que quede más dorada.

(Si se hace con berberechos de lata han de ser al natural. Los escurrimos y pasamos por la sartén.)

196. Empanada de bonito

Ingredientes:

500 gramos de bonito en aceite (una lata)
2 huevos cocidos
3 cebollas medianas
4 dientes de ajo
1 cucharada de perejil
1 ¹/₂ vasos de aceite
Masa de empanada

Picar las cebollas y ponerlas a dorar en el aceite, añadir los ajos picados y el perejil. Cuando esté dorado mezclarle el bonito previamente deshecho. Darle unas vueltas en la sartén.

Estirar la masa. Colocar el bonito y espolvorear con los huevos duros picados, cubrir, adornar y pintarla con huevo batido.

(También se le pueden poner unas aceitunas picadas, y un tomate que se fríe con el rustrido.)

197. Empanada de calamares

Ingredientes:

1 kilo de calamares
2 cebollas medianas
1 ¹/₂ vasos de aceite
1 cucharada de perejil
4 dientes de ajo
2 pimientos verdes
Sal
1 huevo
Masa de empanada

Limpiar los calamares, y separar la tinta y dejarlos escurrir. Ponerlos a cocer en un poco de agua con sal.

Poner a dorar la cebolla picada en el aceite y añadirle los pimientos cortados en trocitos.

Cuando estén casi dorados echarle el ajo y el perejil y los calamares escurridos y troceados. Dejar cocer un rato y añadir la tinta disuelta en un poquito de agua.

Estirar la masa, verter el preparado encima, tapar y adornar, y pintarla con huevo batido.

198. Empanada de «carne de vitela»

Ingredientes:

500 gramos de masa de empanada
¹/₂ kilo de carne de ternera
1 chorizo
2 pimientos verdes
4 cebollas
1 huevo cocido
Sal y aceite

La carne puede ponerse picada o en tiritas. (Si se hace con carne picada le va muy bien el añadir a la «zarajallada» dos huevos duros y doce aceitunas, todo muy picadito.)

En una sartén se ponen a dorar la cebolla y los pimientos. Cuando esté casi hecha se le incorpora la carne, el chorizo cortado con rueditas finas y por último el huevo duro. Se le dan unas vueltas y se deja enfriar.

La empanada se forma como cualquiera de las otras y le van todo tipo de masas.

199. Empanada de «coello caseiro»

Ingredientes:

500 gramos de masa de empanada
1 conejo de granja (cortado en trozos)
2 cebollas medianas picadas
1 pimiento morrón (de lata o asado)
1 cucharilla de anises
1 paquetito de azafrán
1 vaso de vino blanco
Nuez moscada, canela y sal
1 vaso de aceite

En una tartera se pone a dorar la cebolla en el aceite, cuando empiece a ponerse transparente se echan los trozos de conejo y se dejan unos doce minutos hasta que estén bien doraditos. Se espolvorea de azafrán, nuez moscada, los anises, una pizca de canela y sal. Se revuelve y se le añade el vino blanco dejándolo cocer al fuego lento hasta que esté tierno.

Se estira parte de la masa, se prepara una lata o la placa del horno con grasa y se forma la empanada como en las recetas anteriores. Se echa el relleno y se coloca en medio de los trozos de conejo unas tiritas de pimiento.

200. Empanada de congrio

Ingredientes:

500 gramos de masa de empanada [1]
6 trozos gruesos de congrio abierto
5 cebollas
3 pimientos
1 cucharada de pimentón
1 cucharada de perejil picado
1 limón (zumo)
1 vaso de aceite
Sal y azafrán

En una cazuela se pone a calentar el aceite, y se ponen a estofar las cebollas y los pimientos. Cuando estén blandos se le agrega el perejil picado, el pimentón y el azafrán. Se colocan los trozos de pescado, se rocían de limón, y se dejan cocer unos minutos. Se estira la masa, se coloca sobre una placa o lata untada de grasa, se pone el pescado y el rustrido encima y se cubre con otra capa de masa como las otras empanadas y se mete al horno una media hora.

[1] Sirve cualquier tipo de masa de empanada.

201. «Empanada de croques»

Ingredientes:

500 gramos de «masa de millo»
2 kilos de berberechos grandes

Los berberechos se lavan a chorro de agua fría para quitarles bien todas las arenas. Luego se ponen con un poco de agua, sal y laurel, en una tartera al fuego para que abran. Se quitan de las

4 cebollas pequeñas
3 dientes de ajo
2 cucharadas de perejil
2 pimientos verdes
3 hojas de laurel
1 ¹/₂ vasos de aceite
1 limón (zumo)
Azafrán, pimienta y sal

conchas y si conservan algunas arenas se filtra con un colador y un paño, el agua de la cocción y se lavan con ella, para que no pierdan sabor.

(Si se pueden cocer en agua de mar mucho mejor). Y se rocían con el zumo de limón.

En una sartén se pone a calentar el aceite y se fríen la cebolla, el pimiento y el ajo, todo muy picado. Se le agrega luego el perejil, el azafrán disuelto en una cucharada de agua y se sazona de sal y pimienta. Por último se le echan los berberechos bien escurridos.

Se estira la masa de pan de maíz y se rellena con la «zaragallada» de berberechos como cualquier otra empanada.

(Si se hace con berberechos de lata basta escurrirlos y no es necesario sazonarlos con el zumo de limón.)

202. «Empanada de choquiños»

Ingredientes:

500 gramos de «masa de millo»
1 kilo de «chocos»
1 cucharada de perejil picado
3 cebollas medianas
2 dientes de ajo
1 pimiento morrón asado o de lata
1 cucharada de vino blanco
1 cucharada de pimentón
1 ¹/₂ vasos de aceite
Sal y pimienta

A los «chocos» se les quita la parte dura que tienen en su interior, se limpian y con mucho cuidado se les retira la bolsa de tinta.

En una sartén se pone a calentar el aceite, se le echa la cebolla muy picadita y se deja estofar. Luego se le agregan el perejil y los «choquiños» enteros, y el ajo machacado. Se sazona de sal y pimienta y se dejan cocer a fuego lento. Cuando casi estén cocidos se les añade el pimentón y la tinta mezclada con el vino blanco. Se dejan cocer otro poco, se retiran del fuego y cuando estén fríos puede rellenarse con ellos la empanada.

203. Empanada de lamprea

Ingredientes:

500 gramos de masa de empanada
1 lamprea

Se lava la lamprea en agua caliente rascándola con un cuchillo y limpiándola con un paño. Se le extrae la hiel, que está colocada debajo de la boca, y dándole unos cortes sin que llegue a separarse del todo se le quita una tripa gorda que tiene, se

1 vasito de vinagre
1 vasito de aceite
1/2 vasito de vino blanco
Canela y clavo
Pimienta y pimentón dulce
Sal

recoge la sangre y se mezcla con el aceite, el vinagre, el vino y la sal.

En una cazuela se pone la lamprea, se vierte la mezcla sobre ella y se sazona de sal, pimienta, canela, clavo, y pimentón dulce, dejándola cocer a fuego lento. Una vez guisada la lamprea se estira la masa, y se coloca en empanadera untada de grasa y espolvoreada de harina. Encima se pone la lamprea enroscada y cubierta por otra capa de masa con un agujero en el centro. Se mete al horno una media hora. A media cocción, por el orificio central se le echa la salsa, y se mueve para todos los lados a fin de que impregne el pan de grasa y cuando esté bien dorado se retira.

Puede pintarse con huevo batido como otras empanadas.

204. Empanada de liebre

Ingredientes:

600 gramos de «masa fallaldra-da»
1 liebre
3 cucharadas de perejil
1 copita de coñac
1 cebolla
1 vaso de aceite
1 vaso de vino tinto
1 cucharada sopera de harina
1/2 vaso de caldo
1 cucharadita de hierbas aromáticas
El hígado de la liebre frito
La sangre de la liebre
1 cucharada de pimentón
Sal y vinagre

Se limpia y despelleja la liebre y se recoge su sangre sin lavarla, y se reservan también los hígados. Se lava con vinagre y pimentón por dentro y por fuera, se cuelga al aire libre y se deja toda la noche. En una tartera se pone a estofar la cebolla picada, se le echa la liebre cortada en trozos y se deja dorar, luego se le agrega el perejil, la harina, el vino blanco, el caldo, las hierbas aromáticas, y se sala. Se tapa la tartera y se deja cocer a fuego lento moviéndola de vez en cuando para que no se agarre. Cuando esté casi hecha se machacan en el mortero los hígados fritos, se mezclan con la sangre y con el coñac y se vierte todo sobre la liebre dejando que cueza unos minutos. Debe formar una salsa espesa. Si queda suelta puede espesarse con un poquito de maicena.

Para formar la empanada se espolvorea la mesa con harina, se extiende la masa con el rodillo y se coloca sobre una lata untada de mantequilla. Se vuelca sobre ella el guiso de liebre y se cubre con otra lámina de masa, dejando un agujero en el centro. Si es mucha la salsa se reserva una poca y se vierte por este orificio al retirarla del horno.

(Si se quiere deshuesar la liebre puede hacerse después de guisada.)

205. Empanada de maíz de Entrimo

Ingredientes:

500 gramos de harina de maíz
100 gramos de harina de centeno
1 nuez de levadura prensada
1 cebolla
200 gramos de jamón
200 gramos de tocino
2 chorizos
Agua y sal
1 vaso de aceite o manteca de vaca

Se hace una masa con la levadura disuelta en un vaso de agua templada con la sal y se le va incorporando la harina y más agua hasta que adquiera consistencia. Se forma una bola con la masa y se tapa para que levante, dejándola en reposo una hora. Se fríe la cebolla picada en aceite o manteca y se le añade el jamón, el tocino y el chorizo picados. En una cazuela de barro se coloca la masa y se mezcla con la fritura, se revuelve bien y se mete al horno hasta que esté bien cocida. Ha de quedar jugosa.

Hay que tener en cuenta que esta receta es de Entrimo y en esta zona, en la provincia de Orense, la «empanada de millo» no se hace en capas como en otras de Galicia.

206. «Empanada de mexilóns»

Ingredientes:

500 gramos de «masa de millo»
2 kilos de mejillones
4 cebollas
2 cucharadas de perejil
2 pimientos verdes
2 vasos de aceite
3 dientes de ajo
1 cucharada de pimentón
3 hojas de laurel
Sal y agua

Se lavan al chorro los mejillones, y se ponen al fuego con un poco de agua y el laurel. Cuando estén abiertos se separan de las conchas y se reservan.

En el aceite se pone a dorar la cebolla picada y el pimiento, también picado. Se le agregan luego los ajos y el perejil machacados en el mortero, el pimentón y el azafrán disuelto en dos cucharadas del caldo de la cocción de los mejillones. Por último, se les da también una vuelta en el refrito a los mejillones.

En una lata o fuente de horno, untada de grasa, se estira parte de la masa y se coloca sobre ella el relleno. Se tapa con el resto de la masa estirada y se mete a horno medio fuerte hasta que esté bien cocida.

207. «Empanada de millo de xoubas»

La «zaragallada» de esta empanada debe llevar aceite en abundancia. Para ello se pone a calentar en una sartén el aceite,

Ingredientes:

500 gramos de «masa de millo» [1]
1 kilo de «xoubas»
1/2 litro de aceite
3 dientes de ajo
3 cebollas
2 cucharadas de perejil
1 cucharada de pimentón
Sal

se le echa la cebolla picada menuda, el perejil y el ajo machacado en el mortero. Se deja estofar y se le agrega el pimentón.

A las xoubas se les quita la cabeza y se lavan.

Se extiende la masa en una lata o en la placa del horno untada de aceite o manteca. Se coloca encima parte del refrito, y las xoubas formando un rosetón, se empieza a colocar por los bordes hasta el centro. Se sazona de sal y por encima se coloca el resto de la«zaragallada». Se cubre con la masa, y se mete a horno medio fuerte hasta que esté bien dorada.

Nota: La xouba es un pescado parecido a la sardina, más pequeña y delgada. Muy fina y con mucha sustancia. El color del lomo es de un azul más intenso que el de la sardina. Muy apreciada en la Galicia marinera se come frita o guisada, pero sobre todo en empanada.

[1]   Receta n.º 230

208.   Empanada de mejillones

Ingredientes:

2 kilos de mejillones
2 cebollas grandes
2 pimientos verdes
4 dientes de ajo
2 cucharadas de perejil picado
1 chorizo picado en cuadraditos
100 gramos de jamón serrano en tacos
1 1/2 vasos de aceite
2 hojas de laurel
Sal
1 huevo

Cocer en abundante agua fría los mejillones con el laurel y la sal. Sacarlos de las conchas y dejarlos escurrir bien. Hacer un rustrido, poniendo a dorar la cebolla picada en el aceite, el pimiento a trocitos pequeños, el ajo y el perejil picados. Cuando esté el pimiento blando retirarlo del fuego.

Extender la masa. Colocar los mejillones y echarles encima el rustrido. Colocar salteados el jamón y el chorizo.

Tapar, adornar y pintar con el huevo batido mezclado con agua.

209.   Empanada de pescadillas

Ingredientes:

100 gramos de masa de empanada [1]

Se limpian las pescadillas, se escaman y se les quita la cabeza y la espina y se rocían con zumo de limón. En el aceite se fríe la cebolla muy picada, cuando esté transparente se le agrega el

1 1/2 kilos de pescadilla
4 cebollas medianas muy
picaditas
3 cucharadas de perejil picado
2 huevos duros
18 aceitunas sin hueso
1 limón (zumo)
Sal, pimienta y azafrán
1 1/2 vasos de aceite
1 huevo batido con agua

perejil picado y el azafrán disuelto en un poco de agua. Se pican los huevos y las aceitunas y se le echan al refrito. Se le da algunas vueltas para que todo se mezcle bien, y después de sazonado con pimienta se retira del fuego y se deja enfriar.

Sobre la mesa espolvoreada de harina se extiende la mitad de la masa. Se mojan las manos en un poquito de agua con azafrán y se colocan sobre la masa para darle color. Se pone luego la masa sobre papel o lata engrasados y se le echa la mitad del rustrido. Se colocan las pescadillas con los lomos hacia abajo y por encima otra capa de la «zaragallada». Se extiende de nuevo el resto de la masa y se moja por la parte de dentro con el agua y el azafrán, se cubre con ella la empanada, se pincha con un tenedor, se adorna y pinta con huevo y se mete al horno hasta que esté dorada.

[1] Receta n.º 223

210. Empanada de pichones

Ingredientes:

750 gramos de masa de
empanada
4 pichones
300 gramos de lomo de cerdo
picado
3 cebollas
4 dientes de ajo
200 gramos de manteca
de cerdo
1 cucharada de harina
1 cucharada de harina tostada
1 vaso de agua o caldo
3 rodajas de pan empapado en
leche
3 huevos
Sal, pimienta, nuez moscada y
azafrán

Limpiar los pichones.

Mezclar el lomo picado con el pan mojado en leche y dos huevos. Sazonar de sal, pimienta, nuez moscada y azafrán. Rellenar con este picadillo los pichones.

Dorar los pichones en abundante grasa y dejarlos enfriar.

Freír en la grasa sobrante la cebolla picada. Cuando esté dorada colocar en la sartén los pichones, cubrir con agua o caldo y dejar cocer a fuego lento. Espesar con harina tostada. Dejar enfriar.

Estirar la masa de la empanada.

Rellenar con el preparado que hemos realizado, cubrir con otra capa de masa y pintarla con huevo batido.

Dejar cocer a horno fuerte unos cuarenta y cinco minutos.

211. Empanada de pollo

Ingredientes:

$^1/_2$ kilo de masa de huevo
1 pollo pequeño
150 gramos de lomo
150 gramos de jamón
$^1/_2$ kilo de tomates
1 cebolla
2 dientes de ajo
2 pimientos morrones
Aceite, sal y pimienta

En una sartén se ponen a freír la cebolla picada y los ajos. Cuando está pasada se le añade el tomate limpio y partido, se sazona con sal y se deja hacer como para salsa.

En una tartera con aceite se dora el pollo limpio, partido en trocitos y sazonado con la sal y la pimienta.

Se le agrega el lomo partido en tiras, se cubre con la salsa de tomate y se deja hacer despacio, una media hora aproximadamente.

(Puede deshuesarse el pollo en este momento. En muchos lugares de Galicia se deja con los huesos.)

Se espolvorea la mesa con harina y se extiende la masa con el rodillo, se coloca sobre un molde untado con aceite o manteca y se le echa dentro el preparado del pollo, se le ponen lonchitas de jamón y tiras de pimiento. Se cubre con otra capa de masa, se cierran bien los bordes, y se adorna con tiras o cordones de pasta.

Se le hace un agujerito en el centro «para que respire» la empanada durante la cocción. Se pinta con huevo batido y se mete a horno no excesivamente fuerte hasta que esté dorada y bien cocida. Se saca del horno, se deja enfriar un poco y se desmolda. Puede comerse tanto fría como caliente.

212. Empanada de pulpo

Ingredientes:

1 ¹/₂ kilos de pulpo cocido
3 cebollas
2 dientes de ajo
2 pimientos verdes
1 pimiento rojo
1 cucharada de pimentón dulce
¹/₂ cucharilla de pimentón
picante
2 vasos de aceite
500 gramos de «masa de millo»
o de masa corriente ¹
Sal

Después de mazado y cocido el pulpo se corta en trozos pequeños.

En una sartén se ponen a estofar la cebolla y los pimientos muy picados, se le agregan luego los ajos machacados en el mortero con la sal. Cuando todo esté tierno se le añade el pimentón, se le da unas vueltas y luego se echa el pulpo. Se deja enfriar y se rellena la empanada.

Al pulpo le va tanto la masa hecha con harina de maíz como la de trigo. Si se utiliza esta última conviene reservar un poco de la grasa del rustrido y con ella gramar la masa antes de estirarla.

Se puede formar la empanada tanto sobre papel engrasado como en molde untado de aceite o mantequilla.

¹ Recetas n.ᵒˢ 230 y 223

213. Empanada de «raxó» (lomo)

Ingredientes:

1 kilo de lomo de cerdo
3 chorizos partidos en rodajas
3 dientes de ajo
1 cucharada de perejil picado
1 cucharilla de orégano
1 cucharada de pimentón
2 cebollas pequeñas
2 huevos cocidos
1 cucharada de agua
100 gramos de jamón serrano
en cuadraditos
100 gramos de pimiento
morrón en tiras
Sal
Masa de empanada

Cortar de víspera el lomo en trocitos.

Machacar en el mortero los dientes de ajo y el perejil, añadir el orégano, y la cucharada de agua. Adobar con este preparado el lomo y dejarlo hasta el día siguiente. Hacer un rustrido con un vaso de aceite y las dos cebollas picadas. Dorar el lomo en el resto del aceite y escurrirle todo el jugo.

Estirar la masa y colocar encima el lomo, sazonarlo de sal y verter el rustrido. Añadir el chorizo, el huevo duro picado, los taquitos de jamón y el pimiento en tiras. Cubrir y adornar.

Meter al horno una hora hasta que esté dorada.

214. Empanada de robaliza

Ingredientes:

1/2 kilo de masa de empanada [1]
1 robaliza grande
1 limón
6 cebollas
3 pimientos
2 tomates
1 vaso de aceite
Sal y azafrán

Se pica la cebolla y los pimientos y se ponen a dorar en el aceite. Luego se le agregan los tomates pelados y sin semillas, la sal y el azafrán.

Se limpia la robaliza, se escama, se corta en rodajas gruesas y se sazona de sal y limón.

Se divide en dos trozos la masa, primero se estira una de las partes con el rodillo y se coloca sobre una lata o la placa de horno untada de grasa. Se le pone parte del rustrido, se colocan los trozos de pescado y encima se les echa el resto del refrito. Se cubre con otra lámina de masa, se adorna, y se mete a horno medio fuerte una media hora.

[1] Receta n.º 223

215. Empanada de sardinas

Ingredientes:

1 kilo de sardinas
500 gramos de harina
1/2 vaso de agua templada
Grasa del rustrido
1/2 vaso de vino blanco
1/4 litro de aceite
12 cebollas pequeñas
4 pimientos morrones
6 tomates pequeños
Pimienta, azafrán
1 yema de huevo
Sal

Se escaman, se limpian y se les quita la espina a las sardinas. Se pone el aceite en una sartén y se fríen las cebollas, los pimientos y los tomates, todo muy picadito. Se sazona con la sal, la pimienta y el azafrán. Se escurre muy bien y se deja enfriar la grasa, para hacer con ella la masa de la empanada.

Se pone la harina sobre la mesa de mármol, se le hace un hueco en el centro, en él se echa el agua, el vino blanco y parte de la grasa del refrito. Se amasa y se grama con el resto de la grasa. Se extiende una parte sobre una lata o la placa untada de aceite. Se colocan las sardinas rellenas con parte del picadillo y formando una corona, se extiende el resto del rustrido por encima. Se tapa con otra lámina de masa, se le hace un orificio en el centro y se adorna. Se pinta con una yema de huevo batida con agua y se mete al horno hasta que esté dorada.

216. Empanada de sardinas y jamón

Ingredientes:

500 gramos de masa de empanada
2 docenas de sardinas
4 cebollas picadas
3 dientes de ajo
1 ramita de perejil
1 tomate pelado
2 pimientos verdes
200 gramos de taquitos de jamón
Sal
Aceite de oliva

Las sardinas se lavan y limpian quitándoles la cabeza, las tripas, las escamas y la espina y se reservan.

En una sartén con aceite de oliva preparamos un rustrido con la cebolla, el pimiento, los ajos, el perejil y el tomate grande pelado, le añadimos cuando esté bien cocido los taquitos de jamón, y rellenamos con parte de este preparado las sardinas.

Se extiende la masa para preparar la empanada y sobre ella una copa del rustrido. Luego colocamos las sardinas, las cubrimos con el restro del sofrito y le colocamos encima la otra lámina de masa, cerramos los bordes, dejamos un orificio en el centro y la metemos al horno una media hora hasta que esté dorada.

Antes de retirarla la pintamos con un poco de grasa del rustrido y lo que quede se lo echamos por el agujero del centro moviendo la empanadera para todos los lados para que se empape bien el pan con la grasa.

217. Empanada de vieiras

Ingredientes:

1/2 kilo de masa de empanada
12 vieiras
1 vaso de aceite
5 cebollas
3 dientes de ajo
2 pimientos verdes
1 cucharada de perejil
100 gramos de jamón en dados
Pimienta, azafrán y sal

Se limpian las vieiras, se sacan de las conchas y se salan.

El picadillo o «zaragallada» se hace poniendo en una sartén con aceite la cebolla picada muy fina, el ajo, los pimientos, la sal y el perejil. Cuando todo esté blando se le añaden las vieiras, el jamón cortado en dados, la pimienta y el azafrán disuelto en un poquito de agua. Se deja cocer un poco todo junto y una vez frío se extiende la masa y se rellena con este preparado la empanada.

218. Empanada de «xoubas»

Ingredientes:

500 gramos de masa de huevo [1]
1 kilo de «xoubas»

En el aceite caliente se rustre la cebolla y los pimientos, todo muy picado. Luego se le agregan los tomates limpios y sin semillas, la sal y el azafrán.

6 cebollas grandes
3 tomates medianos
3 pimientos verdes
1 ¹/₂ vasos de aceite
Sal, azafrán
1 huevo

A las «xoubas» se les quita la cabeza y las tripas, se lavan y escurren.

Se extiende la mitad de la masa y se coloca en una lata o en la placa del horno untada con la grasa del refrito. Sobre ella se distribuye la mitad de la «zaragallada», se colocan encima las xoubas y se cubren con el resto del rustrido. Se tapa con otra capa de masa, se le deja un agujero en el centro, se adorna con tiritas de masa, se pinta con huevo batido, y se mete al horno una media hora hasta que esté dorada. Se reserva un poco de aceite del rustrido y se le echa por el agujero central, al retirarla del horno.

¹ Receta n.º 228

219. Empanada de zorza

Ingredientes:

500 gramos de masa de empanada
1 kilo de zorza
2 huevos cocidos
2 chorizos
1 latita de pimientos morrones
50 gramos de grasa de cerdo
1 huevo

En una sartén se pone a calentar la grasa de cerdo y se pasa en ella la zorza. Se le agregan los chorizos cortados en rodajas y el huevo cocido picado.

Sobre papel untado de grasa y espolvoreado de harina se coloca una lámina de masa de empanada, sobre ésta el relleno, se extiende bien y se coloca encima tiritas de pimientos morrones de lata o pimiento rojo asado y sin piel. Se cubre luego con otra capa de masa, se enrollan los bordes y se hace un agujero en el centro «para que respire». Se pinta con huevo batido mezclado con una cucharada de agua y se mete al horno unos tres cuartos de hora. La masa debe quedar muy fina.

220. Masa al momento

Ingredientes:

1 vasito de aceite
1 vasito de vino blanco

Poner en un cazo al fuego el aceite, el vino y la leche, y cuando empiece a hervir, sin que llegue a cocer, retirarlo del fuego, sazonar de sal y dejar que enfríe.

1 vasito de leche
1 huevo
Harina la que admita
Sal

Una vez frío incorporarle la harina, poco a poco, hasta llegar a formar una masa que no se pegue a las manos.

Puede utilizarse esta masa para timbales, empanadas y empanadillas al horno, que se barnizan con huevo batido mezclado con un poquito de agua. Sirve también para empanadillas pequeñas que se deben freír en aceite caliente.

Le va muy bien el relleno de bonito, con un rustrido de cebolla; y huevo cocido y aceitunas. O el de carne picada mezclada con jamón, chorizo y huevo duro. Tanto para empanadas como para empanadillas.

Esta masa tiene la ventaja de que puede hacerse al momento, pues al no llevar levadura no necesita tiempo para que levede y suba.

221. Masa azucarada

Ingredientes:

225 gramos de harina
50 gramos de azúcar molido
75 gramos de manteca de cerdo o mantequilla
1 huevo
2 cucharadas de leche templada
¹/₂ cucharadita de canela
1 cucharadita de levadura en polvo

Con la harina mezclada con la levadurina se forma un círculo y en el centro se ponen todos los demás ingredientes, se mezclan y luego se va recogiendo la harina de los bordes hasta formar una masa compacta. Se deja reposar en sitio fresco media hora y está lista para ser utilizada.

Esta masa se emplea para fondos de tartas (de manzana, de castañas, de cerezas, etc.), y también para empanadillas dulces rellenas de cabello de ángel o de mermelada. Se cuece al horno.

222. Masa con azúcar

Ingredientes:

500 gramos de harina
1 ¹/₂ decilitros de leche
170 gramos de azúcar
100 gramos de manteca de vaca

Se pone la harina en un recipiente con el bicarbonato y el azúcar, se le echa luego la manteca y se mezcla bien con las manos.

El ácido tartárico se echa en la leche y se pone a templar, cuando esté cuajada se le incorporan los huevos batidos, colocando el barreño cerca del fuego y se incorpora todo a la

2 huevos
+ gramos de ácido tartárico
20 gramos de bicarbonato
5 gramos de sal

mezcla anterior. Se revuelve con una cuchara de madera y se hace la masa, que ha de quedar más bien blanda, manejándola con las manos.

Al terminar se hace la empanada y la parte superior se unta con un poco del huevo batido mezclado con agua, que podemos reservar del utilizado para la masa.

223. Masa corriente o de pan

Ingredientes:

500 gramos de harina
¹/₄ litro de agua templada
Sal
30 gramos de levadura
prensada
(una nuez)

Se mezcla el agua templada, aproximadamente un vaso grande, con la levadura prensada y la sal. Se le va uniendo la harina con las manos hasta que se obtiene un bollo. Se sigue trabajando la masa para gramarla echándole de vez en cuando harina para que no se pegue ni a las manos ni a la mesa. Se deja fermentar tapada unas dos horas hasta que levante y se utilice.

224. Masa de empanada de Josefa

Ingredientes:

600 gramos de harina de trigo
(aproximadamente)
1 vaso grande de aceite frito
1 vaso de agua templada
1 vaso de leche
50 gramos de levadura
prensada
50 gramos de manteca o una
taza de nata
1 huevo (si es de bacalao o de
carne)
Sal y azafrán
1 huevo para pintarlo

Deshacer la levadura en el agua templada con la sal.

En la mesa de mármol colocar la harina en un montón y hacerle un hueco en el centro, en el que se echan el resto de los ingredientes.

Amasar cogiendo poco a poco harina de los bordes y una vez que esté todo mezclado, estirar la masa y recogerla con la mano formando un montón, que volvemos a estirar y a recoger hasta que esté bien ligada. (Si se pega a las manos o a la mesa conviene espolvorearla de harina.)

Formar dos montoncitos con la masa y dejarla reposar, cubierta con un trapo limpio y algo de lana encima para que suba. Si es posible se coloca cerca del calor en un sitio templado. Cuando al pulsar la masa vuelve a subir y se han formado unos hoyitos, es señal de que está en su punto. (Suele tardar en levedar entre una hora y hora y media.)

Estirar entonces la masa con un rodillo sobre la mesa, y con las manos mojadas en agua con azafrán untarla un poco.

Colocar sobre papel, lata o placa de horno engrasados, rellenar, volver a impregnar la parte de la capa superior que va a quedar para dentro con el azafrán, cubrir la empanada, y una vez adornada y pintada con huevo batido mezclado con agua, meterla al horno hasta que esté dorada.

225. «Masa de ferraxe»

Ingredientes:

300 gramos de harina
de centeno
150 gramos de harina de trigo
40 gramos de levadura
1 vaso de agua templada
Sal

Mezclar el agua con la levadura y la sal. Colocarla en el centro del montón formado por las harinas y amasar hasta conseguir una masa consistente. Dejar levedar y formar el bollo de pan o la empanada, que puede untarse a media cocción con un poco de aceite del rustrido que lleve el relleno.

226. Masa de hojaldre

Ingredientes:

300 gramos de harina
125 gramos de margarina
125 gramos de manteca
de cerdo
1 limón (zumo)
1 vasito de agua fría
1 huevo para pintar la masa
Sal

En la mesa formando un montón colocar doscientos gramos de harina mezclada con sal, y encima la manteca y la margarina en trocitos. Mezclar con la punta de los dedos o con dos cuchillos y añadirle el limón y el agua, hasta formar masa.

Enharinar la mesa y estirar la masa con el rodillo formando un rectángulo de unos cincuenta centímetros de largo y veinte de ancho. Doblar en tres y dejar reposar un cuarto de hora. Volver a espolvorear con harina la tabla y estirar de nuevo dándole media vuelta al recuadro de la pasta. Dejar reposar de nuevo y repetir esta operación hasta cinco o seis veces. Dejar reposar dos o tres horas y la pasta estará preparada para ser utilizada.

La masa de hojaldre debe cocerse a horno muy caliente durante media hora aproximadamente y para que resulte ligera y hojaldrada es conveniente pincharla con un alambre por varios sitios. Se coloca sobre placa previamente humedecida con agua y para que resulte más brillante se pinta con huevo batido.

Tiene múltiples usos en cocina para empanadas, pastelones, pastelillos, etc. y también en repostería.

Hoy se puede adquirir ya preparada en pastelerías o tiendas de alimentación.

227. Masa de hojaldre rápida

Ingredientes:

¹/₂ kilo de harina
400 gramos de mantequilla para hojaldre
2 cucharadas de vinagre
2 yemas de huevo
¹/₄ litro de agua
¹/₂ huevo (para pintar el hojaldre)
Sal

Colocar la harina sobre la mesa y en el centro los ingredientes y amasar con las manos, sólo mezclarlo. Se enharina la mesa y con el rodillo se estira en forma alargada y se dobla en tres, y se deja reposar. Se espolvorea de nuevo la mesa con harina y se estira poniendo la masa al contrario y se vuelve en dos, y luego sobre sí misma. Se deja reposar otro cuarto de hora y se vuelve a envolver como la primera vez. Una vez que haya reposado otro cuarto de hora se envuelve como la segunda vez y ya está lista para ser utilizada.

La eficacia de esta receta depende en gran parte de la calidad de la mantequilla o margarina que se utiliza.

Para meter al horno el hojaldre debe estar previamente humedecida la placa sobre la que vaya a colocarse.

Se cuece a horno fuerte durante una media hora y conviene pinchar la masa con un alambre por varios sitios para dejar que pase el aire y así infle con más facilidad.

Se pinta luego con huevo batido con un poquito de agua para que quede más brillante.

228. Masa de huevo

Ingredientes:

500 gramos de harina

Se coloca la harina sobre un mármol formando un montoncito, se le hace un hueco en el centro y se pone en él el

75 gramos de manteca
de cerdo
40 gramos de levadura
prensada
1 huevo
1 vasito de agua templada
Sal

huevo, la manteca de cerdo blanda, y la levadura disuelta en el agua con sal. Se amasa hasta formar una pasta fina, se le agrega más harina si es necesario, o más agua, se amasa bien y se deja reposar cubierta por un paño, en lugar templado hasta que suba. Se hace luego la empanada o el timbal.

229. Masa de leche y huevo

Ingredientes:

600 gramos de harina
2 huevos
100 gramos de manteca
1 vaso de leche (1 ½ decilitros)
Levadura (una nuez)
Sal

Se pone la harina sobre mármol y se hace un hueco en el que ponemos todos los ingredientes.

Se trabaja hasta que quede una pasta fina, dejándola reposar envuelta en un paño durante media hora, para que quede esponjosa.

Se toma un trozo de la masa y se extiende con el rodillo hasta que quede una lámina fina, que colocamos sobre una empanadera o placa previamente untada de aceite. A continuación echamos el relleno de la empanada y la cubrimos con otra capa igual de masa envolviendo los bordes y cuidando de hacer unos agujeritos en esta lámina superior para evitar que se infle.

230. «Masa de millo»

Ingredientes:

300 gramos de harina de maíz
150 gramos de harina de trigo
75 gramos de harina de centeno
*1 taza de agua templada
40 gramos de levadura
prensada
Sal

Se mezclan las harinas y se extienden sobre la mesa de mármol. En el agujero que se deja en el centro se echa la levadura desleída en el agua templada con la sal. Se mezcla todo muy bien y se le agrega más agua si la necesita. Se deja levantar la masa, unas dos horas en sitio templado y cubierta por un paño.

Se hacen con esta masa pan de maíz o empanadas, en las que no se debe escatimar el aceite.

231. Masa de «mistura»

Ingredientes:

300 gramos de harina de centeno
150 gramos de harina de maíz
50 gramos de levadura
1 vaso de agua templada
Sal

Colocar las harinas sobre la mesa de mármol formando un círculo. Poner en el centro el agua en la que hemos deshecho la levadura y la sal. Mezclarlo todo hasta formar una masa consistente. (Añadirle más agua o harina según sea necesario, siempre en la proporción de dos partes de centeno por una de trigo.) Dejar levedar y formar el bollo de pan o la empanada.

A media cocción puede untarse la empanada con un poco del aceite sobrante del rustrido.

232. Masa de «trigo e millo»

Ingredientes:

200 gramos de harina de trigo
150 gramos de harina de maíz
125 gramos de manteca
de cerdo
1 huevo
1 tacita de agua
1 cucharilla de sal

Se mezclan las harinas y sobre el mármol se hace un montón con un agujero en el centro, en el que se echa la manteca de cerdo un poco ablandada, el huevo, el agua y la sal. Se mezcla todo y se grama hasta conseguir una masa fina.

233. Masa hojaldrada

Ingredientes:

1 vaso de aceite
1 vaso de agua
1 huevo
1 cucharada de levadurina
Sal
Harina la que admita

Añadir al resto de los ingredientes la harina mezclada con la levadurina en polvo, hasta formar una masa muy trabajada. Estirar de modo que quede muy fina y formar las empanadillas, la empanada o el timbal.

(Puede pintarse con huevo batido o con grasa del rustrido con el que se rellene la empanada.)

234. Masa hojaldrada de manteca de cerdo

Ingredientes:

250 gramos de harina
200 gramos de manteca
de cerdo
1 vasito de agua fría
1 yema de huevo
1 cucharada de vinagre
1 chorrito de anís
Sal

Poner la harina en una mesa de mármol y en el centro el agua, el vinagre, la sal, el chorrito de anís y la yema de huevo. Mezclarlo todo hasta conseguir una masa fina y dejar reposar media hora.

Con una espátula de madera trabajar la manteca de cerdo para que se ablande, hasta dejarla como una crema, y dividirla en tres partes.

Cuando haya reposado la masa, estirarla con el rollo, espolvorear de harina y extender una parte de la manteca con un cuchillo sobre la masa. Doblar como las otras masas de hojaldre y dejar reposar un cuarto de hora en la nevera o en un sitio fresco. Repetir la misma operación hasta terminar con la manteca y al final dejarla reposar durante media hora, dándole una cuarta vuelta en el momento de emplearla.

Con este hojaldre se pueden hacer timbales, empanadas, rosquillas, tartas, etc. Sirve tanto para dulce como para salado.

Hay que tener en cuenta que la masa debe estar muy fría en el momento de usarla, la placa humedecida y el horno muy caliente.

235. Masa para timbales y empanadillas

Ingredientes:

1 taza de caldo
1 cucharada de grasa
Harina la que admita
1 huevo

En una taza de caldo caliente se disuelve una cucharada de grasa y con ella se grama la harina hasta que se desprenda por completo de la mano. Se le puede echar también un huevo, pero suele endurecer algo la masa.

Hay que tener cuidado de que no se enfríe y para ello se envuelve en una servilleta y se tiene junto a la cocina hasta el momento de formar el timbal o las empanadillas.

(También puede cubrirse con algo de lana.)

236. Masa rápida

Ingredientes:

500 gramos de harina
4 cucharadas de azúcar
1/2 decilitro de aceite
1 1/2 decilitros de leche
Sal

En un cazo se echa el aceite, el vino, la leche y el azúcar. Se templa un poco la mezcla y se vierte sobre la harina mezclada con sal que tendremos en un barreño. Se revuelve y amasa bien hasta que se consiga una masa muy fina.

Sirve para empanadas y timbales.

237. Pastelón de anguila

Ingredientes:

500 gramos de masa de hojaldre
1 anguila gruesa
1/4 litro de vino blanco
2 cebollas picadas
2 cucharadas de perejil picado
1 zanahoria cortada en trozos
1 hoja de laurel
Tomillo, nuez moscada
1 cucharada de harina
1 vaso de aceite
Sal

La anguila se limpia, se le quita la espina y se parte en trozos.

En el aceite se rehogan la cebolla y la zanahoria bien picadas. Cuando estén casi doradas se les agrega el vino blanco, el perejil picado, el laurel, el tomillo y la nuez moscada. Así que la salsa ha dado un hervor se le añade el vino blanco y la anguila. Se espesa la salsa con una cucharada de harina y se deja consumir. Si está muy suelta se retira el pescado, se deja cocer la salsa para que espese y se le vuelve a incorporar luego para rellenar el pastelón. (Puede hacerse este mismo guiso con la anguila entera y enrollada.)

El pastelón de hojaldre puede encargarse en la pastelería. Basta entonces con meterlo al horno fuerte antes de rellenarlo, para poder servirlo caliente, pues relleno no se debe calentar porque se ablanda el hojaldre.

Para formar el pastelón con el hojaldre se estira la masa sobre la mesa espolvoreada de harina y se hace una plancha de unos cuarenta centímetros de lado por medio de grueso.

Se cortan dos circunferencias de veinte centímetros cada una y se coloca una sobre la placa de horno humedecida con agua. (Basta con pasarle una esponja o un paño mojado.) Sobre la otra se marca un redondel de unos diez centímetros para que sirva de tapa. Y se pone sobre la que tenemos en la placa y que la habremos untado con agua y huevo batido para que unan bien. Se barnizan los dos discos con la misma mezcla procurando que no caiga por los bordes y se mete a horno muy caliente durante media hora.

Cuando esté bien dorado se retira. Se levanta la tapa, se vacía de la masa poco cocida que le quede en el centro y se rellena, en el momento de servirlo.

238. Pastelón de liebre

Ingredientes:

500 gramos de masa
de hojaldre
500 gramos de hígado de cerdo
1/2 liebre
3 cebollas pequeñas
2 cucharadas de perejil picado
5 dientes de ajo
1 corteza de pan frito
3 cucharadas de vinagre
3 cucharadas de aceite
3 cucharadas de nueces picadas
Pimienta, canela y sal
1/2 vaso de vino tinto

Preparar un pastelón estirando la masa sobre la mesa espolvoreada de harina, de forma que quede un cuadrado de unos cuarenta centímetros de lado, y medio de grueso. Cortar dos circunferencias de veinte centímetros de diámetro.

Humedecer la placa del horno, con un paño o una esponja y colocar sobre ella uno de los trozos de masa. Sobre la otra cortar con un cortapastas otra circunferencia de diez centímetros que es la que ha de servir de tapa.

Untar còn un pincel mojado en agua y huevo batido la superficie de masa que tenemos en la placa del horno, colocar encima la otra y volver a barnizar la superficie con la misma mezcla procurando darle solamente a la parte superior, pues si se cae por los bordes impedirá que suba el hojaldre. Meter a horno muy fuerte durante veinte minutos. Cuando esté bien dorado se saca y se le levanta la tapa con ayuda de un cuchillo. Se vacía de la masa del centro que ha quedado poco cocida y se rellena.

Para preparar el relleno hay que limpiar la liebre, trocearla y ponerla a cocer en un recipiente con agua salada hasta la mitad. Cuando rompe a hervir se le añaden dos cebollas enteras y dos dientes de ajo y se deja cocer cosa de una hora. Luego se deshuesa y se hace picadillo, y se le agrega el hígado de cerdo muy picado y dorado previamente en una sartén.

En un mortero se machaca una cebolla y tres dientes de ajo, el perejil y la corteza de pan. Se agrega esta pasta a la liebre, junto con el aceite, el vinagre y el vino y se deja cocer a fuego lento. Cuando esté casi cocido se le añaden las nueces picadas, la pimienta y la canela.

Se coloca este picadillo dentro del pastelón y se mete unos minutos al horno para servirlo caliente. Si no se ha consumido la salsa, conviene escurrirla para que no impregne demasiado el hojaldre.

pescados

239.   Abadejo al horno

Ingredientes:

1 ¹/₂ kilos de abadejo (bacalao fresco)
1 cebolla
2 zanahorias medianas
3 dientes de ajo
2 ramas de perejil
2 hojas de laurel
4 cucharadas de aceite
1 vaso de vino blanco del país
1 vaso de aceite
50 gramos de pan rallado
50 gramos de mantequilla
12 patatas pequeñas cocidas

Se limpia el abadejo, se le hace unos cortes a los lados y se sazona con sal fina.

Se pica muy menuda la cebolla, las zanahorias, los ajos y el perejil. Se extiende la mitad del picadillo en una fuente y encima se pone el abadejo, cubriéndolo con el resto de la mezcla, las hojas de laurel, cuatro cucharadas de aceite y el vino blanco. Se deja en este adobo una hora y se le dan vueltas de vez en cuando. Luego se escurre el abadejo y se coloca en una fuente de horno untada con aceite. Se pasa el adobo por la batidora o el chino y se vierte sobre el pescado. Luego se riega con un poco de aceite caliente y se mete a horno moderado unos cuarenta minutos, bañándolo de vez en cuando con la salsa. Poco antes de retirarlo del horno se espolvorea con el pan rallado, se rocía con la mantequilla derretida y se deja dorar.

Se sirve en la misma fuente adornada con unas patatas pequeñas cocidas.

240.   Anguila con guisantes

Ingredientes:

1 kilo de anguilas
'0 gramos de patatas
250 gramos de guisantes
2 zanahorias muy picadas
2 nabos pequeños
5 cucharadas de cebolla picada
¹/₂ vasito de vino blanco
1 cucharada de perejil picado
Aceite, azafrán, sal y harina

Una vez limpias las anguilas se parten en trozos y se rebozan en harina. En una tartera se ponen a cocer las zanahorias, las patatas, los nabos y los guisantes, todo cortado menudo.

En aceite se rehoga la anguila, solamente darle dos vueltas y se separa. En el aceite sobrante se pone a estofar la cebolla, cuando esté blanda se le agrega el perejil. Cuando las legumbres estén tiernas, se les incorpora el rustrido, el azafrán y la anguila. Se sala y se rocía con el vino blanco.

Es necesario menear de vez en cuando la tartera para que no se pegue. Cuando esté cocida se retira y se sirve en fuente o en la misma tartera adornada con dos servilletas anudadas en las asas.

NOTA: Para que la anguila sea buena debe de estar viva, para matarla se agarra por la cola con un trapo y se le da un golpe en la cabeza. Se corta la cabeza y la cola y se retiran los intestinos.

Si son pequeñas se guisan con piel, por lo general en Galicia no se le quita. Pero si se prefiere sin ella basta con hacerle un corte alrededor de la cabeza y, con la ayuda de un trapo, tirar de la piel hacia la cola. Debe salir entera.

241. Anguila con jamón

Ingredientes:

1 anguila grande
100 gramos de jamón con to-
cino
5 cucharadas de pan rallado
1 ¹/₂ vasos de aceite frito
1 copa de vino tostado del
Ribeiro

Se limpia bien la anguila y se le dan unos cortes transversales, en ellos se introducen tiras de jamón con tocino.

Se coloca la anguila enroscada sobre una fuente refractaria, se espolvorea de pan rallado y se baña de aceite frito. Se mete al horno y se rocía de vez en cuando con el aceite y cuando esté casi asada se le echa la copita de vino tostado, que le da muy buen sabor.

Se sirve en la misma fuente.

242. Anguila guisada

Ingredientes:

2 kilos de anguilas
6 dientes de ajo
2 cucharadas de perejil picado
50 gramos de piñones
2 rebanadas de miga de pan
¹/₂ cucharilla de canela
4 granos de pimienta
3 clavos
Azafrán y sal
Agua y aceite

La anguila una vez bien limpia se parte en trozos y se pone en una cazuela con 6 dientes de ajo, perejil picado, pimienta, azafrán, clavillo y canela, se pone a cocer con agua y aceite y se sala.

En el mortero se machacan los piñones, con la miga de pan mojada en una o dos cucharadas de la salsa, se le incorpora a la anguila cuando esté casi cocida y se deja que dé un par de hervores, meneando la tartera para que no se agarre.

Se sirve en la misma cazuela.

243. Bacalao asado

Ingredientes:

1 ¹/₂ kilos de bacalao
2 cucharadas de perejil picado
3 cucharadas de pan rallado
1 limón
1 vaso de aceite
50 gramos de mantequilla
Pimienta y nuez moscada

La hoja de bacalao se pone a desalar entera en agua fría durante veinticuatro horas. Hay que cambiarle el agua por lo menos cuatro veces. Para ello se retira la hoja, se lava al chorro de agua fría y se vuelve a poner a remojo con agua limpia.

Al día siguiente se pasa por agua caliente y se le quitan la espina central y las otras aletas.

En una fuente de horno se coloca la hoja de bacalao sobre el aceite, se sazona de pimienta y nuez moscada y se espolvorea con el perejil y el pan rallado. Se rocía con el zumo de medio limón y el resto cortado en rodajas se coloca sobre el pescado, entre unos y otros se pone un cuadradito de mantequilla y se mete al horno hasta que esté asado. Conviene rociarlo de vez en cuando con la salsa.

Se sirve en la misma fuente y puede acompañarse con cachelos.

244. Bacalao a la casera

Ingredientes:

750 gramos de bacalao
100 gramos de harina
2 cebollas
2 cucharadas de perejil picado
1 vaso de vino blanco
100 gramos de manteca

Poner a desalar el bacalao. Cortarlo en trozos, quitarle la piel y la espina. Echarlo en trozos en una cazuela con agua, a los pocos hervores escurrirlo y enharinarlo.

Rehogar en cacerola con manteca, la cebolla en rodajas y el perejil picado. Agregar el bacalao y freírlo. Rociar con el vino blanco y dejarlo cocer a fuego lento.

245. Bacalao a la herculina

Ingredientes:

750 gramos de bacalao
500 gramos de patatas
3 cucharadas de pan rallado
3 cucharadas de perejil picado

Poner a remojo el bacalao durante 24 horas.

Cortar en cuadrados pequeños y ponerlo a cocer hasta que levante el hervor.

Pelar las patatas y cortarlas en rodajas muy finas. Colocar en una tartera una capa del bacalao cocido, otra de patatas

2 cebollas picadas muy finas
1 cabeza de ajo
1 cucharada de vinagre
1 vasito de vino de Jerez seco
¼ litro de aceite

cortadas, otra de perejil, cebolla y pan rallado y otra de bacalao y así sucesivamente.

Deshacer en el mortero una cabeza de ajo, una cucharada de la cebolla picada, añadirle el aceite y el vinagre y echárselo por encima.

Añadirle luego la copa de jerez cuando esté casi cocido y si queda muy espeso echarle un poco de agua de la cocción del bacalao.

Servir en cazuela de barro.

246. Bacalao al horno con pasas

Ingredientes:

1 kilo de bacalao
75 gramos de almendras molidas
75 gramos de piñones
75 gramos de pasas
3 cucharadas de pan rallado
2 cucharadas de perejil picado
150 gramos de manteca de vaca derretida
Pimienta molida
Clavo molido
Nuez moscada
1 cebolla
1 zanahoria
1 hoja de laurel
Agua

El bacalao después de desalado y cortado en trozos, se pone a cocer en agua con una cebolla, una zanahoria y una hoja de laurel.

Se hace una pasta con las almendras y los piñones machacados, el pan rallado, el perejil y la manteca derretida. Se sazona de pimienta, clavo y unas raspaduras de nuez moscada.

En una fuente de horno se coloca una capa de esta mezcla y otra del bacalao cocido y sin espinas.

Se le agregan las pasas y se mete al horno hasta que esté dorado. Entonces se rocía con un cucharón del agua de la cocción del bacalao y se deja cocer unos minutos antes de servirlo. (Debe de quedar jugoso; si es necesario se le agrega algo más de agua, aunque en principio no conviene ponerle demasiada para que no salga caldoso.)

247. Bacalao con leche

Ingredientes:

1 kilo de bacalao
½ kilo de patatas
¼ litro de leche

El bacalao una vez desalado y partido en trozos se pone en una cazuela cubierto por agua fría y cuando el agua rompa a hervir se baja el fuego y se deja unos cinco minutos a fuego lento. Se escurre el agua, se seca y se reboza en harina y se

2 cucharadas de perejil picado
2 cucharadas de cebolla picada
Pimienta
Aceite para freír
Agua fría para cocer el
bacalao

fríe en aceite caliente. Se pelan las patatas, se cortan en rodajas finas y se fríen también.

En una cazuela se coloca una capa de bacalao frito, otra de patatas fritas, se espolvorea de pimienta y perejil picado y harina. Luego se coloca otra capa de bacalao, otra de patatas y vuelve a ponérsele el perejil, la pimienta y la harina.

En el aceite que sobró de freír el pescado se dora la cebolla y se vierte por encima del guiso, se coloca al fuego y cuando esté templado se le va incorporando leche caliente y parte del agua de la cocción del bacalao y se deja a fuego lento una media hora.

248. Bacalao con pasas

Ingredientes:

1 kilo de bacalao
500 gramos de patatas
1 cebolla picada
2 dientes de ajo
75 gramos de pasas
1 vaso de aceite
1 vasito de vino blanco
Harina para rebozar el bacalao
Agua

En una tartera con el aceite se pone a dorar la cebolla y se le agregan luego los ajos picados. Después de darle unas vueltas se echan las patatas cortadas en rodajas y agua, no demasiada para que no quede muy caldoso. Cuando las patatas estén casi tiernas se coloca encima el bacalao desalado y rebozado en harina y las pasas sin rabo. Se menea un poco la tartera, se rocía con el vino blanco y se deja cocer a fuego lento, moviéndolo de vez en cuando para que no se agarre y la salsa tome consistencia.

Se sirve en la misma cazuela o en fuente honda.

249. Bacalao en cazuela

Ingredientes:

1 kilo de bacalao
100 gramos de pan rallado
4 cucharadas de perejil picado
6 dientes de ajo picados
1 cucharada de pimentón
1 vaso de agua
1 vaso de aceite
1 vaso de vino blanco
1 huevo cocido

Después de haber desalado el bacalao se parte en trozos, se le quitan las espinas y en una cazuela de barro se coloca una capa del bacalao, se espolvorea de pan rallado, perejil y ajos picados. Luego se pone otra capa de bacalao y otra de pan rallado, perejil y ajos alternando las capas hasta llenar la cazuela. Se riega luego con el agua, el aceite y el vino blanco mezclados con el pimentón y se deja cocer hasta que quede casi sin salsa.

Se sirve en la misma cazuela espolvoreado con huevo cocido picado.

250.   Bacalao en salsa de huevo

Ingredientes:

1 kilo de bacalao
2 huevos
150 gramos de manteca
de vaca
¹/₂ litro de leche
1 cucharilla de azucar
3 yemas de huevo
Harina para rebozarlo
Pimienta, nuez moscada

Después de desalado unas seis horas, se corta en trozos regulares, se reboza primero en harina y luego en huevo batido y se fríe en manteca de vaca muy caliente y se separa.

En una cazuela se pone al fuego la leche con el azúcar y un poco de pimienta y nuez moscada. Cuando rompa a hervir se le agrega el bacalao, se deja cocer unos minutos moviendo de vez en cuando la tartera.

En el momento de ir a servirlo se baten las yemas de huevo y se les va incorporando poco a poco la leche en que se ha cocido el bacalao, moviendo siempre para el mismo lado para que no se corte. Se coloca en una fuente el pescado, se vierte encima la salsa y se sirve.

251. Bacalao con salsa verde

Ingredientes:

1 kilo de bacalao
500 gramos de patatas pequeñas
1 cebolla picada
1 diente de ajo
3 cucharadas de perejil picado
1 vaso de vino blanco
1 vaso de aceite
Azafrán y agua
1 cucharada de harina
1 hoja de laurel

En una cazuela con aceite se rehogan la cebolla y el ajo picados. Cuando esté tierna se le echa la harina y se deja dorar, luego se le agregan dos cacillos de agua con el azafrán y las patatas cortadas en dos trozos y el laurel. Se deja cocer a fuego lento moviéndola de vez en cuando y, así que estén casi cocidas, se colocan encima los trozos de bacalao desalado, se espolvorea de perejil, se rocía con el vino blanco y se deja que siga cociendo unos diez minutos.

Puede servirse en la misma cazuela adornada con dos servilletas anudadas en las asas.

252. «Bacallau con allada»

Ingredientes:

1 kilo de bacalao
6 patatas medianas
1 cebolla
8 dientes de ajo
1 vaso de aceite
1 cucharada de vinagre
1 cucharada de pimentón

En una cazuela con agua se ponen a cocer las patatas partidas en cuatro trozos, con la cebolla. Cuando estén a media cocción se les agrega el bacalao desalado y cortado en trozos. En una sartén con el aceite se pasan los ajos mondados, cuando estén casi dorados se retiran del fuego, y con el aceite templado se le agrega el pimentón, el vinagre y dos cucharadas de agua de la cocción del bacalao.

Al ir a servirlo se escurre, se coloca en una fuente y se le echa la ajada por encima. (Puede también la salsa prepararse en crudo, machacando un poco los ajos y mezclando bien todos los ingredientes.)

253. «Bacalladiños fritos»

Ingredientes:

1 ½ kilos de bacaladitos frescos
3 ramitas de perejil
2 dientes de ajo
2 huevos
Harina para rebozarlos

Se abren los bacaladitos y se les quitan las tripas, la cabeza y la espina. Basta con separar la parte cercana a la cabeza y tirar con una mano de la espina mientras que con la otra se va haciendo una incisión en el lomo, con la uña pegada a la espina para que ésta se vaya separando.

Una vez limpios se lavan y se dejan escurrir.

En el mortero se machacan los ajos, la sal, el perejil y la pimienta. Se extiende esta mezcla sobre los bacalaos y se dejan en adobo una hora. Luego se rebozan en harina y huevo o en una pasta hecha con huevo, harina y un poco de leche, agua y levadurina.

Puede mezclarse todo en la batidora.

Se sirven adornados con rodajas de limón.

254.   Besugo albardado

Ingredientes:

1 besugo (entre 1 ¹/₂ y 2 kilos)
100 gramos de lomo de cerdo
50 gramos de jamón
12 aceitunas sin hueso
1 huevo cocido
2 lonchas finas de tocino
1 limón (zumo)

El besugo se escama, se limpia y se le quita la espina, conservando la cabeza.

Se sala y se rocía con el zumo de medio limón. Se pica muy bien el lomo, el jamón, las aceitunas y el huevo duro. Se sazona de sal y pimienta y se rellena el besugo con este picadillo.

Luego se cose y se envuelve en lonchas de tocino delgado, se ata y se coloca en el asador, dejando que se ase a fuego vivo para que el tocino se consuma pronto. (Hay que tener cuidado de que el pescado no se queme.)

Se desata luego el tocino y se rocía de nuevo el pescado con zumo de limón y se sirve en fuente adornada con patatas cocidas y pimientos rojos.

255.   Besugo al horno

Ingredientes:

1 besugo grande (2 kilos
aproximadamente)
2 limones
1 vaso de aceite
100 gramos de pan rallado

Limpiar y escamar el besugo. Hacer unos cortes en diagonal. Salar y dejar escurrir.

Hacer, en una sartén, un rustrido con el aceite, la cebolla picada y los dientes de ajo.

Colocar una capa de rustrido en la besuguera y sobre ella el besugo.

1 copa de jerez dulce o vino
tostado ribeiro
1/2 vasito de agua
1 papel de azafrán
2 cebollas
2 dientes de ajo
Sal

Poner en cada corte una rodaja de limón y un poquito de rustrido. Cubrir con el pan rallado.

Rociar con el jerez y el azafrán disuelto en el medio vasito de agua.

Meter a horno bien caliente hasta que esté dorado. Servir en fuente decorando los bordes con rodajas de limón.

256. Besugo al horno con pimientos

Ingredientes:

1 besugo de 1 1/2 kilos
aproximadamente
1 cebolla picada
1 pimiento verde picado
1 tomate
3 dientes de ajo
4 patatas en rodajas finas
1 vaso de aceite
1 vasito de vino blanco
3 cucharadas de pan rallado
1 cucharada de perejil picado.
Sal

Se limpia bien el besugo y se escama. En una sartén se hace un rustrido con la cebolla muy picada, el pimiento, el tomate, los ajos y las patatas montadas y cortadas en rodajas finas. Se les dan varias vueltas hasta que se haga un poco. Se pone este sofrito en una besuguera, a poder ser de barro, y encima se coloca el besugo. Se sala, se le echa encima un chorro de aceite y se mete al horno.

A los diez minutos se rocía con el vino blanco y cuando esté casi hecho se espolvorea de pan rallado y perejil picado, dejándolo que se dore por encima.

Se sirve en la misma besuguera.

257. Besugo al limón

Ingredientes:

1 besugo grande
4 dientes de ajo
2 cucharadas de perejil
6 tiras de tocino blanco
8 cucharadas de pan rallado
1 vaso de aceite
1 cucharón de caldo
1 cucharilla de vinagre
1 limón (zumo)
Sal

El besugo se escama y se limpia. Se lava bien al chorro de agua fría y se seca con un paño. En el lomo se le dan seis cortes y en ellos se introduce el perejil machacado con los ajos y una tirita de tocino.

Se envuelve en el pan rallado y se coloca en una besuguera. Se sazona de sal y se rocía con el aceite y el zumo de un limón. Se mete a horno medio, previamente calentado y al cuarto de hora se baña con el caldo y el vinagre. Dejándolo en el horno otro cuarto de hora hasta que termine la cocción.

Se sirve en la misma besuguera adornado con rodajas de limón.

258. Besugo asado

Ingredientes:

1 besugo grande (2 kilos aproximadamente)
2 dientes de ajo
1 cebolla picada
1 cucharada de perejil picado
1 1/2 vasos de vino blanco
1 vaso de aceite
1 cucharada de pimentón
1 hoja de laurel
1 limón
3 cucharadas de pan rallado
2 cucharones de caldo
Sal

El besugo, bien limpio y escamado, se coloca en una besuguera, se le dan unos cortes en el lomo y se incrustan en ellos rodajas de limón. Se sazona con ajo, perejil y sal, se le pone alrededor la cebolla picada, se rocía con medio vaso de vino blanco y medio de aceite. Se espolvorea con el pimentón, se le agrega el laurel y se deja reposar un cuarto de hora.

Pasado este tiempo se mete a horno moderado durante veinte minutos rociándolo de vez en cuando con la salsa y zumo de limón.

En una sartén se pone el resto del aceite, se le añade un vaso de vino blanco y dos cucharones de caldo.

Se vierte esta salsa sobre el besugo y se deja en el horno otros veinte minutos.

Se sirve muy caliente en la misma fuente.

259. Besugo guisado

Ingredientes:

1 1/2 kilos de besugo (una o dos piezas)
9 patatas medianas
2 cucharadas de cebolla picada
1 1/2 cucharadas de pimentón
1 cucharada de vinagre
1 hoja de laurel
3 dientes de ajo
1 vaso de aceite
Agua y sal

Se limpian los besugos, se trocean y se salan. En sartén se pone a dorar la cebolla y los dientes de ajo un poco machacados con el mango del cuchillo, para que den más sabor.

Una vez blanda la cebolla se le agrega el pimentón.

En una tartera se cuecen las patatas mondadas y partidas en cuatro trozos, con sal y laurel. A media cocción se le agrega el pescado. Pasado un cuarto de hora se le escurre casi toda el agua, se le echa encima el rustrido y se deja dar un hervor.

Se sirve en la misma tartera y en el momento de llevarlo a la mesa se rocía con el vinagre.

260. «Caldeirada»

Una vez limpios los pescados se cortan en ruedas de centímetro y medio de ancho.

300 gramos de rodaballo
500 gramos de rape
500 gramos de merluza
300 gramos de raya
350 gramos de mero
500 gramos de patatas
medianas
5 dientes de ajo
1 cucharada de pimentón
1 cucharilla de vinagre
Agua de mar

Se pelan las patatas y se ponen partidas por la mitad a cocer en abundante agua de mar. Cuando estén blandas se le agrega el pescado y así que esté cocido se escurre casi todo el agua.

En una sartén se pone a calentar el aceite, se le echan los ajos mondados y cuando estén dorados se retiran y se le añade el pimentón y el vinagre, dejándolo a fuego muy moderado unos minutos. Se vierte la salsa sobre las patatas con pescado y se sirve muy caliente.

NOTA: Este es un guiso típico de pescadores que se hace con muchos pescados o con uno solo. Como no siempre se puede conseguir el agua de mar, se le echa al agua de la cocción una cebolla entera, dos hojas de laurel y sal.

261. «Caldeirada» de rape

Ingredientes:

1 ¹/₂ kilos de rape o rabada
¹/₂ kilo de patatas
2 cebollas
1 hoja de laurel
Agua y sal
4 dientes de ajo
1 cucharilla de pimentón
1 vaso de aceite
Vinagre

El rape o la rabada se limpian y se les quita la piel; cortado en rodajas se sala.

Después de mondadas las patatas se cortan en ruedas y colocan en el fondo de una tartera amplia. La cebolla se corta en rodajas finas y se pone encima. Cubierta de agua y con el laurel se acerca al fuego. Cuando rompa a hervir se coloca el pescado y se deja cocer hasta que esté todo tierno. Así que esté cocido se corta el hervor con un chorro de agua fría para que no se deshagan las patatas y el rape se conserve terso y jugoso.

Se le escurre el agua y se reserva una poca por si queda demasiado seco.

Se hace una buena ajada con el aceite y los cuatro dientes de ajo cortados a lo largo. Se retira del fuego cuando toman color y cuando deje de cocer, se agregan el pimentón, un chorrito de vinagre y un poco del agua de la cocción del pescado. Se vierte en la tartera y se deja unos cinco minutos a fuego muy suave, sin dejar que hierva.

Se sirve en fuente o en cazuela de barro.
(Puede hacerse de otros pescados, por ejemplo de congrio; entonces se echa más tarde porque tarda menos en cocerse.)

262. «Caldeirada» marinera

Ingredientes:

Varios tipos de pescados
6 patatas
1 pimiento verde
Aceite de oliva
Agua de mar o dulce
Sal

Una vez limpio y troceado el pescado se coloca en una olla con un pimiento verde cortado en tiras, unas patatas, sal y agua. Cuando esté a punto de hervir se retira del fuego y una vez escurrida la mayor parte del agua y sustituida por aceite de oliva, se pone de nuevo al calor para que siga cociendo hasta que esté tierno.

(De esta forma preparan el pescado los marineros en el barco, con una mezcla de la pesca del día. Si se cuecen con agua de mar no es necesario echarles sal. En algunos casos se prescinde de las patatas.)

263. Congrio con arroz

Ingredientes:

1/4 kilo de arroz
1 1/2 kilos de congrio de
la parte abierta
1 diente de ajo
2 granos de pimienta
1 ramita de perejil
1 cebolla picada
1 cucharada de pimentón
1 vaso de aceite
2 1/2 vasos de agua
Azafrán y sal

El congrio se parte en trozos, después de limpio, y se adoba con el ajo, el perejil, la pimienta y la sal machacados en el mortero.

En una cazuela se pone a dorar la cebolla picada en el aceite, y cuando esté estofada se le agregan los trozos de pescado, el pimentón, el azafrán y el agua. Cuando rompe a hervir se le echa el arroz y se deja cocer hasta que esté abierto y en su punto. Si necesita más agua se le añade, pues ha de quedar un poco caldoso.

Conviene moverlo de vez en cuando para que no se pegue, pero con cuidado para que el pescado no se deshaga. Esta receta sirve también para otros pescados, entre ellos la anguila.

264. Congrio con guisantes y patatas

Ingredientes:

1 kilo de congrio
3/4 de kilo de patatas

Limpiar el congrio, lavarlo, cortarlo en trozos y dejarlo escurrir.

Pelar las patatas y cortarlas en rodajas gruesas.

¹/₄ kilo de cebollas
¹/₄ kilo de guisantes pelados
1 vaso grande de aceite
1 vaso de agua
2 dientes de ajo
2 cucharadas de perejil picado
1 paquetito de azafrán

Hacer un rustrido con la cebolla picada y los dientes de ajo, en la misma cazuela en que vamos a guisar el congrio. Cuando esté dorado añadirle las patatas y los guisantes, y el azafrán disuelto en el agua. Dejar cocer a fuego lento. Cuando esté casi cocido añadir el perejil y luego colocar el congrio por encima y salar. Dejar cocer como cinco minutos hasta que esté el pescado.

Servir en la cazuela de barro.

265. «Castañeta» en salsa verde

Ingredientes:

1 ¹/₂ kilos de castañeta
(palometa)
200 gramos de almejas
3 cucharadas de perejil
2 hojas de laurel
1 vaso de vino blanco
1 vaso de aceite
1 cebolla muy fina
2 dientes de ajo
Pimienta y sal
Puré de patatas

Las almejas se lavan muy bien al chorro de agua fría y se ponen a cocer con agua, sal y laurel. Una vez cocidas se separan de las conchas, se cuela el caldo de la cocción y se reservan.

Se pide en la pescadería que nos limpien la castañeta y le quiten la piel, o lo hacemos nosotros separando primero la que está más cercana a la cabeza y metiendo la punta del cuchillo para separarla de las espinas de los lados, luego se tira de ella desde la cola a la cabeza y sale con bastante facilidad, pues es una piel muy gruesa. Una vez despellejada se le hace un corte en el centro y se les separan las espinas que tienen en esta parte del lomo dejándolas entre dos tajos. Se mete el cuchillo desde los bordes hasta el centro y así se consigue separar la carne completamente de la espina, se cortan los filetes así conseguidos en trozos regulares y se rebozan en harina.

En una cazuela se pone a dorar la cebolla muy picada con los ajos. Cuando esté blandita se echan los trozos de castañeta y se les dan unas vueltas, se le agrega un poco más de harina y las almejas, el perejil, el vino blanco y un vaso del agua de la cocción de las almejas. Se sazona de pimienta y una pizca de sal y se deja cocer a fuego lento meneando constantemente la tartera para que la salsa tome consistencia. Si queda muy espesa se le agrega más caldo. Se sirve en fuente redonda adornada con puré de patatas.

266. Dorada frita

Ingredientes:

1 ¹/₂ kilos de dorada
1 plato con harina de maíz
2 dientes de ajo
1 rama de perejil
Sal y aceite
Pimientos de Padrón
1 limón

Se limpia la dorada y se corta en trozos.

En el mortero se machaca el ajo, el perejil y la sal y con esta mezcla se unta el pescado. Se reboza en harina de maíz y se fríe en abundante aceite hasta que esté bien dorada.

Se sirve adornada con rodajas de limón y acompañada de pimientos de Padrón.

267. «Escacho» cocido con patatas

Ingredientes:

1 escacho grande (1 ¹/₂ kilos)
³/₄ de kilo de patatas pequeñas
1 cebolla
1 rama de perejil
2 cucharadas de aceite
Agua y sal

En una tartera grande se pone abundante agua con sal, la cebolla, el perejil y dos cucharadas de aceite (el pescado es seco y le va bien un poco de grasa). Se le agregan luego las patatas peladas y cortadas en dos. Cuando estén a media cocción se coloca el escacho o rubio, entero y con cabeza. Se deja cocer unos quince minutos y se sirve en fuente adornado con las patatas.

Puede aderezarse con aceite y limón, ajada o salsa mahonesa.

NOTA: El escacho o rubio es un pescado de color rosado y cabeza muy grande con una carne blanca muy sabrosa. Puede también ponerse en salsa verde y si son pequeños fritos.

268. Fanecas fritas

Ingredientes:

1 ¹/₂ kilos de fanecas
1 plato con harina
Sal
Limón
Aceite

A las fanecas se le quitan las tripas se lavan y se salan.

Luego se rebozan en harina y se fríen en aceite caliente. Se sirven adornadas con gajos de limón.

269. «Guisado»

Ingredientes:

1 ¹/₂ kilos de pescado
750 gramos de patatas
3 dientes de ajo
1 cucharada de perejil picado
2 hojas de laurel
1 cucharada de pimentón
1 vaso de aceite
1 vaso de agua
Sal y azafrán

El pescado se limpia, se le quita la cabeza, que no se utiliza, y se corta en trozos.

Las patatas se pelan y también se trocean y la cebolla se corta en rodajas. El guiso se prepara en crudo. Se colocan las patatas alternando con la cebolla y las hojas de laurel y el perejil picado. Se sazona de sal y pimentón y se bañan con el aceite y el agua en la que se ha disuelto el azafrán. Cuando estén casi tiernas las patatas se coloca encima el pescado, se tapa y se deja a fuego lento unos diez minutos, hasta que esté todo cocido.

NOTA: Es un plato típico de la Galicia marinera, y se realiza tanto con pescado grande como pequeño, desde el rape o la rabaliza hasta la «xarda» y la maragota o la sardina. Según el tipo de pescado se le pueden añadir pimientos rojos o verdes y tomate y también vinagre o limón.

270. Lamprea al estilo de mi abuela

Ingredientes:

1 lamprea
2 cebollas picadas
6 dientes de ajo
1 cucharada de perejil picado
5 granos de pimienta
1 cucharilla de canela
2 clavos
5 cucharadas de pan rallado
1 naranja (el zumo)
Aceite y sal
10 tostadas de pan al horno

Se limpia la lamprea, se corta en trozos y se reserva la sangre.

En una cazuela se ponen los trozos de lamprea, la sangre y aceite crudo, la cebolla y los ajos muy picados, el perejil, la pimienta, el clavo, el pan rallado y el zumo de naranja. Se sazona de sal y se pone a cocer a fuego lento.

Se sirve en fuente de barro adornada con tostadas de pan al horno, no fritas, pues son para que empapen la salsa.

271. Lamprea curada con verdura

La lamprea curada se lava con agua caliente y se corta en trozos.

1 lamprea curada
1 repollo (grelos, asa de
cantaro, etc., la verdura del
tiempo)
100 gramos de jamón en trozos
pequeños
6 dientes de ajo
50 gramos de unto añejo
1 cucharada de pimentón
1 vasito de vino tostado del
Ribeiro
Agua

En una olla se pone a cocer la verdura con los tacos de jamón y cuando esté a media cocción se le añade la lamprea. Cuando esté todo cocido se le escurre el agua reservando alguna. En una sartén se pone a derretir el unto añejo, se doran en él los ajos mazados con el mango de un cuchillo, se le agrega el pimentón y el vino tostado del Ribeiro, o vino dulce. Se vierte este rustrido sobre la lamprea y se deja cocer unos minutos. Si queda muy espeso puede añadírsele un poco del agua de la cocción. Se sirve en la misma tartera, adornada con dos servilletas anudadas en las asas.

(No es necesario sazonar de sal, porque el unto y el jamón lo condimentan suficientemente.)

272. Lamprea guisada

Ingredientes:

1 lamprea (1 ¹/₂ kilos)
4 cucharadas de cebolla picada
4 dientes de ajo
2 cucharadas de perejil picado
2 cucharadas de grasa de cerdo
1 vaso de agua
1 vaso de caldo de carne
(puede ser de cubitos)
¹/₂ vaso de aceite
2 cucharadas de miga de pan
desmenuzada
1 cucharada de harina
Sal
Clavo, nuez moscada, canela y
pimienta

Después de bien limpia y lavada la lamprea se coloca enroscada en una tartera.

En una sartén se dora en la manteca de cerdo la cebolla muy picada, se machacan en el mortero el perejil y los ajos, se le agregan, se sazona de clavo, nuez moscada, canela y pimienta y sal y se vierte sobre la lamprea. Se rocía con el caldo, el agua y el aceite y se deja cocer a fuego lento. Se retira un poco de la salsa, se deslíe en ella el pan y la harina y se vuelve a incorporar a la tartera para que espese, se deja cocer unos minutos y se sirve.

273. Lamprea guisada a la sidra

Ingredientes:

1 ¹/₂ kilos de lamprea
2 cebollas picadas

Una vez limpia y lavada la lamprea con cuidado de recoger la sangre, se parte en trozos y se coloca en una cazuela con la sangre.

1/4 litro de sidra
2 hojas de laurel
4 dientes de ajo
1 docena de nueces machacadas
1 rodaja de miga de pan frito
2 ramos de perejil
Sal y aceite

En el aceite se ponen a dorar las cebollas. Se machacan en el mortero los ajos, el perejil, las nueces y la miga de pan. Se pasa con la cebolla en la sartén y se agrega a la lamprea. Se sala, se le pone el laurel y se rocía con la sidra. Dejando que cueza tapada tres cuartos de hora, meneando de vez en cuando la tartera. Si queda muy espesa la salsa puede aligerarse con un poco de agua caliente o caldo.

274. Lamprea guisada en su sangre

Ingredientes:

1 lamprea (1 1/2 kilos)
1 vaso de aceite
1 vaso de vinagre
1/2 vaso de vino blanco
3 dientes de ajo picados
1 cucharilla de canela
1 rebanada de pan frito
El hígado de la lamprea cocido
Sal
10 triángulos de pan frito

La lamprea conviene lavarla en agua muy caliente. Se raspa con un cuchillo y se le pasa un paño. Se le extrae la hiel, que está colocada debajo de la boca. Se coloca en una fuente y se le hacen varios cortes sin llegar a separar los trozos. Se le quita también la tripa gruesa y en una cazuela se recoge la sangre que suelta. Se mezcla con el aceite, la canela, el vinagre, el vino blanco y el ajo picado. Se coloca encima la lamprea, se sazona de sal y se hace hervir a fuego lento, con la cazuela tapada primero con papel de estraza y luego con la tapadera.

Cuando esté cocida se le agrega el pan frito machacado con el hígado cocido y disuelto en cuatro cucharadas de la salsa de la lamprea.

Se deja cocer unos minutos y se sirve adornada con picatostes.

275. Lamprea en cazuela

Ingredientes:

1 lamprea
2 cucharadas de cebolla picada
2 cucharadas de manteca de vaca
1/2 vaso de aceite
1 vaso de vino tinto
4 cucharadas de vinagre
Nuez moscada, pimienta, clavo y canela
Sal y agua caliente

Se lava la lamprea en agua caliente y se limpia quitándole la hiel y la tripa gruesa. Se corta en trozos y se coloca en una cazuela.

En una sartén con la manteca de vaca se dora la cebolla picada, se le agrega el aceite, el vino y el vinagre y se sazona con las especias y la sal. Se pone al fuego y se cubre con agua caliente dejándola cocer a fuego lento durante tres cuartos de hora, con un papel de estraza debajo de la tapadera.

Se sirve en cazuela de barro.

276. Lamprea en escabeche

Ingredientes:

1 lamprea
2 vasos de vinagre
1 vaso de vino blanco
1 cucharada de pimentón
5 hojas de laurel
$1/2$ vaso de aceite
$1/2$ litro de aceite para freír
Sal gruesa

Una vez limpia la lamprea y despojada de tripas, hiel y dientes, se sala por dentro y por fuera con sal gruesa y se deja en la sal unas seis horas. Se le sacude la sal con la ayuda de un paño, se ata enroscada y se fríe en el aceite, cuando está tierna se retira y se deja enfriar.

En el aceite sobrante se echa el vinagre, el vino, el pimentón, el laurel y el aceite crudo, se le da un hervor, se deja enfriar y se vierte sobre la lamprea, colocada en un recipiente de barro o cristal que le quede justo, de modo que el escabeche la cubra. Se coloca en sitio fresco, fuera del frigorífico y se conserva bastantes días.

(No debe comerse antes de pasadas unas doce horas, pues hasta entonces no ha cogido bien el sabor.)

277. Lamprea en salsa suprema

Ingredientes:

1 kilo de lamprea
250 gramos de setas
100 gramos de manteca
1 vaso de vino tinto
Pimienta, sal, azúcar
6 tostadas de pan

Limpiar la lamprea, partirla en trozos y rehogarla en la manteca con las setas. Así que haya adquirido buen color, mojarla con vino tinto y sazonar con sal y pimienta y un poco de azúcar.

Servir caliente en su caldo sobre cuarterones de pan tostado.

278. Lamprea estofada

Ingredientes:

1 lamprea (1 $1/2$ kilos)
$1/4$ litro de aceite refinado
6 cebollas pequeñas enteras
6 dientes de ajo
1 cucharada de pimentón
$1/4$ litro de vino blanco
4 cucharadas de vinagre
Harina
Sal

Después de bien limpia la lamprea se sala y se envuelve en harina.

En una cazuela se pone el aceite y en él se doran las cebollas y los ajos, luego se le agrega el pimentón, se coloca la lamprea enroscada y cuando esté dorada se rocía con el vino blanco y el vinagre. Se pone un papel de estraza debajo de la tapadera y se deja cocer a fuego lento unos tres cuartos de hora.

(Hay que moverla de vez en cuando para que no se pegue a la tartera.)

Se sirve adornada con las cebollitas.

279. «Lamprea rechea»

Ingredientes:

1 lamprea curada
1 trozo de lamprea fresca
100 gramos de jamón picado
1 cucharada de pan rallado
2 huevos cocidos
¼ litro de vino tostado del Ribeiro
4 dientes de ajo
1 cucharada de unto añejo
1 cucharada de pimentón
2 zanahorias
1 puerro
1 cebolla
2 clavos
1 hoja de laurel
1 trozo de tocino
Agua y aceite

La lamprea curada se lava en agua caliente, se abre y se rellena con un picadillo hecho con lamprea fresca, el jamón, el pan rallado y los huevos cocidos todo muy picado y rociado con cuatro cucharadas de vino tostado.

En una olla se pone el agua, las zanahorias, el puerro, la cebolla, el laurel, los clavos y el tocino. Cuando lleve media hora cociendo se echa la lamprea. Una vez cocida se escurre y se reserva un poco del caldo de la cocción.

En una tartera se pone un vaso de aceite con el unto añejo y se doran los ajos, luego se le agrega el pimentón, el vino tostado del Ribeiro (en su defecto de vino dulce), se coloca la lamprea, se le deja dar un hervor y se sirve muy caliente. Puede añadírsele a la salsa un poco del caldo de la cocción y media cebolla y una zanahoria machacada en el mortero.

280. Lenguado al horno con jamón

Ingredientes:

1¾ de kilo de lenguado (mejor una o dos piezas)
100 gramos de jamón en tiras
3 cucharadas de pan rallado
1 diente de ajo
1 cucharada de perejil picado
½ limón (zumo) o una copa de jerez
Sal y pimienta
½ vaso de aceite y manteca de vaca

Limpiar los lenguados, quitarles la piel y colocarlos en una fuente. Hacerles unos cortes a lo ancho y rellenarlos con tiras de jamón. Sazonar de sal y pimienta. Espolvorear con el ajo muy picado, el perejil y el pan rallado. Rociarlos con el aceite y colocar unas bolitas de manteca, como cinco o seis, esparcidas sobre los lenguados y meterlos a horno moderado.

Cuando estén dorados rociar con zumo de limón o jerez, dejar reposar con el horno apagado y servirlos en la misma besuguera.

281. Lenguado especial Solla

Ingredientes:

3 piezas de lenguado
6 vieiras
24 almejas
200 gramos de mantequilla
Harina para rebozar el pescado
3 limones
1/2 vaso de jugo de carne
Patatitas cucharita
Perejil picado
Sal

Se cogen las tres piezas de lenguado, sobre 600 gramos, uno para cada dos raciones, se le quita la piel, se forman unos filetes y se enrollan. Se salan, se rebozan en harina y se fríen en aceite a fuego lento unos cinco minutos, se les escurre el aceite y se le agregan 200 gramos de mantequilla, el zumo de tres limones y medio vaso de jugo de carne.

Se despegan las vieiras de su concha, se lavan y se fríen como el lenguado, lentamente.

Las almejas se abren al vapor y se separa una de las conchas y se dejan en la otra.

Se vuelven a colocar cada vieira en su concha, con las almejas en su media concha por encima. Luego se acompaña de unas patatas al vapor.

Se pone el lenguado en una fuente con las vieiras y se les echa la salsa por encima y un poco de perejil picado.

Nota: Receta cedida por Casa Solla.

Chef: Benigno Rial Esperante.

282. «Maragota» en tartera

Ingredientes:

1 1/2 kilos de maragotas
2 cebollas
1 tomate grande
2 pimientos
1 vaso de aceite
Sal

En una tartera se pone el aceite, la cebolla cortada en rodajas, los pimientos en tiras, el tomate en trocitos y se sala. Se deja cocer a fuego lento y cuando esté todo bien blando se colocan las maragotas después de haberlas escamado y quitado las tripas y la cabeza, y cortado en trozos. Se deja cocer durante unos seis minutos y se retira.

Puede servirse en la misma tartera, adornada con dos servilletas atadas en las asas.

283. «Meixóns ao xéito de Tuy» (angulas)

Si las angulas están vivas se matan en agua con tabaco y se salan. En una cazuela de barro se pone a calentar el aceite con

Ingredientes:

600 gramos de angulas
12 dientes de ajo
¹/₄ litro de aceite
Pimentón picante
Sal

los ajos, cuando estén dorados se echan las angulas, se les dan unas vueltas, si son crudas, y se separa la cazuela, si son cocidas, se espolvorea con el pimentón picante y se sirven tapadas para que conserven el calor. Hay que hacerlas en el momento pues no deben recalentarse. Se revuelve con tenedor de palo. Puede también colocarse en cazuelitas individuales.

284. Merluza a la cazuela «Casa Castaño»

Ingredientes:

6 buenas rodajas de merluza,
del centro
Cebolla
Perejil
Ajo
Sal
Tomate
Vino blanco (ribeiro)
Aceite
Pimienta blanca
Pimentón picante, una pizca
Patatas en rodajas y a medio
freír
Jamón
Guisantes
Espárragos
Sal

En una cazuela de barro se pone un poco del preparado, la cebolla picada, perejil, ajos, sal, tomate, sofrito en aceite y sazonado con el vino blanco, la pimienta y el pimentón.

Se cubre con las patatas y se les coloca encima la rodaja de merluza (previamente pasada un poco en la sartén). Se le ponen por arriba otras cucharadas del rustrido y se mete al horno veinte minutos.

Se sirve en la misma cazuela, adornadas con jamón, guisantes y espárragos.

285. Merluza en leche

Ingredientes:

1 ¹/₂ kilos de merluza (la cola)
1 limón
¹/₄ litro de leche
2 cucharadas de perejil picado
4 cucharadas de pan rallado
50 gramos de mantequilla
Sal
9 patatas cocidas

Se escama y se le quita la espina a una cola de merluza. Se sazona con sal fina y unas gotas de limón. Y se deja dos horas en una fuente de horno con la leche. Se cubre de pan rallado, perejil muy picado y la mantequilla y se mete al horno una media hora hasta que esté hecho y la leche se haya reducido.

Se sirve adornada con patatas cocidas.

286. Merluza guisada

Ingredientes:

1 ½ kilos de merluza
2 cebollas
3 dientes de ajo
2 cucharadas de perejil
100 gramos de harina
1 vasito de agua
1 vaso de aceite

Limpiar la merluza, cortarla en rodajas, salarla y ponerla a escurrir. Rebozarla luego en la harina.

Hacer en una sartén un rustrido con el aceite, la cebolla picada y el ajo. Cuando esté dorado añadir el perejil.

Echar la mitad del rustrido en el fondo de la cazuela, colocar encima las ruedas de merluza, cubrir con el resto del rustrido. Añadir el agua y dejar cocer lentamente, moviendo la tartera de vez en cuando para que no se pegue. Si espesa añadir más agua templada.

Servir en fuente adornada de puré de patatas.

287. Merluza frita

Ingredientes:

1 ½ kilos de merluza
6 cucharadas de harina
2 huevos
2 limones
Aceite y sal

Se limpia la merluza, se parte en trozos y se sala. Se pasa luego por harina y huevo batido y se fríe en aceite bien caliente. Se sirve en fuente adornada con rodajas de limón. Si la merluza es congelada hay que dejarla descongelar. Si se tiene mucha prisa se descongela fácilmente colocándola en el escurridor de verduras, bajo el grifo de agua fría. Si hay tiempo lo mejor es que se descongele lentamente, para ello basta con ponerla en el frigorífico fuera del congelador y unas horas antes de prepararla sacarla de la nevera y dejarla en la temperatura ambiente. También se puede poner en un poco de leche.

Antes de freír la merluza congelada conviene rociarla con zumo de limón, pues resulta mucho más sabrosa.

288. Merluza frita al vino blanco

Ingredientes:

1 ½ kilos de merluza
1 limón

Limpiar la merluza, quitarle la piel y formar filetes.

Mezclar el zumo de limón, el vino y la sal y dejar en este adobo los filetes una hora dándoles vueltas de vez en cuando.

¹/₂ vasito de vino
2 huevos
Harina
Pan rallado
Aceite

Escurrir el pescado. Rebozarlo en harina, huevo batido y pan rallado y freírlo en aceite caliente.

Puede servirse con pimientos de Padrón o con ensalada de lechuga.

289. Mero a la parrilla

Ingredientes:

1 ¹/₂ kilos de mero
1 diente de ajo
1 cebolla
¹/₂ vaso de aceite
1 cucharada de perejil picado
Sal
Aceite y manteca, o mantequilla

Una vez limpio el mero se corta en trozos gruesos y se sala.

Con la cebolla picada, el ajo, el perejil y el aceite todo mezclado, se prepara un adobo en el que se deja el pescado durante una hora.

Pasado este tiempo se calienta la parrilla, se unta de aceite o mantequilla y se colocan encima los trozos de mero, a los que les hemos quitado el adobo y los hemos impregnado bien de manteca o aceite. Se deja asar por un lado, unos cinco minutos. Se levantan los toros de la parrilla, se vuelve a impregnar ésta de aceite, se le da la vuelta al pescado y se deja asar unos dos minutos de cada lado, hasta que la espina se separa con facilidad de los lados, lo que nos indica que está en su punto.

Al retirarlos se pintan con un poco de mantequilla derretida, para darles brillo y si se quiere se espolvorean de perejil picado.

Se sirven adornados con lechuga o rodajas de limón y pueden acompañarse de cualquier salsa propia para pescados.

290. «Muxel» con salsa mahonesa (mujel)

Ingredientes:

1 mujel de 1 ¹/₂ ó 2 kilos
1 cebolla partida en dos trozos
1 hoja de laurel
1 rama de perejil

En una cazuela se pone a cocer agua con la cebolla, el laurel, la rama de perejil y la sal. Cuando dé el primer hervor se le echan las patatas peladas y cortadas en cuatro trozos. A los veinte minutos se coloca encima el mujel y se deja cocer otros siete o diez minutos (depende del tamaño).

233

2 cucharadas de perejil picado
¹/₄ litro de salsa mahonesa
³/₄ de kilo de patatas medianas
Agua y sal

Luego se retira y se coloca en fuente alargada el pescado entero en el centro adornado con las patatas.

En salsera, se sirve la salsa mahonesa mezclada con las dos cucharadas de perejil.

291. Pargo asado

Ingredientes:

1 ¹/₂ kilos de pargo (mejor una pieza)
1 cucharada de perejil picado
3 cucharadas de pan rallado
1 limón
1 vasito de vino tostado del Ribeiro
¹/₂ kilo de patatas
¹/₂ cebolla
Aceite y sal

El pargo sé escama, se le quitan las agallas y las tripas, se lava, se deja escurrir y se sala. En una sartén se doran las patatas peladas y cortadas en rodajas finas, la cebolla también en rodajas.

En una besuguera o fuente refractaria se coloca el pescado. Se le dan tres cortes transversales en el lomo y se rellenan con las rodajas de limón. Se le coloca la fritura de patatas y cebollas no muy pasadas alrededor. En el aceite que sobró de freír las patatas (el fondo de la sartén, no demasiado) se echan el perejil y el pan rallado y con esta mezcla una vez fría se cubre el pargo.

Se mete a horno mediano y previamente calentado unos veinte minutos. Se retira y se rocía con el vino tostado del Ribeiro. (En su defecto puede utilizarse limón.)

Se sirve en la misma fuente.

292. «Peixe sapo o rabada» con salpicón (rape)

Ingredientes:

1 ¹/₂ kilos de rabada
¹/₂ kilo de patatas
2 hojas de laurel
1 cebolla
1 rama de perejil
1 vaso de aceite
2 huevos cocidos

Se limpia el rape o la rabada, se les quita la piel y se reserva la cabeza para una sopa.

En una tartera con agua, sal, laurel, cebolla entera la rama de perejil se ponen a cocer las patatas cortadas en forma de dados y la cola del rape o la rabada. Pasados unos treinta minutos se retira el pescado, se le separa la espina y se corta en trocitos pequeños. Se escurren también las patatas y se dejan enfriar, y se coloca todo en una fuente.

2 cucharadas de limón o
vinagre
1/2 pimiento morrón de lata
3 cucharadas de perejil picado
Sal y agua

En un recipiente mezclamos el huevo duro picado muy menudo, la cebolla y el perejil, el vinagre o el limón, le agregamos el aceite y unas cucharadas del caldo de la cocción del pescado, lo revolvemos bien y le añadimos el pimiento morrón muy picado y lo volcamos sobre la fuente con el pescado y las patatas. Se sirve frío.

293. «Peixe sapo» frito (rape)

Ingredientes:

1 1/2 kilos de rape en filetes
2 dientes de ajo
1 ramita de perejil
1 limón
1 plato con harina
2 huevos batidos
Sal y aceite para freír
Ensalada de lechuga

En el mortero se machacan los ajos, el perejil y la sal. Se unta con esta mezcla los filetes de rape cortados en trozos como de unos cuatro o cinco centímetros, se rocían de limón, se rebozan en harina y huevo batido y se fríen en aceite caliente.

Se sirven adornados con ensalada de lechuga.

(Si se compra el rape o la rabada entera, hay que limpiarlos, quitarles la cabeza y la piel y cortar los filetes.)

294. Pescadillas con el rabo en la boca

Ingredientes:

12 pescadillas medianas o
pequeñas
1 limón (zumo)
7 cucharadas de harina
Aceite para freír
Sal
Ensalada de lechuga

Se limpian las pescadillas, se lavan y se dejan escurrir. Se salan y se les mete la cola en la boca, apretándoles los dientes para que agarran bien. Se rebozan en harina y se fríen en abundante aceite (no conviene poner más de dos o tres en la sartén para que no tropiecen y pierdan la forma).

Se colocan en una fuente, se rocían con unas gotas de limón y se sirven muy calientes adornadas con ensalada de lechuga.

295. Pescado a la gallega

Ingredientes:

1 ½ kilos de pescado
500 gramos de patatas
1 cebolla
4 dientes de ajo
1 ½ vasos de aceite
1 cucharada de pimentón
1 cucharada de vinagre
Sal y una hoja de laurel

Se limpia el pescado y se corta en trozos gruesos. Las patatas después de peladas se cortan también en rodajas muy gordas o en tacos.

Se pone a calentar agua con el laurel y la cebolla, en cuatro trozos. Se echan a cocer las patatas y luego se les añade el pescado y la sal.

En una sartén se dora el aceite y los ajos, se retira la sartén del fuego, se le quita los ajos y se le agrega el pimentón y el vinagre.

Se escurre el pescado, se coloca en una fuente, se vierte sobre él la ajada y se sirve. (Se pueden dejar los ajos según el gusto pero entonces es mejor echarlos partidos.)

296. Pescado al horno

Ingredientes:

1 ¹/₂ kilos de pescado
1 limón (zumo)
5 cucharadas de pan rallado
2 dientes de ajo
1 cucharada de perejil picado
1 vaso de aceite
Sal

Se limpia el pescado y se le hacen unos cortes transversales en los que se mete el ajo y el perejil machacados en el mortero o simplemente una rodaja de limón. Se coloca el pescado en una fuente refractaria, se sazona de sal, se rocía con el zumo del limón, se espolvorea de pan rallado, se baña con el aceite y se mete al horno, procurando regarlo de vez en cuando con el aceite.

Se sirve con patatas fritas o cocidas, con ensalada de lechuga o simplemente adornado con rodajas de limón.

Esta receta está indicada para la merluza, el abadejo, el rodaballo, la anguila, el besugo, el jurel, la «xarda», la castañeta, etc.

En general para todo tipo de pescados grandes, tanto azules como blancos.

297. Pescado cocido

Ingredientes:

1 ¹/₂ kilos de pescado
¹/₂ kilo de patatas
1 cebolla
1 rama de perejil
Sal

En agua con sal se ponen a cocer las patatas peladas y cortadas en cuatro trozos o en toros gruesos, con la cebolla y el perejil. (Le va también muy bien una hoja de laurel y un chorrito de aceite). Cuando estén casi cocidas las patatas se le agrega el pescado entero o en trozos. Puede también cocerse sin las patatas. El tiempo de cocción varía según la clase de pescado. Se retira y se sazona con aceite y vinagre, con aceite y limón, con salsa mahonesa, con salsa vinagreta, con salpicón o ajada. Las otras salsas son también conocidas en Galicia pero de uso mucho menos frecuente.

298. Pescado cocido al vapor

Se escaman y se limpian los pescados.

Si se tiene un recipiente apropiado se utiliza, de no ser así

Ingredientes:

1 ¹/₂ kilos de pescado
1 cebolla
1 hoja de laurel pequeña
1 rama de perejil
Sal, agua y vino blanco o limón

se coloca en una besuguera o fuente honda refractaria, se le echa un poquito de agua de modo que cubra el fondo.

Se parte la cebolla en cuatro trozos y se coloca en las esquinas, se le pone el laurel, el perejil y la sal. Se cubre la fuente con papel de aluminio y se deja cocer a fuego lento entre dos fuegos.

Si es un pescado graso se rocía con un poco de vino blanco, antes de cubrirlo. Si es seco se le echan unas gotas de limón después de cocido.

Con la ayuda de dos espumaderas se retira y se coloca en la fuente en que vamos a servirlo y en caliente se le quita la piel. Se adorna con lechuga, patatas cocidas, ensaladilla, o lo que queramos y se sirve con salsa propia para pescado en salsera aparte.

299. «Pescado cocido ao xeito do tío Xan»

Ingredientes:

1 ¹/₂ kilos de pescado
1 cebolla
1 rama de perejil
1 puñado de mariscos
(mejillones, berberechos, etc.)
1 pimiento
1 chorrito de vino blanco (si son
pescados grasos)
Sal y agua

Se pone a cocer el agua con los mariscos, la cebolla, el perejil, el pimiento y la sal.

Cuando rompe a hervir se le echa el pescado y a media cocción, el chorrito de vino blanco.

(Sirve cualquier tipo de mariscos pues es solamente para darle mejor sabor al pescado.)

300. Pescado en escabeche

Se escama el pescado, se limpia, se sala, se reboza en harina y se fríe en abundante aceite y se va colocando en recipiente de barro o cristal, en capas y entre cada uno de ellas se ponen hojas de laurel.

3 kilos de pescado azul
1 ¹/₂ litros de aceite
¹/₄ litro de vinagre
³/₄ de litro de vino blanco
20 hojas de laurel
6 dientes de ajo
3 cucharadas de pimentón

Al aceite que sobre de freír el pescado se le agregan los dientes de ajo partidos en tres trozos, el pimentón, el vinagre y el vino y se vuelve a acercar al fuego para que cueza unos minutos. Cuando esté frío se vierte el escabeche sobre el pescado procurando que quede bien cubierto.

Puede conservarse el pescado durante bastantes días. Conviene tenerlo en sitio fresco, pero no es necesario meterlo en el frigorífico.

Le va muy bien este escabeche a la trucha, las sardinas, el mujel, la rabaliza, la «xarda» (caballa), la aguja, el jurel, y en general a todos los pescados azules no muy grandes.

301. Pescado en escabeche rápido

Ingredientes:

1 ¹/₂ kilos de pescado azul
¹/₂ litro de aceite
1 cebolla mediana
3 dientes de ajo
3 cucharadas de vinagre
1 cucharada de pimentón
6 hojas de laurel
8 cucharadas de harina
Sal

El pescado se escama, se limpia y si es grande se corta en varios trozos. Se sala, se reboza en harina, se fríe y se coloca en una fuente honda.

En el aceite sobrante se dora la cebolla cortada en cuatro trozos y luego en rodajas. Se le agregan los ajos partidos a la mitad, y cuando esté tierna se separa la sartén del fuego, se le añade el pimentón, se revuelve y luego se le echa el vinagre. Se colocan entre el pescado las hojas de laurel y se vierte encima el escabeche. Basta con dejarlo unas horas para que tome sabor. Pero también puede conservarse varios días.

El mujel, la trucha, el jurel, la sardina, la caballa, la anguila y los salmonetes son pescados a los que les va muy bien este escabeche.

302. Pescado en salsa de vieira

Ingredientes:

1 ¹/₂ kilos de pescado
2 cebollas
2 dientes de ajo
1 cucharada de perejil picado

Se limpia el pescado y se le quita la espina. Se lava, se sala, se coloca en una fuente de horno y se rocía en el zumo del limón.

En sartén se fríen las cebollas muy picadas. Cuando estén doradas se le agregan los ajos y el perejil picados. Se le da

1 cucharada de pimentón
¹/₂ limón (zumo)
1 vaso de aceite
8 cucharadas de pan rallado
Sal

unas vueltas, se retira del fuego, se deja enfriar un poco, se le incorpora el pimentón y se vierte sobre el pescado. Se espolvorea de pan rallado y se mete al horno un cuarto de hora o veinte minutos. Se sirve en la misma fuente. Puede hacerse esta receta, con filetes de merluza, mujel, caballa («xarda»), jurel grande, robaliza, etc.

303. Pescado en salsa verde

Ingredientes:

1 ¹/₂ kilos de pescado
2 cebollas
3 cucharadas de perejil picado
2 rodajas de miga de pan
2 cucharadas de vinagre
2 dientes de ajo
1 vaso de agua
1 vaso de vino blanco
4 cucharadas de harina
Pimienta, sal y nuez moscada
Aceite

Se limpia el pescado, se sala, se trocea, se reboza en harina y se fríe.

En el aceite sobrante se fríe el pan, se retira y se echa en el aceite la cebolla picada, se deja estofar y se le agrega el perejil picado. Se le añade luego agua y vino a partes iguales y dos cucharadas de vinagre. Se sazona con pimienta y nuez moscada y se deja cocer a fuego lento. Se deshace en el mortero la cebolla y el espeso de la salsa y se le agrega a las tostadas de pan frito machacadas con los dientes de ajo. Así que forme pasta se le une al caldo y se pasa por el chino. (Puede pasarse todo por batidora, que resulta más fácil, pero sin dejar que se triture demasiado). Se pone al fuego el pescado frito, se le baña con la salsa y se deja cocer a fuego lento unos diez minutos. Esta receta está indicada para todo tipo de pescados: merluza, castañeta, mujel, abadejo, «xarda», maruca, reo, robaliza, anguila, congrio, bacalao, raya, dorada, etc.

También puede prepararse cociendo el pescado en agua con laurel en lugar de freírlo, utilizando el agua de la cocción para hacer la salsa.

304. Pescado seco

Se pone a cocer el pescado con las patatas y las berzas, se le escurre el agua y se toma en blanco con aceite y limón, raras veces con ajada.

1 kilo de pescado seco
750 gramos de patatas
1 manojo de berzas
Limón
Aceite de oliva
Agua

Forma de salar el pescado:

Hay dos clases de pescado «o peixe de coiro», pescado de cuero, que sólo se puede comer quitándole la piel antes de prepararlo: raya, castañeta, pulpo, etc. Este se pone a secar directamente sin piel o bien dejándolo antes unas dos horas en salmuera. Tarda en secar, si el tiempo es soleado, dos días. Se cuelga abierto al sol. (El pulpo aunque es de esta clase de pescado se seca con piel).

El pescado de piel blanda se deja en salmuera cuarenta y ocho horas y se secan con tiempo soleado en ocho días.

El pescado grande se deja colgando en bodegas aireadas y sin humedad y el pequeño en cestas en sitios frescos.

Pescados de coiro son: los «ferreiros», «pico», «rañote», «carapa» o «zapata», «cazón», «melga» o «melgado», «pinta roxa» y pulpo.

De piel blanda se suele secar el congrio, «xurelo», «sardina», «xarda» (caballa), «morea» y merluza. El besugo lo secaban para comer a bordo los marineros que trabajaban en los barcos canarios.

305. Robalo cocido

1 ¹/₂ kilos de rábalo
2 cebollas
2 ramas de hinojo
¹/₂ limón (zumo)
1 vasito de aceite
Sal y agua
Salsa mahonesa

Se limpia el rábalo y se pone a cocer en poca agua en una besuguera o en una tartera baja. Se le pone alrededor las cebollas cortadas en cuatro trozos y las ramas de hinojo. Se le deja hervir seguido pero no a borbotones. Y cuando esté casi cocido, se sala y se le echa en el agua en que cuece el aceite y el zumo de medio limón y se rocía con ella.

(De esta misma forma se puede cocer la rabaliza, el rodaballo y la raya).

Se sirve acompañado de salsa mahonesa en salsera.

306. Raya a la marinera

Ingredientes:

1 ¹/₄ kilos de raya
1 kilo de patatas
2 dientes de ajo
1 cebolla pequeña picada
2 cucharadas de vinagre
1 cucharada de pimentón
1 hoja de laurel
1 vaso de aceite
Sal

La raya se raspa con un cuchillo, se le golpea para ponerla tierna y se lava, luego se parte en trozos.

Se pelan las patatas y se cortan en trozos grandes.

En una cazuela se pone agua con una hoja de laurel y cuando empiece a hervir se le echa las patatas y la sal.

Cuando lleven unos minutos de cocción se le añade la raya y se deja una media hora hasta que estén tiernas. Se les escurre entonces casi todo el agua y se les incorpora un rustrido preparado en el aceite, la cebolla, los ajos, y el pimentón. Se deja cocer unos minutos, se rocía con el vinagre y se sirve muy caliente.

307. Raya frita

Ingredientes:

1 ¹/₂ kilos de raya
2 dientes de ajo
2 huevos
1 limón
Perejil
Sal
Aceite para freír
Harina para rebozar

Limpiar la raya. Quitarle la piel y cortarla en trozos.

Machacar en el mortero los ajos, el perejil y la sal. Adobar el pescado y rociarlo con un poco de zumo de limón. Rebozarlo en harina y huevo batido y freírlo en aceite caliente.

308. Reos a la manteca

Ingredientes:

1 ¹/₂ kilos de reos
100 gramos de manteca de vaca
1 cucharada de vinagre
1 limón (zumo)
12 patatas pequeñas cocidas
Agua, sal y pimienta

Una vez limpios los reos se cuecen en agua hirviendo con sal, unos diez minutos. (Pueden cocerse también en un caldo corto con cebolla, laurel, zanahoria, clavo y un poco de vino blanco.)

En una sartén se pone a calentar la manteca y cuando ha tomado color oscuro, se espuma y se retira. Se le agrega una cucharada de vinagre, el zumo del limón y la pimienta. Se bate y se vierte sobre el pescado colocado en una fuente y adornado con las patatas cocidas.

309. Robaliza en blanco

Ingredientes:

1 ¹/₂ kilos de robaliza
1 cebolla
4 dientes de ajo
1 rama de perejil
Aceite, vinagre, sal y agua

Se limpia la robaliza y se coloca en una tartera baja con agua de modo que la cubra, se le añade la cebolla en rodajas gruesas, los ajos y la rama de perejil y la sal. Se deja un buen rato y se acerca luego al fuego y, después de hervir unos cinco minutos, se sirve caliente.

Cada uno lo sazona a su gusto en la mesa con aceite y vinagre o limón.

(Si se quiere cocer y servir en frío con alguna salsa, cuando rompa a hervir debe retirarse del fuego y dejar que enfríe en el mismo caldo de la cocción, sin destapar la tartera para que no pierda calor.)

310. Robaliza en salsa verde

Ingredientes:

1 ¹/₂ kilos de robaliza
1 cebolla
3 dientes de ajo
1 hoja de laurel
1 vaso de aceite
1 ramo grande de perejil
1 cucharada de vinagre
1 rebanada de pan
Pimienta y sal
¹/₂ limón

Después de limpia la robaliza se pone a cocer en agua fría con la cebolla partida en trozos, los ajos y el laurel y la sal. En el mortero se machaca el perejil, con el pan mojado en el vinagre. Se sazona de pimienta y se le agrega el aceite y caldo caliente del de cocer el pescado. Se vierte en un cazo y se acerca al fuego y se deja cocer unos minutos a fuego lento.

Se coloca la rabaliza en una fuente, se rocía de limón y se le vierte la salsa encima.

311. Rodaballo a la gallega

Ingredientes:

1 ¹/₂ kilo de rodaballo
2 cebollas
2 zanahorias
1 rama de perejil

Se limpian los pescados y se cortan en trozos gruesos. Se pone a hervir el agua con las cebollas, el perejil, el laurel y la sal. Se echa el rodaballo cuando esté el agua hirviendo, se deja cocer ocho o diez minutos. Se escurre y se le vierte encima una ajada hecha en la sartén en la que hemos dorado los ajos

1 hoja de laurel
1 vaso de aceite
4 dientes de ajo
1 cucharada de pimentón
Unas gotas de vinagre o limón
Sal

(luego se retira) y se le agrega el pimentón, y el vinagre o limón.

Puede servirse con patatas cocidas, en la misma agua caliente antes de echar el pescado.

312. Rodaballo a la primavera

Ingredientes:

6 toros de rodaballo
200 gramos de guisantes
desgranados
300 gramos de patatas
200 gramos de zanahorias
100 gramos de tirabeques
100 gramos de judías verdes
1 cucharada de perejil picado
1 cebolla
2 dientes de ajo
1 limón
1 pimiento morrón
Aceite, agua y harina
Sal y pimienta

En una cazuela con agua, cuando rompa a hervir se echan los guisantes desgranados, las zanahorias cortadas en rodajas, los tirabeques y las judías verdes sin hebras y en trozos de unos tres centímetros de largo. Se le agrega sal y se dejan cocer una media hora. En una sartén se doran las patatas cortadas en rodajas finas y se colocan escurridas en una cazuela de barro.

Se sala el rodaballo, se reboza en harina y se pasa por el aceite sin dejar que se fría del todo.

Se escurren las verduras, se colocan en la cazuela con las patatas y encima las rodajas de rodaballo. En el aceite sobrante se dora la cebolla y el ajo picado y se vierte sobre el pescado en la cazuela. Se adorna con tiras de pimiento morrón y se deja cocer a fuego lento unos veinte minutos.

Al ir a servirse se espolvorea de perejil picado y se rocía con zumo de limón.

313. Rodaballo en salsa verde

Ingredientes:

1 ¼ kilos de rodaballo (toros gruesos)
750 gramos de patatas
250 gramos de guisantes
1 vaso de aceite
1 vaso de vino blanco
1 cebolla picada
3 dientes de ajo picado

En una cazuela se pone a dorar el ajo y la cebolla muy picados. Se le añaden luego las patatas peladas y cortadas en rodajas finas, y se dejan freír lentamente unos cinco minutos, revolviendo con cuidado para que no se deshagan. Se cubren luego con el vino blanco y el agua necesaria. Se coloca el rodaballo en trozos gruesos y los guisantes, se deja cocer muy lentamente moviendo de vez en cuando para que espese el caldo.

2 cucharadas de perejil picado
Sal y agua

Se sirve en la misma cazuela y poco antes de servirlo se espolvorea con el perejil muy picado.

314. Sábalo en escabeche suave

Ingredientes:

1 ¹/₂ kilos de sábalo
1 cebolla
3 dientes de ajo
2 cucharadas de vinagre
1 cucharada de pimentón
4 cucharadas de vino blanco
3 hojas de laurel
Aceite, sal y harina

El sábalo una vez limpio se trocea, se sala, se reboza en harina, se fríe y se coloca en una cazuela de barro. En el aceite sobrante se doran la cebolla y los ajos, se le agrega el pimentón, el laurel, el vino y el vinagre, se deja dar un hervor y se vierte sobre el sábalo, se deja en reposo varias horas para que coja el sabor y se sirve frío en la misma cazuela.

315. Sábalo en parrilla a lo «Picadillo»

Ingredientes:

1 sábalo
2 limones
1 vaso de aceite
2 cucharadas de perejil picado
Media cebolla pequeña
Sal, azafrán y laurel

El sábalo después de limpio se coloca en una parrilla sobre hojas de laurel y rodajas de limón. A medida que se va dorando se baña con una mezcla compuesta por aceite, zumo de limón, un poco de cebolla, perejil, azafrán y sal.

Una vez asado se colocan los trozos en una fuente y se cubren con perejil muy picado y aceite.

Se adorna con patatas cocidas.

316. Salmón a la parrilla

Ingredientes:

6 rodajas de salmón
Sal
Aceite

Los trozos de salmón, de un grosor de unos dos centímetros, se salan y se pintan con un poco de aceite. No demasiado, pues el salmón suelta suficiente grasa.

Se colocan en la parrilla bien caliente y untada de aceite y se dejan asar cinco minutos de cada lado y dos más dándoles vueltas. Para ver si está asado se pincha el hueso y si se separa fácilmente de la carne es que está en su punto.

Se sirve en fuente adornado con lechuga y con una salsa mahonesa con limón o con alcaparras, o una salsa tártara; servidas siempre en salsera aparte.

(Puede también dejarse el salmón durante una hora en un adobo de cebolla picada, perejil y aceite, que se le retira en el momento de asarlo.)

317. Salmón asado

Ingredientes:

6 rodajas de salmón (o tres grandes)
1 vaso de aceite
Sal
1 limón en rodajas

Se untan con aceite y sal las rodajas de salmón y se deja en maceración una hora. Se calienta al horno la parrilla y se ponen en ella las rodajas de pescado con la bandeja de horno debajo para recoger lo que gotee. Se deja dorar por una parte y luego se le da la vuelta. Se retira cuando la carne se separa fácilmente de la espina central. Se coloca en fuente caliente y se sirve con salsa mahonesa en salsera aparte.

Puede adornarse la fuente con rodajas de limón.

318. Salmón cocido

Ingredientes:

1 ¹/₄ kilo de salmón
Agua
Sal

Se limpia el salmón, se lava y se seca.

En una cazuela se pone a hervir en abundante agua y sal.

Cuando rompe el hervor se introduce el salmón y se hace cocer unos doce minutos. Se deja enfriar en el agua y se pone a escurrir.

Se sirve colocado sobre servilletas o en una fuente apropiada y se acompaña de salsa mahonesa simple o historiada.

Es un pescado tan sabroso que no necesita ser condimentado para su cocción.

319. Salmonetes a la parrilla

Ingredientes:

12 salmonetes (ó 6 grandes)
1 vaso de aceite
2 dientes de ajo machacados
1 cucharada de perejil picado
1 limón (zumo)
1 hoja de laurel
100 gramos de pan rallado
Sal

Una vez escamados y limpios los salmonetes se salan y se ponen en adobo con el aceite, el ajo machacado, el perejil picado, el zumo de limón y el laurel. Se dejan unas dos horas, se escurren, se pasan por pan rallado y se colocan en el horno o la parrilla previamente untada de aceite. Cuando estén dorados por un lado se les da la vuelta.

Se sirven en fuente adornados con lechuga. Puede acompañarse con alguna salsa mahonesa o vinagreta.

320. Salmonetes al horno

Ingredientes:

6 salmonetes grandes
$^1/_2$ limón (zumo)
1 vasito de vino tostado del Ribeiro
1 cebolla pequeña muy picada
2 cucharadas de pan rallado
$^1/_2$ vaso de aceite
2 cucharadas de manteca de vaca
Sal

Los salmonetes, limpios de tripas y escamas, se lavan, se dejan escurrir y se salan.

En una fuente de horno se ponen la cebolla muy picada y el aceite. Luego se colocan encima los salmonetes de forma que las cabezas de unos queden junto a las colas de los otros y no estén amontonados. Se les hace un pequeño corte en el lomo, se rocían con el limón y se espolvorean de pan rallado. Encima de cada uno se les coloca un poquito de manteca y se meten en horno moderado una media hora. A media cocción se les echa el vino.

Se sirve en la misma fuente adornados con rodajas de limón.

321. Salpicón de pescados y mariscos

Ingredientes:

1 cola de rape
$^1/_4$ kilo de merluza
12 colas de cigala
12 colas de gambas

Se cuecen los pescados y los mariscos con laurel y sal. Se dejan enfriar y se parten en trocitos el rape y la merluza. Se pelan las gambas y las cigalas y se separa de las conchas todos los mejillones, menos unos cuantos que dejamos para dornar la fuente.

3/4 kilo de mejillones
2 vasos de aceite
1 cebolla pequeña picada
1 pimiento morrón picado
1 cucharada de perejil
2 cucharadas de vinagre
2 huevos duros
2 cucharadas de la cocción del
marisco
Sal y laurel

Se colocan los mariscos y pescados en el centro y se adorna con los mejillones en las conchas y unas colas de cigalas y de gambas. Con el resto de los ingredientes muy picados se hace un salpicón y se vierte sobre ellos.

(Puede utilizarse otro tipo de mariscos o de pescados. Para este salpicón se puede comprar las colas sueltas de gambas, langostinos y cigalas que suelen vender en el mercado a muy buen precio.)

322. Sardinas asadas

Ingredientes:

2 kilos o dos docenas de
sardinas grandes
Sal gruesa

Se lavan las sardinas y se les echa la sal dejándolas una hora para que la cojan bien. Colocarlas luego sobre la parrilla y asar a la brasa.

Se pueden servir con cachelos o con ensalada de lechuga y tomate.

Si se hacen en el campo suelen servirse sobre una rebanada de pan de mollete de trigo, de maíz o de centeno, según la zona de Galicia.

323. Sardinas con «cachelos»

Ingredientes:

1 1/2 kilos de sardinas
12 patatas medianas
Agua y sal gorda

Se lavan las sardinas, se secan con un paño y se cubren de sal gorda, dejándolas así de un día para otro. Se hace un fuego con troncos de tojo o «carozos» de maíz y cuando se han conseguido brasas, sin llama, se pone sobre ellas la parrilla en la que colocamos las sardinas. Se dejan asar por un lado y luego se les da la vuelta.

Mientras tanto se preparan los «cachelos» cociendo las patatas con monda y partidas en dos en abundante agua con sal. Cuando estén a media cocción se les escurre el agua y se deja el puchero cerca del fuego para que terminen de cocerse y se sequen con el calor. Si se toma al aire libre, se coloca una sardina encima de cada trozo de patata y se reparten entre los comensales. Si la comida es dentro de casa, pueden asarse en parrilla, y se colocan las sardinas en una fuente adornada con las patatas con la parte del corte para abajo y sin mondarlas, para que conserven el calor y estén más sabrosas.

324. Sardinas en adobo

Ingredientes:

1 ¹/₂ kilos de sardinas
1 vaso de agua
1 vaso de vinagre
6 dientes de ajo
1 cucharada de orégano
3 hojas de laurel
5 cucharadas de harina
2 huevos
Sal, pimienta y aceite
Cachelos

Una vez limpias y sin espinas, las sardinas abiertas se colocan en una fuente y se cubren con agua y vinagre. Se machacan los ajos y se mezclan en el orégano, la pimienta y la sal y se echa sobre las sardinas, dejándolas en este adobo varias horas. Luego se escurren, se cierran, se rebozan en harina y huevo batido y se fríen. Pueden servirse con cachelos.

325. Sardinas en escabeche crudo

Ingredientes:

1 ¹/₂ kilos de sardinas
3 dientes de ajo machacados
1 cucharada de pimentón
5 hojas de laurel
1 vaso de aceite
3 cucharadas de vinagre
1 cucharada de agua

Las sardinas, una vez limpias y fritas, se colocan en una fuente. Se les extienden por encima los ajos machacados, el pimentón y las hojas de laurel. Se rocían con el aceite, el vinagre y el agua y se dejan en este escabeche unas horas. Hay que moverlas de vez en cuando para que penetre bien.

(Es un tipo de escabeche rápido aplicable a otros pescados y que sirve también para aprovechar el pescado frito que nos ha sobrado. En frigorífico puede conservarse varios días.)

326. Sardinas «esparradas»

Ingredientes:

1 ¹/₂ kilos de sardinas o dos

Limpiar las sardinas y quitarles la cabeza y la espina, lavarlas y ponerlas a escurrir.

docenas
50 gramos de harina
6 hojas de laurel
2 cebollas
1 vaso de aceite grande
1 rama de perejil
3 dientes de ajo
Aceite para freír
Sal

Hacer un rustrido con la cebolla, el ajo, el perejil y el aceite, dejando que se dore la cebolla.

Salar las sardinas, colocarlas con el lomo hacia abajo, rellenar con el rustrido y media hoja de laurel. Colocar otra sardina encima. Pasarlas por harina y freírlas.

También pueden asarse entre dos hojas de parra y añadirle al refrito pimiento y tomate.

327. Sardinas guisadas

Ingredientes:

1 ¹/₂ kilos de sardinas
4 cebollas medianas
3 cucharadas de perejil picado
1 cucharada de pimentón
1 vaso de agua
¹/₂ vaso de aceite
Sal

Se escaman las sardinas, se limpian y se les quita la cabeza.

Se pican muy finos el perejil y la cebolla. En una tartera o en cazuela de barro se coloca una capa de este picadillo y otra de sardinas, luego otra de picadillo y así sucesivamente hasta que esté llena. Se espolvorea de pimentón y sal. Se riega con el agua y el aceite y se deja cocer a fuego lento una media hora. Hay que mover la tartera de vez en cuando para que no se pegue. Se sirve en la misma cazuela.

328. Sardinas lañadas a lo «Picadillo»

Ingredientes:

1 ¹/₂ kilos de sardinas (número par)
2 cebollas medianas
2 cucharadas de perejil picado
3 dientes de ajo machacado
1 cucharilla de orégano
1 pimiento rojo de lata o asado
4 cucharadas de pan rallado
1 vaso de aceite
Sal

Se escaman y se limpian las sardinas y se les quita la espina. Luego se lavan y se salan.

Se pica muy menudo el perejil, la cebolla, los ajos y el pimiento rojo. Se le agrega el orégano y el pan rallado.

Se colocan en una fuente refractaria las sardinas abiertas y con los lomos hacia abajo.

Se rellenan con el picadillo y se les pone encima otra sardina, coincidiendo con la de abajo. Se rocían con el aceite y se meten al horno hasta que estén doradas.

Se sirve en la misma fuente.

329. Sardinas rebozadas

Ingredientes:

1 ½ kilos de sardinas
2 huevos
8 cucharadas de harina
100 gramos de pan rallado
1 limón
Sal y aceite
Lechuga

Las sardinas se escaman, se limpian y se les quita la espina. Se lavan, se secan o se dejan escurrir muy bien y se salan. Luego se rebozan primero en harina, después en huevo batido y por último en pan rallado, y se fríen en abundante aceite.

Se colocan en una fuente en forma de abanico, se rocían con el zumo de medio limón, y se adornan con ensalada de lechuga y el otro medio limón partido en rodajas.

330. Sardinas rellenas

Ingredientes:

1 ¹/₂ kilos de sardinas medianas
3 cebollas
1 panecillo (la miga)
2 cucharadas de perejil picado
8 cucharadas de aceite
8 cucharadas de harina
Aceite para freír y sal
Pimientos de Padrón

Se escaman las sardinas, se limpian y se dejan sin espina. Una vez lavadas se ponen a escurrir en una tabla estiradas y con la parte interior hacia abajo. Se salan con sal fina.

En una sartén con las ocho cucharadas de aceite se hace un rustrido con la cebolla muy picada.

Cuando está tierna se le agrega el perejil y la miga de pan deshecha con los dedos en trocitos muy menudos. Se le da unas vueltas en la sartén y se sala (es conveniente que todo quede muy blanco).

Se rellenan entonces las sardinas con una cucharadita de este sofrito y se enrollan de la cabeza a la cola, de modo que quede la piel para la parte de fuera. Se rebozan en harina y se fríen en aceite caliente.

Se sirve acompañadas de pimientos de Padrón.

331. Sardinas rellenas asadas

Ingredientes:

1 ¹/₂ kilos de sardinas
50 gramos de jamón
50 gramos de tocino
2 cebollas
3 dientes de ajo
2 cucharadas de perejil picado
4 cucharadas de miga de pan
mojada en vinagre
2 huevos
10 hojas de laurel
50 gramos de pan rallado
¹/₂ vaso de aceite
Sal

Se limpian las sardinas y se les quita la espina. Se colocan en una fuente de horno sobre hojas de laurel con la piel tocando las hojas. Se rellenan con un picadillo muy fino de jamón, tocino, cebolla, ajo, perejil y miga de pan, amasado con huevo. Se cubren con otras sardinas. Se espolvorea de sal y pan rallado. Se rocía con el aceite y se meten al horno hasta que estén asadas.

332. Sardinas rellenas de carne

Ingredientes:

12 sardinas grandes
100 gramos de carne
100 gramos de panceta
2 cucharadas de perejil picado
3 dientes de ajo
2 cebollas
1 pimiento picado muy menudo
1 tomate
Sal, pimienta y aceite

Limpiar las sardinas y quitarles la espina.

Hacer un picadillo con la carne y la panceta, añadirle cuatro cucharadas de cebolla muy picada y perejil. Dorar en sartén en un poco de aceite. Con esto rellenar las sardinas. Rebozarlas en huevo y pan rallado y freírlas. Aparte preparar un rustrido con aceite, la cebolla sobrante, el ajo, el perejil, pimiento verde y el tomate picado muy fino. Sazonar con sal y pimienta.

Colocar las sardinas en una fuente de barro, añadirle el sofrito, dejar cocer unos tres minutos y servir.

333. Sardinas rellenas en cazuela

Ingredientes:

2 docenas de sardinas grandes
1 lata de bonito en aceite (250 gramos)
4 cucharadas de pan rallado
¹/₄ litro de salsa de tomate
2 huevos
4 cucharadas de vinagre
1 vaso de vino blanco
3 cucharadas de perejil picado
Aceite y sal

Limpiar las sardinas, quitarles la espina y salarlas.

Con el bonito en migas, el pan rallado y los huevos batidos formar una pasta con la que se rellenan las sardinas y se cierran con un palillo. Colocarlas en una cazuela amplia, rociarlas con aceite, vinagre, vino blanco y la salsa de tomate.

Sazonar de sal, espolvorear con el perejil picado y dejarlas cocer a fuego lento una media hora meneando de vez en cuando la tartera. (De la misma forma pueden ponerse los jureles, «xardas» (caballa), mujeles, bacaladitos, etc.

334. Sardinas rellenas en masa

Ingredientes:

1 ¹/₂ kilos de sardinas
1 huevo cocido
2 cucharadas de perejil picado
3 cucharadas de aceitunas picadas
1 huevo batido
Miga de pan
Sal

Limpiar las sardinas y quitarles la espina y salarlas.

Para la masa:

1 huevo
5 cucharadas de harina
Vino blanco
Aceite para freír

Mezclar el huevo duro picado con el perejil, las aceitunas y la miga de pan formando una pasta con el huevo batido con la que rellenamos las sardinas. Se unen y se rebozan en una masa hecha con el huevo, la harina y vino blanco.

Freírlas en aceite caliente hasta que estén doradas.

335.   Sardinas salpresas

Ingredientes:

1 ¹/₂ kilos de sardinas
700 gramos de patatas
1 pimiento verde
2 tomates pequeños
2 cebollas
2 hojas de laurel
1 vasito de aceite
6 cucharadas de sal gruesa
1 vaso de agua

Se escaman las sardinas, se limpian y se les quita la cabeza, y se dejan en sal gruesa durante una hora. Se cortan en rodajas las patatas, los tomates, y las cebollas y se colocan en una tartera que contenga el aceite. Se les echa el pimiento, el agua y las hojas de laurel. Se tapa y se deja cocer a fuego lento una media hora. Cuando esté todo tierno, se cogen las sardinas por la cola, se les sacude la sal y se colocan en la tartera formando una rueda con las colas convergiendo en el centro. Se vuelve a tapar la tartera y se dejan unos cinco o seis minutos hasta que estén cocidas. Si tiene poco líquido se le puede aumentar algo de agua. Se sirven en la misma tartera con dos servilletas alrededor anudadas en las asas.

336.   «Sardiñas da festa»

Ingredientes:

1 ¹/₂ kilos de sardinas
4 cebollas muy picadas
100 gramos de jamón picado
1 cucharada de perejil
1 vaso de aceite
2 dientes de ajo
1 cucharada de pimentón dulce
1 paquetito de azafrán
(1 cucharilla)
2 cucharadas de salsa de tomate
4 cucharadas de caldo o agua
4 cucharadas de vino blanco

Se limpian las sardinas y se les quita la espina. En una sartén con aceite se pone a dorar la cebolla muy picada. Se le agrega luego el tomate, el perejil picado y se le dan unas vueltas pero sin que lleguen a freírse demasiado.

Se rellenan con este picadillo las sardinas y se envuelven de la cola a la cabeza y se colocan en una cazuela de barro con la doblez para abajo.

En una sarten se pone a calentar un poco de aceite, se le echan los ajos y se sacan en cuanto estén dorados. Se le agrega entonces dos cucharadas de cebolla picada y así que esté estofada se retira del fuego y se le añade el pimentón, el azafrán y el vino blanco, la salsa de tomate y el caldo. Se vierte este rustrido sobre las sardinas y se dejan hervir a fuego lento hasta que estén cocidas.

337. «Sardiñas lañadas»

Ingredientes:

2 kilos de sardinas
1 kilo de sal gruesa

Se lavan las sardinas y se le quita la cabeza y las tripas. Se llena de sal el interior y se colocan en una fuente con sal por debajo y por encima. Pueden dejarse así varios días. Si las vamos a utilizar de un día para otro basta con quitarles la sal, lavarlas y ponerlas a cocer.

Si llevan varios días lañadas hemos de ponerlas a remojo el día anterior para que pierdan la sal.

De esta misma forma pueden prepararse los jureles, las «xardas» o los mujeles.

Se sirven con patatas cocidas con las mismas sardinas o con cachelos.

338. «Sardiñas lañadas con verdura»

Ingredientes:

24 sardinas lañadas
1/2 kilo de patatas
1 kilo de verdura (berza, grelos o repollo)
1 vaso de aceite
5 dientes de ajo
1 cucharada de pimentón
Limón o vinagre
Agua

Las patatas se mondan y cortan en rodajas gruesas. Se ponen a cocer con la verdura lavada y cortada, pero no muy menuda, y con poca agua.

Las sardinas «salpresas» de dos o tres días (puestas en sal gorda ya limpias y sin cabeza) se lavan y cuando están casi cocidas las verduras y las patatas se colocan encima y se dejan cocer unos minutos. Se les escurre el agua y se les vierte por encima una ajada hecha con el aceite, los ajos, el pimentón y limón o vinagre. Se deja reposar tapado unos minutos y se sirve en la misma cazuela adornada con servilletas, o en fuente con la verdura en el centro y alrededor las patatas y las sardinas.

339. «Sardiñas recheas ao forno»

Ingredientes:

1 1/2 kilos de sardinas
4 cebollas muy picadas

Las sardinas se limpian, se les quita la espina y se salan.

En una sartén se dora la cebolla, los pimientos, se les agrega luego el perejil, el orégano, el huevo duro picado y el

3 pimientos picados
1 huevo duro
4 cucharadas de pan rallado
1/4 litro de aceite
2 cucharadas de perejil picado
1 cucharilla de orégano
Sal

pan rallado. Se sazona de sal. Con una cucharada de esta mezcla se rellenan las sardinas y se enrollan de la cabeza a la cola. Se colocan en una fuente de horno y sobre ellos una capa de picadillo y otra de sardinas y por último otra de picadillo. Se meten al horno hasta que estén bien doradas.

340. Sollas fritas

Ingredientes:

6 sollas de tamaño mediano
1 plato con harina (mejor de maíz)
1 cucharada de unto
Aceite para freír
Limón

Las sollas se raspan con un cuchillo y se les quitan las tripas, se lavan, se secan con un paño o se dejan escurrir bien. Se rebozan en harina de maíz y se fríen en aceite muy caliente con una cucharada de unto. Se rocían de zumo de limón al retirarlas de la sartén y se sirven con una rodaja de limón sobre el lomo.

NOTA: La solla es un pescado de las Rías Bajas, plano, de piel oscura, de aspecto semejante al rodaballo pequeño, con una carne blanda muy sabrosa. Si son grandes puede ponerse al horno.

341. Truchas al horno

Ingredientes:

1 1/2 kilos de truchas
(ó 6 piezas)
1/2 kilo de patatas
2 cebollas
1 papel de azafrán
2 cucharadas de agua
1 vaso de aceite
1 limón

Pelar las patatas y cortarlas en rodajas muy finas.
Limpiar las truchas.
Hacer un sofrito con el aceite y las cebollas.
Colocar la mitad en la fuente del horno y encima las patatas, y sobre éstas las truchas.
Salar y verter la otra mitad del rustrido y el azafrán disuelto en el agua, rociar con el zumo de limón. Meter a horno fuerte una media hora, de vez en cuando con la ayuda de una cuchara rociar las truchas con la salsa para que no se queden secas.
Servir en la misma fuente de horno adornándolas con perejil.

342. Truchas fritas

Ingredientes:

*12 truchas medianas ó 24
pequeñas
12 cucharadas de harina
de maíz
Unto[1] para freír
Ensalada de lechuga*

Se limpian las truchas, se lava y se rebozan en harina de maíz.

En una sartén se pone a derretir el unto y cuando esté bien caliente se fríen en él las truchas.

Deben quedar bien doradas, pero hay que tener cuidado de que no se quemen.

[1] El unto es la grasa de cerdo metida en tripa y curada al estilo de Galicia.

343. «Xoubas guisadas»

Ingredientes:

*200 gramos de patatas
1 kilo de «xoubas»
2 cebollas
1 pimiento rojo picadito
2 tomates
2 cucharadas de perejil picado
1 cucharada de pimentón
Sal y pimienta
1 vaso de aceite*

Pelar las patatas y cortarlas en rodajas muy finas.

Pelar la cebolla y trocearla.

Limpiar las xoubas quitándoles la cabeza, la espina y las tripas, lavarlas y dejarlas escurrir.

Echar el aceite en el fondo de la tartera. Colocar una capa de patatas, encima una de cebollas cortadas en rodajas muy finas, un poco de perejil y otro poco de pimiento picado. Espolvorear de pimentón y sal. Cubrir con una capa de xoubas. Colocar una de tomate muy fino y poner sobre esta otra de patatas, repitiendo la sucesión de capas como hicimos anteriormente.

Arrimar al fuego y dejar cocer lentamente hasta que estén blandas las patatas.

Servir en cazuela de barro, o en la misma tartera adornándola con una servilleta.

344. «Xoubiñas» fritas

Ingredientes:

*1 ¹/₂ kilos de «xoubiñas»
(sardinas pequeñas)*

Se escaman las «xoubiñas» y se les quita la tripa. Se salan y se rebozan en harina. Se fríen en aceite muy caliente, colocándolas en la sartén de forma que la cabeza de unas coinci-

100 gramos de harina
Sal y aceite

dan con la cola de otras. Cuando están doradas por un lado se les da la vuelta con la ayuda de una tapadera, como si fuera una tortilla, y se dejan dorar muy bien por el otro lado.

Se sirven muy calientes.

(De esta misma forma se fríen los jurelitos pequeños, los boquerones, los voladores y los anguiluchos.)

carnes

345. Blanquita con manzanas

Ingredientes:

1 kilo de blanquita de ternera
100 gramos de panceta
2 manzanas
1 cebolla
6 dientes de ajo
5 granos de pimienta blanca
1 cucharilla de perejil picado
1 vaso de aceite
1 vaso de vino blanco
Laurel molido, nuez moscada
y sal

Cortar la panceta en tiras y mechar con ellas la carne y salar.

Poner en una tartera el aceite y dorar la blanquita como unos 10 minutos. Añadirle las cebollas peladas y cortadas en 8 trozos, los dientes de ajo pelados y enteros, las manzanas cortadas en 4 trozos y sin los corazones, el perejil, el vino blanco y la pimienta. Espolvorear de nuez moscada y laurel. Dejar cocer a fuego lento una hora (media en la olla exprés).

Pasar la salsa por el colador chino o triturarla con la batidora.

Cortar en lonchas y servir con guarnición de patatas fritas con la salsa aparte.

346. Cabeza de cerdo

Ingredientes:

1/2 cabeza de cerdo
1 codillo de jamón
1 oreja
1 lengua
2 zanahorias
1 cebolla
2 ramas de perejil
3 clavos de especia
1 vasito de jerez
Nuez moscada, pimienta
Agua

Dejar a remojo el codillo de jamón un día entero.

Escaldar en agua hirviendo la lengua, la oreja y la media cabeza de cerdo (si alguna está conservada en sal hay que ponerla también a remojo). Limpiarlas muy bien raspándolas con un cuchillo. En olla grande con abundante agua ponerlas a cocer con el codillo, la cebolla partida en dos trozos y con los clavos pinchados, las zanahorias raspadas y en trozos grandes, y el perejil. Cuando la carne esté tierna y se separe con facilidad del hueso, se retira, se escurre y se deshuesa y se pica con la media luna. Se coloca la carne picada en una cazuela, se rocía con el vino de jerez y se acerca al fuego, se sazona de pimienta, nuez moscada y sal si es necesaria, se mezcla bien y se pasa a un escurridor de verduras, se tapa y se coloca algo de peso encima y se deja escurrir completamente. Luego se pone en sitio fresco o en el frigorífico. Ya fría se desmolda y se pasa a una fuente redonda. Cortándola como fiambre a medida que se necesita.

347. Cabrito en leche

Ingredientes:

1 ¹/₂ kilos de cabrito (puede ser paletilla)
¹/₂ litro de leche
12 cebollitas pequeñas
18 patatas nuevas
150 gramos de manteca de cerdo o aceite
1 hoja de laurel
1 rama de perejil
1 ramita de tomillo
Sal y pimienta
9 costrones de pan frito

Se corta el cabrito en trozos regulares y se saltea en una sartén con la manteca o el aceite. Cuando estén dorados se retiran y se colocan en una tartera.

En la sartén se rehogan las cebollitas enteras y a continuación las patatas después de haberlas pelado o raspado, se pasan las dos cosas para la cazuela con la carne. Se cubre todo con la leche, se le pone el laurel, el perejil y el tomillo. Se sazona de sal y pimienta y se deja cocer una hora aproximadamente, hasta que esté tierno.

Se sirve caliente, cubierto por la salsa (que si queda muy suelta se puede espesar con una cucharilla de fécula de patata) y adornado con costrones de pan frito.

348. Cabrito en tartera

Ingredientes:

¹/₂ cabrito
1 cebolla grande
1 limón
1 vaso de vino tostado del Ribeiro
1 vaso de vinagre
2 cucharadas de agua
1 ramo de perejil
1 cabeza de ajos
Miga de pan
Aceite
Sal

Limpiar y trocear el cabrito.

Machacar en el mortero los ajos y un buen manojo de perejil.

En una tartera poner el vinagre, el agua y la miga de pan. Añadirle el ajo, el perejil y la sal. Adobar con esta mezcla el cabrito y dejarlo hasta el día siguiente.

Sacudir el adobo. Dorar el cabrito en una sartén con aceite y retirar los trozos una vez dorados a una tartera. Colar el aceite sobrante y echarlo sobre la carne (si resulta poco, añadirle más aceite frito).

Poner la cebolla partida en seis cascos intercalada entre el cabrito, con unas ramitas de perejil. Añadir el vino tostado y dejar cocer a fuego lento. Cuando esté blando retirar los trozos de carne a una besuguera o fuente refractaria, rociarlos de zumo de limón, volver a colar la salsa y vertérsela por encima. Meter a horno moderado para que se dore.

Se sirve en fuente adornada con patatas fritas y pimientos morrones.

349. Capón asado

Ingredientes:

1 capón
100 gramos de manteca
de cerdo
4 dientes de ajo
2 limones (zumo)
2 manzanas peladas
12 ciruelas pasas
12 castañas peladas
1 vasito de coñac
500 gramos de puré de castañas
1 vaso de nata
Sal

Se limpia el capón y se adoba con los ajos picados, la sal y el zumo de un limón.

Se rellena con las manzanas, las ciruelas pasas y las castañas (su número depende del tamaño del capón).

Se unta de manteca de cerdo y se le colocan encima trocitos de su propia grasa, y se mete a horno fuerte.

Hay que darle vueltas para que se dore por todos los lados.

Cuando esté casi hecho se rocía con el coñac y el zumo del otro limón.

En una cazuela colocamos el puré de castañas al baño maría, lo batimos con batidor por espacio de unos diez minutos y le incorporamos la nata.

Servimos el capón adornado con el puré.

Si se quiere conseguir el puré con costra, en lugar de añadirle la nata le incorporamos dos cucharadas de manteca de vaca, lo ponemos en una fuente refractaria y lo colocamos en la parte superior del horno para que se dore.

350. Capón al espeto

Ingredientes:

1 capón
1 vasito de vinagre
2 limones (zumo)
1 vaso de agua
500 gramos de castañas
Agua para cocerlas
1 rama de hinojo
Sal de apio
Sal

Se limpia el capón, se espeta y se coloca sobre brasa; se le da vueltas hasta que empiece a levantar ampollas.

Se mezcla medio vaso de agua, el vinagre, sal y sal de apio y con ayuda de un pincel o una ramita se unta el capón y se sigue dando vueltas.

Cuando esté seco se vuelve a humedecer con el otro medio vaso de agua mezclado en el zumo de limón y así varias veces hasta que esté tierno.

Se mondan las castañas y se cuecen con la rama de hinojo y se sirven acompañando al capón.

351. Carne de vaca asada

Ingredientes:

1 ¹/₄ kilo de carne en un solo trozo
5 dientes de ajo
3 cebollas medianas
1 manojo de perejil
1 vaso de vino blanco
100 gramos de manteca de vaca

Se adoba la carne con dos dientes de ajo machacados en el mortero con la sal. En cazuela se pone a calentar la manteca y se rehoga la carne. Añadiéndole las cebollas partidas en cuatro trozos y los ajos restantes, el perejil y el vino blanco. Se deja cocer a fuego lento. Si es necesario se le añade un poco de agua fría.

Se sirve partida en lonchas y acompañada de ensalada de lechuga con la salsa aparte.

352. Cerdo con pimientos

Ingredientes:

1 kilo de carne de cerdo
2 pimientos verdes
1 pimiento rojo asado o de lata
1 cebolla
2 dientes de ajo
1 vaso de caldo
1 cucharada de perejil picado
1 cucharada de vinagre
1 ¹/₂ vasos de aceite o manteca de cerdo
Sal y pimienta y harina

La carne se parte en trozos, se sazona de sal y pimienta y se reboza en harina.

En una tartera se rehoga en aceite o manteca de cerdo la cebolla cortada en rodajas. Se retira cuando esté dorada y en el mismo aceite se pasa la carne, se le dan varias vueltas y se le añade media cucharada de harina, la cebolla, los pimientos verdes limpios y partidos en trozos y el caldo.

Se deja cocer a fuego lento una hora. En el mortero se machacan los ajos y el perejil, se deslíen con una cucharada de vinagre y se ponen en el guiso, dejando que prosiga la cocción 15 minutos más.

Se sirve con la salsa y adornado con tiras de pimiento rojo asado o de lata.

353. «Civet» de liebre

Ingredientes:

1 liebre pequeña
250 gramos de manteca de vaca

Despellejar la liebre y recoger con cuidado la sangre en un recipiente añadiéndole unas gotas de vinagre. Trocear la liebre y colocarla en una cazuela de barro.

Picar las zanahorias, la cebolla y los nabos.

100 gramos de manteca
de cerdo
1 cucharada de harina
5 dientes de ajo
1/4 kilo de tocino en lonchas
finas
3 vasos de vino tinto
1 vaso de aceite
2 hojas de laurel
4 clavos de especias
4 granos de pimienta
1 cucharada de perejil picado
2 nabos
2 zanahorias
1 cebolla
12 cebollitas pequeñas
Tomillo, sal, pimienta y vinagre

Cubrir con este picadillo la liebre y añadirle dos vasos de vino tinto, el laurel, el tomillo, los ajos y los clavos. Dejar la cazuela en sitio fresco durante doce horas, para que coja el sabor del adobo.

Poner en una cazuela la manteca de vaca, con la harina y el tocino. Cuando la harina haya tomado color se agregan los trozos de liebre previamente escurridos y secos con un paño, se rehogan y se le añade un vaso de vino tinto, sal, pimienta, clavo, laurel y perejil picado.

Se deja cocer tapada y a fuego lento unas dos horas.

Rehogar las cebollitas en la manteca de cerdo, escurrirlas y colocarlas en la tartera de la liebre. Meterla al horno un cuarto de hora.

Mezclar la sangre con dos cucharadas de salsa e incorporar la liebre antes de servirla.

Puede adornarse la fuente con pan frito.

354. Codornices estofadas

Ingredientes:

9 codornices
2 dientes de ajo
2 zanahorias medianas
2 chirivías
3 cebollas
1 vaso de jerez
1 vaso de aceite
1 vaso de caldo de carne
Pimienta, sal y azafrán

Después de desplumar y limpiar las codornices se colocan en una cazuela, se rocían con el jerez y el aceite y se pone entre ellas las cebollas cortadas en cuatro trozos, las zanahorias y las chirivías. Se sazona de pimienta, azafrán y sal, se deja que cuezan a fuego lento y se le agrega el caldo de carne. Para que queden tiernas la cocción debe durar unas dos horas. Pasado este tiempo se separa de la salsa y ésta se pasa por tamiz o en la batidora y se agrega de nuevo a las codornices. Se vuelven a colocar al fuego y se dejan cocer otros diez minutos.

Se sirve en cazuela de barro adornada con pan frito.

355. Conejo asado

Ingredientes:

1 conejo

Desollar el conejo y limpiarlo.

Machacar en el mortero el ajo, el perejil, la sal y la pi-

5 *dientes de ajo*
2 *cebollas*
2 *clavos de especia*
1 *hoja de laurel*
1 *ramo de perejil*
100 *gramos de manteca*
de cerdo
500 *gramos de patatas*
1 *vasito de vino blanco*
Sal y pimienta

mienta. Untar con este adobo el conejo por dentro y por fuera, colocarlo en una fuente de horno y añadirle la manteca, las cebollas partidas en cuatro trozos, los clavos y el laurel. Cuando esté dorado se rocía con el vino y se colocan alrededor las patatas cortadas en tacos gruesos para que se asen en la misma manteca.

356. Conejo en salsa rubia

Ingredientes:

1 *conejo*
100 *gramos de manteca*
de vaca
3 *cucharadas de harina*
2 *hojas de laurel*
1 *rama de perejil*
1 *ramito de tomillo*
1 *cebolla*
1 *limón (zumo)*
Agua y sal

Desollar el conejo, limpiarlo y partirlo en trozos.

Poner en una cazuela el agua, el laurel, el perejil, el tomillo y la cebolla. Acercarla al fuego y dejar que hierva. Echar entonces el conejo y cuando levante de nuevo el hervor, retirarlo, escurrirlo y reservar el agua.

Rebozar el conejo en harina.

Colocar en una tartera la manteca, arrimarla al fuego y dorar en ella el conejo hasta que tome color.

Añadirle luego un poco del agua que sirvió para cocerlo. Salar y dejarlo a fuego lento hasta que esté tierno.

Si espesa mucho añadirle más agua de la cocción. Rociar con el zumo de un limón antes de servirlo.

357. Conejo encebollado

Ingredientes:

1 *conejo*
1 *botella de vino tinto*
100 *gramos de tocino*
12 *cebolletas*
200 *gramos de manteca*
Un ramillete de perejil,
romero, tomillo, laurel, etc.
Sal y pimienta

Limpiar el conejo, trocearlo y rehogarlo en una cazuela con manteca. Agregar luego el vino tinto, la sal, la pimienta, el tocino cortado en pedacitos y poco después las cebolletas y un ramillete de perejil, romero, tomillo y laurel. Hacer que hierva a buena lumbre. Desengrasar.

Al terminar la cocción retirar el ramillete y espesar la salsa con un poco de harina o maicena.

266

358. Conejo guisado con patatas y guisantes

Ingredientes:

1 conejo
250 gramos de guisantes
500 gramos de patatas
150 gramos de manteca
2 cebollas
2 cucharadas de perejil picado
2 cucharadas de harina
2 tazas de caldo
Sal, pimienta y nuez moscada

Se limpia el conejo y corta en trozos. Se rehoga en la manteca con la cebolla. Se espolvorea la harina y se le añaden las patatas, los guisantes y el caldo.

Se sazonan de sal, pimienta y nuez moscada y se deja que cuezan a fuego lento hasta que se le vaya reduciendo la salsa.

(El conejo ha de ser de granja, no de monte.)

359. Cordero asado

Ingredientes:

$^1/_2$ cordero pequeño
2 limones
200 gramos de grasa de cerdo
Sal

Se adoba de víspera el cordero con una mezcla de sal, zumo de limón y grasa de cerdo.

Se coloca una tartera sobre el fuego con un poco de grasa de cerdo y cuando está bien caliente se pone en ella el cordero y se dora por todos los lados.

Luego se mete a horno moderado y se deja que siga cociendo, hasta que esté tierno. En el momento de servirlo se rocía con el zumo de un limón.

Puede acompañarse con patatas asadas, con castañas cocidas o con lechuga.

360. Cordero «ópazo»

Ingredientes:

$^1/_2$ cordero
Aceite
3 hojas de laurel

En una sartén con aceite se dora el cordero lentamente; una vez dorado añadimos tres hojas de laurel, dos tomates cortados en trozos, un poco de tomillo, una cebolla cortada en trozos, una cabeza de ajo, perejil y sal.

2 tomates
Un poco de tomillo
1 cebolla
1 cabeza de ajo
2 vasos de vino blanco
12 patatas redondas
200 gramos de guisantes
Perejil
Sal

Lo metemos al horno no muy fuerte durante 20 minutos añadiéndole dos vasos de vino blanco a media cocción.

Se saca el cordero para una fuente. La salsa se pasa por un chino. Se doran unas patatas redondas y se dejan cocer en la salsa. Calentamos todo con el cordero y añadimos guisantes previamente cocidos.

361. Costilla de cerdo esparrillada

Ingredientes:

2 kilos de costilla de cerdo
100 gramos de grasa de cerdo
1 limón (zumo)
750 gramos de pimientos de Padrón, fritos
Sal

Se sazona la costilla con sal fina y al cabo de dos horas se unta con la manteca de cerdo y se rocía con el zumo del limón.

Se coloca en la parrilla cuando las brasas no tengan llamas y se dejan dorar hasta que estén muy crocantes por los dos lados.

Se sirve muy caliente.

Puede adornarse la fuente con pimientos de Padrón, fritos.

362. Costillar de cerdo con castañas

Ingredientes:

1 ¹/₂ kilo de costillar de cerdo
750 gramos de castañas
1 vaso de caldo
50 gramos de mantequilla
1 cucharilla de sal
¹/₂ cucharilla de laurel molido
¹/₂ cucharilla de tomillo
¹/₄ cucharilla de pimienta
4 cucharadas de aceite
Agua y sal para cocer
las castañas

Se mezcla el aceite con la sal, el laurel, el tomillo y la pimienta. Con este adobo se unta el costillar de cerdo, y se mete al horno caliente colocando la parrilla sobre la bandeja del horno, en la que echamos el vasito de caldo. Así al asarse el costillar suelta el jugo sobre el caldo y con esta salsa lo rociamos de vez en cuando para que quede jugoso.

Las castañas se pelan y se ponen a cocer en agua hirviendo con sal, una media hora aproximadamente. Hay que procurar que no se deshagan. Se escurren, se las quita la segunda piel y se rehogan en la sartén con la mantequilla o manteca de vaca.

En una fuente colocamos el costillar adornado con las castañas. La salsa se sirve en salsera.

363. Costillas de cerdo a la paisana

Ingredientes:

1 kilo de costillas de cerdo
500 gramos de guisantes
desgranados
500 gramos de patatas
1 hoja de laurel
1 rama de perejil
¹/₄ litro de aceite
2 vasos de caldo
Sal

Se parten las costillas de cerdo en trozos y se fríen en el aceite. Se colocan en una cazuela y se vierte sobre ellas la grasa de freírlas. Se añaden las patatas peladas y cortadas, se rehogan un poco y se cubren con el caldo, se les pone la hoja de laurel y se dejan cocer a fuego lento. A los diez minutos se le agregan los guisantes (si son frescos y duros conviene cocerlos aparte hasta que estén casi tiernos). Y se sala.

Se machaca en el mortero el ajo y el perejil, se deslíe con dos cucharadas de caldo y se deja cocer unos minutos más.

Se sirve muy caliente, en fuente o en cazuela de barro.

364. Chorizos al vino

Ingredientes:

9 chorizos poco curados
³/₄ de litro de vino blanco
del país
12 cachelos (ver la receta)

En una cazuela de barro o en sartén se colocan los chorizos, se cubren con el vino y se dejan cocer a fuego lento pinchándolos de vez en cuando para que suelten la grasa. Cuando estén cocidos y se haya formado una salsa densa, se retiran y se sirven en la misma cazuela acompañados por los cachelos.

365. Chuletas de cabrito a la parrilla

Ingredientes:

18 chuletas de cabrito
100 gramos de manteca de cerdo
Sal y pimienta

Las chuletas se untan con la manteca de cerdo derretida. Se sazona de sal y pimienta y se ponen a asar en parrilla dos o tres minutos de cada lado.

Se sirven acompañados de pimientos de Padrón, fritos.

366. Chuletas de cerdo

Se machaca en el mortero el ajo, el perejil, el orégano y la sal. Con esta mezcla se untan las costilletas y se dejan en adobo hasta que se vayan a freír (con una o dos horas es suficiente). Se rebozan luego en huevo y pan rallado y se fríen en aceite caliente.

Pueden adornarse con patatas fritas y pimientos de Padrón o con una ensalada.

367. Chuletas de cerdo al horno

En el mortero se machacan los ajos, el perejil y la sal. Se le agrega la pimienta, el pimentón y medio vaso de aceite y se impregnan las chuletas.

Se dejan en este adobo durante dos horas y se da vueltas cuatro o cinco veces. Se colocan luego en una fuente refractaria untada con la manteca de cerdo, se vierte sobre ellas el jugo de la maceración y se meten a horno moderado hasta que estén doradas.

Se sirven muy calientes adornadas con puré de patatas.

368. Chuletas de cerdo en papel

Lavar muy bien las setas y picarlas.

En una tarterita se pone la manteca a derretir, se añade la cebolla muy picada y cuando esté dorada se le agregan las setas y unas gotas de zumo de limón. Se saltea unos minutos, se le agrega el perejil, se le da varias vueltas, se le incorpora el jamón y se retira.

En una sartén se pone a calentar el aceite y se doran las chuletas dándoles una vuelta de cada lado.

1 vaso de aceite
6 hojas de papel de aluminio
(o de barba untado de grasa)
Sal y pimienta

Luego se rocían de zumo de limón y se sazonan de sal y pimienta.

En el papel de aluminio cortado al tamaño de la chuleta se extiende una capa de la mezcla de jamón, setas, etc. Se coloca la carne y encima otra capa de la pasta. Se doble el papel, no excesivamente apretado, y se colocan los paquetitos en una fuente y se meten a horno medio unos diez minutos. Se le da la vuelta a las chuletas y se deja otros diez minutos.

Se sirve tal y como salen del horno con el mismo papel, colocada sobre una fuente.

369. Chuletas de cordero fritas

Ingredientes:

18 chuletas de cordero o cabrito
200 gramos de manteca de vaca
5 dientes de ajo
$^1/_2$ limón (zumo)
2 huevos
Nuez moscada, pimienta y sal

Se machacan los ajos y la sal en el mortero, se le agrega el zumo de medio limón, la nuez moscada y la pimienta y con esta mezcla se adoban las chuletas.

Se rebozan en huevo y pan rallado y se fríen en la manteca de vaca muy caliente o en aceite.

Se sirven calientes adornados con lechuga o escarola.

370. Chuletas de corzo

Ingredientes:

6 chuletas de corzo
2 huevos
200 gramos de pan rallado
4 dientes de ajo
Sal

Machacar en el mortero el ajo y la sal. Mazar las chuletas y adobarlas con esta mezcla. Rebozarlas en huevo batido y pan rallado y freírlas en la manteca de cerdo.

371. Chuletas de corzo guisadas

Ingredientes:

6 chuletas de corzo
150 gramos de manteca de cerdo
2 cucharadas de harina
5 dientes de ajo
1 vaso de vino tinto
1 ramita de hinojo
1 vaso de vino tinto aguado

Se machacan en el mortero los ajos y la sal y con esta mezcla se adoban las chuletas después de haberlas mazado, y se rebozan en harina.

En una tartera con la manteca de cerdo se doran las chuletas y luego se le agrega el vino y el hinojo, dejándolas cocer a fuego lento hasta que estén tiernas.

Conviene menear la tartera de vez en cuando para que no se peguen. Si espesa mucho la salsa puede aligerarse con un poco de caldo.

372. Chuletas de jabalí a la parrilla

Ingredientes:

8 chuletas de jabalí
6 dientes de ajo
100 gramos de manteca de cerdo
Sal, pimienta y orégano

Se deja el costillar de jabalí colgado al fresco unas veinticuatro horas. Luego se separan las chuletas y se adoban con los ajos machacados y el orégano. Se derrite la manteca de cerdo, se le mezcla la pimienta y la sal y se untan las chuletas, que se asan en parrilla muy caliente.

Pueden servirse con puré de castañas.

373. Chuletas de ternera asadas

Ingredientes:

6 chuletas de ternera gruesas
100 gramos de grasa de cerdo derretida
500 gramos de patatas fritas
1 lata de pimientos morrones
Sal

Se cortan las chuletas de ternera gruesas, se limpian de la grasa, se mazan y se salan.

Se pasan por la manteca derretida y se colocan sobre la parrilla o la plancha bien caliente.

Se les da la vuelta con pinzas o pala para que no pierdan el jugo.

Se sirven adornadas con patatas fritas y colocándole sobre cada una un pimiento morrón.

374. Chuletas de ternera empanadas

Ingredientes:

6 chuletas de ternera
4 dientes de ajo
1 cucharada de perejil picado
1/2 limón en zumo
1 huevo
100 gramos de pan rallado
Aceite o manteca de cerdo
Sal
Patatas fritas

Se machacan en el mortero los ajos, el perejil y la sal. Se mazan las costilletas y se adoban con este preparado. Se rocían de zumo de limón. Se rebozan en huevo batido y pan rallado y se fríen en manteca de cerdo o en aceite.

Se sirven muy calientes en fuente adornada con patatas fritas.

375. Chuletas de ternera mechadas

Ingredientes:

6 chuletas de ternera gruesas
100 gramos de panceta en tiras
100 gramos de manteca de vaca
Sal y pimienta
Ensalada de lechuga

Se mazan las chuletas y se mechan con las tiras de panceta. Se sazonan de sal y pimienta, se untan de manteca y se asan a fuego vivo en parrilla o en la plancha, sin dejar que se pasen demasiado.

Se sirven acompañados de ensalada de lechuga.

376. Churrasco de cerdo

Ingredientes:

2 kilos de costillas de cerdo
5 dientes de ajo
1 cucharada de pimentón
1 cucharada de perejil picado
1 cucharilla de orégano
1/2 cucharilla de tomillo
1/2 de romero
1/4 cucharilla de laurel molido
1 vaso de aceite
1 copa de coñac
700 gramos de patatas medianas
Sal y pimienta
Cebolla y aceite

Se machacan los ajos con el perejil y la sal. Se le agrega el orégano, el romero, el tomillo, el laurel, la pimienta, el pimentón y el aceite. Con este adobo se impregnan muy bien las costillas de cerdo, y se deja unas horas para que cojan sabor.

Se mete luego a horno fuerte unas dos horas y se le da vueltas de vez en cuando, bañándolas con la salsa que suelta. Cuando ya está bien dorado se rocía con la copa de coñac.

(Es conveniente pedirle al carnicero que la corte por la mitad para que no queden los huesos tan largos.)

Puede servirse con patatas; para ello las mondamos y cortamos en cuatro trozos. Partimos la cebolla en rodajas y las colocamos en una fuente de horno, le echamos un poco de grasa del asado y algo de aceite y dejamos que se doren en el horno.

377. Churrasco de ternera

Ingredientes:

2 kilos de costillas de ternera
6 dientes de ajo
1 vaso de aceite
2 cucharadas de vinagre
3 cucharadas de vino blanco
2 ramas de perejil
1 hoja de laurel
Sal gruesa
Azafrán

Machacar en el mortero la hoja de laurel, los ajos, el perejil y la sal. Añadirle el aceite, el vino blanco y el vinagre y el azafrán y con este adobo untar la costilla de ternera. Dejarlo unas dos horas para que coja el sabor (más tiempo si se quiere más fuerte), colocar la carne en parrilla cerca de las brasas, dejar que se dore, darle la vuelta y subirlo para que termine de asarse. Si se quedan secas, volver a impregnarlas de adobo.

Servir acompañadas de cachelos y pimientos fritos.

378. Estofado

Ingredientes:

750 gramos de carne
1 taza de aceite
1/2 taza de vinagre
1 taza de vino tinto
1 cebolla entera
1 cabeza de ajo
Pimienta, clavo y perejil

Rehogar la carne en el aceite dejando que se dore por todos los lados. Añadir luego la cebolla y los ajos pelados, una rama de perejil y el laurel, el vino, el vinagre y cinco granos de pimienta y dos de clavo. Dejar cocer a fuego lento.

Puede servirse con puré de patatas.

379. Falda de ternera guisada

Ingredientes:

1 1/4 kilos de falda de ternera
5 cucharadas de aceite
4 cucharadas de cebolla picada
2 cucharadas de perejil picado
2 tomates medianos
3 dientes de ajo
1 1/2 vasos de vino blanco
1 vaso de caldo o agua
1 hoja de laurel
Sal, pimienta, nuez moscada y azafrán

Se cortan seis filetes gruesos de la falda de ternera.

Se pone el aceite a calentar en una cazuela y cuando esté a punto se doran los trozos de carne y se reservan en una fuente. Luego se rehoga en este mismo aceite la cebolla picada.

Se vuelve a poner la carne en la tartera y se le agregan los tomates pelados, sin semillas y cortados en trozos, el perejil machacado en el mortero con la sal y los ajos, el laurel, la pimienta, la nuez moscada y el azafrán disuelto en el caldo o el agua y se rocía con el vino blanco. Se mueve y se tapa;

cuando rompa a hervir se baja el fuego para que siga cociendo despacio durante una hora.

Se puede servir con patatas fritas o añadirle, cuando la carne esté casi tierna, patatas cortadas en forma de dados o patatitas nuevas pequeñas y dejar que se guisen con la carne.

380. Filetes a la carbonera

Ingredientes:

1 kilo de filetes
100 gramos de harina
1 cebolla
2 dientes de ajo
1 cucharada de perejil
2 yemas de huevo
1 vaso de caldo
1 vaso de vino blanco
1 cucharada de pimentón
1/4 litro de aceite o manteca
Sal, pimienta y azafrán

En el mortero machacamos los ajos, con el perejil, la sal y el pimentón y con esto adobamos los filetes y los envolvemos luego en harina.

En una tartera ponemos el aceite o la manteca de cerdo, freímos en él la cebolla muy picada y dejamos que se dore. Colocamos luego los filetes de manera que ocupen el fondo y procuramos que se vayan haciendo a fuego lento.

Meneamos un poco la tartera, para que vaya tomando consistencia la salsa. Le agregamos luego el caldo en el que hemos disuelto el azafrán y el vaso de vino y dejamos que siga cociendo con la tartera tapada. Hay que moverla de vez en cuando para que no se peguen. Una vez que estén casi tiernos, separamos un poco de salsa, agregamos las yemas y volvemos a incorporar la mezcla a la tartera. Si espesa mucho se le puede añadir un poco más de agua o caldo.

Se sirven en fuente honda cubierta por la salsa y adornados con puré de patatas.

381. Filetes de vaca a la parrilla

Ingredientes:

6 filetes de vaca cortados gruesos
100 gramos de manteca de vaca
1 limón
Sal

Se untan los filetes con manteca y se ponen a asar en la parrilla muy caliente. Hasta que estén dorados por uno de los lados no se les da vuelta. Hay que tener en cuenta que no se deben pinchar para que la carne conserve todo su jugo y no pierda las propiedades nutritivas. Para darles la vuelta debemos utilizar pinzas o pala. Cuando la carne esté asada se le pone la sal y se rocía con zumo de limón.

Se colocan en fuente adornada con ensalada de tomate.

382. Fritos de sesos

Ingredientes:

*1 ¼ kilos de sesos de ternera o 3
sesos de cordero
1 hoja de laurel
1 clavo
3 granos de pimienta
1 ramita de perejil
1 vaso de vinagre
Agua y sal*

Para la pasta:

*2 huevos
1 ½ vasos de leche
8 cucharadas de harina
¾ de litro de aceite para freír
Pimienta, sal*

Se lavan los sesos al chorro de agua fría con cuidado para que no se estropeen. Cuando ya no suelten sangre se retiran.

Se ponen en un recipiente con agua fría y el vinagre de modo que los cubra el líquido, y se dejan a remojo durante un cuarto de hora. Se limpian quitándoles la sangre, las venitas, y la telilla que los cubre.

En una cazuela con agua fría se echa el laurel, el clavo, la pimienta, el perejil y la sal. Se coloca en ella los sesos y se arriman al fuego dejándolos cocer unos 15 minutos.

Se escurren y se parten en trocitos, se envuelven en la pasta y se fríen en abundante aceite caliente.

Para preparar la pasta separamos las claras de las yemas de los huevos.

Mezclamos las yemas con la harina, le vamos incorporando la leche, lo sazonamos de sal y pimienta y cuando vayamos a freírlos le añadimos las claras batidas a punto de nieve.

Se sirve adornados de lechuga o acompañados con salsa de tomate.

383. Gallina a la sal

Ingredientes:

1 gallina
2 kilos de sal gruesa
Cachelos
Pimientos fritos

Después de bien desplumada y limpia la gallina se coloca en una fuente refractaria sobre sal gruesa y se cubre totalmente con ella. Se mete a horno medio fuerte durante una hora aproximadamente (depende del tamaño y lo tierna que sea la gallina).

Luego se retira del horno y una vez separada toda la sal, se sirve acompañada de cachelos y pimientos fritos.

384. Gallina en pepitoria

Ingredientes:

1 gallina
1 cebolla
2 dientes de ajo
8 almendras
10 piñones
2 cucharadas de harina
2 yemas de huevo cocidas
100 gramos de manteca de cerdo
4 granos de pimienta
1 clavo de olor
1 paquete de azafrán
1 cucharada de perejil picado
Sal

Después de limpia y flameada la gallina se parte en trozos, y se adoba con los ajos machacados, dejándola un rato para que coja sabor.

Se pone a calentar la manteca y se rehoga la gallina y se le añade la cebolla y el perejil picados. Cuando esté dorada se le agrega la harina, y luego el vino blanco y un poco de agua o caldo en el que se ha desleído el azafrán de manera que quede cubierta la gallina.

Se sazona con pimienta y clavo, y se deja cocer lentamente, y se le incorporan los piñones, las almendras y los huevos machacados en el mortero.

Se sirve con la salsa y acompañada de rodajas de pan frito.

385. Gallo al vino tinto

Ingredientes:

1 gallo
1/4 litro de aceite
1/2 litro de vino tinto
2 cebollas
2 dientes de ajo

Desplumar el gallo, limpiarlo, flamearlo y cortarlo en trozos.

Poner en una cazuela el aceite, dejarlo calentar y dorar el gallo. Añadirle las cebollas cortadas y cuando hayan tomado color espolvorearlo con la harina. Rociar con el vino y el coñac y sazonar de sal y pimienta.

1 ramito de perejil
1 hoja de laurel
4 granos de pimienta
1 copita de coñac
1 cucharada de harina
Tomillo, romero y sal

En un mortero machacar los ajos, el perejil, el tomillo y el romero, desleír en un poco de agua o caldo y añadirlo al guiso dejando que cueza lentamente hasta que el gallo esté tierno.

386. Guisado de aldea

Ingredientes:

1 kilo de carne de vaca o cerdo
2 cebollas
3 dientes de ajo
1 cucharada de perejil picado
4 cucharadas de manteca de cerdo
1 vasito de agua o caldo
1 paquete de azafrán
Sal y especias

Cortar la carne en trozos y rehogarla en la manteca de cerdo. Añadirle perejil, cebolla y ajo, todo muy picado. Cuando esté a medio cocer sazonar con sal y especias, y añadirle el azafrán disuelto en un vasito de agua o caldo.

Como especias suele utilizarse una mezcla de pimienta y clavo molidos que ya venden preparada.

387. Guiso de carne al estilo de las tabernas

Ingredientes:

1 kilo de carne de ternera o cerdo
1 ¹/₂ vasos de caldo o agua
2 cucharadas de cebolla picada
1 cucharada de perejil picado
2 dientes de ajo
2 cucharadas de pimentón
2 guindillas
3 granos de pimienta
Miga de pan (un panecillo)
500 gramos de patatas
100 gramos de manteca de vaca o aceite
Nuez moscada, sal, comino

Se corta la carne en trozos y se rehoga en la tartera en dos cucharadas de manteca. Cuando esté dorada se le agrega el caldo y se deja cocer.

En la manteca se fríe la cebolla picada muy menuda, el perejil, los ajos aplastados, con el mango de un cuchillo para que den más sabor y el pimentón.

Se machaca en el mortero la miga de pan, se le añade el rustrido y se vuelca en la tartera de la carne.

Se sazona con las guindillas, la pimienta, la nuez moscada y una pizca de comino. Cuando esté la carne casi cocida se le agregan las patatas, y se deja cocer hasta que estén tiernas.

Se sirve en la misma tartera adornada con dos servilletas anudadas en las asas.

388. Guiso de costilla

Ingredientes:

1 trozo de costilla de cerdo salada
1 rabo de cerdo
1 taza de habas (judías blancas
1 taza de macarrones cortados
1 taza de patatas peladas y
cortadas
1 cebolla muy picada
1 diente de ajo
1 vasito de aceite
1 cucharilla de pimentón
2 huevos cocidos
Agua

La costilla y el rabo puestos a desalar de víspera se cortan en trozos pequeños. Y se colocan en una tartera con las habas que también quedaron a remojo. Se cubre de agua y se le echa por encima la cebolla picada muy menudita. Se deja cocer una hora o algo más y se le agregan las patatas cortadas finitas o en cuadraditos, y los macarrones. Luego se doran los ajos en el aceite, se retira, se le agrega el pimentón y se vierte esta ajada sobre el guiso dejando que prosiga la cocción hasta que el macarrón esté casi deshecho.

Se sirve en una fuente honda o en cazuela de barro con el huevo duro picado por encima.

389. Hígado de cerdo en salsa verde

Ingredientes:

750 gramos de hígado de cerdo
2 cebollas
1 copa de vino seco de jerez
4 cucharadas de perejil picado
150 gramos de grasa de cerdo
Miga de pan
Sal

Cortar el hígado en forma de tacos gruesos, como de unos dos centímetros.

Picar la cebolla y ponerla a dorar en la grasa de cerdo. Cuando esté tierna añadir el hígado y darle algunas vueltas, hasta que esté cocido. Sazonar de sal y rociar con el jerez dejándolo hervir por espacio de 10 minutos.

Machacar en mortero el perejil y la miga de pan hasta que se forme una pasta. Incorporarla al hígado y servir después de cinco minutos de cocción.

Puede acompañarse con puré de patatas o arroz blanco.

390. Hígado de ternera al albariño

Ingredientes:

850 gramos de hígado de ternera
(un solo trozo de la parte más
gruesa)
150 gramos de tocino

Parte del tocino se trocea en tiras gruesas y con ellas se mecha el hígado, y se deja en adobo con el vino blanco durante todo el día.

El resto del tocino se corta en lonchas y se pone una capa en la tartera, otra de cebolla cortada en rodajas muy finas,

279

1 litro de vino albariño
3 zanahorias
2 cebollas medianas
2 cucharadas de perejil picado
1 vaso de caldo o agua
Pimienta y sal

otra de zanahorias también en rodajas. Se coloca el hígado. Se espolvorea de sal, pimienta y perejil picado y se le pone otra capa de lonchas de tocino muy finitas por encima.

Se baña con un vasito de caldo y dos del vino blanco de la maceración y se mete a horno moderado o se deja a fuego muy lento para que vaya haciéndose poco a poco.

Se le da vueltas alguna que otra vez y al cabo de unos cuarenta minutos, cuando esté tierno, se retira y se trincha en lonchas finas. Se pasa la salsa por el chino o en la batidora y se baña con ella el hígado colocado en una fuente. Puede adornarse con puré de patatas.

391. Hígado encebollado

Ingredientes:

750 gramos de hígado
3 cebollas
3 cucharadas de harina
¹/₄ litro de aceite
1 vaso de vino blanco
Sal y pimienta
Puré de patatas

Trocear el hígado en tacos gruesos. Pasar por harina. Cortar la cebolla en rodajas finas, partirlas en cuatro trozos y ponerla a dorar en el aceite. Cuando esté blanda añadirle el hígado. Sazonar de sal y pimienta.

Moverlo con bastante frecuencia para que no se queme y se cueza por todas partes. Por último, agregarle el vino y dejarlo cocer unos tres minutos.

Colocar en fuente honda adornándolo con puré de patatas.

392. Hígado rebozado

Ingredientes:

12 filetes de hígado (700 gramos)
100 gramos de harina de maíz
2 huevos
¹/₄ litro de aceite
Sal

Salar los filetes y rebozarlos en harina de maíz y en huevo batido.

Freírlos en el aceite caliente. Cuando estén bien dorados de un lado, darles la vuelta, de modo que queden tiernos pero sin que suelten sangre.

Servir en fuente adornada con lechuga y tomate.

393. Jabalí con castañas

Ingredientes:

1 kilo de jabalí
1 kilo de castañas mondadas
2 cebollas
1 litro de vino tinto
3 dientes de ajo
1 rama de hinojo
1 rama de romero
2 hojas de laurel
1 rama de tomillo
1 rama de perejil
4 gramos de pimienta
50 gramos de manteca de vaca
4 clavos
1 cucharada de harina
1 vaso de aceite
Sal

Se corta en trozos la carne de jabalí y se pone en un recipiente con el vino tinto, el ajo, el hinojo, el romero, el laurel, el tomillo, el perejil, la pimienta, el clavo y la sal.

Se deja en este adobo, en un lugar fresco durante 48 horas. El día de la cocción se calienta el aceite en una cazuela de barro y se dora en él la cebolla picada. Se le agregan los trozos de jabalí bien escurridos, se les da varias vueltas, se sazona con sal y pimienta y se le añade la mitad del líquido del adobo dejando que cueza a fuego lento por espacio de tres cuartos de hora. Entonces se echan en la cazuela las castañas mondadas y se deja que siga cociendo durante una hora. Se escurren los trozos de jabalí y las castañas. En un recipiente aparte se espesa la salsa con la harina y la manteca de vaca dejando que cueza unos cinco minutos. Se vierte de nuevo sobre el jabalí colocado en el centro de la cazuela rodeado de las castañas, o bien en fuente previamente calentada.

394. Jamón asado

Ingredientes:

1 jamón fresco entero
8 dientes de ajo
1 cucharada de perejil
1 cucharilla de romero
1 cucharilla de tomillo
1/2 cucharilla de pimienta
5 cucharadas de aceite
1 cucharada de orégano
1/2 cucharilla de laurel molido
2 cucharadas de pimentón
1 vaso de coñac o jerez seco
Sal

Se toma un jamón fresco de unos tres o cuatro kilos y entero se adoba de víspera.

El adobo se prepara machacando los ajos, el perejil y la sal. En el mismo mortero se le agrega el romero, el tomillo, la pimienta, el orégano, el laurel, el pimentón y el aceite. Con este preparado se unta muy bien el jamón con la ayuda del mazo.

Se coloca en la bandeja del horno y se mete a asar durante 3 ó 4 horas. Hay que pincharlo de vez en cuando y darle vueltas, para que se dore bien por todos los lados, y rociarlo con frecuencia con la salsa que va soltando.

Al cabo de unas tres horas se baña con el coñac y se deja en el horno para terminar su cocción.

Con la grasa que suelta se puede hacer una salsa si la colocamos en una cazuela aparte y le agregamos dos cacillos de caldo y una cucharada de maicena.

También puede servirse frío como fiambre.

395. Jamón dulce

Ingredientes:

1 jamón o lacón
1 rama de canela
Agua y vino a partes iguales
Azúcar

Dejar a desalar el jamón en agua fría durante cinco o seis días.

Poner a cocer el jamón en una cacerola grande con agua y vino de modo que lo cubra totalmente.

Si se va consumiendo, añadir solamente vino hasta que esté tierno. Cubrir luego con todo el azúcar, que empape y tostarlo con plancha de hierro caliente.

396. Jamón con guisantes

Ingredientes:

6 lonchas gruesas de jamón
150 gramos de manteca de cerdo derretida
1 kilo de guisantes
2 cebollas
2 cucharadas de harina tostada
1 vaso de vino blanco
12 rodajas de pan frito

Se pelan y cuecen los guisantes en agua con sal y una cucharilla de manteca, o en caldo si se tiene. Se untan de manteca las lonchas de jamón (si es fresco se sazonan de sal y si es curado tienen que haber estado a remojo unas veinticuatro horas), y se asan en la parrilla.

En la manteca sobrante se doran las cebollas muy picadas, se les agrega luego la harina tostada y el vino blanco, y se vierte sobre los guisantes, que han de tener muy poca agua.

Se deja cocer a fuego lento unos diez minutos y se le añade luego el jamón, y así que haya cocido unos minutos más se sirve adornado con rodajas de pan frito.

397. Jamón en dulce deshuesado

Ingredientes:

1 jamón (o un trozo)
2 zanahorias
1 cebolla pequeña
4 dientes de ajo
1 ramita de perejil
1 ramita de romero
1 ramita de tomillo
4 hojas de laurel
4 hojas de hierbabuena

Se toma un jamón, o un trozo, se deshuesa, se pone a remojo en agua durante dos días y se le cambia el agua con frecuencia. Pasado este tiempo se pone a cocer hasta que suelte fácilmente la piel. Se escurre, se quita la piel y se vuelve a cocer en vino blanco con las hierbas, las verduras y las especias y media cucharada de azúcar por kilo de jamón. (El vino debe cubrir por completo el trozo de carne). Se deja cocer hasta que pueda atravesarse fácilmente con una aguja o un alambre fino. (Unas dos horas aproximadamente.)

1 ¹/₂ litros de vino blanco,
aproximadamente
2 clavos de especia
Nuez moscada, pimienta y
azúcar

Al terminar la cocción se escurre y se coloca en un recipiente de forma que la parte de tocino quede pegada a las paredes de la vasija. Se le pone encima una tabla y un peso para que se prense. A las veinticuatro horas se desmolda, se espolvorea de azúcar molido y se tuesta con un hierro o una pala al rojo.

Se sirve partido en lonchas y adornado con huevo hilado.

398. Jamón guisado con patatas

Ingredientes:

750 gramos de jamón fresco o
desalado
500 gramos de patatas
200 gramos de manteca de cerdo
50 gramos de harina de maíz
2 hojas de laurel
1 taza de caldo
Sal, pimienta, tomillo y azafrán

Se trocea el jamón en dados. Se mondan las patatas y se cortan en ruedas gruesas.

En una tartera se pone a dorar la manteca y se le agrega la harina. (Hay que menearla para que no se pegue.) Cuando ha tomado color se sazona de sal, pimienta y tomillo. Se le añaden el jamón, las patatas y el laurel. Se deja cocer a fuego lento y se le va incorporando el caldo, mezclado con el azafrán. Se revuelve el guiso de vez en cuando y si queda muy espeso se le agrega más caldo o agua.

399. Lacón asado

Ingredientes:

1 lacón fresco (sin curar ni
salar)
5 dientes de ajo
1 cucharada de orégano
3 cucharadas de aceite
1 cucharada de pimentón
1 copa de coñac
Castañas o patatas asadas
Sal

Se adoba con dos días de antelación el lacón, con una mezcla de ajos machacados en el mortero, orégano, sal y aceite. Pasado este tiempo se pone a asar a horno, no excesivamente fuerte, dos horas y media o tres, depende de lo grueso que sea el lacón. En el último cuarto de hora se rocía con la copa de coñac, si se quiere, y se sube el fuego para que la parte de la piel quede muy tostada y crocante.

Puede servirse acompañado de castañas asadas, o patatas al horno, que se pueden hacer al mismo tiempo que el lacón. Basta con meterlas al horno media hora antes de retirarlo.

A las castañas hay que hacerles un corte para que no estallen, y las patatas se envuelven en papel de aluminio.

400. Lacón trufado

Ingredientes:

1 lacón
1 lata de trufas
1 copa de vino de Oporto
1 cucharada de vino de Jerez
50 gramos de azúcar
2 huevos duros

Se deja desalar el lacón durante 48 horas, cambiándole varias veces el agua. Se pone a cocer en agua, y una vez cocido y todavía caliente se deshuesa y se corta en lonchas.

Se pican las trufas y el huevo duro, se les añade el oporto, el jerez y el azúcar y se mezcla todo muy bien. Se va extendiendo este preparado sobre las lonchas de jamón colocadas en un paño, se hace un rollo, se ata muy apretado, se le pone un peso encima para prensarlo y se deja durante doce horas como mínimo. Pasado este tiempo se le quita el paño y se corta en lonchas. Se sirve como fiambre adornado con huevo hilado.

401. Lacón trufado, estilo «da miña nai»

Ingredientes:

1 lacón mediano
1 lata de trufas
¹/₄ kilo de carne de ternera
2 huevos
1 copa de jerez seco
2 zanahorias
3 clavos de olor
2 hojas de laurel
1 cebolla
4 granos de pimienta
Pimienta molida
Nuez moscada
2 vasos de vino blanco
Agua
2 paños blancos
Aguja y bramante

El lacón se deja desalar en abundante agua durante cuarenta y ocho horas, cambiándole el agua de vez en cuando. Luego se deshuesa con la ayuda de un cuchillo muy afilado. Se le quita casi todo el magro dejándole solamente una capa como de medio centímetro de grosor. Se corta la mitad del magro en tiritas y se hace lo mismo con la mitad de la carne.

Con la otra mitad se hace un picadillo al que se agregan los dos huevos y el jerez, se amasa y se sazona de pimienta molida y nuez moscada.

Se coloca el lacón con la piel hacia la mesa. Se extiende sobre él una capa del picadillo. Se salpica con trufas cortadas a lo largo en rodajas. Se le incorporan unas tiras de lacón, alternando con otras de ternera y alguna trufa. Se cubre con el picadillo. Se enrolla y se cose con una aguja de coser lana y un bramante fino. Se envuelve en un paño blanco y éste también se cose muy apretado.

En una olla se ponen la cebolla con los clavos pinchados, la pimienta en grano, las zanahorias mondadas y el laurel, el vino y abundante agua. Se deja cocer el lacón durante tres horas.

Se retira y una vez frío se le cambia el paño para quitarle la grasa y se prensa durante doce horas.

Se sirve cortado en lonchas finas adornado con lechuga y tomate.

402. Lengua en pepitoria

Ingredientes:

1 lengua de ternera ó 2 de cerdo
4 yemas de huevo
1 cucharada de perejil picado
3 zanahorias cocidas
1 rebanada de pan frito
1 cebolla picada
1 vaso de vino blanco
1 vaso de caldo de cocer la lengua
100 gramos de manteca de cerdo o aceite
Sal, pimienta y nuez moscada

Se cuece la lengua en abundante agua con poca sal durante dos horas. Se escurre y mientras está todavía caliente se le quita la piel, los huesecitos y los pequeños cartílagos que se encuentran en la parte más grasa.

Se rehoga la cebolla muy picada en la manteca de cerdo y se machaca en el mortero o se tritura en la picadora con las yemas de huevo cocidas, las zanahorias cocidas y la rebanada de pan frito. Se le agrega luego el vino blanco y el caldo de la cocción.

Se parte la lengua en lonchas, se coloca en la cazuela y se vierte sobre ella esta pasta haciendo que cueza a fuego lento durante un cuarto de hora. Si la salsa queda muy espesa se le puede aumentar caldo y vino a partes iguales.

Se sirve muy caliente cubierta por la salsa.

403. Lengua estofada

Ingredientes:

1 lengua de 1 ¹/₂ kilos de ternera o de vaca
2 dientes de ajo
4 cebollas pequeñas
1 vaso de vino blanco
2 vasos de caldo de cocer la lengua
1 vaso de aceite
1 rama de perejil
1 cucharilla de pimentón

Se limpia la lengua quitándole los huesos y los nervios, y se deja a remojo en agua fría durante doce horas, se escurre y se cepilla muy bien.

En una cazuela se pone agua en abundancia y cuando rompe a hervir se sumerge la lengua y se deja cocer a borbotones durante 10 minutos. Se retira y se pone debajo del grifo de agua fría; cuando el agua esté renovada y fría se saca la lengua. Con un cuchillo afilado se le quita la piel gruesa y se coloca en una tartera, con los dos dientes de ajo, las cebollas partidas en dos trozos, el vino blanco, dos vasos del caldo de la cocción, el vaso de aceite, las zanahorias peladas y cortadas en rodajas, el perejil, el pimentón, el laurel y el tomillo. Se sazona de sal. Se tapa primero con papel de estraza y luego con la tapadera de la cazuela y se deja cocer a fuego lento durante dos o tres horas hasta que esté tierna. (Depende de la dureza de la lengua.)

Se saca, se trincha y se coloca en la fuente. Se pasa la salsa por el chino o en le batidora y se vierte sobre la lengua. Debe servirse muy caliente.

(También se pueden dejar las cebollas y las zanahorias para adornar la fuente y cubrirla con la salsa sin colar.)

404. Lengua guisada con tomate

Ingredientes:

1 *lengua de ternera o de vaca de 1 ¹/₄ kilos*
2 *cebollas*
750 *gramos de tomates*
100 *gramos de manteca de cerdo*
1 *cucharada de harina*
1 *vaso de vino blanco seco*
1 *cucharada de perejil picado*
1 *rebanada de pan frito*
1 *diente de ajo*
Sal, tomillo, romero y laurel

Para cocer la lengua:
100 *gramos de tocino*
1 *hueso de rodilla*
1 *rama de perejil*
1 *hoja de laurel*
3 *granos de pimienta*
2 *zanahorias*
1 *cebolla*
1 *vaso de vino blanco*
Agua y sal

Se limpia y se pela la lengua después de haberla tenido a remojo. Se coloca en una cazuela, se cubre con agua fría y se pone a cocer junto con el hueso, el tocino, las zanahorias raspadas, la rama de perejil, la pimienta, una hoja de laurel, una cebolla y un vaso de vino blanco. Se sala y se deja cocer durante dos o tres horas (en olla a presión no es necesario pelarla con anterioridad, basta con colocar los ingredientes en el agua y cuando empiece a hervir echar de golpe la lengua, tapar y dejar cocer una hora. Se pela luego).

En manteca de cerdo se doran dos cebollas picadas, se les agrega la harina y se les da unas vueltas. Se le añaden los tomates pelados y limpios de semillas, se machacan con la espátula de palo y se le agrega la sal, el vino blanco, el tomillo, el laurel y el romero. Se deja cocer esta salsa durante un cuarto de hora. Se le añade luego el perejil, el ajo, y la miga de pan machacados en el mortero. Se coloca en la cazuela la lengua cocida cortada en lonchas y se deja que siga cociendo a fuego lento otros 15 minutos.

Se sirve en la salsa y puede acompañarse con arroz blanco o puré de patatas.

405. Lengua mechada

Ingredientes:

1 lengua de ternera o vaca
100 gramos de tocino
100 gramos de jamón
100 gramos de grasa de cerdo
4 zanahorias medianas
2 cebollas
1 cucharada de perejil picado
1 vaso de vino blanco
1 vaso de caldo
1 copa de aguardiente
2 hojas de laurel
1 cucharilla de tomillo molido
4 granos de pimienta
Sal

Se limpia y se pela la lengua como indicamos en la receta de la lengua estofada.

Una vez sin la piel se mecha con el tocino y el jamón cortado en tiras.

Se pica la cebolla y se dora en la manteca de cerdo. Cuando ha tomado color se coloca encima la lengua escurrida de su jugo y las zanahorias cortadas en ruedas gruesas. Se riega con el caldo, el aguardiente y el vino blanco. Se sazona con la sal, el laurel, el tomillo y la pimienta y se deja cocer a fuego lento hasta que esté tierna. (Puede durar la cocción tres horas o más. En olla a presión no llega a una hora).

Para saber si está en su punto se pincha con un alambre fino, que debe entrar fácilmente en la carne.

Se sirve adornada con las zanahorias y acompañada de la salsa.

406. Liebre en salsa verde

Ingredientes:

1/2 liebre (o una pequeña)
1 vaso de vino tinto
Miga de pan
1 vaso de caldo
1 cucharilla de vinagre
5 dientes de ajo
3 cucharadas de perejil picado
1 vaso de aceite
Pimienta

Despellejar la liebre, abrirla y, sin lavarla, recoger la sangre y los hígados y reservarlos. Extraerle con cuidado las tripas; lavarla y trocearla.

Poner el aceite en una tartera y dorar en él la liebre. Cuando esté dorada rociar con el vino y medio vaso de caldo y dejarla cocer a fuego lento una hora y media.

Machacar en el mortero los ajos, el perejil y la sal. Añadirle la miga de pan y medio vaso de caldo. Sazonar de pimienta e incorporar al guiso para que cuezan otra media hora.

Cuando la liebre esté cocida retirar un poco de la salsa, mezclarle los higadillos desmenuzados y la sangre y hacer que cueza un cuarto de hora más antes de servirla.

407. Liebre estofada

Se despelleja la liebre, se limpia y se trocea.

Se machacan en el mortero los ajos y el perejil y se le añade el vinagre, el romero, el tomillo y el pimentón y con este adobo se unta la liebre, se coloca en un recipiente de barro o cristal y se deja unas doce horas, en un sitio fresco, pero no en nevera. Pasado este tiempo se escurre y se envuelve en harina. En una tartera se pone el aceite y en él se dora la cebolla, cuando comience a tomar color se le añade la liebre y se le dan unas vueltas. Luego se le echa el resto del adobo, el vino, el caldo y la sal. Se tapa la tartera con papel de estraza o un paño limpio y se coloca encima la tapadera dejando que cueza a fuego lento hasta que esté tierna. Sobre unas dos horas.

Hay que mover la cazuela de vez en cuando para que no se pegue y tome consistencia la salsa.

408. Lomo de jabalí asado

Se machacan en el mortero los ajos, la sal y el orégano. Se le añade luego el pimentón y el agua y con este adobo se unta el lomo de jabalí, dejándolo cuarenta y ocho horas. Pasado este tiempo se coloca en una fuente de horno y se cubre con la manteca de cerdo, se riega con el resto del adobo y se mete al horno durante hora y media o dos horas.

Se pelan las patatas, se le agregan al asado y se dejan en el horno hasta que estén doradas.

409. Lomo de tenera estilo pazo

Machacar bien los ajos, el pimentón y la sal en un mortero; agregar el jugo de los dos limones y el aceite. En un recipiente, con la manteca, poner el lomo bien untado con la mezcla anteriormente preparada; meter al horno, bien ca-

½ kilo de guisantes hervidos
3 dientes de ajo
2 limones
½ vaso de aceite
Pimentón dulce (una
cucharada de las de café)
50 gramos de grasa de cerdo
1 vaso de vino blanco
Sal

liente, durante 20 minutos e ir rociando con vino blanco, no más de un vaso. Las patatas una vez redondeadas, se echan en una sartén, sin terminar de hacer, agregarlas bien escurridas a la carne y dejar en el horno otros 30 minutos a fuego lento. Añadir, por último, los guisantes.

Dejar reposar unos minutos y servir.

410. Lonchas de jamón en leche

Ingredientes:

6 lonchas de jamón
½ litro de leche
6 cucharadas de aceite
1 cucharada de harina
1 vaso de agua
1 vasito de vino blanco
2 cucharadas de azúcar
6 huevos cocidos
6 rodajas de pan frito

Las lonchas de jamón se ponen en un recipiente cubiertas de leche durante dos o tres horas para que pierdan la sal. Se escurren entonces, se secan y se fríen en el aceite sin dejar que lleguen a dorarse. Se van colocando en una fuente refractaria o en una cazuela de barro, y en el aceite sobrante se dora la harina, se le añade el azúcar, se revuelve bien y se aclara con agua, sin dejar que quede muy espesa.

Se vierte esta salsa sobre el jamón y se deja cocer a fuego lento durante unos diez minutos. Hay que mover la cazuela de vez en cuando para que no se pegue.

Se sirve en el mismo recipiente adornado con los huevos duros partidos a lo largo en cuatro trozos y alternando con las rodajas de pan frito.

411. Manos de ternera estofadas

Ingredientes:

3 manos de ternera
3 cebollas
1 rama de perejil
1 zanahoria
2 granos de pimienta negra
2 hojas de laurel

Después de haberle arrancado las cerdas y de lavarlas, es necesario poner las manos de ternera en remojo durante varias horas antes de proceder a su cocción. Luego se parten con un cuchillo afilado a lo largo y se atan para que no se deshagan. Se ponen al fuego en una cazuela con agua fría, se dejan hervir fuertemente durante cinco minutos, se escurren y se refrescan en agua fría.

2 limones (zumo)
1 corteza de pan
1 cucharada de perejil picado
2 cacillos de caldo de la cocción
100 gramos de manteca de cerdo
100 gramos de harina
2 huevos

Se colocan en una tartera cubiertas por agua fría y se le agrega una cebolla, una ramita de perejil, una zanahoria, dos hojas de laurel y tres granos de pimienta negra. Se dejan cocer a fuego moderado hasta que estén blandas (unas tres horas).

Se escurren, se dejan enfríar, se desatan, se les quitan los huesos, se cortan en trocitos, se rocían con el zumo de limón, se rebozan en harina y huevo batido y se fríen en manteca de cerdo. Luego se escurren y se pasan a una cazuela de barro. En la grasa sobrante se fríen dos cebollas cortadas en rodajas y la corteza de pan. Se machacan en el mortero y se le agrega el perejil picado, un cacillo del caldo de la cocción y la grasa. Se vierte esta pasta sobre las manos y se dejan cocer unos diez minutos antes de servirlas, procurando moverlas de vez en cuando para que no se agarren.

412.   Manos de ternera guisadas

Ingredientes:

1 kilo de manos de ternera
2 cebollas
1 cucharada de pimentón
1 vaso de aceite
2 dientes de ajo
1 cucharada de perejil picado
2 vasos de caldo de la cocción
Pimienta, cominos y sal
1 cucharada de pan rallado

Se limpian y cuecen las manos como en la receta anterior. Una vez cocidas y deshuesadas, se cortan en trozos regulares y se colocan en una tartera.

En el aceite se fríen las cebollas picadas y cuando estén doradas se les agrega el pimentón y se vierte todo sobre las manos de ternera.

En el mortero se machacan el ajo y el perejil, se le agrega el pan rallado y un poco de caldo y se incorpora al guiso. Se sazona con sal, pimienta, cominos en abundancia y se rocía con el caldo, dejando que cueza a fuego lento por espacio de una media hora. Conviene colocar un papel de estraza o un paño antes que la tapadera.

Se sirven muy calientes en su misma salsa.

413. Mollejas mechadas

Ingredientes:

1 ¹/₄ kilos de mollejas de ternera
100 gramos de tocino de hebra
100 gramos de manteca de cerdo
1 litro de caldo
1 cucharada de harina
1 copa de jerez
1 cebolla picada
1 cucharada de perejil picado
3 cucharadas de zumo de limón
Sal y pimienta

Se ponen a remojo las mollejas en abundante agua durante cuatro horas y se las cambia el agua tres o cuatro veces. Pasado este tiempo se mechan con el tocino cortado en tiras, se rehogan en la manteca de cerdo y se ponen luego a cocer en el caldo, hasta que estén tiernas.

En la manteca de cerdo en que se frieran se dora una cucharada de harina y así que ha tomado color se le añade la cebolla picada, el jerez, el perejil, un cucharón del caldo de cocer las mollejas y se sazona de sal y pimienta. Se deja cocer unos minutos, se le agregan las mollejas, y se les da un hervor en esta salsa. Se sirven muy calientes.

En el momento de sacarlas a la mesa se rocían con el zumo de limón.

414. Morros de ternera a la gallega

Ingredientes:

1 kilo de morros de ternera
1 cucharada de harina
1 limón (zumo)
50 gramos de manteca de vaca
1 ramita de perejil
1 cucharilla de vinagre
1 hoja de laurel
4 granos de pimienta negra
2 clavos de olor
Tomillo y sal

Para el guiso:

Azafrán, nuez moscada, clavo, cominos, pimienta o pimentón picante
2 cucharones del caldo de la cocción
1 trozo de miga de pan
2 dientes de ajo
1 cebolla
1 cucharada de pimentón

Para cocinar los morros hay que cocerlos previamente. Para ello se raspan muy bien con el cuchillo, se lavan y se ponen en una olla cubiertos con agua fría, cuando rompen a hervir se dejan unos diez minutos y luego se refrescan con agua fría, se frotan con el zumo de limón y se trocean.

En una tartera se pone agua a hervir y se deslíe en ella la harina procurando que no se formen grumos, se le agregan dos clavos de olor, la manteca, el perejil, el vinagre, el laurel, la pimienta en grano, el tomillo y la sal. Cuando rompa a hervir se le incorporan los morros y se dejan cocer durante una hora y media hasta que estén tiernos.

Una vez cocidos se escurren y se ponen en una cazuela de barro. En el mortero se machacan los ajos, la cebolla cocida y el perejil, la miga de pan, el pimentón y un cucharón de caldo de la cocción de los morros.

Se sazona con azafrán, nuez moscada, clavo, abundantes cominos y un poquito de pimienta o pimentón picante. Se vierte la pasta sobre los morros y se dejan cocer una media hora. Si espesan mucho se aligeran con otro cucharón de caldo.

Se sirven muy calientes en la misma cazuela.

415. «Pan de pernil»

Ingredientes:

500 gramos de jamón con tocino
500 gramos de lomo de cerdo
2 cebollas
3 zanahorias
4 clavos de especia
1 rama de perejil
1 lata de trufas
1 copa de jerez
1 taza de caldo de carne
1 cucharada de manteca de cerdo
1 huevo
250 gramos de harina, aproximadamente
Sal y pimienta

En una cazuela se pone a cocer el jamón en agua, en la que hemos echado las zanahorias, el perejil y las cebollas con los clavos pinchados. Se retira del fuego cuando aún esté un poco duro.

La parte magra se corta en lonchas finas y el tocino se pica junto con el lomo de cerdo. Este picadillo se sazona con sal y pimienta y se rocía con el jerez y el líquido de la lata de trufas.

Para hacer la masa ponemos en el caldo de carne la manteca de cerdo, y cuando esté casi fría le vamos incorporando poco a poco la harina y luego el huevo batido sin dejar de amasar hasta que se formen hoyos en la superficie. Se deja reposar y una vez fría se extiende de modo que cubra el molde en el que vamos a hacer el timbal. Se coloca encima una capa de picadillo con trufas intercaladas y se cubre de otra de lonchas de jamón, luego otra de picadillo y trufas y así sucesivamente, hasta que el molde esté lleno. Entonces lo tapamos con masa y se mete al horno. Cuando la masa ha tomado consistencia se retira del molde y se deja que siga cociendo a fuego moderado, hasta que al pincharlo salga limpia la aguja.

Se sirve frío, como fiambre.

416. Pato asado con nabos

Ingredientes:

1 pato
3 cucharadas de manteca de cerdo
1 vaso de vino blanco
1 vaso de aceite
6 nabos
1 cebolla
2 cucharadas de zumo de limón

Desplumar el pato, limpiarlo y flamearlo.

Untarlo con la manteca de cerdo, rociarlo con el limón y ponerlo a asar en una fuente de horno en la que hemos colocado el aceite y la cebolla cortada en cuatro trozos.

Cocer los nabos, trocearlos y pasarlo por la salsa que ha soltado el pato al asarlo. Trocear el pato y colocarlo sobre los nabos, dejarlo cocer un poco y añadirle el vino blanco.

417. Pato guisado

Ingredientes:

1 pato
1 cebolla
1 diente de ajo
1 vaso de vino blanco
3 cucharadas de vinagre
2 hojas de laurel
1 ramito de perejil
1 ramito de romero
1 paquete de azafrán
Aceite, sal y pimienta

Desplumar el pato, vaciarlo y chamuscarlo. Partirlo en trozos. Poner en una cazuela un poco de aceite, pasar la cebolla picada fina y el ajo. Cuando empiece a tomar color añadir los trozos del pato y los menudos, dejar rehogar y ponerle perejil, romero, laurel, el vino, el vinagre y el azafrán disuelto en un poco de agua. Sazonar de sal y pimienta y dejar cocer a fuego lento unas dos horas.

Servir caliente con la salsa pasada por el chino.

418. Pavo a la manteca

Ingredientes:

1 pavo
200 gramos de manteca de vaca
1 cebolla en rodajas
5 granos de pimienta
1 vaso de vino
1 yema de huevo
Aceite para freír y sal

Limpiar el pavo y trocearlo. Freír los pedazos y colocarlos en la cazuela. Añadirle la cebolla en rodajas, la pimienta, el vino y la manteca. Dejar cocer a fuego lento. Cuando esté blando añadirle una yema de huevo batida y menear la cazuela para que espese la salsa.

419. Pavo relleno

Ingredientes:

1 pavo
Aguardiente de caña
100 gramos de manteca de cerdo
300 gramos de lomo de cerdo
200 gramos de jamón
100 gramos de pasas sin rabos
50 gramos de piñones
2 copas de coñac
2 huevos
Pimienta, nuez moscada y sal

Para que la carne del pavo resulte sabrosa es necesario emborracharlo con aguardiente de caña antes de decapitarlo a poder ser de un solo golpe. Luego se escalda en agua caliente, se despluma y se deja colgando toda la noche.

Se abre, se limpia y se flamea.

Con el lomo de cerdo y el jamón se hace un picadillo al que se agregan las pasas y los piñones, se rocía con una copa de coñac, se sazona de sal, pimienta y nuez moscada, se amasa con los huevos y con este amasijo se rellena el pavo y se cose.

Si es viejo puede cocerse antes de asarlo; si no, se unta de manteca y se mete al horno. Hay que procurar que no se queme. (Si se doran demasiado los zancos o las alas podemos cubrirlas con papel de aluminio). Es necesario rociarlo de vez en cuando con la grasa que suelta, y si se queda seco añadirle más manteca o un poco de aceite. Cuando esté casi tierno se rocía con la otra copa de coñac.

Queda más bonito si se sirve entero, pero también podemos cortarlo y dejarle el relleno en el centro.

Le va muy bien el puré de castañas.

420. Pavo relleno de castañas

Ingredientes:

1 pavo de unos 2 ¹/₂ kilos
¹/₂ kilo de castañas
100 gramos de jamón
2 cucharadas de manteca
1 taza de nata cruda y espesa
2 huevos
1 vasito de vino tostado del Ribeiro
100 gramos de manteca de cerdo
¹/₄ litro de caldo o agua
1 copa de coñac
Sal, pimienta y nuez moscada

En una sartén se ponen la manteca y el jamón cortado en dados, saltear y agregarle las castañas asadas, sin tostar demasiado y mondadas, se rocía con vino tostado o jerez y se sazona de sal, pimienta y nuez moscada. Cuando el vino se ha consumido añadirle la nata, dejar cocer un minuto y por último incorporar los huevos batidos como para tortilla y dejar que cuaje un poco.

Con esta mezcla se rellena el pavo previamente limpio y sin los huesos de la pechuga y el esternón. Se cose el orificio por donde se metió el relleno, se sala, se unta de manteca, se coloca de costado en una fuente de horno, y se mete a fuego moderado. A la media hora darle la vuelta y a los veinte minutos ponerlo con la pechuga hacia arriba. Se pincha para ver si está bien asado. Hay que bañarlo de vez en cuando con el jugo que suelta.

Unos minutos antes de sacarlo del horno se rocía con la copa de coñac.

La salsa se aclara con el caldo y se deja hervir unos minutos, luego se cuela.

Se sirve el pavo, si se quiere trinchar, con el relleno en un extremo de la fuente y el jugo del asado en una salsera.

(Esta misma receta sirve para el capón, y se puede rociar durante el asado con zumo de limón.)

421. Pechugas rellenas

Ingredientes:

6 pechugas de gallina
100 gramos de carne de ternera
50 gramos de jamón
3 cucharadas de harina
1 cebolla picada
3 dientes de ajo
1 cucharada de perejil
1 vaso de vino blanco
100 gramos de manteca de vaca
Sal y pimienta

Se separan las pechugas de la gallina y se las despoja de la piel con mucho cuidado para que no se rompa.

Se hace un picadillo con la carne de las pechugas, la ternera y el jamón. Se sazona de sal y pimienta. Se rellena con este picadillo la piel de las pechugas, se cose y se reboza en harina.

Se pone a calentar la manteca y se doran en ella las pechugas. Se retiran y en la grasa se fríe la cebolla picada, el ajo y el perejil. Cuando está blanda la cebolla se le añaden las pechugas, sal, pimienta, el vino blanco y un un poco de caldo o agua y se las deja cocer a fuego lento hasta que estén tiernas.

Se sirven cortadas en lonchas y con la salsa pasada por el chino. Pueden adornarse con patatas fritas o puré.

422. Perdices a la cazadora

Ingredientes:

3 perdices
6 cebollitas
¹/₄ litro de aceite
1 vaso de vino blanco
2 cucharadas de vinagre
1 vaso de caldo
5 granos de pimienta
Laurel, azafrán y sal

Desplumar y flamear las perdices. Lavarlas y secarlas muy bien.

Colocar en una tartera todos los ingredientes, cubrirla con papel de estraza y taparla. Dejar cocer a fuego lento hasta que las perdices estén tiernas.

Servirlas en la misma cazuela o en fuente adornada con patatas fritas.

423. Perdices a la hoja de vid

Ingredientes:

3 perdices
50 gramos de manteca de vaca
¹/₂ limón (zumo)

Desplumar las perdices y limpiarlas. Mezclar la manteca de vaca derretida con la sal y el zumo de limón. Impregnar las perdices con esta mezcla por dentro y por fuera. Envolverlas en hojas de vid y atarlas.

Asarlas al espeto, sobre un brasero de sarmientos; cuando estén quemadas las hojas, retirarlas. Volver a untar las perdices con manteca y dejarlas asar hasta que estén blandas.

Envolver las patatas en papel de aluminio y ponerlas a asar sobre las brasas entre un cuarto de hora y veinte minutos.

Partir en dos las perdices y servirlas adornadas con las patatas. Pueden colocarse sobre una cestilla cubierto el fondo con papel de aluminio.

424. Perdices albardadas

Ingredientes:

3 perdices
5 dientes de ajo
1 cucharilla de pimienta
9 lonchas delgadas de tocino
Sal

Desplumar y limpiar las perdices. Machacar en el mortero los ajos con la sal y la pimienta y adobar con ello las perdices untándolas por dentro y por fuera. Cubrirlas con lonchas de tocino y atarlas. Pincharlas en el asador y hacerlo girar, colocando abundantes brasas si se cocina al aire libre. Si se va a utilizar el horno es mejor calentarlo previamente unos diez minutos.

Cuando el tocino esté bien tostado y las perdices casi tiernas se le quita el tocino y se deja que se doren por todos los lados.

Se sirven sobre un lecho de lechuga acompañadas por las lonchas de tocino.

425. Perdices al chocolate

Ingredientes:

3 perdices
6 cebollas
3 clavos
5 vasitos de vino blanco
2 onzas de chocolate rallado
2 vasos de aceite
Sal

Se doran las perdices en el aceite. Cuando estén casi doradas se le añade el clavo, las cebollas picadas y el vino y el chocolate y se deja que cueza a fuego lento. Moviendo la tartera, de vez en cuando.

Pueden servirse en cazuela de barro.

426. Perdices al espeto

Ingredientes:

3 perdices
150 gramos de jamón con tocino o panceta
3 cucharadas de cebolla picada
1 latita de trufas
12 castañas cocidas y peladas
1 vaso de vino de Jerez
50 gramos de manteca de vaca
100 gramos de manteca de cerdo
1/2 limón (zumo)
Hojas de laurel
Sal

Desplumar las perdices, abrirlas, vaciarlas y lavarlas.

Hacer un picadillo con el jamón y la cebolla, y dorarlo con la manteca de vaca. Añadirle las trufas, las castañas cocidas machacadas y el vino de Jerez. Rellenar con esta pasta las perdices y coserlas.

Derretir la manteca de cerdo, incorporarle el zumo de limón y la sal; y con esta mezcla untar las perdices, atravesarlas con un espeto y colocarlas sobre las brasas, bastante separadas de ellas para que no se quemen. Echar en el brasero una hoja de laurel de vez en cuando para que vaya tomando el sabor y untarlas con la grasa dándoles vueltas sobre las brasas.

427. Perdices con coles

Ingredientes:

3 perdices
100 gramos de manteca de cerdo
2 coles pequeñas
1 vaso de vino blanco
1 cucharada de vinagre
1 cebolla picada
2 cucharadas de perejil picado
1 hoja de laurel
1 rama de tomillo
1 cucharada de harina y sal

Desplumar, chamuscar y limpiar las perdices. Salarlas y dorarlas en la manteca de cerdo. Añadirle la cebolla picada y dejarla ablandar.

Espolvorear con la harina y cubrir hasta la mitad de agua templada o caldo, añadir el laurel, el tomillo, el perejil, el vino blanco y el vinagre. Tapar la cazuela y dejarla cocer a fuego lento una hora y media.

Lavar y picar las coles y ponerlas a cocer en agua hirviendo con sal. Escurrirlas y colocarlas en la tartera de las perdices. Añadirles el perejil picado y dejarlas al fuego unos quince minutos más. Se escurre la col, y se sirven las perdices partidas y con la col alrededor adornando la fuente.

Si la salsa queda demasiado suelta se deja cocer destapada para que se reduzca y se sirve en salsera.

428. Perdices con repollo y ostras

Ingredientes:

2 perdices
2 repollos pequeños blancos
5 dientes de ajo
18 ostras
1 vaso de caldo o agua
1 vaso de aceite
1 vasito de vinagre
1 limón
1 cebolla
2 cucharadas de perejil picado
Sal

Desplumar, flamear y limpiar las perdices.

Abrir las ostras y separarlas de sus conchas.

Frotar las perdices con ajo, salarlas y rellenarlas con las ostras.

Lavar los repollos, abrirlos y colocar en el centro las perdices. Atarlos para que conserven la forma.

Colocar los repollos en una tartera y cubrirlos con caldo, aceite y vinagre a partes iguales.

Añadirle el zumo de limón, la cebolla picada, los ajos, el perejil y la sal.

Dejar cocer a fuego lento hasta que el repollo esté tierno. Desatarlo y servirlo acompañado de la salsa en salsera (si queda suelta puede espesarse con una cucharadita de maicena o harina).

429. Perdices con sardinas

Desplumar, limpiar y flamear las perdices.

Escamar las sardinas, limpiarlas y quitarles la cabeza. Meter una dentro de cada perdiz.

Cubrir de unto las perdices y ponerlas en una cazuela lo suficientemente grande para que quepan las cuatro; arrimar al fuego y darles unas vueltas. Añadirle el aceite para evitar que se quemen, y luego los tomates, sin pieles ni semillas y troceados, el zumo de limón, el perejil, la sal y la pimienta. Dejar cocer a fuego lento. Cuando estén blandas, retirar las sardinas y servir las perdices con la salsa.

430. Perdices en pepitoria

Desplumar y limpiar las perdices. Separar los menudos. Partirlas a la mitad y ponerlas a cocer en agua.

Freír la cebolla picada, el ajo, el perejil y los menudillos, añadirles la harina y machacarlo o pasarlo por la batidora junto con las yemas de huevo.

Cuando las perdices estén tiernas dejarlas muy poca agua e incorporarles la mezcla de la cebolla, los menudillos, etc. Dejar que dé un hervor, sazonar de sal y pimienta y agregarle el vino de Jerez.

Hacer que cueza otros diez minutos y servir muy caliente en cazuela de barro.

431. Perdices escabechadas

Se despluman y limpian las perdices. En una cazuela se pone el aceite a calentar y se rehogan en él las perdices. Una vez doradas se le añade la cebolla en rodajas, el perejil, los ajos, el laurel, los clavos y la pimienta.

1 vaso de vino blanco
4 dientes de ajo
3 hojas de laurel
2 clavos de especia
1 cebolla
5 granos de pimienta
1 rama de perejil
Sal

Se le da unas vueltas y se le agrega el vino y el vinagre dejándolas cocer en fuego lento una hora y media aproximadamente, hasta que estén tiernas. Se ponen a enfriar y se meten en un frasco de cristal y se le echa una cucharada de aceite encima para que impida la entrada del aire y se conserven mejor.

Para servirlas se trinchan en dos, se pasa la salsa por el chino y se les echa encima. Deben comerse frías.

432. Perdices estofadas

Ingredientes:

3 perdices
1 vaso de vino blanco
1 vaso de aceite
1 cebolla grande picada
2 dientes de ajo
4 granos de pimienta
1 cucharilla, de las de café, de orégano
2 ralladuras de nuez moscada
1 cucharilla de pimentón
1 rebanada de pan frito
1 cucharada de vinagre
Sal

Desplumar, flamear y limpiar las perdices.

Machacar en un mortero el ajo, la sal, el orégano y añadir una cucharada de aceite, untar con esta mezcla las perdices. Colocarlas en una cazuela y añadir en crudo el aceite, la cebolla picada, la pimienta y la nuez moscada. Dejar que tomen color, incorporar entonces el vino blanco, el pimentón y la rebanada de pan frito machacada en el mortero con el vinagre, y dejar que cuezan a fuego lento, en la tartera tapada con papel de estraza, durante una hora hasta que estén tiernas.

Para servirlas, trincharlas en dos partes y colocarlas en la fuente cubiertas por la salsa previamente pasada por el chino.

433. Perdices trufadas

Ingredientes:

3 perdices
200 gramos de jamón
200 gramos de lomo de cerdo
200 gramos de tocino fresco
1 copa de jerez seco
1 hueso de caña
1 mano de ternera

Desplumar las perdices, chamuscarlas y deshuesarlas dándoles un corte a lo largo del lomo y separando después la carne y la piel de los huesos con un cuchillo muy afilado. Hay que realizar la operación con mucho cuidado para que la piel no se rompa.

Hacer un picadillo con el lomo, el jamón y el tocino, sazonarlo con las especias y amasarlo con el huevo y el jerez.

Ingredientes:

4 zanahorias
2 cebollas
1 ramo de perejil
5 dientes de ajo
6 clavos de especia
5 granos de pimienta
$1/2$ cucharilla de café, de canela
1 cucharilla de café, de pimienta
$1/2$ cucharilla de café de nuez moscada
1 lata de trufas
2 colas de pescado
Hierbabuena, tomillo, laurel y sal

Extender las perdices sobre una mesa, ya desprovistas de los huesos y las entrañas. Cortar unas conchitas de pechugas y separarlas. Proceder a rellenar las perdices con una capa de picadillo, otra de pechuga y otra de trufas.

Y así sucesivamente hasta que no quepa más dentro de la perdiz. Coserlas y envolverlas en paños blancos muy apretados y bien cosidos para que no se suelten.

Colocar en un puchero agua abundante con los menudos y los huesos de las perdices bien lavados, el hueso de caña, la mano de ternera, las zanahorias, cebolla, perejil, ajo, hierbabuena, tomillo, laurel, nuez moscada, canela, clavo, pimienta y mucha sal. Dejar hervir hora y media y retirar las perdices.

Envolverlas en paños y prensarlas durante 24 horas. Dejar cocer el caldo otra hora y media. Incorporarle la cola de pescado mojada en agua, cuando esté templada, y dejar que se solidifique la gelatina.

Servir las perdices adornadas con la gelatina.

434. Picadillo de ternera a la casera

Ingredientes:

500 gramos de ternera (guisada, cocida, etc.)
200 gramos de tocino picado
50 gramos de miga de pan
500 gramos de repollo cocido
1 cebolla picada
3 huevos
Sal, pimienta y pan rallado

Se cuece el repollo y se deja escurrir.

Se pica la ternera y se le añade el tocino picado, la miga de pan, el repollo, la cebolla, la sal y la pimienta y los huevos, se revuelve bien y se echa en una fuente de horno, se rocía con manteca y se espolvorea de queso y pan rallado. Y se mete al horno.

(Es un plato en el que podemos aprovechar la carne que nos ha sobrado de otra comida.)

435. Pichones al espeto

Ingredientes:

6 pichones

Desplumar los pichones, flamearlos y limpiarlos.

Pasarles por la piel un diente de ajo frotándolos con él tres

100 gramos de manteca de vaca
1 diente de ajo
1 kilo de castañas
Sal

o cuatro veces para que cojan sabor. Salarlos y untarlos con la manteca de vaca.

Asar al espeto.

Se pueden servir con castañas cocidas o asadas.

436. Pichones en cazuela

Ingredientes:

6 pichones
6 cebollitas
4 dientes de ajo
6 tomates pequeños
200 gramos de tocino
100 gramos de manteca de cerdo
1 cucharada de perejil picado
3 hojas de laurel
1/4 litro de aceite
1/2 litro de vino blanco
1 cucharilla de canela en polvo
Sal y pimienta

Se despluman y flamean los pichones. Luego se limpian por abajo procurando hacer una abertura pequeña. Se lavan con vino blanco y se sazonan de sal y pimienta. Se rellenan con una cebolleta, un tomate y el hígado del ave, una pizca de canela y una bolita de manteca de cerdo. Se cierra la abertura con un palillo.

En una tartera se pone el aceite y el tocino partido en trocitos pequeños. Se doran los pichones y se les agrega el vino restante, laurel, sal y pimienta y se deja cocer a fuego lento.

En el mortero se machacan los ajos y el perejil, se toma un poquito de salsa de los pichones, se deslíe en ella y se incorpora a la cazuela dejándolos cocer por espacio de una hora.

Se sirven en cazuela de barro acompañados por su salsa y habiéndoles retirado los palillos y el laurel. Pueden adornarse con triángulos de pan frito.

437. Pichones en salsa rubia

Ingredientes:

6 pichones
100 gramos de manteca de cerdo
1 vaso de caldo
1 vaso de vino de Jerez
1 cucharada de cebolla muy picada

Desplumar los pichones, flamearlos, limpiarlos, partirlos al medio y rehogarlos con la manteca de cerdo. Escurrirlos y colocarlos en una tartera con el caldo y el vino de Jerez, cubrir la tartera con papel de estraza o de aluminio, colocar la tapadera y dejar cocer a fuego lento.

En la manteca sobrante dorar la cebolla, e incorporarla a los pichones.

1 rama de perejil
2 cucharadas de harina tostada
(mejor de centeno)
1 huevo cocido
100 gramos de jamón frito muy picado
Pimienta, sal y una pizca de azúcar

Espolvorearlos con la harina tostada para que espese la salsa y echarle la rama de perejil, la sal, la pimienta y una pizca de azúcar (casi nada).

Servir los pichones en cazuela y añadirle el picadillo de jamón frito y huevo picado en el momento de sacarlos a la mesa.

438. Pichones rebozados

Ingredientes:

6 pichones
3 huevos
150 gramos de pan rallado
250 gramos de manteca de cerdo
1 cebolla
2 dientes de ajo
3 zanahorias
4 granos de pimienta
1 hoja de laurel
1 lechuga
Sal

Después de limpiar y preparar los pichones se cuecen en abundante agua con la cebolla, el ajo, las zanahorias, la pimienta, el laurel y la sal.

Una vez cocidos se parten al medio, se dejan escurrir, se rebozan en huevo batido y pan rallado y se fríen en la manteca de cerdo. Cuando estén dorados se retiran y se sirven sobre hojas de lechuga aderezada.

439. Pichones rellenos

Ingredientes:

6 pichones
150 gramos de carne picada
1 cebolla picada
2 cucharadas de perejil
6 dientes de ajo
2 huevos
Miga de pan mojada en leche
200 gramos de manteca de cerdo
1/2 litro de vino blanco
2 hojas de laurel
1 rodaja de pan frito
Nuez moscada, pimienta y sal

Desplumar y flamear los pichones. Limpiarlos por abajo sin abrirlos demasiado. Aclarar el interior con un poco de vino.

Poner en una sartén dos cucharadas de manteca y dorar en ella la cebolla.

Hacer una pasta con la carne picada, la miga de pan mojada en leche, la cebolla dorada y los dos huevos.

Sazonar de sal, pimienta y nuez moscada, rellenar con este amasijo los pichones y sujetar la abertura con un palillo.

Poner a rehogar los pichones en una cazuela con la manteca de cerdo. Dejar que se doren por todos los lados. Incorporarles el vino blanco y dejar cocer a fuego lento.

Machacar en mortero los ajos, el perejil, la rodaja de pan frito y la sal.

Desleírlo en un poco de agua y verterlo sobre los pichones. Dejar que sigan cociendo hasta que estén tiernos.

Servir en cazuela con la salsa.

Pueden adornarse con pan frito.

440.   Pierna de cabrito al horno

Ingredientes:

1 pierna de cabrito (1 ½ ó 2 kilos)
150 gramos de manteca de cera
2 dientes de ajo
1 copa de coñac
1 vaso de agua caliente
Ensalada de lechuga
Sal

Una hora antes de ir a asar el cabrito se frota con los ajos machacados, se sazona de sal y se unta con la manteca de cerdo.

Se deja calentar el horno unos 10 minutos y se mete la pierna colocada en una fuente refractaria o en la bandeja del horno. Se tiene a horno fuerte unos 15 minutos y luego se baja el fuego y se deja a horno moderado hasta que pase media hora.

Se rocía con el coñac y de vez en cuando se le riega con su jugo, hasta que pase una hora o algo más según el grosor y el peso de la pierna, se apaga entonces el horno y se deja en él unos minutos más. Luego se retira, se trincha, se recoge el jugo que suelta y se reserva.

En el recipiente en que se hizo el asado se echa el agua caliente, con cuchara de palo se raspa la grasa del fondo y de los bordes, se pasa a una cazuela, se pone un poco al fuego para que se caliente y se le agrega el jugo que soltó la carne al trincharla y se sirve en salsera.

La pierna se coloca en una fuente alargada, trinchada pero conservando la forma y se adorna con ensalada de lechuga.

441. Pierna de carnero a la orensana

Ingredientes:

1 pierna de carnero
300 gramos de judías
3 zanahorias
2 cebollas pequeñas
1 vaso de caldo desgrasado
100 gramos de mantequilla
Pimienta y sal

Se deshuesa la pierna y se ata con un cordel y se rehoga en la mantequilla hasta que quede bien dorada por todos los lados. Se le añaden entonces la cebolla y las zanahorias cortadas en rodajas. Se sazona de sal y pimienta, se rocía con el caldo dejándola cocer a fuego lento unas cuatro horas.

Mientras tanto se ponen a hervir las judías y después se dejan escurrir. Cuando la pierna ya esté tierna se le agregan, rehogándolas un rato y dejando que se guisen con el jugo de la carne durante una media hora.

Se sirve la pierna adornada con las judías.

442. Pierna de cordero mechada

Ingredientes:

1 pierna de cordero
150 gramos de tocino de hebra
100 gramos de grasa de cerdo
1 limón (zumo)
2 cucharadas de aceite
2 cucharadas de vinagre
3 dientes de ajo
1 cucharilla de tomillo
½ cucharilla de pimienta
Sal

Mechar la pierna de cordero con el tocino de hebra cortado en tiras.

Machacar los ajos y la sal en el mortero, añadirle el tomillo, el vinagre y la pimienta. Impregnar la pierna con esta mezcla y dejarla en adobo unas dos horas. Poner a derretir la manteca de cerdo.

Asar la pierna de cordero en el horno, en cazuela o al espeto, como se prefiera y rociarla de vez en cuando con la manteca. Cuando ya esté tierna regarla con zumo de limón y servirla adornada con lechuga o patatas fritas en dados y pasadas luego por la salsa que soltó el cordero.

443. Pierna de corzo asada

Ingredientes:

1 pierna de corzo

Se adoba la pierna de corzo con el vinagre, los ajos, el laurel y la sal y se deja por la noche al fresco.

Se unta luego con la manteca de cerdo y se pone a asar a

200 gramos de manteca de cerdo
8 dientes de ajo
2 vasos de vinagre
4 hojas de laurel
1 vaso de vino tinto
1 limón (zumo)
Sal, pimienta y clavo

fuego moderado. Cuando esté a media cocción se rocía con una mezcla de vino, zumo de limón, pimienta y clavo. Al final del asado se pone el fuego más fuerte para que se dore.

Se sirve con puré de castañas.

444. Pollo arreglado

Ingredientes:

1 pollo
12 patatas pequeñas
6 cebollitas
4 dientes de ajo
1 rama de perejil
1/4 litro de vino blanco
1 plato con harina
Azafrán, sal y aceite

El pollo una vez bien limpio se trocea, se adoba con los ajos machacados en el mortero con el perejil y la sal. Rebozarlo en harina y freírlo. Cuando esté dorado se retira y se coloca en una tartera. En el mismo aceite dorar las cebollitas enteras y ponerlas en la cazuela con el pollo.

Las patatas peladas enteras se fríen en el aceite sobrante y se retiran. La grasa se vuelca sobre el pollo. Rociarlo con el vino y agregarle el azafrán disuelto en un poquito de agua (con una cucharada vale).

Se acerca la tartera al fuego y se deja cocer lentamente unos diez minutos. Echarle las patatas fritas y dejar que siga cociendo, moviéndolo de vez en cuando para que no se pegue, hasta que esté tierno.

Servir en fuente con las patatas colocadas alrededor, y la salsa por encima.

445. Pollo asado

Ingredientes:

1 pollo
1 copa de coñac
4 cucharadas de manteca de cerdo
2 cucharadas de aceite
Sal, pimienta

Se limpia el pollo y se sazona de sal y pimienta, se le vierte en el interior el aceite y el coñac, y se unta con la manteca de cerdo.

Se coloca en el asador y se le dan vueltas rociándolo de vez en cuando con su salsa.

Se sirve entero y con guarnición de zanahorias y patatas o con ensalada.

446. Pollo asado con chorizo

Ingredientes:

1 pollo
300 gramos de patatas
1 cebolla
1 chorizo
2 cucharadas de manteca de cerdo
1 vasito de aceite
Sal

Limpiar el pollo y salarlo. Meterle dentro el chorizo entero y untarlo con la manteca de cerdo. Colocarlo en fuente de horno con las patatas peladas y cortadas en dados grandes. Cortar la cebolla en ocho trozos y ponerla entre las patatas, y rociar de aceite.

Meter al horno fuerte hasta que esté bien dorado el pollo.

Servir sin trinchar el pollo en el centro de la fuente adornado con las patatas y trozos de chorizo.

447. Pollo asado con manzanas

Ingredientes:

1 pollo
2 manzanas
2 dientes de ajo
4 cucharadas de manteca de cerdo
Perejil y sal

Se limpia el pollo y se adoba con el perejil, los ajos y la sal machacados en el mortero. Se cubre de manteca. Se le meten dentro las dos manzanas y se pone a horno moderado o encima de la chapa de la cocina en tartera de hierro tapada. Hay que darle vueltas de vez en cuando para que no se queme.

Se sirve acompañado de patatas o ensalada.

(Puede sustituirse la manteca por mantequilla, aceite o margarina.)

448. Pollo estofado

Ingredientes:

1 pollo
2 cebollas
4 dientes de ajo
2 zanahorias
2 cucharadas de vinagre
Miga de pan
1/4 litro de aceite
2 hojas de laurel
1 rama de perejil
4 granos de pimienta
Sal, tomillo y azafrán

Limpiar y trocear el pollo y ponerlo a dorar en el aceite. Añadirle la cebolla, los ajos y las zanahorias picadas. Rehogar y sazonar con sal, pimienta, laurel, tomillo y perejil. Añadir la miga de pan mojada con el vinagre y el azafrán disuelto en un poco de agua. Dejar cocer a fuego lento.

Puede pasarse la salsa en batidora o por el chino, y servirse en cazuela.

449. Pollo guisado

Ingredientes:

1 pollo
4 patatas medianas
1 cebolla
2 zanahorias
3 dientes de ajo
1 cucharada de perejil picado
1 vaso de vino blanco
1 vaso de aceite
3 granos de pimienta, sal
Aceite para freír las patatas

Limpiar el pollo y trocearlo.

Poner en una tartera el aceite a calentar y rehogar el pollo, cuando esté dorado añadirle la cebolla en trozos grandes, los ajos, la pimienta, las zanahorias cortadas en cuadraditos y el perejil picado. Darle vueltas y sazonarlo de sal incorporándole luego el vino blanco, dejar cocer a fuego lento.

Pelar las patatas y cortarlas en forma de tacos y freírlas.

Servir el pollo en fuente redonda adornado con las patatas fritas.

450. Pollo relleno

Ingredientes:

1 pollo grande
Los menudos del pollo
8 castañas cocidas y peladas
50 gramos de tocino
100 gramos de carne de ternera
50 gramos de jamón
50 gramos de manteca de cerdo
2 cucharadas de cebolla picada
1 cucharada de coñac
1 cucharada de perejil picado
2 dientes de ajo machacados
2 rodajas de pan mojado en leche
2 huevos
2 cacillos de caldo
Nuez moscada, azafrán, pimienta y sal

Flamear y limpiar el pollo.

Picar los menudos, el tocino, la ternera y el jamón. Añadirle las castañas machacadas, la cebolla, el perejil, el pan mojado en leche y los huevos. Formar con todo ello una masa, sazonar con nuez moscada, azafrán, pimienta y sal. Agregarle el coñac y rellenar con el picadillo el pollo y coserlo.

Untar el pollo con ajo machacado, sal y manteca, y ponerlo a asar a fuego vivo. Cuando esté bien dorado añadirle los dos cacillos de caldo y dejar que siga haciéndose a fuego lento para que el relleno quede bien cocido.

Puede servirse bañado por la salsa y acompañado de castañas cocidas o de pan frito o tostado con manteca de vaca.

451. Queso de cerdo

Se ponen a desalar las carnes de cerdo durante 24 horas. Luego se cuecen en agua con la cebolla, los clavos, la hoja de

Ingredientes:

½ cabeza de cerdo
1 lengua de cerdo
1 kilo de lacón
2 cebollas
1 zanahoria
3 granos de pimienta
1 hoja de laurel
3 clavos de olor
3 dientes de ajo
1 cucharilla de clavo molido
1 cucharilla de pimienta
2 cucharillas de mostaza inglesa
Nuez moscada

laurel, los granos de pimienta y los ajos. Cuando están blandas se retiran del fuego y se separan de los huesos. Luego se reducen a picadillo con la media luna, pues si se hace con picadora queda excesivamente fino y no es conveniente. Todavía templado el picadillo se sazona con el clavo molido, la pimienta, la nuez moscada y la mostaza, se amasa todo muy bien y se coloca en un molde redondo o en una tartera y se prensa.

Se sirve como fiambre. Es muy semejante a lo que se conoce como «cabeza de jabalí». Puede hacerse también con cerdo fresco, aunque resulta menos sabroso. En este caso hay que poner sal en el agua de la cocción.

452. «Raxo» adobado

Ingredientes:

1 ¼ kilos de lomo de cerdo
500 gramos de patatas
2 cucharadas de agua
1 cucharada de pimentón
½ cucharada de orégano
2 cucharadas de perejil picado
4 dientes de ajo
3 hojas de laurel
2 cebollas medianas
100 gramos de manteca de cerdo
Sal

En el mortero se machacan los ajos, el perejil y la sal. Se le agrega el orégano, el pimentón y el agua, se revuelve bien todo y con la ayuda del mazo se impregna muy bien la carne.

Se parte en dos mitades las hojas de laurel, y se colocan por encima del lomo y se deja en este adobo uno o dos días. Hay que volverlo varias veces para que coja bien el sabor.

Se asa con la manteca de cerdo y cuando lleve a horno fuerte una media hora se le agregan las patatas peladas y cortadas en forma de tacos y las cebollas partidas en cuatro trozos. Se baja un poco el horno y se espera hasta que estén doradas las patatas para retirarlo.

Se sirve en fuente, cortado en lonchas finas y adornado con las patatas del asado. Hay que procurar que no se enfríe, por lo que es conveniente calentar la fuente previamente.

453. «Raxo» asado

A un buen trozo de lomo de cerdo se le quita bien toda la grasa y se ata con un cordel fino dándole forma de rollo, y se sala.

Ingredientes:

1 ¹/₂ kilos de lomo
100 gramos de manteca de cerdo
¹/₂ limón (zumo)
4 cucharadas de agua caliente
Sal y un cordel fino
Ensalada de lechuga y tomate

En una fuente refractaria se pone la manteca y se mete al horno, cuando esté caliente se coloca encima el lomo, procurando darle algunas vueltas para que se dore por igual por todos los lados. Entonces se rocía con el agua caliente y se deja asar una hora y media aproximadamente, hasta que esté tierno. Se apaga el horno y se mantiene al calor unos cinco o diez minutos, luego se trincha en lonchas finas.

Se mezcla la salsa con el zumo de medio limón y se vierte en salsera.

El lomo se coloca en fuente redonda y se adorna con ensalada de lechuga y tomate.

454. «Raxo» con leche

Ingredientes:

1 ¹/₂ kilo de lomo
1 litro de leche templada
100 gramos de manteca de cerdo
100 gramos de pan rallado
4 granos de pimienta
4 dientes de ajo sin pelar
2 huevos
Ralladura de nuez moscada
Sal

Se ata el lomo como para un asado, se sala y se dora en una cucharada de manteca de cerdo. Se le agrega luego la leche templada, los ajos, la pimienta y la nuez moscada y se deja cocer hasta que levante hervor, después se tapa y se deja a fuego lento unas dos horas. (Hay que darle vueltas con frecuencia para que no se pegue a la tartera.)

Cuando está tierno se desata, se reboza en huevo y pan rallado y se fríe en grasa de cerdo bien caliente. La salsa se bate bien y se sirve en salsera.

En una fuente se coloca el lomo adornado con puré de patatas. (Puede trincharse en la mesa o llevarse ya cortado pero procurando conservar la forma del rollo.)

455. «Raxo» con manzanas

Ingredientes:

1 ¹/₂ kilo de lomo de cerdo
6 manzanas

El lomo se ata como para asar y se sala un par de horas antes de cocinarlo. Se unta con manteca de cerdo y se mete a horno fuerte. Se deja dorar dándole la vuelta varias veces y

310

6 cucharillas de vino de Jerez
2 cucharadas de manteca de cerdo
6 cucharadas de nata de leche de vaca o mantequilla
3 cucharadas de agua
1 cucharilla de maicena
3 cucharillas de azúcar
3 cucharadas de agua caliente
Sal

añadiéndole de vez en cuando una cucharada de agua caliente o caldo.

Se asa así durante tres cuartos de hora.

Las manzanas se pelan y se les quita el corazón y las pepitas, con cuidado de no vaciar el fondo. En el sitio del corazón se pone una cucharada de nata o una bolita de mantequilla y media cucharilla de azúcar. Se colocan las manzanas alrededor de la carne y se rocía cada una de ellas con una cucharilla de jerez. Se asan durante media hora a fuego menos fuerte para que las manzanas no se deshagan.

Se sirve el lomo cortado en rodajas finas y se adorna con las manzanas.

A la salsa se le agrega la fécula de maíz o de patata disuelta en un poco de agua fría, se revuelve bien, se deja espesar, se vierte sobre la carne y se sirve bien caliente.

456. «Raxo» con repollo o asa de cántaro

Ingredientes:

1 ¹/₂ kilos de lomo de cerdo
1 repollo o «asa de cántaro» de 1 kilo
100 gramos de tocino de hebra
50 gramos de manteca de cerdo
1 cucharada de aceite
Agua y sal

El lomo se sala y se ata como si fuera para asar.

Se lava y se pica el repollo, o la otra verdura gallega («asa de cántaro») y se echa en la cazuela cuando el agua con la sal y el aceite esté hirviendo, se deja cocer un cuarto de hora y se escurre.

En una cacerola se pone la manteca a derretir. Se le agrega el tocino cortado en tacos pequeños y se rehoga. Se dora también el lomo por todos los lados. Se tapa la cazuela y se deja cocer a fuego lento. Pasada una hora se le agrega la verdura y se pone a fuego medio hasta que esté tierno. (Conviene mover la tartera de vez en cuando para que no se queme.) Se le quita la cuerda a la carne.

Se trincha y se sirve adornada con la verdura. La salsa se vierte por encima de la carne o se sirve en salsera.

457. «Raxo» con patatitas nuevas

Ingredientes:

1 kilo de lomo de cerdo en un trozo
1 kilo de patatitas nuevas
2 dientes de ajo
2 cucharadas de manteca de cerdo
1 vasito de agua o caldo
1 vasito de vino blanco
1 cucharada de perejil picado
Sal y pimienta

Se le hacen unos cortes al trozo de lomo de cerdo y en ellos se meten los ajos machacados. Se sazona de sal y pimienta. Se unta con la manteca y se mete al horno en un asador hasta que esté dorado.

Las patatas bien raspadas se colocan en la fuente con el lomo, se revuelve para que se impregne bien con la grasa y se rocía todo con el caldo y el vino blanco. Se mete de nuevo al horno por espacio de una hora aproximadamente. Teniendo en cuenta que hay que regarlo de vez en cuando con la salsa.

Se sirve el lomo trinchado en una fuente con las patatas alrededor. Se le agrega a la salsa una cucharada de perejil muy picado y se vierte por encima.

458. «Recho» de cerdo a la paisana

Ingredientes:

1 «recho» (estómago de cerdo)
1 kilo de lomo de cerdo
1 kilo de tocino de hebra
1/2 kilo de carne de cerdo
4 chorizos
1 cucharada de orégano
2 cucharadas de pimentón dulce
3 cucharadas de agua
6 dientes de ajo grandes
1 limón en rodajas
1 cebolla
3 clavos de olor
1 hoja de laurel
Agua y sal

Se limpia el «recho» y se deja unas horas con agua y unas rodajas de limón.

Las carnes cortadas en lonchas gruesas se adoban con los ajos machacados en el mortero, el orégano, el pimentón, la sal y el agua, formando una pasta, que impregne toda la carne.

Se deja en adobo unas doce horas y se les da vueltas para que coja bien el sabor.

Pasado este tiempo se cortan en rodajas los chorizos y se mezclan con la carne. Se rellena el «recho», se ata y se pone a cocer en una tartera con agua, sal, la cebolla con los tres clavos pinchados, y el laurel. Pasada hora y media lo pinchamos y si está tierno se retira, y se deja enfriar y se sirve partido en lonchas finas como fiambre.

(Las cantidades son meramente orientativas, pues depende del tamaño del estómago de cerdo que se utilice. Si sobra carne puede hacerse con ella un guiso o freírse como zorza.)

459. Riñones a la aldeana

Ingredientes:

700 gramos de riñones de ternera
2 cucharadas de cebolla
2 cucharadas de perejil picado
1 vaso de caldo o agua
1 vaso de aceite
1/2 vaso de vino blanco
50 gramos de manteca de cerdo
Miga de pan
Sal y pimienta

Cortar y limpiar muy bien los riñones.

Rehogarlos en la grasa de cerdo. Escurrirlos y colocarlos en una cazuela de barro.

En una sartén poner el aceite y dorar en él la cebolla y el perejil, cuando la cebolla esté tierna echarla sobre los riñones.

Machacar en mortero la miga de pan y una cucharada de caldo, agregarle luego el resto del caldo y verterlo sobre los riñones. Sazonar de sal y pimienta y dejar cocer por espacio de media hora.

Rociarlo con el vino blanco y procurar que siga cociendo a fuego lento.

Servir en la misma cazuela.

460. Riñones asados

Ingredientes:

750 gramos de riñones
50 gramos de manteca de vaca
1 rama de perejil
1 diente de ajo
Sal

Limpiar los riñones, lavarlos y darles una vuelta en la sartén seca y volverlos a lavar. Sazonar de sal. Machacar en un mortero el ajo, el perejil y la manteca de vaca. Untar con esta pasta los riñones y asarlos en parrilla.

Servir muy calientes para que no se endurezcan.

Puede acompañarse de lechuga o de cachelos.

461. Riñones con patatas

Ingredientes:

500 gramos de riñones
500 gramos de patatas pequeñas
2 cucharadas de perejil
1 vaso de vino blanco
1 vaso de aceite
1 cebolla
1 cucharada de pimentón
1 litro de caldo
1 limón
Sal

Se cortan los riñones, se les separa la grasa y los conductos; se frotan con limón, se aclaran en varias aguas y se sazonan de sal.

Se mondan las patatas y se cortan a la mitad. Se ponen a cocer en el caldo y se les agrega el perejil muy picado. Cuando estén a media cocción se le añaden los riñones y se dejan que siga cociendo diez minutos, entonces se sacan cuatro patatas y se machacan en el mortero, con un poco de pimienta, unas gotas de vinagre y el vino blanco. Luego se incorpora esta pasta al guiso.

Se hace un rustrido con la cebolla muy picada, el aceite y el pimentón y se le mezcla a los riñones dejando que sigan cociendo hasta que estén bien tiernos.

462. Riñones con tomate

Ingredientes:

1 riñón de ternera (unos 750 gramos)
1/4 litro de salsa de tomate
100 gramos de manteca de cerdo

Limpiar los riñones cortándolos en trocitos pequeños y quitándoles la grasa y los conductos. Echarles un puñado de sal y colocarlos en un colador de agujeros grandes. Dejarlos unas dos horas y pasarlos luego por agua fría dándoles vueltas debajo del grifo para que pierdan la sal y queden bien limpios. Escurrirlos.

Poner a calentar la manteca de cerdo en una sartén y freír en ella los riñones. Al empezar a dorarse añadir la salsa y dejarlos cocer hasta que estén tiernos.

463. Riñones estofados

Ingredientes:

750 gramos de riñones
50 gramos de manteca de vaca
¼ litro de vino blanco
2 cucharadas de harina tostada
1 cucharada de perejil picado
2 zanahorias picadas
2 dientes de ajo
1 cebolla picada
1 hoja de laurel
3 granos de pimienta negra
1 vaso de aceite
Sal y pimienta

Limpiar los riñones y lavarlos. Derretir la manteca en la sartén y dorar en ella los riñones cortados en trocitos. Escurrirlos y sazonar de sal y pimienta. Poner en una cazuela el aceite, dejar que se caliente y freír la cebolla, las zanahorias y los ajos. Cuando estén casi tiernos añadirle los riñones, los granos de pimienta, el perejil, el laurel y el vino. Dejar cocer a fuego lento y espesar la salsa con la harina.

Servir acompañado de rodajas de pan frito.

464. Rollo de carne picada

Ingredientes:

400 gramos de carne de ternera
200 gramos de panceta o «bacón»
200 gramos de panceta o bacón
en lonchas
100 gramos de harina
3 dientes de ajo
2 cebollas
2 cucharadas de perejil
3 rodajas de pan mojado en leche
2 huevos
Sal, pimienta, nuez moscada

Se pica la carne, la cebolla, los ajos y el perejil, se mezcla con el pan mojado en leche, se sazona de sal, pimienta y nuez moscada y se le incorporan los huevos enteros. Se divide esta masa en dos partes. Se pasan por harina y se forma dos rollos que se colocan en una fuente de horno, en la que hemos vertido un vaso de aceite y una cebolla partida en rodajas. Se cubren los rollos con el «bacón» y se meten a horno fuerte hasta que estén dorados. Conviene rociarlos de vez en cuando con la salsa.

Se sirve cortado en lonchas y acompañado por una ensalada de remolacha.

465. Solomillo a la casera

Ingredientes:

1 kilo de solomillo de ternera o
de vaca
2 limones

El solomillo se adoba con el aceite y rodajas de limón y de cebolla.

Se deja en maceración durante una hora, dándole vueltas de vez en cuando. Pasado este tiempo se envuelve la carne en

2 cebollas
2 zanahorias
1 vaso de aceite
1 vasito de vino blanco
1 vasito de caldo
Sal y pimienta

papel de aluminio y se mete a asar al horno. Pasada media hora aproximadamente se le retira el papel y se vuelve al adobo y se coloca en una cazuela, con las zanahorias y la otra cebolla partida en trozos, se rocía con el caldo y el vino blanco, se sazona de sal y pimienta y se deja que termine de cocer a fuego lento.

Cuando vaya a servirse se rocía con el zumo de un limón y se le vierte la salsa por encima. Puede adornarse con patatas fritas.

466. Solomillo adobado

Ingredientes:

1 kilo de solomillo
2 limones (zumo)
100 gramos de manteca de vaca
1 vasito de caldo
Sal y pimienta

Se pone el solomillo en adobo con sal y zumo de limón y se deja durante unas horas. Se ata para que no se deforme, se cubre de manteca y se asa primero a fuego vivo y luego muy moderado, aproximadamente unos tres cuartos de hora. Luego se sazona de sal y pimienta. Cuando se va a servir se desata y se trincha y se coloca en una fuente cogiéndolo con las dos manos para que conserve la forma.

A la grasa y al jugo que soltó el asado se le añade el zumo de medio limón y el vaso de caldo, se deja que levante hervor y se sirve en salsera.

La carne se adorna con puré de patatas o de castañas.

467. Solomillo al vino tostado del Ribeiro

Ingredientes:

1 kilo de solomillo de ternera
200 gramos de manteca de cerdo
1 vaso de vino tostado del Ribeiro
Sal

Se escoge un buen solomillo de tenera y se le separan las partes grasas. Se sala y cubre de manteca de cerdo. Se pone a fuego vivo dándole vueltas durante veinte minutos. Se escurre la grasa sustituyéndola por el vino tostado y se hace cocer todo a fuego vivo cinco minutos más.

Se sirve partido en lonchas con guarnición de patatas fritas en manteca.

468. Ternera a los veinte minutos

Ingredientes:

1 ¹/4 kilos de babilla o tapa de ternera
6 cebollitas pequeñas
1 rama de perejil
2 dientes de ajo
¹/4 litro de aceite
1 vaso de vino blanco
Sal y pimienta

En una tartera se pone a rehogar la carne y las cebollitas en el aceite. Cuando esté dorada se le agrega el perejil, los ajos y el vaso de vino blanco y se sazona de sal y pimienta. Se tapa la tartera y se deja cocer a fuego lento durante veinte minutos.

Se sirve adornada con patatas fritas y acompañada por la salsa en salsera.

469. Ternera al minuto

Ingredientes:

1 ¹/4 kilos de carne en una sola loncha
2 huevos batidos
100 gramos de pan rallado
150 gramos de manteca de cerdo o aceite
1 vaso de vino blanco
Sal y pimienta

Se limpia la ternera de los nervios y la grasa. Se maza y sazona de sal y pimienta. Se reboza en huevo batido y pan rallado y se fríe en la manteca de cerdo o el aceite bien caliente. Cuando ha formado una costra dura el pan rallado y está bien dorado se baña con el vino blanco y se deja cocer unos diez minutos.

Se sirve cortada en lonchas y acompañada de patatas fritas.

470. Ternera asada

Ingredientes:

1 ¹/4 kilos de carne de ternera en un solo trozo
100 gramos de harina
4 dientes de ajo
2 cucharadas de perejil picado
1 limón (zumo)
1 vaso de vino blanco
1 vaso de aceite
Sal y pimienta

Se sazona la carne con sal y pimienta, se reboza en la harina y se dora en el aceite por todos los lados.

En el mortero se machacan los ajos con el perejil, se deslíe con el zumo de limón y el vino blanco y se vierte sobre la carne. Se deja cocer a fuego lento hasta que esté tierna dándole vueltas de vez en cuando para que no se pegue. Si espesa mucho la salsa puede añadírsele un poco de agua o caldo.

Se sirve adornada con puré de patatas.

471. Ternera con jamón

Sazonar la carne de pimienta y rebozarla en harina.

Picar muy menudo el jamón, las zanahorias y las cebollas.

Rehogar la carne en la manteca de vaca y cuando esté dorada añadirle el picadillo de jamón, zanahorias y cebolla.

Dejar que cueza hasta que esté blanda la cebolla y rociarla entonces con el vino, el caldo y el zumo de limón. Salarla y dejar que siga cociendo a fuego lento hasta que esté tierna. Se sirve cortada en lonchas y con la salsa por encima. Puede pasarse por el chino o en batidora si se desea.

472. Ternera con zanahorias

Se machaca en el mortero los ajos, con la sal y la pimienta. Se le agrega el zumo del limón y una cucharada de aceite y se adoba la carne con este preparado.

En una cazuela se fríen las cebollas muy picadas, cuando estén tiernas se le incorpora la harina y el vino de Jerez. Al levantar el primer hervor se coloca en la cazuela la carne y se rodea con las zanahorias partidas a rodajas y se deja cocer hasta que la carne esté tierna. Entonces se parte en doce lonchas y se coloca cada una sobre un picatoste frito en aceite o manteca de cerdo.

Se escurren las zanahorias y se colocan alrededor de la fuente. Con la salsa se baña la carne y se sirve caliente.

473. Ternera guisada

Cortar la carne en trozos y adobarla con el perejil y los ajos picados. Dejarla una media hora.

Pelar las patatas y cortarlas en trozos, salar la carne y colo-

1 cebolla grande
3 tomates
1 pimiento
2 dientes de ajo
1 cucharada de perejil picado
1 vaso de vino blanco
1 paquete de azafrán
1 vaso de aceite
1 vaso de agua

carla en una cazuela con aceite caliente, rehogarla bien y añadirle la cebolla picada y el vino blanco.

Cuando esté un poco pasada se le agrega el tomate limpio y partido, el pimiento picado, las patatas, el azafrán disuelto en agua y se deja cocer a fuego lento.

474. Ternera en leche

Ingredientes:

1 kilo de redondo de ternera
1 litro de leche
50 gramos de manteca de vaca
o mantequilla
1 cebolla
1 vaso de caldo
1 vaso de vino blanco
12 castañas cocidas
3 cucharadas de nata
Sal y pimienta

Se pone la ternera a remojar en leche unas doce horas antes de guisarla. Luego se calienta la manteca y en ella se dora la cebolla cortada en rodajas, se le agrega el trozo de carne, se sazona de sal y pimienta y se le deja cocer a fuego moderado durante una hora y media, rociándola con un poco de caldo.

Cuando la ternera esté tierna se retira, y en la salsa se echan las castañas cocidas machacadas y el vino blanco. Se le deja dar un buen hervor y se pasan por tamiz o batidora y se le agrega la nata.

Se sirve la ternera cortada en lonchas con la salsa por encima.

475. Ternera en rollo

Ingredientes:

600 gramos de ternera picada
50 gramos de jamón picado
50 gramos de tocino
1 cebolla
1 cucharada de perejil picado
2 cucharillas de almendras picadas
2 huevos batidos
100 gramos de pan rallado
1 cucharada de harina
1 vasito de vino blanco
Sal, pimienta y nuez moscada

Se pican las carnes, el jamón, el tocino, el perejil y la cebolla, bien con la media luna o en el picador. Se sazona de sal, pimienta y nuez moscada, y se le agregan las almendras picadas. Se forma un rollo que se envuelve por dos veces, primero en huevo batido y luego en pan rallado. Se rehoga en la manteca hasta que esté dorado y luego se pasa a una tartera.

En la grasa sobrante se tuesta la harina y se le agrega el vino blanco y se vierte sobre la carne, se tapa y se mete al horno hasta que esté completamente cocida.

Se sirve cortado en lonchas y acompañado de patatas fritas cortadas en forma de dados.

476. Ternera en zorza

Ingredientes:

1 kilo de redondo de ternera
6 dientes de ajo
1 cucharada de perejil picado
1 cucharada de orégano
1 cucharada de pimentón
1 hoja de laurel
2 cucharadas de agua
1 vaso de vino
1/2 cucharilla de laurel molido
1 vaso de aceite o manteca de cerdo
Puré de patatas
Sal y vinagre

Machacar en el mortero los ajos, con el perejil y sal. Agregarle el orégano, el pimentón, el agua, el laurel molido y unas gotas de vinagre. Revolver bien y untar con esta mezcla el redondo de ternera por todos los lados. Colocar en una fuente, rociar con el vino y dejarlo en adobo veinticuatro horas. Pasado este tiempo poner a calentar el aceite o la manteca de cerdo. Freír la carne y cuando esté bien dorada añadirle el líquido del adobo y una hoja de laurel y dejarla cocer a fuego lento hasta que esté tierna.

Se sirve cortada en lonchas y adornada con puré de patata.

477. Ternera mechada

Ingredientes:

1 kilo de carne (redondo mejor)
100 gramos de panceta
2 zanahorias
2 cebollas
4 dientes de ajo
1 vaso de vino
1 copa de coñac
1 vaso de aceite
1 tomate
Miga de pan
Sal y pimienta

Mechar la carne con unas tiras de panceta y de zanahoria.

Rehogarla en el aceite y añadirle las cebollas, los ajos y el tomate limpio y pelado. Sazonar con sal y pimienta. Regar con el coñac y a media cocción añadirle la miga de pan machacada en el mortero y mezclarlo con el vino y un poco de agua si es que está demasiado espesa.

Dejar cocer hasta que esté tierna y servir acompañada de puré de patatas y con la salsa pasada por el chino.

478. Ternera rellena

Ingredientes:

1 1/2 kilos de aleta de ternera
150 gramos de jamón picado
2 huevos duros

Se prepara la aleta cortándola en medio por la parte más fina, sin llegar al otro borde, para que quede como un filete grande. Se deja de forma regular cortando los trozos sobrantes que luego se pican junto con el jamón y el chorizo. En dos

100 gramos de pan rallado
100 gramos de manteca de cerdo
1 chorizo
3 zanahorias
1 vaso de vino de Jerez seco
1 vaso de caldo
Sal y harina

cucharadas de manteca de cerdo se pasa el picadillo de carne, chorizo y jamón.

Se maza la carne, se sazona de sal y pimienta y extiende sobre ella el picadillo colocando en el centro los huevos cocidos y pelados, se enrolla la aleta a lo largo y se ata con cuerda fina.

Se envuelve en harina y se rehoga en la manteca de cerdo o en aceite. Cuando esté dorada se retira y se colocan en una tartera.

En la grasa se fríen las zanahorias cortadas en rodajas. Se vierten sobre la carne y se le agrega el caldo y el jerez dejando que cueza a fuego lento hasta que esté tierna.

En el momento de servirlo se pasan las zanahorias y la salsa por colador chino o batidora y se extiende por encima de la carne, que hemos colocado en una fuente.

Se acompaña con una guarnición de patatas fritas.

479. Tiritas de carne

Ingredientes:

400 gramos de carne de cerdo o de ternera
2 huevos
4 cucharadas colmadas de harina
2 dientes de ajo
1 cucharada de perejil picado
1 cucharilla de levadurina en polvo
6 cucharadas de agua
Aceite para freír
Sal y pimienta

Se corta la carne en tiritas finas; se adoba con los ajos y el perejil picados y se sazona con sal y pimienta. (Puede servirnos cualquier trozo que no se pueda hacer filetes grandes.)

Se prepara una pasta con la harina, la levadurina, los huevos, la sal y la pimienta. Se bate todo junto, si es en batidora, o se mezclan primero los huevos y la harina y se le va incorporando el agua poco a poco, si se hace a mano. Se van metiendo en esta pasta una por una las tiritas de carne y se fríen en aceite muy caliente.

Se sirven acompañados de patatas o ensalada de lechuga.

480. Tordos encebollados

Ingredientes:

8 tordos
8 lonchas de tocino
200 gramos de manteca de vaca
2 cebollas
1 cucharón de caldo
Sal y pimienta

Se despluman los tordos, se destripan, se flamean y se lavan. Se espolvorea el interior de sal y pimienta y se les mete la cabeza en el estómago. Se colocan las lonchas de tocino sobre las pechugas y se sazonan de sal y pimienta. Se pinchan en el asador o se colocan en fuente de horno y se les da vueltas cubriéndola de vez en cuando en más manteca. Se recoge el jugo que suelta.

En una cazuela se dora la cebolla en la manteca sobrante, se le agrega el jugo del asado y el cucharón de caldo, y se vierte sobre los tordos colocados en una fuente.

481. Tostón

Ingredientes:

1 lechón de 4 semanas o menos
100 gramos de manteca de cerdo
5 cucharadas de zumo de limón
5 cucharadas de aceite
Sal

El lechón para que esté a punto debe tener un mes escaso. Después de muerto se escalda en agua hirviendo y se raspa con un cuchillo hasta que quede blanco y sin pelo. Se le extraen los intestinos, haciéndole un pequeño agujero en el vientre. Se lava bien por dentro, se escurre y se seca con un paño.

Se unta de grasa de cerdo, se sala y se asa al espeto. Se mezcla el aceite y el zumo de limón, y se rocía de vez en cuando el lechón para que quede dorado y crujiente.

Se sirve entero con una manzana en la boca.

482. Urogallo asado

Ingredientes:

2 urogallos
18 ciruelas pasas
150 gramos de manteca de vaca

Se despluman los urogallos, se destripan se flamean y se lavan.

En el interior se les meten las ciruelas pasas. Se machaca en el mortero el ajo con la sal y se untan las aves con este adobo.

1 vaso de vino tinto
2 dientes de ajo
1 vaso de nata
500 gramos de castañas
Sal y pimienta

En una cazuela se pone la manteca de vaca y en ella se doran los urogallos, se rocían de vino y se sazonan de pimienta, y se meten a horno moderado. Rociándolos de vez en cuando con su jugo.

Se cuecen las castañas y se hace con ellas un puré. Se calienta al baño maría y se le agrega la nata batiéndola constantemente, se sazona de sal y pimienta y se vierte sobre el asado en el momento de servirlo.

483. Vaca estofada

Ingredientes:

750 gramos de espaldilla de vaca
100 gramos de tocino
100 gramos de manteca
2 cebollas
3 zanahorias
1 vaso de vino blanco
Harina
Pimienta, sal, romero y tomillo

Cortar la espaldilla en trozos y rebozarla en harina. Colocarlas en un puchero con la manteca, el tocino a trozos y la cebolla y las zanahorias en rodajas.

Sazonar con especias, sal y un poco de vino.

Dejar cocer a fuego lento.

salsas

484. «Allada» (ajada)

Ingredientes:

1 ¹/₂ vasos de aceite
5 dientes de ajo
1 cucharada de pimentón
1 cucharada de vinagre

En una sartén se doran los ajos en el aceite, luego se retiran, se separa la sartén del fuego y se le echan el pimentón y el vinagre. Sin dejar que se queme el pimentón.

Se sirve en salsera o mezclada con las verduras o pescados.

Hay sitios en que la ajada la hacen en crudo machacando los ajos y añadiéndole el aceite frito y luego el pimentón y el vinagre.

485. Rustrido

Ingredientes:

1 ¹/₂ vasos de aceite
1 cebolla picada
3 dientes de ajo
1 cucharada de perejil picado
1 cucharada de pimentón
1 cucharada de vinagre
Sal

En el aceite se pone a dorar la cebolla picada y los ajos. Cuando esté blanda la cebolla se le agrega el pimentón, el vinagre y la sal.

El rustrido o «rostrido» suele hacerse para pescados y verdura con patatas.

Se escurren bien, se deja en la cazuela y sobre ellos se vierte el rustrido y, a fuego muy lento o ya retirado del calor, se deja unos minutos tapado para que cojan bien la sustancia y luego se sirven.

486. Salpicón

Ingredientes:

2 cebollas pequeñas
2 cucharadas de perejil picado
2 huevos cocidos
3 cucharadas de vinagre
2 cucharadas de agua o caldo
1 ¹/₂ vasos de aceite
¹/₂ pimiento morrón de lata picado
Sal y pimienta

Se pican muy finas las cebollas y los huevos duros, se mezclan con el perejil picado y puede también añadírsele algo de pimiento morrón. Se le agrega el aceite, el vinagre y el agua templada o un poco de caldo de la cocción del pescado, de las verduras, de las patatas, etc., según el plato al que vaya a acompañar. Se revuelve muy bien, se sazona de sal y pimienta y ya está listo para servir.

Para que resulte más espeso puede machacarse una de las yemas de huevo cocido y diluirla con el aceite.

487.   Salsa amarilla para pescados

Ingredientes:

1 cucharada de mantequilla
1 vaso de caldo de pescado
2 cucharadas de jugo de limón
2 cucharadas de vino blanco
1 cucharada de harina
2 yemas de huevo
Pimienta y sal

Poner a cocer el caldo de pescado en el vino y el zumo de limón.

En el cazo colocar la mantequilla y la harina, ponerlo al fuego y añadir poco a poco sin dejar de remover el caldo de pescado, dejar cocer unos cinco minutos, retirarlo del fuego, dejar enfríar un poco y añadirle dos yemas ligeramente batidas.

Servir en salsera.

(Va muy bien para pescado cocido al vapor. Se pueden pintar con un poco de salsa antes de servirlos y después de haberles quitado la piel.)

488.   «Salsa ao momento»

Ingredientes:

1 ¹/₂ vasos de aceite
1 cebolla muy picada
2 cucharadas de harina
1 copita de vino tostado del Ribeiro o coñac
Sal, pimienta y nuez moscada
Agua o caldo

Se pone a dorar la cebolla en el aceite, cuando esté tierna se le agrega la harina, se revuelve con cuchara de palo y poco a poco se le va incorporando el agua o caldo hasta que adquiera la consistencia necesaria. Se sazona de sal, nuez moscada y pimienta y se rocía con el vino o el coñac dejándolo cocer unos cinco minutos removiéndolo para que no se pegue.

Esta misma salsa puede hacerse con la grasa sobrante de un asado, entonces debe suprimirse la cebolla.

Sirve para acompañar huevos o carnes, y se le pueden añadir almendras, nueces, avellanas o piñones picados, y una yema de huevo cocida machacada o bien cruda incorporándola al retirarla del fuego.

Puede servirse en salsera aparte o con el plato que queremos condimentar.

489. Salsa de perejil

Ingredientes:

1 cebolla picada
1 ramo de perejil grande
1 trozo de miga de pan mojado
en vinagre
1 vaso de aceite
2 dientes de ajo
Sal y pimienta
1 vaso de caldo o agua caliente

Se machaca en el mortero la cebolla picada muy fina, el ramo de perejil cocido y la miga de pan mojada en vinagre, se le agrega agua caliente o el caldo de la cocción del pescado o del marisco. Se mezcla bien, y se pasa por el colador chino.

En una sartén se fríen los ajos y cuando estén casi quemados se retiran. Se mezcla la salsa con el aceite, se sazona de sal y pimienta y se deja cocer unos minutos. (Si queda demasiado espesa puede aligerarse con agua caliente o caldo).

490. Salsa mahonesa

Ingredientes:

1 huevo
1 1/2 vasos de aceite
2 cucharadas de zumo de limón
Sal

Se coloca el huevo entero sin cáscara, el aceite, el limón y la sal en el vaso de la batidora de mano y se baten hasta que adquiera consistencia. (Si se corta puede arreglarse echándole otro huevo entero y volviendo a batir.)

Se puede hacer a mano removiendo siempre para el mismo lado las yemas de huevo y luego incorporándole muy poco a poco el aceite, por último se le agrega unas gotas de limón y la sal.

Si la batidora es de vaso fijo, y tiene un orificio en la parte superior de la tapa, como un embudo, entonces se le va incorporando el aceite poco a poco, dejándolo caer por ese agujero.

491. Salsa tártara

Ingredientes:

1/4 litro de salsa mahonesa
3 yemas de huevo cocidas
1 cucharada de mostaza
(marrón oscura, no de la
amarillenta)

Se trabaja la yema de huevo machacada con la mostaza, una vez bien mezclada se le incorpora la mahonesa y por último los tallos de cebolla tierna muy picados. (Como los tallos de cebolla no se dan todo el año, pueden utilizarse alcaparras, cebolla muy picada mezclada con un poquito de pere-

1 cucharada de tallos de cebolla tierna muy picada

jil para que le dé color verde. Un poquito de cebolla debe llevar siempre.)

492. Salsa vinagreta

Ingredientes:

12 cucharadas de aceite
4 cucharadas de vinagre
2 huevos cocidos
2 cucharadas de cebolla picada
1 cucharada de perejil picado
1 diente de ajo
Sal y pimienta

Se machacan en el mortero la cebolla, el perejil picado y el ajo. Cuando se ha conseguido una pasta muy fina se le agregan las yemas de los huevos cocidos, se mezclan con la pasta y se pasan por tamiz. Se echa en una taza de loza o en un cuenco de barro y se le va añadiendo el aceite y el vinagre revolviendo para el mismo lado como si se fuera a hacer una mahonesa.

Se sazona de sal y pimienta y se sirve.

493. Salsa vinagreta rápida

Ingredientes:

15 cucharadas de aceite
5 cucharadas de vinagre
Sal

Se deshace la sal en el vinagre y se le va añadiendo el aceite sin dejar de batir con el tenedor, hasta que va adquiriendo consistencia.

A la salsa vinagreta se le pueden añadir alcaparras o perejil picado, o huevo duro muy picadito, o cebolla, mostaza, ajo, etcétera.

La proporción de aceite en la salsa vinagreta debe ser siempre de tres partes de aceite por una de vinagre, y el secreto está en batirla mucho.

dulces

494. Almendrados

Ingredientes:

½ kilo de almendras
½ kilo de azúcar
6 claras de huevo
1 cucharada de canela
1 cucharada de ralladura
de limón
30 obleas

Las almendras se pelan echándolas en agua hirviendo y esperando unos minutos hasta que se desprenda con facilidad la monda. Se dejan secar, se muelen en la máquina y se mezclan con el azúcar, la canela y la ralladura de limón.

Se baten las claras de huevo a punto de nieve y se van incorporando a la mezcla con la ayuda de una cuchara de palo o una espátula.

Se colocan en montoncitos con la cuchara sobre las obleas y se meten al horno hasta que se doren.

495. Almendrados duros

Ingredientes:

450 gramos de almendras
450 gramos de azúcar
1 yema de huevo
24 obleas

La almendra machacada se mezcla a mano con el azúcar molido y con la yema de huevo. Se amasa hasta que forme liga. Después se extiende sobre las obleas y se mete al horno hasta que estén dorados los almendrados.

496. Almendrados de Allariz

Ingredientes:

½ kilo de almendras, molidas
½ kilo de azúcar
8 claras de huevo
24 obleas de 10 cm de diámetro
Canela

Se mezcla el azúcar y la almendra molida y se le añade poco a poco las claras sin batir. Se mezcla el conjunto con la espátula y se colocan tres montoncitos en cada oblea. Se espolvorean con canela y azúcar y se cuecen a horno moderado hasta que estén dorados.

497. Arroz al horno

Ingredientes:

500 gramos de arroz

Poner a cocer el arroz en abundante agua. Cuando esté a media cocción retirar y escurrir.

333

1 litro de leche
50 gramos de manteca de vaca
150 gramos de azúcar
Huevos

Batir los huevos y mezclarlos con el azúcar, la leche y la manteca.

Incorporarle el arroz, ponerlo en una fuente refractaria y meter en horno moderado hasta que esté dorado, apagar entonces el horno y dejar reposar el arroz, retirándolo cuando vaya a servirse, templado o frío según el gusto.

498. Arroz con leche

Ingredientes:

200 gramos de arroz
2 litros de leche
400 gramos de azúcar
1 cáscara de limón
1 cáscara de naranja
1 rama de canela
Canela en polvo

El arroz se lava con agua fría y se deja escurrir.

En un recipiente, ponemos la leche al fuego con la canela y las mondas enteras del limón y la naranja. Cuando empiece a hervir lentamente le echamos el arroz, removiendo con frecuencia para que no se agarre y cuando esté casi cocido se le incorpora el azúcar. Se deja durante cinco minutos, se aparta del fuego y se retiran la naranja y el limón.

Se sirve en un recipiente de loza o cristal y se espolvorea con canela.

Es costumbre muy gallega el cubrir el arroz con azúcar y pasar un hierro caliente sobre ella para quemarlo formando dibujos en la superficie.

499. «Arroz con leite ao forno»

Ingredientes:

¹/₄ kilo de arroz
¹/₄ litro de agua
¹/₄ kilo de azúcar
1 cáscara de limón
1 rama de canela
Sal y leche

En un cazo grande se pone el arroz, el agua, cuarto litro de leche, una pizca de sal, el limón y la canela. Se acerca al fuego y se deja cocer removiendo con frecuencia. A medida que va espesando el arroz se le va incorporando leche fría, hasta que esté completamente cocido, se retira del fuego y se echa en una fuente refractaria o de barro. Y se retira la canela y el limón.

En un cacillo se echa el azúcar, se acerca al fuego y se hace un caramelo que se vierte sobre la fuente y se mezcla con el arroz. Se mete en el horno fuerte unos diez minutos hasta que haya formado costra y se sirve templado en la misma fuente de horno.

500. «Ben me sabes»

Ingredientes:

6 huevos
12 galletas o bizcochos
2 copas de jerez dulce
6 cucharadas de azúcar
Canela

Se separan las yemas de las claras y se baten hasta el punto de nieve.

Las yemas se mezclan con el azúcar y cuando hayan tomado consistencia se incorporan a las claras.

En el fondo de una fuente se colocan las galletas o los bizcochos y se mojan con el jerez, luego se vierte sobre ellas la mezcla de los huevos y se espolvorean de canela.

(Es un postre rápido que puede hacerse en caso de invitados imprevistos.)

501. «Bizcocho de almendra»

Ingredientes:

100 gramos de harina
125 gramos de azúcar
60 gramos de almendras molidas
50 gramos de mantequilla
4 huevos
1 cucharilla de ralladura de limón
Azúcar lustre

Se mezclan los huevos con el azúcar y la ralladura de limón, batiéndolos cerca del fuego hasta que estén bien espesos y esponjosos. Se retira del calor, se le incorpora la harina mezclada con la almendra molida y cuando esté mezclado se le echa la mantequilla derretida.

Se vuelca en un molde rectangular previamente untado de mantequilla y espolvoreado de harina y se mete a horno moderado de veinticinco a treinta minutos.

Se desmolda, se espolvorea de azúcar molido y se quema con un hierro haciendo un dibujo de rejilla, o se le hacen unas rayas con un cuchillo.

502. Bizcocho de castañas

Ingredientes:

150 gramos de harina
125 gramos de azúcar
4 huevos
100 gramos de castañas
en polvo
50 gramos de mantequilla
líquida
1 cucharada de agua
1 cucharada de ralladura
de limón
1 cucharada de levadura en
polvo
¼ litro de crema pastelera
500 gramos de puré de
castañas
50 gramos de mantequilla

Se baten los huevos con el azúcar y la ralladura de limón y cuando estén a punto de relieve se le agrega la harina mezclada con las castañas en polvo y la levadurina y por último la mantequilla líquida.

Se vierte en una placa engrasada con mantequilla y se pone a horno moderado de doce a quince minutos.

Se mezcla la crema pastelera fría con el puré de castañas y la mantequilla hasta que forme una crema fina. Se parte el bizcocho por la mitad y se rellena con la crema.

Se sirve en fuente alargada sobre servilletas.

503. Bizcocho de chocolate

Ingredientes:

150 gramos de cacao
100 gramos de harina
250 gramos de azúcar
½ vaso de aceite frito
½ vaso de leche
1 cucharadita de levadura en
polvo
Huevos

Se baten las claras a punto de nieve, se les añade el azúcar poco a poco y luego la leche y el aceite frito y frío. Y por último la harina y el cacao mezclados con la levadurina. Se vuelca sobre un molde untado de mantequilla y espolvoreado de harina y se mete a horno moderado unos treinta minutos hasta que esté bien dorado.

(Se pincha con una aguja de calceta y si sale limpia es que está en su punto).

504. Bizcocho de maíz

Ingredientes:

225 gramos de manteca
225 gramos de harina de maíz
225 gramos de azúcar
8 huevos

Se bate muy bien la manteca como para mantecados y se le incorpora la harina de maíz recientemente molida y sólo cernida, el azúcar y las yemas de los huevos. Se amasa todo muy bien y por último se le echan las claras batidas a punto de nieve, moviéndolo mucho.

Se baña un molde con manteca y harina y se mete al horno.

505. Bizcochón

Ingredientes:

6 huevos
250 gramos de azúcar
150 gramos de harina
1 limón (el zumo)

Batir las yemas de los huevos con el azúcar y el zumo de limón. Cuando estén bien batidos incorporarle las claras a punto de nieve y por último la harina pasada por tamiz.

Colocar en molde untado de mantequilla y harina; y meter al horno hasta que esté dorado.

506. «Bola de rixóns»
(Torta de chicharrones)

Ingredientes:

1 kilo de masa corriente
1/2 kilo de azúcar
4 huevos
1 tazón de chicharrones
12 terrones de azúcar (o pasas)
Harina la que admita
Manteca de cerdo

Se mezcla la masa con el azúcar, los chicharrones y los huevos y se le añade harina hasta que la masa no se pegue a las manos.

Se unta un papel con manteca de cerdo y se coloca encima la masa y se estira con el rodillo hasta dejarla del grosor de un centímetro.

Se adorna con los terrones de azúcar o con pasas y se mete al horno medio hasta que esté dorada.

507. «Bolos de millo»

Ingredientes:

800 gramos de harina de maíz
400 gramos de azúcar
250 gramos de manteca de vaca
10 huevos
1 limón (zumo)
1 1/2 cucharadas de canela

Se baten los huevos y se mezclan con la manteca, el limón, la canela y el azúcar. Luego se le va incorporando poco a poco la harina hasta formar una masa que se divide en varios trozos y se hace con cada uno de ellos un bollo. Se colocan sobre la bandeja de horno untada de mantequilla y se meten a horno no excesivamente fuerte hasta que estén dorados.

508. «Bolos de millo na folla»

Ingredientes:

500 gramos de harina de maíz
1 ¹/₂ vasos de leche (menos de litro)
250 gramos de azúcar
6 huevos
6 hojas de higuera

Se calienta la leche con el azúcar y cuando esté casi hirviendo se vierte sobre la harina, que estará pasada por tamiz. Se amasa bien y se le van incorporando los huevos, primero dos enteros y de los otros cuatro solamente las yemas. Por último se hacen unas tortas que se colocan sobre la típica hoja de higuera y se meten a horno moderado.

509. Bollos de aguardiente

Ingredientes:

350 gramos de harina
150 gramos de mantequilla
1 vaso de aguardiente

Se bate la mantequilla con el aguardiente. Cuando esté bien mezclado se le va agregando poco a poco la harina, hasta que se haga una masa con la que se forman bollitos que se meten al horno sobre placa previamente engrasada y espolvoreada de harina.

510. Bollos duros

Ingredientes:

250 gramos de manteca de vaca
6 huevos
250 gramos de azúcar
500 gramos de harina
1 cucharilla de canela
1 cucharilla de esencia de anís

Mezclar la manteca, el azúcar y los huevos, batirlo y añadir la canela y la esencia del anís. Incorporándole la harina hasta formar una pasta como la de los polvorones. Formar con ésta bollitos y meterlos a horno fuerte.

511. Brazo de gitano casero

Para hacer el bizcocho se baten mucho las yemas de los huevos con el azúcar, luego se le incorporan las claras a punto de nieve y

Ingredientes:

Para el bizcocho:
6 huevos
6 cucharadas de azúcar
3 cucharadas de harina
3 cucharadas de maicena

Para la crema:
$^1/_2$ litro de leche
3 yemas
100 gramos de azúcar
2 cucharadas de maicena
(o 50 gramos de harina)
1 cáscara de limón
1 barra de vainilla o $^1/_2$ rama
de canela atada

Para el adorno:
Azúcar molido
Higos en almíbar
Canela
2 claras de huevo
4 cucharadas de azúcar

por último, ya sin batir, se le echa despacio la harina tamizada y mezclada con la maicena. Se coloca un papel engrasado sobre la placa del horno y se vierte encima la mezcla. Se mete a horno fuerte unos veinte minutos. Una vez que esté cocido se deja enfriar un poco, se le quita el papel, se coloca sobre un paño, se extiende la crema caliente, se enrolla y se deja envuelto en el paño hasta que enfríe.

Para hacer la crema se pone a calentar la leche con el limón, la vainilla o la canela, se mezcla la maicena con las yemas y el azúcar, se disuelve en un poco de leche fría y se vierte sobre la leche caliente batiendo con espátula de madera. Se deja cocer unos minutos sin parar de remover hasta que espese. Una vez frío el brazo se le quita el paño, se coloca en una fuente sobre servilletas de papel de blonda y se adorna con el azúcar molido, mezclado con la canela, el merengue hecho con las claras a punto de nieve y el azúcar y con los higos en almíbar.

(Puede también hacerse con bizcocho de espuma y rellenarlo de crema de castañas.)

512. Brazo de gitano de nata

Ingredientes:

Para el bizcocho:
6 huevos
150 gramos de harina
125 gramos de azúcar

Para emborracharlo:
100 gramos de azúcar
$^1/_2$ litro de agua
$^1/_2$ copa de coñac

Para el relleno y el adorno:
$^1/_2$ litro de crema pastelera
1 tocinillo de cielo (la mitad de las cantidades de la receta)
$^1/_2$ litro de nata montada
9 cerezas confitadas, o en aguardiente
Canela

Para preparar el bizcocho hay que separar las claras de los huevos de las yemas y batir las claras a punto de nieve. Luego se les agrega el azúcar sin dejar de batir.

Una vez mezcladas se le incorporan las yemas y por último la harina tamizada, mezclándola con la mano y sin mover mucho el resto de la masa.

Se echa sobre un papel y se mete a horno muy fuerte, previamente calentado.

Se deja enfriar un poco y se despega del papel. Se emborracha con el almíbar hecho con el agua, el azúcar y el coñac. Se rellena de crema pastelera y de tocinillo de cielo cortado en tiras a lo largo y se enrolla de forma que el tocinillo quede en el centro.

Se pone la nata en manga pastelera, se cubre y se adorna con rosetas de nata con una guinda en el centro.

Se espolvorean de canela molida y se tiene en el frigorífico hasta el momento de servirlo.

513. Buñuelos de manzana

Ingredientes:

3/4 de kilo de manzanas
100 gramos de azúcar
1 vaso de aguardiente
6 cucharadas de harina
1 cucharada de manteca
2 huevos
1 cucharilla de coñac
1 cucharilla de canela
16 cucharadas de agua
1 cucharilla de levadurina
Aceite para freír

Pelar las manzanas y cortarlas en gajos finos. Ponerlas en un recipiente, espolvorearlas de azúcar y cubrirlas con el aguardiente. Dejarlas en maceración una hora.

Mezclar las yemas de huevo con la manteca, la canela, el coñac y la harina. Incorporarle poco a poco el agua, hasta formar una pasta. Dejarlo reposar el mismo tiempo que a las manzanas en lugar fresco. En el momento de freír añadirle las claras a punto de nieve y la levadurina.

Meter cada uno de los trozos de manzana en la pasta y freírlas en abundante aceite caliente.

Servir en fuente espolvoreada de azúcar y canela.

514. Buñuelos de nata o crema

Ingredientes:

3 huevos
1 vaso de harina
1 vaso de agua
3 cucharaditas de azúcar
2 cucharadas de ralladura de limón
1 cucharada de mantequilla
1 cucharilla de levadura en polvo
1 litro de aceite
Azúcar glass

En un cazo se pone a calentar el agua con el azúcar, la ralladura de limón y la mantequilla. Cuando rompa a hervir se le echa la harina de golpe moviéndolo muy rápido con espátula de madera.

Luego se le agrega un huevo entero y se sigue moviendo, después se le incorporan las dos yemas y por último las dos claras batidas a punto de nieve.

Una vez bien mezclado todo se le agrega la levadurina y se deja reposar un rato.

En una sartén se pone abundante aceite y cuando esté caliente se van echando unas bolitas de masa formadas con la ayuda de una o dos cucharas. (Hay que procurar que no sean muy grandes, pues inflan mucho. Tampoco deben freírse muy juntas y con el aceite excesivamente caliente.)

Cuando estén dorados se sacan con una espumadera, se dejan escurrir, se les da un corte con una tijera, se rellenan de crema pastelera o nata montada y se espolvorean de azúcar molido.

Es un postre típico de los días de todos los Santos y difuntos, junto con los huesos de santo.

515. Buñuelos de patata

Ingredientes:

1 kilo de patatas
2 cucharadas de manteca de vaca
1 vaso de leche (escaso)
1 cucharada de azúcar
2 huevos
Limón o vainilla
Azúcar y canela
Aceite para freír

Peladas y cocidas las patatas se machacan hasta que formen liga. Entonces se les añade la manteca, la leche, la cucharada de azúcar, la vainilla o el limón y dos yemas. Se trabaja bien. Se baten las claras a punto de nieve y se unen a la masa.

Se pone abundante aceite a calentar en la sartén y cuando esté bien caliente con la ayuda de dos cucharillas se forman los buñuelos y se fríen. Se colocan en fuente sobre servilleta y se espolvorean de azúcar y canela.

516. «Buxo na vixiga»

Ingredientes:

Una vejiga de cerdo (mediana)
300 gramos de pan cortado en
cuadraditos
12 huevos
200 gramos de azúcar
100 gramos de manteca de vaca
1 cucharilla de canela

Lavar bien la vejiga y darle la vuelta.

Batir los huevos con la manteca, añadirle el azúcar, el pan y la canela. Rellenar con esta mezcla la vejiga de forma que no quede llena del todo. Poner a cocer a baño maría por espacio de media hora. Cuando esté casi fría se saca de la vejiga y se vierte en una fuente para servirla.

Es un postre típico de carnavales en las zonas de montaña.

517. Cañas con merengue

Ingredientes:

500 gramos de masa
de hojaldre
4 claras de huevo
8 gotas de zumo de limón
2 cucharadas de azúcar
100 gramos de azúcar molido
1 cucharilla (de café) rasa de
cremor tártaro
Esencia de limón

Con la masa de hojaldre se forma una lámina que se corta en tiras como de diez centímetros, se pinta el borde con huevo batido y se enrollan en cañas de unos dos centímetros de grueso. Se colocan en placa de pastelería y se meten a horno fuerte moderado una media hora. Cuando estén bien doradas se retiran del horno, se dejan enfríar un poco y se les quita la caña. Se rellenan de merengue, chantilly o crema y se sirven.

Para hacer el merengue se ponen las claras con las gotas de limón y se baten a punto de nieve. Cuando toman cuerpo se echan poco a poco dos cucharadas de azúcar y al tomar punto de merengue se le agrega el azúcar molido mezclado con el cremor tártaro (si se van a conservar algún tiempo; si no, es mejor no echárselo) y se perfuma con dos gotas de esencia de limón.

518. Castañas con leche

Ingredientes:

1 kilo de castañas
1 litro de leche
Agua

Las castañas mondadas se ponen a cocer unos minutos. Se retiran y se les quita la segunda piel.

Se ponen al fuego en una cazuela con agua, sal y «fiuncho» (hinojo), a media cocción se retiran y se dejan enfríar un poco y

1 manojo de «fiuncho» (hinojos)
Azúcar, canela y sal

se escurren, se les echa encima leche caliente y se dejan cocer hasta que estén tiernas, pero no demasiado, pues conviene que se conserven enteras.

Una vez cocidas se vuelca en una fuente y se espolvorea con azúcar.

Les va muy bien la canela o el chocolate rallado.

519. Cocadas

Ingredientes:

300 gramos de coco rallado
150 gramos de azúcar
6 claras de huevo
12 gotas de zumo de limón (un chorrito)
Mantequilla

A las claras se les echa un chorrito de limón antes de empezar a batirlas y cuando estén casi a punto de nieve se les incorpora, poco a poco, el azúcar y se sigue batiendo. Por último se le agrega el coco, moviendo la mezcla lo imprescindible para que no se bajen las claras, pero procurando que quede bien incorporado.

En placa de horno untada con mantequilla formamos montoncitos con la pasta (salen unos veinticinco de tamaño regular) y los metemos a horno medio fuerte unos 25 ó 30 minutos, hasta que estén doradas.

(De la misma forma, pero echándole a la pasta menos cantidad de coco, se pueden hacer merengues y cocadas planas, pequeñas, para merienda.)

520. Cocadas do Ferrol

Ingredientes:

¹/₄ kilo de azúcar
¹/₄ kilo de coco rallado
¹/₄ kilo de patatas cocidas
Coco rallado para rebozarlas
Mantequilla

Con las patatas cocidas, pasadas por el pasapurés, el coco rallado y el azúcar se hace una masa con la que se forman unas bolas que se rebozan en coco, se colocan en una bandeja de horno untada de mantequilla y se meten a horno fuerte hasta que estén doradas.

Se retiran, se dejan enfriar y se sirven.

(Si se les quiere dar color amarillo basta con añadirles una yema de huevo.)

521.   Colineta

Ingredientes:

15 yemas de huevo
500 gramos de azúcar
500 gramos de almendras muy
molidas, hechas pasta
1 cucharada de manteca o
mantequilla

Se baten mucho las yemas de huevo y se les va incorporando el azúcar poco a poco y luego la pasta de almendra.

Se unta un molde con la manteca, se estira la masa y cuece al horno.

O bien se coloca en montoncitos para formar pasteles individuales.

Puede también estirarse y cortarse a media cocción en cuadrados.

522.   Crema borracha

Ingredientes:

¹/₂ litro de vino blanco del Rosal
1 limón
2 ramas de canela
16 yemas de huevo
16 cucharadas de azúcar

Se pone a hervir el vino con el azúcar, la canela y la corteza del limón.

Se baten muy bien las yemas con la espátula o con la batidora hasta que liguen y se mezclan poco a poco con el vino.

Se vierte en moldes pequeños de flan, acaramelados o con un poquito de agua en el fondo y se cuece a baño maría.

523.   Crema de castañas

Ingredientes:

500 gramos de castañas
¹/₂ litro de nata montada
4 claras de huevo
4 cucharadas de azúcar
250 gramos de chocolate
4 cucharadas de agua
2 cucharadas de aguardiente
de hierbas, o de coñac
4 cucharadas de leche

Pelar las castañas, cocerlas y hacer con ellas un puré mezclándolas con la leche. Añadirle la mitad de la nata montada y las claras batidas a punto de nieve y mezcladas con el azúcar. Incorporarlo todo con mucho cuidado para que no se baje. Ponerlo en una fuente redonda, darle la forma de un montículo y meterlo en la nevera para que se endurezca.

Rallar el chocolate y ponerlo en baño María con el agua y el aguardiente. Cuando se haya formado una pasta verterlo sobre la crema de castañas y adornar el borde de la fuente con el resto de la nata montada.

524. Crema pastelera

Ingredientes:

1/2 litro de leche
125 gramos de azúcar
40 gramos de maicena
2 yemas de huevo
Perfume de vainilla, limón, anís,
etcétera

En cacerola se echan las yemas y el azúcar, se mezcla con dos cucharadas de leche fría, se agrega la maicena y se le incorpora la leche hirviendo, que hemos cocido de antemano con el perfume. Se mueve y se pone la cazuela a fuego moderado para que no se queme, se deja cocer la crema un minuto y se deja enfriar moviéndola de vez en cuando para que no se forme costra.

(Con esta crema se rellenan cañas, buñuelos, filloas, etc.)

525. Croquetas de castañas

Ingredientes:

1 kilo de castañas
1/2 litro de leche
150 gramos de azúcar
100 gramos de azúcar lustre
50 gramos de mantequilla
3 huevos
100 gramos de pan rallado
Perfume de vainilla o anís
100 gramos de manteca de cerdo
Aceite

Se les quita la cáscara a las castañas, se echan en una cacerola, se cubren de agua y se ponen a fuego vivo y cuando la piel se desprende con facilidad se pelan.

Se echan en la leche con la vainilla y se cuecen hasta evaporarse la leche. Se pasan por tamiz y se forma un puré, se vuelven a la cazuela, se les echa la mantequilla, se trabaja con la espátula y se les agrega el azúcar. Se les incorpora los huevos de uno en uno.

Con el puré de castañas templado se forman las croquetas, se pasan por el azúcar molido y se rebozan en huevo y pan rallado.

Se fríen en manteca de cerdo con aceite, por partes iguales. Cuando estén doradas se escurren y se sirven. Se pueden acompañar con nata montada o crema de chocolate caliente en salsera aparte.

526. Cuajado de almendra

Ingredientes:

15 yemas de huevo
500 gramos de azúcar
500 gramos de almendras
picadas
Ralladura de una naranja

Se mezclan las yemas con el azúcar, las almendras y la ralladura de naranja. Se prepara un molde con mantequilla o con caramelo y se cuece a fuego lento a baño maría.

527. Chulas de arroz

Ingredientes:

¹/₂ *litro de leche*
5 *cucharadas soperas de arroz*
1 *cáscara de limón*
1 *rama de canela*
Harina para rebozar
2 *huevos*
Manteca de vaca o aceite
300 *gramos de azúcar*
1 *vasito de agua*
2 *claras de huevo*
2 *cucharadas de azúcar lustre*
Canela

La leche se pone a calentar con la cáscara de limón y la canela. Luego se le echa el arroz y se deja cocer a fuego lento hasta que esté blando. Debe quedar muy espeso. Se echa en una fuente y se deja enfriar. Se hacen con él unas tortas o chulas que se rebozan en harina y huevo batido, se fríen en manteca y se retiran.

Con el azúcar y el vasito de agua se hace un almíbar, se cuecen en él las chulas unos minutos y se colocan luego en una fuente refractaria.

Se baten las claras a punto de nieve, se les agrega el azúcar lustre y se coloca un montoncito de merengue sobre cada torta. Se meten a horno moderado hasta que estén tostadas y al retirarlas del horno se espolvorea con canela molida.

528. Dulce de leche

Ingredientes:

2 *litros de leche*
2 *kilos de azúcar*
1 *palo de canela*
Galletas

Se deja cocer a fuego lento la leche mezclada con el azúcar y la canela, como si fuera un almíbar.

Cuando adquiera consistencia y tome un color tostado se retira del fuego, se deja enfriar y se sirve adornado con galletas.

(Si se quiere, puede espesarse con un poco de maicena disuelta en leche.)

529. Dulcinecas del Lérez

Ingredientes:

500 *gramos de harina*
250 *gramos de mantequilla*
2 *huevos*
1 *vasito de aguardiente*

Amasar la harina con los huevos, el aguardiente, la sal, el vinagre y tres cucharadas de mantequilla. Extender la masa con el rollo y meterle en el medio el resto de la mantequilla y doblar en cuatro partes esta masa procurando que no se salga la mantequilla. Volver a estirar con el rollo, doblar de nuevo y

1 cucharilla de vinagre
Sal
Azúcar

dejar reposar. Repetir esta operación cuatro veces dejando a cada vuelta descansar la masa. Extender. Cortar con cortapastas redondo o con un vaso. Meter al horno hasta que estén doradas.

Preparar un baño de azúcar. Bañarlos con este almíbar y espolvorearlos de azúcar.

530. Embelesos de patata

Ingredientes:

6 patatas medianas
6 yemas de huevo
1 trozo de miga de pan
1 vasito de vino tostado del Ribeiro
1 cucharilla de canela
1 cucharada de anises
Sal, azúcar y aceite para freír

Las patatas se cuecen con monda y una vez cocidas se pelan, se machacan y se mezclan con las yemas de huevo, el trozo de miga de pan mojado en el vino tostado o moscatel, la canela, los anises machacados y una pizca de sal.

Se mezcla todo bien. Se forman unas bolitas pequeñas que se fríen en aceite muy caliente y se espolvorean de azúcar.

Se sirven en fuente sobre servilletas.

531. Empanada de cabello de ángel

Ingredientes:

½ kilo de masa de hojaldre
400 gramos de cabello de ángel
8 higos en almíbar
6 cerezas en almíbar
1 huevo

Se extiende la masa de hojaldre, se corta en dos partes iguales (redondas o alargadas) y sobre una de ellas se coloca el cabello de ángel teniendo cuidado de que los bordes queden libres. (También se puede colocar sobre una lata humedecida).

Se cubre con la otra masa, se pinta con huevo batido sin que caiga por los bordes. Se adorna con higos partidos y cerezas. Metida a horno fuerte, cuando esté cocido el hojaldre se retira.

(También puede hacerse con masa azucarada.)

532. Empanada de manzana

Ingredientes:

½ kilo de masa azucarada
1 kilo de manzanas
1 cucharada de canela
1 cucharada de agua
1 huevo
8 cucharadas de azúcar

Peladas las manzanas se pican como para tortilla de patata y se mezclan con el azúcar y la canela.

Se estira la masa, se cubre una lata untada de mantequilla y espolvoreada de harina, se rellena con las manzanas y se tapa con otra capa de masa y se adorna.

Bañada con un huevo batido mezclado con una cucharada de agua, se mete a horno medio fuerte unos tres cuartos de hora hasta que esté bien cocida.

533. Empanadillas dulces

Ingredientes:

500 gramos de masa de hojaldre o de masa azucarada
250 gramos de cabello de ángel
1 huevo
1 cucharada de agua

La masa se estira con el rodillo, se deja bastante fina y se corta en rectángulos. En cada uno de ellos se pone una cucharada de cabello de ángel o de otro tipo de dulce, de naranja, higos, fresas, etc. Se dobla la masa y se forman las empanadillas. Para que queden bien, se untan los bordes con huevo batido, mezclado con agua y con esta misma mezcla se pintan para que queden brillantes.

Se unta la placa de pastelería con mantequilla, se colocan las empanadillas, se espolvorean de azúcar y se meten a horno medio fuerte hasta que estén doradas, se dejan enfriar en la misma lata y se retiran una vez frías.

534. Flan

Ingredientes:

6 yemas de huevo
3 huevos
½ litro de leche
1 cucharada de ralladura de limón
200 gramos de azúcar

Batir los huevos, añadirles las yemas, la ralladura de limón y el azúcar. Incorporarlo todo muy bien y añadirle poco a poco la leche sin dejar de moverlo siempre para el mismo lado.

Preparar un molde con caramelo, echándole la crema, y ponerlo a cocer al horno a baño maría una media hora, hasta que esté cuajado.

Dejarlo enfriar y desmoldarlo en fuente redonda.

535.   Flan blanco

Ingredientes:

¹/₂ litro de leche
250 gramos de almendras ralladas
150 gramos de azúcar
1 cáscara de limón
Canela
8 hojas de cola de pescado

Mojar con un poco de agua las hojas de cola de pescado para que ablanden.

Mezclar todos los ingredientes y verter la mezcla en una flanera, preparada con caramelo. Dejarlo hervir durante dos horas a baño maría. Enfríar y desmoldar.

536.   Flan-pudín

Ingredientes:

1 litro de leche
100 gramos de miga de pan o rosca
8 huevos
1 copa de coñac
5 cucharadas de azúcar
Caramelo para el molde

Se mezcla el pan con la leche y se machaca un poco con la espátula contra las paredes del recipiente, se le agrega el azúcar y el coñac, se mueve siempre para el mismo lado y se les van añadiendo los huevos uno a uno, o bien batidos. Cuando todo está incorporado se vierte en un molde acaramelado (sirve una tartera de porcelana), y se pone a baño maría (en la misma placa del horno con un poco de agua), a horno fuerte una hora.

Cuando esté cuajado se retira, se deja enfríar primero fuera y luego en frigorífico y ya frío se desmolda y se sirve.

Si se hace la víspera queda mejor.

537.   Flan-pudín de manzanas

Ingredientes:

1 litro de leche
100 gramos de rosca, bollo de leche o pan
2 manzanas
5 cucharadas de azúcar
6 huevos
Caramelo para el molde

Se moja la rosca en la leche y se le añade el azúcar y las manzanas peladas y cortadas en rodajas muy finas, luego se le van incorporando los huevos batidos (o de uno en uno). Se vierte la mezcla en molde acaramelado y se mete al horno medio fuerte y al baño maría, unos cincuenta minutos. Se pincha para saber si está. Si la aguja sale limpia se retira, se deja enfríar unas horas en la nevera y se desmolda. Debe quedar una capa de pudín más compacta debajo y encima flan.

(Puede hacerse también de castañas, añadiéndole las castañas, ya cocidas, o de otro tipo de frutas, plátano, pera, etc.)

538. Filloas de anís

Ingredientes:

3 huevos
¹/₂ copa de anís
12 cucharadas de harina
¹/₂ vaso de agua
Leche
Manteca de vaca
Miel

Se mezclan los huevos con el anís, se le agrega la harina poco a poco y se va formando una pasta que con la ayuda de una cuchara de palo o una espátula vamos aligerando, primero con el agua y luego con la leche que admita, hasta tener una consistencia suave, pero que se adhiera a la cuchara. El punto se prueba al extenderle en la sartén, pues debe de quedar muy fina. (Puede hacerse con la batidora, pero hay que dejarla reposar antes de utilizarla, pues siempre queda con un poco de espuma.)

Con un trapito o un algodón atado al tenedor se forma un hisopo que se impregna de manteca derretida y se unta la sartén caliente, antes de echar la pasta de la filloa; cuando esté cuajada se le da la vuelta con los dedos.

Hay que engrasar la sartén para cada filloa.

Pueden rociarse con miel o espolvorearse de azúcar y canela.

(En vez del anís, en algunos sitios se le echa agua de azahar o zumo de naranja.)

539. Filloas de caldo

Ingredientes:

1 pata de cerdo
1 hueso de caña
4 huevos
750 gramos de harina aproximadamente
2 litros de agua
100 gramos de tocino para preparar la sartén
Sal

Hacer un caldo con la pata de cerdo, la de ternera y el hueso de caña en dos litros de agua y dejarlo cocer lentamente. Separar y dejar enfriar.

Batir los cuatro huevos como para tortilla, añadir una taza del caldo y mezclarle la harina procurando que no se formen grumos. Si esto sucede, pasar la masa por el colador chino.

Para hacer las filloas preparar una sartén untándola de tocino que tendremos pinchado en un tenedor; cuando esté caliente, verter encima como dos cucharadas de masa de modo que cubra justo el fondo de la sartén una capa muy fina. Dejar escurrir lo que sobre, pues hemos de procurar que nos salgan las filloas cuanto más finas mejor. Cuando estén cuajadas darles la vuelta levantando uno de los bordes con la punta de un cuchillo y agarrándolas luego con los dedos.

(El caldo sobrante podemos utilizarlo para hacer una sopa.)

540. Filloas de centeno

Ingredientes:

4 huevos
3 cucharadas de harina de centeno
6 cucharadas de harina de trigo
1 vaso de agua
1 vaso de leche
1 cucharada de canela
1 trozo de tocino o manteca de vaca
Miel

Se mezcla los huevos y la harina con la canela. Se le va incorporando luego el agua y la leche, si es necesario en mayor o menor cantidad que la indicada, hasta formar una pasta ligera.

Luego se pone la sartén al fuego y se unta con tocino o manteca de vaca, se vierte un cucharón de pasta y se forma la filloa lo más fina posible; si sobra pasta se le retira y cuando esté cuajada se le da la vuelta con los dedos para que se dore por el otro lado.

Se sirven rociadas con miel.

541. Filloas de leche

Ingredientes:

1/4 litro de leche
1/4 litro de agua
4 huevos
1 cucharilla de canela
Harina (la que admita)
Sal y azúcar
Tocino

Se baten los huevos con una pizca de sal y la canela. Se mezclan con la leche y el agua. Poco a poco se le va incorporando la harina hasta obtener una pasta suelta. Se deja reposar un rato y si tiene grumos se cuela.

Se pone en una sartén al fuego, se calienta y se frota con un trozo de tocino. Se echa una capa delgada de pasta y cuando esté dorada por un lado y se desprenda con facilidad de la sartén, se le da la vuelta.

Se espolvorean de azúcar.

542. «Filloas de millo recheas»

Ingredientes:

Para la masa:
1/2 litro de leche cocida
templada
275 gramos de harina de maíz
50 gramos de mantequilla
3 huevos
1 cucharada de azúcar
2 copas de anís (licor)
1 cucharadita de agua de
azahar
Sal, tocino o manteca

Para la crema:
500 gramos de castañas
1/4 litro de leche
50 gramos de azúcar molido
100 gramos de mantequilla
1 barra de vainilla
12 cucharadas de coñac
6 cucharadas de aguardiente de
anís

Se echan en un recipiente los huevos, se baten con el azúcar y el agua de azahar. Se le va incorporando la harina y luego se le echa poco a poco la leche. Si vemos que se han formado grumos se pasa por el colador chino. Se le agrega una pizca de sal, el licor y la mantequilla líquida y se deja reposar media hora en sitio templado.

Pasado este tiempo se pone una sartén al fuego, se unta de tocino o manteca y se echan unas dos o tres cucharadas de la pasta, lo suficiente para que cubra el fondo y quede una pasta fina. Se le da la vuelta con los dedos y se colocan en un plato. Hay que engrasar la sartén para cada filloa.

Para preparar la crema de castañas, se mondan y se echan en una cazuela en agua, cuando ésta rompe a hervir y se ve que se desprende la segunda piel con facilidad se van retirando y se pelan. Una vez pelados se echan en una cazuela con la leche y la vainilla (o hinojo), se tapa y se deja a fuego lento hasta que la leche se evapore. Se retira la vainilla y las castañas se pasan por tamiz formando un puré. Se le agrega la mantequilla y el azúcar, se mezcla bien hasta formar una masa compacta y se deja enfriar.

Las filloas se rellenan con la crema, se enrollan, se colocan en una fuente y se espolvorean de azúcar lustre. Se ponen a calentar doce cucharadas de coñac y seis de aguardiente de anís, sin que lleguen a hervir. Se riega el fondo de la fuente y se le prende fuego.

Se sirven ardiendo.

543. Filloas de sangre

Ingredientes:

1 litro de leche
4 huevos
1 vaso de sangre de cerdo
1 cucharilla de canela

Se baten los huevos y se les añade la leche, la sal, la ralladura de limón y una cucharilla de canela. Luego se le incorpora poco a poco harina hasta formar una pasta suelta, se le añade la sangre de cerdo, se mezcla bien y si se han formado algunos grumos se pasa por el colador.

1 limón (la ralladura)
Harina la que admita
Manteca de cerdo o tocino
Azúcar y canela

Se pone al fuego una sartén, se unta de manteca o con el tocino sujeto con un tenedor, una vez engrasada se echa una capa fina de pasta de forma que se extienda cubriendo todo el fondo. Se deja cuajar y se le da la vuelta para que se doren del otro lado.

Si la sartén no tiene suficiente grasa hay que volver a untarla.

Después de retirarlas se espolvorean con azúcar y canela.

544. Filloas queimadas

Ingredientes:

12 filloas rellenas o estiradas
12 cucharadas de aguardiente
12 cucharillas de azúcar
1 cucharilla de zumo de limón

Se colocan las filloas en una fuente, si no están rellenas dobladas en dos, se espolvorean de azúcar y se rocían con parte del aguardiente. En un cacillo se ponen tres cucharillas de azúcar y se mojan con el zumo de limón, luego se llena de aguardiente y se le prende fuego, se deja arder un poco y se vuelca sobre la fuente de filloas y se presenta ardiendo.

Pueden flamearse también en cada plato y así es más fácil de graduar la cantidad de licor. El aguardiente puede sustituirse por ron, coñac, whisky, licor de naranja, de café, etc.

Aunque lo típico es el aguardiente de caña o de hierbas.

545. Filloas recheas

Ingredientes:

Para la pasta:
3 huevos
1 vaso de leche
1 vaso de agua
1 cucharilla de canela en
1 cucharada de ralladura
de limón
Harina (la que admita)
Sal y tocino

En un cazo se echan los huevos, se baten y se le va añadiendo los demás ingredientes, hasta conseguir una pasta clarita una vez mezclados, los pasamos por el chino para que la pasta quede fina.

En una sartén caliente, untada con tocino, echamos la pasta de manera que cubra todo el fondo, solamente la justa para que queden finas; la tenemos como medio minuto, y le damos la vuelta. Para cada filloa hay que engrasar de nuevo la sartén.

Crema para el relleno:
3 huevos
3 yemas
200 gramos de azúcar
1 limón (la monda)
2 cucharadas de maicena
¹/₂ litro de leche
Azúcar y canela

Crema para el relleno:

Se baten los tres huevos enteros y tres yemas. Se les agrega el azúcar y la maicena. Se revuelve bien y se le añade la monda de limón y medio litro de leche ya hervida. Se pasa por un colador a una cacerola poniéndola al fuego y removiéndola constantemente hasta que hierva. Cuando haya espesado la retiramos y dejamos que enfríe.

Se extiende una filloa, se rellena de crema y se enrolla o se dobla primero a la mitad y luego en dos partes. Pueden tomarse así o fritas en abundante aceite. Espolvoreamos de azúcar y canela. También se pueden rellenar de nata montada o de crema de castañas.

546. Filloas rellenas al licor

Ingredientes:

Filloas:
¹/₂ litro de leche templada
250 gramos de harina
75 gramos de azúcar
2 cucharadas de manteca
2 cucharadas de coñac
3 huevos
Aceite o manteca para engrasar la sartén

Relleno:
100 gramos de almendras molidas
100 gramos de mantequilla
50 gramos de avellanas
1 cucharadita de canela
1 copa de coñac
1 vaso de coñac para quemarlos

Se mezclan los huevos batidos, con el azúcar y la mitad de la leche. Se pasa por el colador chino para deshacer los grumos que se hayan formado, se le agrega la manteca o mantequilla, una pizca de sal y el coñac y se deja reposar como una media hora.

Luego se engrasa la sartén y se hacen las filloas.

Para hacer el relleno se bate la mantequilla y se le incorpora la mitad de las almendras y las avellanas tostadas y molidas, y la copa de coñac. Con esta pasta se rellenan las filloas.

Se colocan en una fuente, se espolvorean de azúcar, canela y almendra picada, se calienta un poco la fuente, se riega el fondo con el coñac y se le prende fuego.

(Puede sustituirse el coñac por cualquier otro licor. Quedan muy ricas con aguardiente de hierbas.)

547. Flores

Ingredientes:

150 gramos de harina
2 decilitros de leche templada
o fría
1 huevo
1 cucharilla de azúcar
1 copa de anís o coñac
1 cucharadita de levadura en
polvo
Sal, azúcar molido y canela
Aceite y un molde

Se pone la harina en una vasija formando un círculo en el centro, en el cual se echa la sal, el azúcar, el licor y el huevo, se mezcla con un decilitro y medio de leche y se deja reposar.

Se pone aceite en una sartén hasta la mitad, se calienta el molde en el aceite y se mete en la masa, teniendo cuidado de que no rebose los bordes del molde, pues en este caso no se puede desprender. Cuando estén doradas se retira, se separan del molde y se dejan escurrir. Para hacer otra flor hay que volver a calentar el molde y repetir la misma operación. Si la masa espesa se aligera con leche.

Al momento de servirlas se colocan en fuente sobre servilleta y se espolvorean de azúcar lustre y canela o se rocían con miel.

(La pasta puede hacerse también en batidora y en lugar del licor añadirle zumo de limón. Ha de estar lo más suave posible para que se agarre bien en el molde y luego se desprenda con facilidad. Aunque los primeros salgan un poco gruesos es mejor aligerar la pasta una vez que el molde está templado, pues las primeras son más difíciles de hacer sobre todo si no se tiene mucha práctica.)

548. Galletas de nata

Ingredientes:

1 taza de nata
1 taza de azúcar
2 cucharadas de ralladuras de
limón
1 cucharilla de canela
Harina (la que admita)

Se mezcla la nata con el azúcar, la ralladura de limón y la canela y se le va incorporando harina hasta que forme una masa que no se pegue a las manos.

Se estira la masa con rodillo hasta dejar una lámina de medio centímetro de grosor. Se corta con un vaso o con cortapastas y se colocan las galletas en placa de horno espolvoreada de harina.

Se meten a horno moderado hasta que tomen un color dorado (de diez a quince minutos). Se retiran, se dejan enfriar y se sirven.

Pueden conservarse durante muchos días en latas o en tarros de cristal o de plástico cerrados.

549. Hojas de limón

Ingredientes:

200 gramos de harina
¹/₂ vaso de leche
aproximadamente
6 huevos
Hojas de limonero
Azúcar molido
Manteca de vaca o aceite

Se mezcla la harina con la leche y luego se le incorporan los huevos batidos hasta conseguir una pasta fina en la que se introducen las hojas de limonero bien limpias, se escurren de modo que les quede la menor cantidad de pasta y se fríen en manteca de vaca o aceite caliente.

Cuando están doradas se retiran de la sartén. (Si se quiere que hinchen más puede añadírsele a la pasta una cucharilla de levadurina en polvo o incorporar primero las yemas de los huevos y por último las claras batidas a punto de nieve.)

Se sirve en fuente espolvoreada de azúcar. Se les puede retirar la hoja, pero le da más sabor si se dejan con ellas y como no se pueden utilizar más que una vez no vale la pena quitarlas.

Sirven también las hojas de naranjo.

550. Leche asada

Ingredientes:

6 huevos
3/4 de litro de leche
1 limón (las ralladuras)
6 cucharadas de azúcar
Un molde untado de caramelo

Se baten los huevos y se mezclan con el azúcar y la ralladura de limón, poco a poco se le va incorporando la leche. Se vuelca en un molde untado de caramelo (sirve una tartera de porcelana), y se deja cocer a horno fuerte a baño maría una media hora, hasta que cuaje. (Para comprobarlo se pincha con un alambre que ha de salir limpio.)

Una vez retirada del horno se deja enfríar, unas dos horas en el frigorífico y se desmolda.

551. Leche frita

Ingredientes:

3/4 de litro de leche
5 cucharadas de azúcar
5 cucharadas de maicena
2 yemas
1 cáscara de limón
1 rama de canela
Harina para rebozarla
2 huevos
Aceite, azúcar y canela

En una taza se disuelve la maicena con un poco de leche fría. El resto de la leche se pone al fuego con la monda del limón, la canela en rama y el azúcar. Cuando esté a punto de levantar el primer hervor se le agrega la maicena sin dejar de mover con la espátula de madera, y se deja cocer lentamente unos cinco minutos. Se sigue removiendo fuera del fuego y cuando esté templada se le agregan las dos yemas. Se retira el limón y la rama de canela y se vierte la masa en una fuente honda para que quede del grosor deseado, más o menos de un centímetro y medio.

Se deja enfríar por lo menos dos horas. Se parte en dados, se rebozan en harina y huevo batido y se fríen en abundante aceite.

Para que estén calientes en el momento de servirlos puede ponerse la fuente unos minutos en el horno antes de llevarla a la mesa. Se espolvorean con el azúcar y la canela en el momento de servirlos.

552. «Leite frita»

Ingredientes:

$^1/_2$ litro de leche
4 huevos
120 gramos de azúcar
60 gramos de harina
1 cáscara de limón
$^1/_2$ rama de canela
1 pizca de vainilla
Pan rallado o harina
Azúcar y canela
1 cucharada de mantequilla
Aceite para freír

La harina disuelta con la leche fría se pone en una cacerola, con dos huevos batidos, el azúcar y la vainilla, la canela en rama y la cáscara de limón. Se pone a fuego lento y se remueve hasta que empiece a hervir, se deja cocer y antes de retirarla se le echa una cucharada de manteca o mantequilla.

Se vierte en una fuente, se deja enfriar y se corta en cuadrados de unos tres centímetros. Se reboza en huevo y pan rallado o en harina y huevo batido y se fríe. Se escurre y se pasa por azúcar y canela molida.

Se sirve en fuente o cestilla sobre servilletas.

553. Mantecados de aguardiente

Ingredientes:

450 gramos de harina
450 gramos de manteca
225 gramos de azúcar
5 cucharadas de aguardiente
4 cucharadas de zumo de naranja
1 cucharilla de canela
1 cucharilla de anís (en granos)

Se bate bien la manteca mezclándola con el azúcar, el aguardiente, el zumo de naranja, la canela y los anises. Luego se le incorpora la harina y se amasa hasta que la pasta tenga cierta elasticidad, se parte entonces en pedacitos y se colocan en cajoncitos o moldes de papel y se cuecen a horno moderado hasta que estén dorados.

554. Mantecados

Ingredientes:

5 huevos
250 gramos de mantequilla o manteca de vaca

Se mezcla la mantequilla muy blanca o derretida con el azúcar, el zumo y la ralladura del limón. Luego se le incorporan los huevos y cuando esté todo bien batido le agregamos la harina mezclada con la levadurina y se bate.

250 gramos de azúcar
350 gramos de harina
2 cucharadas de zumo de limón
2 cucharadas de ralladura de
limón
1 paquete de levadurina
(1 cucharada)

Se echa en moldes de papel y se meten a horno moderado un cuarto de hora.

(Puede mezclarse también primero el azúcar, con las yemas, el limón y la manteca. Agregarle luego la harina y la levadurina y por último las claras de huevo a punto de nieve.)

555. «Mazans asadas»

Ingredientes:

12 manzanas medianas
12 cucharadas de azúcar
12 cucharadas de vino blanco
12 cucharillas de canela
1 vaso de vino tostado del
Ribeiro

A las manzanas se les quita el corazón sin llegar al fondo, y se rellena el hueco con una cucharada de azúcar, otra de vino blanco y una cucharilla rasa, del tamaño de las del café, de canela. Se colocan en una fuente refractaria, se rocían con el vino tostado del Ribeiro (y en su defecto jerez o coñac) y se meten al horno hasta que estén asadas.

556. Melindres de romería

Ingredientes:

3 huevos
3 cucharadas de aceite fino
3 cucharadas de azúcar
1 copa de anís o esencia
1 cucharilla de levadura en
polvo
Harina (la que admita)
1 tazón de azúcar (unos 250
gramos)
1 pocillo de agua (una taza de
café)
Aceite para freír

El tazón de azúcar y el pocillo de agua se colocan en un cazo y se ponen al fuego para formar un almíbar.

Se separa una clara y se mezclan el resto de los ingredientes incorporándoles poco a poco la harina hasta formar una masa consistente, con la que se forman unas bolitas que no se peguen a las manos. Se les mete el dedo dentro para hacer un agujero en forma de embudo y se fríen en abundante aceite caliente y se deja escurrir.

Retirar del fuego el almíbar, se le agrega la clara batida a punto de nieve moviendo muy fuerte y en este baño se van metiendo los melindres, se sacan y se colocan en una fuente dejándolos secar para que endurezca el baño.

557. Merengada

Ingredientes:

6 claras de huevo
200 gramos de azúcar molido
8 gotas de limón
50 gramos de grageas o almendras
tostadas picadas

Se baten las claras con las gotas de limón a punto de nieve, se le incorpora el azúcar dándole unas cuantas vueltas. Se colocan en una fuente refractaria y se meten a horno moderado un cuarto de hora, hasta que esté dorada. Se retira, se adorna con grageas, o con almendra tostada picada, y se sirve.

(Puede tomarse sola o hacerse sobre alguna compota o también sobre puré de castañas, natillas, pudín, etc.)

558. Merengada de arroz

Ingredientes:

1 litro de leche
5 cucharadas de arroz
3 cucharadas de azúcar
1/2 barrita de vainilla
3 huevos
1 cucharada de azúcar molido
3 gotas de zumo de limón
12 guindas en aguardiente

Cocer la leche con la vainilla, se agrega después el arroz y el azúcar y dejar cocer lentamente hasta que el arroz quede bien seco.

Se separa luego del fuego y se le incorporan poco a poco y removiendo siempre para el mismo lado las tres yemas. Y se echa el arroz en una fuente refractaria.

Batir las tres claras a punto de nieve con las gotas de limón para que suban mejor. Luego se le incorpora el azúcar molido, se coloca la merengada sobre el arroz y se mete al horno hasta que esté dorada. Al retirarla se adorna con las guindas en aguardiente.

559. Merengadas de castañas

Ingredientes:

400 gramos de castañas
pilongas
200 gramos de chocolate
2 cucharadas de miel
4 huevos
2 cucharadas de azúcar molido

Las castañas pilongas se ponen en remojo por espacio de veinticuatro horas. Se lavan luego y se mondan. Machacadas se pasan por el pasapurés. Se les echa la miel, el chocolate rallado y el azúcar, poniéndolas en seguida a fuego lento suave, sin dejar de removerlas para que espesen. Se echan en una compotera y cuando la crema está fría se cubre con una merengada hecha con las claras de huevo puestas a punto de nieve y las dos cucharadas de azúcar lustre. Si se quiere puede meterse unos minutos al horno para dorar el merengue. (Entonces la fuente ha de ser refractaria.)

(La receta es antigua y puede realizarse también con puré de castañas frescas cocidas o dándole un hervor a las pilongas en lugar de macharlas.)

560. Merengues de nata

Ingredientes:

6 claras de huevo
200 gramos de azúcar lustre
1 cucharilla de cremor tártaro
4 gotas de limón
Perfume de vainilla o de limón
¹/₄ litro de nata montada
Canela en polvo

Se baten las claras a punto de nieve con las gotas de limón para que suban mejor. Se le agregan, cuando están casi a punto, dos cucharadas de azúcar lustre mezcladas con el cremor tártaro y por último el resto del azúcar molido y dos gotas de perfume.

La placa de horno se cubre con papel mojado (pliegos o cuartillas) y se van colocando encima montoncitos de merengue hechos con cuchara o con la manga pastelera. Se meten a horno moderado unos veinte minutos hasta que estén dorados. Se retiran, se separan del papel y se unen de dos en dos.

Se colocan en moldes de papel rizado y se adornan para tapar la unión, con nata montada (en manga pastelera con boquilla rizada). Por último se espolvorean de canela y se sirven.

561. «Migados» o «Faragullos»

Ingredientes:

5 huevos
20 cucharadas de harina
200 gramos de tocino de hebra
2 cucharadas de manteca de cerdo o aceite
Agua, miel o azúcar

Se mezclan los huevos con la harina y se le va añadiendo agua hasta que forme una pasta espesa.

En una sartén con la manteca o el aceite se dora el tocino cortado en trozos pequeños. Cuando se han formado los torreznos, se le hecha encima la pasta y se revuelve hasta que éste bien frita, se separan y se juntan los trozos hasta que se forme como una torta desmigajada. Se vuelca en una fuente y se rocían con miel, que puede sustituirse por azúcar.

562. «Mistura galega»

Ingredientes:

*1 litro de leche
150 gramos de miga de pan
6 huevos
6 cucharadas de azúcar
100 gramos de pasas
100 gramos de higos picados
100 gramos de almendras
tostadas
1 cucharada de ralladura
de limón
1 cucharilla de canela
50 gramos de piñones
3 cucharadas de manteca
de vaca
Azúcar y canela*

Después de deshacer la miga de pan en la leche se mezclan todos los ingredientes y por último se le van incorporando los huevos batidos. Se unta una fuente de horno con mantequilla, se vierte en ella la mezcla y se mete a horno moderado hasta que esté completamente cuajada.

Espolvoreada de azúcar y canela, se sirve en la misma fuente.

563. Morcilla dulce

Ingredientes:

*La sangre del cerdo
1 kilo de pasas sin rabo
150 gramos de piñones, o más
250 gramos de higos pasos
picados
1 kilo de azúcar
8 raciones de pan
2 litros de leche
Canela
Harina de trigo
Pimienta
Comino
Anís
Clavo
Tripa gruesa*

Deshacer el pan en la leche, mezclarlo con la sangre y el azúcar, añadirle los piñones, las pasas y los higos, y un poco de harina para que espese y sazonar con la sal y las especias.

Rellenar con esta mezcla las tripas gruesas procurando que queden flojas y atarlas.

Dejar cocer durante media hora, enganchándolas en un palo que vaya de parte a parte del borde de la olla.

Una vez frías se parten en rodajas y se fríen en aceite.

564. Natillas

En un recipiente se mezcla la maicena, las yemas de huevo, 6 cucharadas de azúcar y cuarto litro de leche. El resto

Ingredientes:

1 litro de leche
6 huevos
1 cucharada de maicena
8 cucharadas de azúcar
1 cáscara de limón
Canela en polvo

de la leche se pone al fuego con la cáscara de un limón. Cuando rompa a hervir se le añade muy lentamente y sin dejar de moverla para que no forme grumos, la mezcla que hemos hecho. Se deja cocer cinco minutos y se retira del fuego y se vuelca en un recipiente de loza o cristal.

Se baten las claras de huevo a punto de nieve (se le ponen dos gotas de limón para que suban bien) y cuando está a punto de merengue se le añaden dos cucharadas de azúcar.

Se adorna la fuente de las natillas con montoncitos de merengue y se espolvorean de canela.

En algunos sitios se suele meter el merengue al horno para que se dore y luego colocarlo sobre las natillas.

565. Natillas al baño maría

Ingredientes:

1 litro de leche
8 yemas de huevo
200 gramos de azúcar
1 corteza de limón
Canela
9 galletas

Se pone a hervir la leche con la monda de limón.

En un cazo se baten bien las yemas de huevo y el azúcar. Se le va incorporando luego poco a poco la leche a la que hemos retirado la corteza de limón y se cuece a baño de maría removiendo para que no se pegue hasta que las natillas adquieran consistencia.

Verter en una fuente honda de loza o cristal y dejar enfriar. Se espolvorean de canela y se colocan encima las galletas María, en el momento de sacarlas a la mesa, para que no se ablanden.

566. Orejas

Ingredientes:

600 gramos de harina
1 huevo
100 gramos de manteca de vaca
1 vaso de leche pequeño

Se mezcla en un recipiente el huevo, la manteca, la leche, el aceite, la canela y la ralladura del limón, y se le va incorporando poco a poco la harina hasta formar una masa. Cuando ésta empiece a tomar consistencia se pasa a la mesa de mármol y se continúa amasando incorporándole el resto de la harina.

1 vaso pequeño de aceite frito
1 cucharadita (de café)
de canela
1 limón (la ralladura)
¹/₂ vaso pequeño de agua

Se estira y se rocía con un poco de agua y vuelve a amasarse de nuevo procurando que ligue bien.

Se repite esta operación varias veces hasta conseguir una masa consistente y que no se pegue al mármol.

Para formar las orejas estiramos un poco de la masa con el rodillo procurando que quede una capa muy fina. Cortamos unos rectángulos de masa como de unos siete por quince centímetros, los estiramos un poco con las manos para que queden lo más fino posible y se fríen en aceite caliente de modo que se doren sin que lleguen a quemarse. Nada más echarlos en la sartén con un tenedor les hacemos un metido en una de las partes para dar la forma a la oreja.

Si queda algo de poso conviene colar el aceite y que éste sea abundante. Hemos de procurar que no se caliente demasiado. (La mantequilla, la margarina o una taza de nata pueden sustituir a la manteca de vaca).

Se presentan en fuente sobre servilletas de papel espolvoreadas de azúcar y canela. Cuatro cucharadas de azúcar por una de canela. En algunos lugares de Galicia es costumbre cubrirlas con miel.

Con esta receta las orejas quedan huecas y crocantes sin que sea necesario echarles ni levadura prensada ni levadurina.

567. «Orellas da Vicenta»

Ingredientes:

800 gramos de harina
2 huevos
1 vasito de anís
100 gramos de manteca de vaca
derretida
1 vaso de agua templada
Sal y azúcar o miel
Manteca para freír o aceite

Se mezcla la manteca de vaca con el agua templada, se le agregan los huevos, la sal y el anís y se le va añadiendo la harina hasta que forme una masa que se trabaja mucho para que quede con liga. Se estira, se corta en rectángulos y se fríe en abundante manteca o aceite. Se sirve espolvoreada de abundante azúcar o miel.

568. «Ovos Moles»

Ingredientes:

600 gramos de azúcar
4 huevos
8 yemas de huevo
4 pocillos de azúcar (algo
más de ¹/₄ de kilo)
Canela molida

Con el azúcar y el agua se hace un almíbar a punto de hebra. Los huevos se baten en un cazo hasta que espesen y luego se les incorpora, poco a poco, el almíbar templado. Se acerca el cazo al fuego y moviendo constantemente con una espátula de madera se espera a que espesen. (Deben cocerse a fuego lento, y como se pegan fácilmente, si no se tiene mucha práctica, es más seguro el ponerlos al baño maría.)

Se echan en cazuelitas de barro individuales o en «cuncas» de las de queimada. Se espolvorean de canela y se dejan enfriar. Pueden conservarse varios días y quedan mejor hechos de víspera. También pueden servirse en una fuente honda.

Si se quiere que tengan más sabor a canela, al retirar la pasta del fuego se le incorporan, sin dejar de remover, dos cucharillas de canela molida. También se puede poner en el agua y azúcar del almíbar una ramita de canela atada, para que no se suelten los palitos y se retira al incorporarlo a los huevos.

569. Pan de nuez

Ingredientes:

500 gramos de nueces
2 huevos
6 cucharadas de azúcar
6 cucharadas de leche
3 cucharadas de levadura en
polvo
100 gramos de pasas
Harina, la que admita (sobre
unos 300 gramos)

Cascar las nueces y picarlas muy finas. (A las pasas se les quitan los rabos.)

Los huevos se baten con el azúcar y luego se le añaden las pasas, las nueces, la leche y la levadurina mezclada con la harina. Se amasa un poco, se hace una barra y se deja reposar durante veinte minutos junto al fuego. Meter luego a horno moderado durante casi una hora. Dejar que enfríe antes de cortarlo en rebanadas.

570. Pastel de castañas

Ingredientes:

500 gramos de castañas

Se mondan las castañas y se ponen a cocer con el anís. Se hace con ellas un puré al que se le agregan 400 gramos de

500 gramos de azúcar
100 gramos de chocolate
2 cucharadas de miel
2 claras de huevo
Una rama de anís
Canela

azúcar, la miel y el chocolate rallado. Se ponen a cocer a fuego suave removiendo constantemente para que espesen.

Se dejan enfríar y se vierte en una compotera formando una pirámide con la ayuda de dos cucharas.

Se baten dos claras de huevo a punto de nieve, se les agrega el azúcar y se cubre con ella el postre y se espolvorea de canela.

571. «Pastel de millo»

Ingredientes:

250 gramos de harina de maíz
250 gramos de manteca de vaca derretida
250 gramos de azúcar
8 huevos
1 vaso de ron

Se separan las claras de las yemas y se mezclan con la harina. La manteca y el azúcar, con las yemas de huevo y el ron.

Se amasa bien y se le incorporan las claras batidas a punto de nieve. Se prepara un molde con manteca y harina, se vierte la masa y se mete a horno no excesivamente fuerte hasta que esté dorado. Se pincha con una aguja o un alambre para saber si está cocido por dentro.

572. «Patacas doces»

Ingredientes:

1 kilo de patatas
2 cucharadas de aguardiente
200 gramos de manteca de vaca
1 cucharada de leche
2 huevos
4 cucharadas de harina
Azúcar y canela
Aceite para freír

Se cuecen las patatas con monda, en poca agua. Se mondan, y aún calientes, se machacan. Se les añade el aguardiente, la manteca de vaca y la leche. Se mezcla bien y poco a poco se le va incorporando el huevo, hasta que la masa adquiera la suficiente consistencia. Se hacen unas bolitas en forma de patata, se rebozan en harina y se fríen en abundante aceite.

Se colocan en un cestito sobre servilleta y se espolvorea con azúcar molido mezclado con abundante canela.

Se sirven calientes.

573. Polvorones

Ingredientes:

*250 gramos de manteca
de cerdo
250 gramos de azúcar
500 gramos de harina
100 gramos de avellanas
picadas*

Poner a tostar la harina en el horno o bien en sartén de hierro en el fuego revolviendo con espátula de palo para que no se queme. Dejar enfriar.

Mezclar la manteca con el azúcar, las avellanas y la harina tostada. Formar una masa apretada. Extenderla con la mano y cortar los polvorones con la ayuda de un cortapastas o una copa. Envolverlos en papel de seda.

574. Queso de canónigo

Ingredientes:

*500 gramos de almíbar
500 gramos de almendras
molidas
Canela*

En el almíbar casi a punto de caramelo se cuece la almendra molida y reducida a pasta por espacio de media hora. Se echa después en una taza grande y se le da la forma de un queso. Se espolvorea con mucha canela.

(El almíbar se consigue poniendo a cocer medio kilo de azúcar con un poco de agua hasta que alcance el punto de caramelo sin que llegue a tomar color oscuro.)

575. Queso de pasta

Ingredientes:

*500 gramos de almendras
muy molidas
250 gramos de azúcar
7 cucharadas de agua
7 yemas de huevo
Canela
Polvos de sándalo*

Se hace un almíbar con el agua y el azúcar, se le añade la almendra molida y las claras muy batidas sin dejar de revolver. Cuando se despega de la tartera se le da forma de bola y se espolvorea de canela y polvos de sándalo.

576. Requesón

Ingredientes:

1 litro de leche cruda
Azúcar

Dejar la leche sin hervir en un lugar templado hasta que cuaje. (Unas veinticuatro horas más o menos. En cuanto empiece a formar nata por encima se le retira y se reserva).

Una vez que ha cuajado toda la leche, se escurre en un colador con un paño o servilleta. Se echa en un cuenco y se bate con la nata que le hemos retirado y azúcar a gusto. (Si queda muy espeso añadirle un poco de leche).

577. Rosca de castañas

Ingredientes:

1 kilo de castañas
3/4 de kilo de azúcar
2 onzas de chocolate amargo
2 yemas de huevo
1 1/2 vasos de agua

Se mondan las castañas y se cuecen en agua. Se escurren, se les quita la piel y se pasan por tamiz.

En un cazo se hace un almíbar con el agua y el azúcar. Cuando esté relativamente fuerte, se retira un vaso y se cuecen en él las castañas y con esta masa se forma una rosca. En el centro se le pone la salsa hecha con el chocolate deshecho, mezclado con el vaso de almíbar, que hemos retirado y las dos yemas.

Se acerca al fuego y se deja que rompa a hervir revolviendo siempre para el mismo lado. Se sigue removiendo aún después de retirado del fuego hasta que enfríe un poco.

578. Rosca de maíz

Ingredientes:

500 gramos de harina de maíz
500 gramos de harina de trigo
250 gramos de manteca de vaca
1 paquete de levadurina
200 gramos de azúcar
6 huevos
4 cucharadas de anís (licor)
2 cucharadas de leche
7 cucharadas de azúcar
4 cucharadas de agua
Sal

Mezclar la harina con la levadurina. Formar un montón sobre la mesa y hacer un hueco en el centro. Verter en él la manteca de vaca, mezclarla con la leche templada, los huevos, el azúcar, el anís y la sal. Formar una masa incorporando primeramente lo de los lados.

Amasar hasta que tenga consistencia y formar la rosca, sobre placa del horno espolvoreada de harina.

Mezclar las siete cucharadas de azúcar con las de agua y colocar montoncitos sobre la masa. Meter a horno fuerte durante unos 45 minutos hasta que esté dorada.

579. Rosca de merengue

Ingredientes:

Merengue:
8 claras de huevo
15 cucharadas de azúcar
Unas gotas de limón
Mantequilla para untar el molde

Natillas:
8 yemas de huevo
12 cucharadas de azúcar
1 litro de leche
1 cáscara de limón
1 cucharadita de maicena

Se baten las claras a punto de nieve con unas gotas de limón para que suban mejor. Cuando estén a punto de merengue se les agregan cuatro cucharadas de azúcar.

En un cazo se pone el resto del azúcar y se hace un caramelo, que se vierte sobre las claras, sin dejar de batir muy fuerte. La mezcla se echa en un molde de rosca untado con mantequilla y se mete a horno moderado unos veinte o veinticinco minutos.

Se deja enfriar un poco y se desmolda en una fuente redonda. En el medio de la rosca y alrededor le echamos las natillas.

Para hacer las natillas ponemos a calentar la leche con la cáscara de limón. En un cazo se echa las yemas, el azúcar y la maicena. Se remueve con cuchara de palo siempre para el mismo lado y se le agrega la leche, poco a poco, sin dejar de mover. Se cuece al baño maría moviéndolas constantemente para que no se corten, hasta que espesen.

580. Rosca de Pascua

Ingredientes:

1 kilo de harina
100 gramos de manteca de vaca
100 gramos de levadura prensada
8 huevos
Esencia de anís
350 gramos de azúcar
1 vaso de agua
Sal

Con 100 gramos de harina y 50 gramos de levadura disuelta en medio vaso de agua caliente con sal, hacer una masa. Taparla con un paño blanco espolvoreado de harina y sobre éste algo de lana. Colocarlo cerca del fuego y dejar que suba. Cuando haya elevado y se ponga espumosa, de manera que si la tocamos se forma un hoyito, pero vuelve rápidamente a su sitio, está ya a punto para formar la masa.

Colocar la harina sobre una mesa de mármol, hacer un agujero en el centro y poner en él el resto de la levadura disuelta en agua templada con sal, la manteca, 7 huevos, la esencia de anís y 300 gramos de azúcar. Mezclar primero todos los ingredientes del centro incorporando, poco a poco, la harina de los lados. Amasar mucho rato. Hacer la rosca y colocarla en sitio cálido para que suba (puede también taparse con un paño como en el caso anterior).

Cubrirla con huevo batido y azúcar mojado en un poquito de agua. Meter a horno fuerte como una hora, hasta que esté dorada.

581. Roscón

Ingredientes:

6 huevos
6 cucharadas rasas de azúcar (100 gramos)
6 cucharadas colmadas de harina (150 gramos)
Azúcar molido
Mantequilla y harina para untar el molde

Las yemas se baten con un tenedor o con varillas. Cuando estén espesas se les añade el azúcar y se sigue batiendo hasta que tengan bastante consistencia, como un cuarto de hora. Luego se le echan las claras a punto de nieve y se bate todo junto y por último, se le incorpora la harina, removiendo sólo lo necesario.

Se echa la masa en un molde de roscón (forma de cono con un agujero central) untado de mantequilla y espolvoreado de harina y se mete a horno moderado una media hora. Si está dorado y se desprende de los bordes con facilidad es que está en su punto.

También se puede pinchar con una aguja de calceta y si sale limpia puede retirarse.

Se desmolda y se espolvorea de azúcar lustre por encima.

Es un postre típico de Pascua, Reyes y en general, de todas las fiestas.

582. Roscón con baño blanco

Ingredientes:

Para el roscón:
6 huevos
150 gramos de azúcar
200 gramos de harina
Mantequilla para untar el molde

Para el baño:
2 claras
375 gramos de azúcar

Se baten mucho los huevos con el azúcar, a poder ser cerca del calor, hasta que queden espumosos. Luego se le añade poco a poco la harina pasada por tamiz o colador (sin batir). Se vuelca en un molde de rosca untado con mantequilla y se mete a horno suave unos cuarenta minutos.

Se desmolda y se baña.

Para hacer el baño blanco se baten las claras a punto de nieve y se les agrega luego poco a poco un almíbar a punto de hebra floja hecho con el azúcar y el agua, al que se le agregan unas gotitas de limón. Se prueba en la mesa (o en una galleta) para ver si seca con facilidad; si no se endurece se le añaden unas dos cucharadas de azúcar lustre, pues el baño debe resultar consistente.

583. «Roscos de viño»

Ingredientes:

500 gramos de harina
250 gramos de manteca de vaca
¼ litro de vino tinto
350 gramos de azúcar
1 vaso de agua
Mantequilla
Azúcar molido

Se mezcla la harina con la manteca derretida y el vino tinto. Se amasa y se forman unas rosquillas grandes que se meten al horno en placa untada de mantequilla o manteca. Cuando estén cocidas se retiran y se bañan en un almíbar muy espeso hecho con el azúcar y el agua y se espolvorean de azúcar molido.

584. Roscos de yema

Ingredientes:

7 yemas de huevo
¼ litro de aceite
250 gramos de azúcar
1 vaso de aguardiente
500 gramos de harina
aproximadamente

Mezclar las yemas con el aceite, el azúcar y el aguardiente. Incorporarle la harina que admita para formar una masa que no se pegue a los dedos.

Formar las roscas y meterlas al horno hasta que estén doradas.

585. Rosquillas

Ingredientes:

250 gramos de azúcar
1 copa de aguardiente
Harina
6 huevos

Batir las yemas de huevo con el azúcar y el aguardiente. Poner las claras a punto de nieve e incorporarlas a las yemas. Mezclarle luego la harina que admita hasta formar una masa que tenga consistencia, como para formar las rosquillas que se fríen en aceite caliente. Espolvorearlas de azúcar.

586. «Rosquiñas anisadas»

Ingredientes:

6 yemas de huevo
225 gramos de azúcar
1 cucharada de granos de anís
1 copa de anís
6 claras de huevo
6 cucharadas de azúcar molido
Harina, la que admita

Se baten las yemas de huevo con el azúcar, los anises y la copa de licor. Se le va incorporando luego harina hasta que la masa tome consistencia. Se deja reposar un poco y, cuando está correosa, se forman las rosquillas, se colocan en latas engrasadas y se meten al horno. Una vez cocidas se pasan por un baño hecho con las claras batidas a punto de nieve y el azúcar molido. Luego se dejan secar en el horno, ya apagado.

(La masa se puede alargar con un poco de agua templada.)

587. Rosquillas de anís fritas

Ingredientes:

Para las rosquillas:
6 huevos
4 yemas
250 gramos de azúcar
1 cucharada de aguardiente
1 cucharada de anís en granos
Harina la que admita
Aceite para freír
Sal

Baño:
300 gramos de azúcar
1 vasito de agua
4 claras de huevo

Se mezclan los huevos, las yemas, el azúcar, el aguardiente fuerte, el anís en grano sin moler y una pizca de sal. Se le va incorporando la harina hasta formar una masa que no resulte dura.

Se forman las rosquillas, haciendo unos retorcidos con las manos untadas de harina y luego cerrándolas. Se fríen en abundante aceite, se escurren y se dejan enfriar.

Con el agua y el azúcar se hace un almíbar a punto de hebra. Se deja enfriar un poco. Se baten las claras a punto de nieve y se les va incorporando poco a poco el almíbar hasta que se ponga duro. Se meten en este baño las rosquillas y se dejan secar al aire.

588. Rosquillas de yema de Puentedeume

Ingredientes:

Masa:
12 yemas de huevo
1 copa de anís
1 cucharada de azúcar

Con las yemas de huevo bien batidas con el azúcar, la canela, la manteca y el anís, incorporándole la harina que sea necesaria, se hace una masa bien gramada. Se forman unas rosquillas bastante grandes y se meten al horno sobre placa engrasada. Cuando estén doradas se les da un baño crudo hecho en la

3 cucharadas de manteca de vaca o mantequilla
1 cucharilla de canela
Harina la que admita

Baño:
8 cucharadas de azúcar
2 claras de huevo
3 cucharadas de agua
1 cucharada de zumo de limón
Almíbar a punto fuerte

mezcla del azúcar molido, el agua, una cucharada de zumo de limón y las claras batidas a punto de nieve.

Luego se bañan en almíbar a punto fuerte, metiéndolas y sacándolas rápidamente. Se colocan en una fuente y se espera a que se enfríen y cuaje el baño.

(La masa no debe pegarse a las manos y el secreto está en batir muy bien las yemas.)

589. «Rosquiñas de millo»

Ingredientes:

500 gramos de harina de maíz
250 gramos de manteca de vaca
250 gramos de azúcar
6 huevos
1 cucharilla de canela
1 limón (las ralladuras)

Se mezcla la manteca de vaca blanda con el azúcar, los huevos, la canela y la ralladura del limón. Se le incorpora la harina hasta que forme una masa compacta que se trabaja mucho y luego se forman rosquillas que se colocan en latas untadas de manteca y se meten al horno hasta que estén doradas.

590. Soufflé especial Solla

Ingredientes:

18 huevos
1/4 kilo de azúcar
6 helados
Cointreau
Ron negro

Se separan las claras de los huevos de las yemas y se baten por separado.

Se mezclan todas las yemas con la mitad de las claras, el azúcar y el Cointreau.

Se unta con mantequilla un molde de lata y se cubre el fondo con un poco de la mezcla anterior y se mete al horno hasta que tome la consistencia de un bizcocho. Se retira. Se colocan los helados (cuanto más duros mejor) y se cubre con el resto de la mezcla de yemas y claras. La otra mitad de las claras batidas a punto de nieve se ponen en una manga pastelera y con ellas se completa el postre. Se adorna con seis mitades de cáscaras de huevo, con ron.

Se mete a horno fuerte hasta que esté dorado. Se rocía con ron previamente calentado y se le planta fuego procurando que llegue ardiendo a la mesa.

Nota: Receta cedida por Casa Solla.

Chef: Benigno Rial Esperante.

591. Tarta aldeana de Navidad

Ingredientes:

300 gramos de harina de maíz
100 gramos de harina de
centeno o de trigo
1/2 taza de nata fresca
100 gramos de azúcar
100 gramos de pasas sin rabo
100 gramos de higos pasos
picados
100 gramos de nueces peladas
y picadas
Levadura o levadurina
Una pizca de sal
Agua

Con el maíz, el centeno, la levadura disuelta en agua templada y la sal hacemos una masa como si fuera para pan. Le añadimos el azúcar y la nata. La colocamos en un sitio templado cubierto por un paño y esperamos a que levede.

La amasamos de nuevo incorporándole las pasas, los higos picados y las nueces.

La extendemos sobre una lata o placa de horno enharinada y la metemos a horno medio fuerte hasta que esté dorada.

592. Tarta de almendras compostelana

Ingredientes:

¹/₂ kilo de almendras molidas
¹/₂ kilo de azúcar
7 huevos
100 gramos de mantequilla
150 gramos de harina
1 cucharilla de canela
1 copa de jerez dulce
50 gramos de azúcar molido

Se prepara una masa con un huevo, la mantequilla, la harina y si necesita un poco de agua. Se estira y se forra un molde redondo, ha de quedar una capa muy fina.

En un recipiente se mezclan la almendra molida con el azúcar y la canela, se le van añadiendo el jerez y los seis huevos uno a uno mezclándolo todo bien. Cuando esté hecho una pasta se vierte sobre el hojaldre y se mete a horno, no excesivamente alto, hasta que esté completamente cuajada, y la masa de hojaldre bien cocida. Se comprueba pinchándola con una aguja o un alambre, que ha de salir limpio. Debe tardar una hora o algo más.

Se retira, se deja enfriar, se desmolda y se espolvorea de azúcar molido. En Santiago suelen colocar una plantilla en el centro con la cruz de Santiago, o con una concha, para que quede marcada, al resaltar el fondo más oscuro de la tarta.

593. Tarta de almendra de la abuela

Ingredientes:

500 gramos de almendras molidas
500 gramos de azúcar
8 huevos
1 cucharada rasa de canela

Batir las claras a punto de nieve. Añadirle las yemas, el azúcar y la almendra. Echarlo en un molde untado de manteca y harina y meterlo al horno hasta que esté dorada.

594. Tarta de crema tostada del tío Xan

Para preparar el bizcocho se desclaran los huevos y se baten las claras a punto de nieve. Cuando estén preparadas se les

Ingredientes:

Para el bizcocho de espuma:
6 huevos
150 gramos de harina
125 gramos de azúcar

Jarabe para emborracharlos:
200 gramos de azúcar
1 litro de agua
1 copa de coñac o medio vaso
de jerez seco

Crema pastelera:
1 litro de leche
250 gramos de azúcar
125 gramos de harina
4 yemas
Cáscara de limón
Vainilla o canela en rama

Para tostarlo y prepararlo:
Azúcar
Ron
Canela molida

incorpora el azúcar sin dejar de batir. Una vez mezclado se le echa las yemas y cuando ya se han incorporado no conviene batirlo más. Se le incorpora la harina tamizada mezclándola con la mano y sin mover mucho el resto de la pasta, con manga pastelera para que quede lo más liso posible, se echa sobre un papel sin preparar y se mete a horno fortísimo ya caliente al máximo; para que se seque pronto y quede jugoso por dentro. Se deja enfriar un poco y se despega.

El jarabe se prepara poniendo a hervir el azúcar con medio litro de agua. Una vez que rompa el hervor se retira y se le agrega el otro medio litro de agua fría y medio vaso grande de jerez seco o una copa de coñac.

Para la crema se pone a hervir la leche con el perfume; si es canela, conviene atarla con un hilo para que la rama no se deshaga. Luego se retira.

El azúcar y la harina tamizada se mezclan muy bien y se les incorpora un poco de leche (si está bien mezclado es igual la temperatura), de forma que quede una pasta consistente. Se le incorporan las yemas y se les echa más leche encima. La mezcla diluida se vierte sobre el resto de la leche que está hirviendo. Tan pronto rompa a hervir se retira para que no se pegue.

Mientras esté en el fuego se trabaja con espátula de manera que limpie el fondo y no se queme. (La crema se usa caliente para formar el postre).

Formación del pastel:

La plantilla de bizcocho se parte a la mitad. Se coloca una parte sobre la bandeja que se va a utilizar. Se emborracha con el jarabe, se le pone crema caliente, se pulveriza con canela molida, se le coloca encima la otra capa de bizcocho al revés (la que estuvo en contacto con el papel para arriba); se emborracha, se le echa más crema y más canela y se deja enfriar.

Para tostarlo se le pone azúcar por encima de modo que quede cubierto y con un hierro al rojo se quema y se sirve. En la mesa se le pone una queimada de ron con azúcar previamente calentado y se prende.

Nota: Receta cedida por «Xan das Canicas» (Francisco Calvo).

595. Tarta de fresas

Lavar las fresas y quitarles los rabos. Reservar quince de las mejores y picar el resto.

Poner a hervir el azúcar con medio litro de agua. Una vez que rompa el hervor retirarla del fuego y añadirle el resto del agua fría y el coñac o el jerez seco.

Partir en dos el bizcocho de espuma. Colocarlo en la fuente en que se vaya a servir. Rociarlo con parte del jarabe. Poner encima una capa de nata montada y fresas picadas y la otra parte del bizcocho, empaparlo de nuevo con el jarabe. Cubrir de nata. Alisar la superficie con un cuchillo. Colocar la nata restante en manga pastelera y adornar la tarta con unas rosetas, poniendo en el centro una fresa de pie.

Espolvorear de canela y conservarla en el frigorífico hasta el momento de servirla.

596. Tarta de manzanas

Ingredientes:

250 gramos de mantequilla
250 gramos de azúcar
250 gramos de harina
4 huevos
1 cucharada de levadura en
polvo
1 kilo de manzanas
Azúcar

Se bate la mantequilla con el azúcar, se le añade los huevos enteros uno a uno y la harina mezclada con la levadura.

Se coloca en molde untado de mantequilla y espolvoreado de harina y se van poniendo encima las manzanas, peladas y cortadas en rodajas, por capas, espolvoreando cada capa con azúcar. Se mete a horno moderado, con el horno ya caliente, unos veinte minutos. Y se retira cuando esté dorada. Una vez fría se desmolda.

597. Tarta de maíz

Ingredientes:

250 gramos de harina de trigo
150 gramos de harina de maíz
100 gramos de mantequilla
100 gramos de azúcar
1 paquete de levadurina
(10 gramos)
1 vaso de leche
3 huevos

Se mezclan todos los ingredientes con la leche y se le añade luego la levadura. Se remueve bien la pasta y se pone en un molde engrasado a horno moderado durante media hora.

598. Tarta de Mondoñedo

Ingredientes:

200 gramos de hojaldre
200 gramos de cabello de ángel
200 gramos de almendra molida gruesa
300 gramos de azúcar
1 vaso de agua
4 huevos
4 cucharadas de harina
4 cucharadas de azúcar
¹/₂ vaso de almíbar
6 higos confitados
6 cerezas en almíbar

Con los huevos, la harina y las cuatro cucharadas de azúcar se hace un bizcocho corriente, cociéndolo en un molde redondo donde después se va a hacer la tarta; una vez cocido se desmolda y se remoja con medio vaso de almíbar.

Con el azúcar y el agua se hace un almíbar a punto de hebra fina donde se pone a cocer la almendra unos cinco minutos. Con la pasta de hojaldre se cubre un molde redondo, desmoldable. Se coloca encima el bizcocho, luego el cabello de ángel y por último la almendra.

Se adorna con tiritas de hojaldre formando un enrejado y se mete la tarta al horno hasta que esté cocido el hojaldre.

Se deja enfriar, se desmolda y se adorna con cerezas y con higos confitados.

Es una tarta que se conserva varios días, pero al llevar hojaldre no es conveniente meterla en la nevera.

599. Tarta de nueces

Ingredientes:

1 ¹/₂ kilos de nueces
¹/₄ kilo de azúcar
¹/₄ kilo de harina
¹/₄ kilo de mantequilla
4 huevos
1 cucharada de levadura en polvo
1 cucharada de ralladura de limón
Azúcar
Higos en almíbar

Se cascan las nueces, se parten a la mitad y se reservan.

Se bate la mantequilla con el azúcar, se le van incorporando los huevos enteros, de uno en uno, la ralladura de limón y por último la harina mezclada con la levadurina.

Se vierte la masa en un molde untado de mantequilla, se coloca una capa de nueces, se espolvorea de azúcar, luego encima otra capa de nueces y así sucesivamente. Meter a horno moderado unos veinte minutos hasta que el bizcocho esté bien cocido. Ya frío se desmolda y adorna con higos en almíbar.

600. Tarta de Ortigueira

Para hacer la masa se forma un círculo con la harina y en el centro se colocan los demás ingredientes, mezclándolos hasta formar una masa fina que se deja en reposo.

Ingredientes:

Masa para el fondo:
250 gramos de harina
75 gramos de azúcar
50 gramos de mantequilla
3 yemas de huevo
2 cucharadas de leche templada

Para el relleno y el baño:
350 gramos de cabello de ángel
150 gramos de almendras molidas
150 gramos de almendras fileteadas
150 gramos de azúcar
3 claras de huevo
4 cucharadas de agua
2 copas de coñac
3 cucharadas de maicena
Esencia de limón

La almendra molida se mezcla con los 100 gramos de azúcar y la maicena. Se baten las claras a punto de nieve con dos gotas de limón y se incorporan poco a poco a la mezcla, que se perfuma con unas gotas de esencia de limón.

Formar un jarabe con los 150 gramos de azúcar y las 4 cucharadas de agua. Dejar cocer unos minutos, retirarlo del fuego e incorporar el coñac.

Para formar la tarta se forra con la masa un molde rizado o desmoldable de 24 centímetros previamente untado de mantequilla y espolvoreado de harina.

Se reparte luego el cabello de ángel y encima se echa la pasta de almendras y claras de huevo, se salpica de almendras crudas fileteadas y se mete a horno moderado unos cuarenta minutos.

Una vez cocido y templado bañarlo con el jarabe de coñac. Dejar enfriar y colocarla en una fuente redonda sobre servilleta.

601. Tarta de yema

Ingredientes:

Para el bizcocho:
4 huevos
4 cucharadas de azúcar
4 cucharadas de harina
Mantequilla para untar el molde

Para la yema:
250 gramos de azúcar
5 yemas de huevo
2 vasitos de agua
1 vasito de azúcar
1 chorrito de licor (aguardientes de hierbas, coñac, ron, etc.)
2 claras de huevo
3 cucharadas de azúcar molido
7 higos en almíbar
5 guindas en almíbar

Para hacer el bizcocho se baten los huevos con el azúcar hasta que queden a punto de nieve. Se le incorpora con cuidado la harina, sin batir, y se vierte en un molde redondo untado con mantequilla. Se mete a horno moderado cuarenta minutos. Se desmolda y se hacen tres capas. Se emborracha con un almíbar hecho con un vasito de agua, otro de azúcar y el licor.

Se hace un almíbar con el cuarto kilo de azúcar y el otro vasito de agua, y se retira cuando esté a punto de hebra floja.

En un cazo se echan las cinco yemas, se baten y poco a poco se les va incorporando el almíbar, se pone a cocer a fuego moderado sin dejar de mover hasta que espese. Se deja enfriar y se rellena el bizcocho, se cubre con un poquito de la yema.

Se espolvorea de azúcar lustre y se adorna con merengue hecho con las claras batidas a punto de nieve y el azúcar molido, y con los higos y las guindas partidas a la mitad.

602. Tarta Maruxa

Ingredientes:

Bizcocho:
150 gramos de harina
125 gramos de azúcar
3 huevos
3 yemas de huevo
1 decilitro de nata cruda espesa
Vainilla o esencia de limón

Chantilly de castañas:
¼ kilo de nata cruda y espesa
100 gramos de puré de castañas
(O castañas cocidas machacadas)
100 gramos de azúcar molido
75 gramos de mantequilla
16 castañas en almíbar

En un cazo se echan los huevos, las yemas y el azúcar y la vainilla o la esencia de limón. Se bate al lado del fuego con tenedor y cuando forme relieve se retira y se le incorpora la nata y la harina.

Se prepara en un molde redondo con mantequilla y harina, se vierte en él la pasta y se mete a horno fuerte moderado una media hora y se deja enfriar.

Se prepara la crema batiendo la nata y el azúcar a punto de chantilly, entonces se le incorporan las castañas.

El bizcocho se parte por el medio, se rellena con parte de la crema y se cubre por encima y por los lados con el chantilly de castañas. Se adorna con castañas en almíbar y con la mantequilla trabajada con el azúcar molido y metida en manga pastelera para adornar los bordes y el centro de la tarta.

603. Tarta real

Ingredientes:

500 gramos de azúcar
500 gramos de almendras molidas
8 yemas de huevo
Ralladura de limón
2 cucharadas de zumo de limón
2 cucharadas de agua

Se hace con el azúcar y el agua un almíbar a punto de caramelo, se le añaden las almendras bien molidas, la ralladura de limón y el zumo; se bate a fuego lento. Luego se le incorporan las yemas batidas sin parar hasta que unan.

Se hace una masa con harina, el huevo y el azúcar, se extiende en una mesa de manera que quede muy delgada y con ella se cubre el molde que se rellena de la pasta de almendra y se cubre de azúcar y caramelo. Se mete al horno hasta que esté dorado.

604. Tocinillo de cielo

El agua y el azúcar se ponen al fuego, cuando rompa a hervir se retira y se deja enfriar un poco.

Ingredientes:

12 yemas
2 huevos
1/2 kilo de azúcar
1/4 litro de agua
Un molde con tapadera acaramelado

Las yemas y los dos huevos se baten mucho hasta que alcancen punto fuerte. Entonces se incorporan al almíbar removiendo siempre para el mismo lado, y cuando esté todo unido se vuelca en el molde acaramelado. Se tapa y se pone con muy poca agua a cocer al baño maria (en la olla de presión ocho minutos). Se retira, se deja enfriar y se desmolda.

(Para hacerlo en una tartera corriente hay que poner un paño antes de la tapadera del molde, para que recoja las gotas de vapor y no estropeen el postre. Si no se tiene molde puede utilizarse una fiambrera de material resistente al fuego.)

605. Torta de chicharrones

Ingredientes:

500 gramos de tocino fresco con piel
100 gramos de azúcar
1 cucharilla de canela
100 gramos de manteca de vaca
1 kilo de harina aproximadamente
1 vasito de agua
3 huevos

Poner a cocer el tocino con agua hasta que ésta se consuma y se formen los chicharrones. Hay que remover constantemente.

Mezclar los chicharrones con la manteca, la canela, el azúcar, los huevos y el agua. Revolver e ir incorporando la harina hasta que forme una masa.

Preparar una fuente de horno con aceite frito y harina. Impregnar primero de aceite y espolvorear de harina, sacudiéndola para que no se formen grumos, y quede solamente la que se ha pegado al aceite.

Cubrir el molde con la masa estirándola con la palma de la mano. Espolvorear de azúcar y con el borde no cortante del cuchillo hacer unas incisiones formando cuadrados. En el medio pellizcar la masa para formar un dibujo. Meter a horno fuerte en la parte media del horno hasta que esté dorada.

606. Torta de maíz con pasas

Ingredientes:

200 gramos de harina de maíz
500 gramos de harina de trigo

Se mezcla la harina de trigo con la de maíz, se coloca sobre la mesa y se hace un agujero en el que se echa cuatro huevos, el anís, 100 gramos de azúcar, y la levadura disuelta en el agua con

150 gramos de azúcar
150 gramos de manteca de vaca
100 gramos de pasas en
aguardiente
1 copa de anís
5 huevos
1 cucharada de levadura
prensada
$^1/_2$ vaso de agua templada
Sal

sal. Se amasa muy bien y se deja levedar en un recipiente cubierto con un paño blanco y sobre éste algo de lana; pasada hora y media se amasa y se estira la masa sobre la bandeja del horno espolvoreada de harina. Se colocan las pasas por el medio de la masa y se pinta con huevo batido mezclado con agua y se espolvorea con el azúcar restante. Se mete al horno hasta que esté dorado, aproximadamente unos veinte minutos.

607. Torta gallega

Ingredientes:

500 gramos de harina de maíz
500 gramos de azúcar
3 huevos
250 gramos de manteca de vaca
(o 330 gramos de nata)
1 limón

Mezclar los huevos con el azúcar, la ralladura del limón y la manteca. Incorporar la harina hasta que se forme una masa.

Extender sobre una lata de horno previamente untada de mantequilla y harina. Meter a horno fuerte hasta que esté dorada.

Puede hacerse también con harina de trigo, pero debe echársele un huevo más o también mezclando el trigo y el maíz a partes iguales.

608. Tortas de leche

Ingredientes:

$^1/_2$ litro de leche
1 taza de aceite frito
1 taza de azúcar
4 huevos
1 cucharilla de levadura
prensada
1 kilo de harina aproximadamente

Disolver la levadura en 2 cucharadas de agua templada.

Mezclar la leche, el azúcar y los huevos y el aceite y la levadura prensada.

Añadirle poco a poco la harina hasta formar una masa blanda. Cuando empiece a subir, ponerla en papeles y meterlo al horno hasta que se doren.

(Pueden usarse moldes como los de las magdalenas.)

609.   Tortas de polvorón

Ingredientes:

300 gramos de manteca
100 gramos de azúcar
1 vaso de vino
1 cucharada de canela
La ralladura de un limón
Harina

Mezclar la manteca, el azúcar, el vino, la canela y la ralladura de limón. Incorporarle poco a poco la harina hasta lograr una masa que tenga consistencia. Formar tortitas y colocarlas sobre la placa del horno espolvoreada de harina. Meter a horno fuerte y retirar cuando hayan tomado color.

610.   Tortilla al ron

Ingredientes:

6 huevos
2 cucharadas rasas de azúcar
1 cucharada de ralladura de limón
3 cucharadas de azúcar molido
5 copas de ron
25 gramos de mantequilla para la sartén

Con los huevos batidos mezclados con el azúcar y la ralladura de limón se hace una tortilla de forma de la francesa. (Si se quiere que suba más se mezclan las yemas con el azúcar y la ralladura y luego se le incorporan las claras batidas a punto de nieve.) Se coloca en una fuente, se espolvorea con azúcar molido y con un hierro candente se hacen unos dibujos. Se rocía con el ron y se le prende fuego.

(Para que encienda con facilidad conviene calentar un poco de ron y en la cuchara en que vamos a prenderle fuego poner un poco de azúcar. Si se quiere que resulte más suave, con poner mitad de ron y mitad de coñac basta.)

También se le puede agregar a la tortilla dos cucharadas de nata.

611.   «Tortiñas de rixóns»
(Chicharrones)

Ingredientes:

600 gramos de harina
400 gramos de chicharrones picados

Apartar un poco de azúcar para espolvorear las tortas y con el resto de los ingredientes hacer una masa muy trabajada. Estirarla y formar tortitas muy finas como de unos diez centímetros de diámetro. Espolvorear de azúcar, colocar en latas enha-

200 gramos de azúcar
1 cucharada de manteca
2 cucharadas de ralladura de
limón

rinadas y meter a horno medio fuerte hasta que estén bien doradas.

(Si la masa no liga bien, puede agregársele un vasito de agua o de leche.)

612. «Torradas de anís»

Ingredientes:

12 rebanadas de pan de bolla
3 tazas de agua
3 copas de anís
6 cucharadas de azúcar
3 huevos
Azúcar y canela o miel
Aceite o manteca de vaca

En agua caliente en la que hemos echado el anís y el azúcar se meten las rebanadas de pan. Cuando estén bien empapadas se escurren, se reboza en huevo batido y se fríen en abundante manteca de vaca.

Se colocan en fuente y se espolvorean con azúcar y canela o se rocía con miel.

Se sirven en cestilla sobre servilleta o en fuente.

(También pueden remojarse en leche o en mitad de leche y mitad de agua.)

613. «Torradas de Nadal»
(Torrijas)

Ingredientes:

12 rebanadas de pan
2 huevos
4 cucharadas de azúcar
1 litro de leche
1 limón
1 rama de canela
Aceite o manteca de vaca

Se parte el pan en rebanadas de un centímetro de grueso. (Salen más ricas con pan de bolla de trigo.)

Se rebozan en huevo batido y se fríen en abundante aceite o manteca de vaca. Cuando están doradas se retiran y se colocan en una cazuela.

En una tartera se deja cocer la leche, con la canela y la monda del limón. Cuando lleva hirviendo unos cinco minutos se le agrega el azúcar, se retira y se vierte sobre las torrijas. Se deja que dé un hervor todo junto, sin que lleguen a deshacerse las rebanadas de pan. Pueden servirse en la misma cazuela, o en una fuente después de escurridas.

614. «Torradas con crema»
(Torrijas)

Ingredientes:

Para las torrijas:
12 rebanadas de pan
1 litro de leche
3 huevos
1 palo de canela
1 cáscara de limón
3 cucharadas de azúcar
Pan rallado
Aceite o manteca de vaca

Para la crema:
4 huevos
1 cucharada de maicena
$1/2$ litro de leche
5 cucharadas de azúcar
1 cucharada de azúcar molido

Las rebanadas de pan se colocan en una fuente y sobre ellas se vierte la leche que hemos hecho hervir con la canela, la cáscara de limón y las tres cucharadas de azúcar.

Se deja reposar una hora, dándole la vuelta al pan si es necesario para que empape mejor. Se escurren. Se rebozan en huevo batido y pan rallado y se fríen en abundante aceite. Puede mezclarse con manteca de vaca, pero hay que tener cuidado de que no se queme demasiado.

Una vez fritas se colocan en una fuente de horno.

Para hacer la crema se separan las claras de los huevos de las yemas y éstas se mezclan en un cazo con el azúcar y la maicena; se le va incorporando luego la leche y se acerca al fuego removiendo constantemente hasta que espese. (Puede hacerse sin la maicena y echándole sobre las yemas y el azúcar la leche hirviendo y dejando que espese al baño maría.)

Las claras se baten a punto de nieve y se mezclan con el azúcar molido una vez batidos.

Se vierte la crema sobre las torrijas y encima se colocan las claras batidas y se mete al horno hasta que el merengue esté dorado.

615. «Torradas en viño»

Ingredientes:

1 barra de pan del día anterior
$3/4$ de litro de vino blanco seco
2 huevos
Azúcar y canela

La barra de pan del día anterior se corta en rebanadas como de un dedo de grosor y se dejan en el vino blanco caliente durante media hora. Luego se escurren colocándoles en un colador.

Se rebozan en huevo batido y se fríen.

Se sirven en fuente o en una cestilla sobre servilleta, espolvoreadas de azúcar y canela.

616. Trenza barata

Ingredientes:

2 vasos grandes de leche
30 gramos de levadura prensada
3 huevos
50 gramos de mantequilla o un
tazón de nata
4 cucharadas de azúcar
1 limón (las raspadu...
Harina la que admita
Azúcar y agua

En la leche templada se deshacen la levadura y se le añaden dos huevos y los demás ingredientes hasta formar una masa que no se pegue.

Luego se hace una rosca o una trenza sobre la placa del horno enharinada y se deja levedar hora y media. Pasado este tiempo se pinta con huevo batido, se le colocan encima montoncitos de azúcar mojada y se mete a horno fuerte, sin que se queme, hasta que esté bien dorada.

confituras y bebidas

617. Aguardiente de guindas

Ingredientes:

1 kilo de guindas
2 litros de aguardiente blanco
½ kilo de azúcar
2 ramas de canela
1 clavel (la flor)

Las guindas una vez desprovistas del rabo se meten en un frasco de boca ancha, se le pone la canela, el clavel y el azúcar y se cubren con el aguardiente. Para que esté bien hecho y coja el sabor conviene dejarlo de un año para otro o por lo menos unos cuantos meses. Las guindas se comen solas o se utilizan para adornar postres.

618. Aguardiente de naranja

Ingredientes:

1 litro de aguardiente blanco
1 vaso de aguardiente de hierbas
3 naranjas del país
500 gramos de azúcar
1 rama de canela

Mondar las naranjas. Trocear las mondas y colocarlas en tarros. Echarles el azúcar, la canela, el aguardiente blanco y el de hierbas. Esperar unos tres meses antes de usar el aguardiente.

Resulta mejor con naranjas del país porque tienen la piel muy gruesa. Puede hacerse también con mandarinas pequeñas enteras.

Mezclado con agua, gaseosa o sifón, resulta un excelente refresco de verano. También está muy rico servido en copas con hielo picado.

619. Angonada

Ingredientes:

1 ½ litros de vino tinto
1 manzana (pelada y en trozos)
100 gramos de manteca de vaca
1 cucharada de canela
1 rebanada de pan de trigo
6 cucharadas de azúcar

En una cazuela se ponen todos los ingredientes, se deja hervir media hora aproximadamente y se sirve muy caliente.

(Suele tomarse en Navidad y Carnavales.)

620. Batatas confitadas

Ingredientes:

3 kilos de batatas
4 kilos de azúcar
4 litros de agua
1 rama de canela o vainilla

Se limpian las batatas y se ponen a cocer en abundante agua. Se mondan calientes con un trapo.

Se hace un almíbar a medio punto con el agua y el azúcar y se ponen a cocer en él las batatas hasta que espese el almíbar, una hora aproximadamente.

Si en lugar de confitadas las queremos en almíbar, se pone la mitad de azúcar y de agua que de batatas.

(Para dos kilos de batatas, uno de azúcar y un litro de agua.)

621. Cabello de ángel

Ingredientes:

1 cidra
1 rama de canela
1 cucharada de sal
Agua
Azúcar

Se descorteza la calabaza y se parte en ocho trozos la pulpa, después de haberle quitado todas las pepitas.

Se echa en agua hirviendo con sal y se deja cocer una hora aproximadamente hasta que veamos que se pueden separar fácilmente los hilos. Se cogen con la espumadera y se echan en agua fría, se separan los hilos con las manos, se escurren y se pesan.

Se pone la misma cantidad de cidra que de azúcar, y la canela, y se deja dar un hervor removiendo con espátula de palo para que no se pegue.

Se deja reposar y se vuelve a hervir cinco minutos, y después de haber reposado se hierve otra vez unos minutos. Se deja hasta el día siguiente y se repite la misma operación. Una vez que esté bien cocido se deja enfriar y se envasa.

(También se puede cocer la calabaza partida en ocho gajos y sin pelar. Se separa luego la corteza de la pulpa y las pepitas. Con la pulpa se hace el dulce de cabello y la corteza se trocea y se cuece aparte: la misma cantidad de cidra que de azúcar y un chorro de zumo de limón. De una calabaza suelen obtenerse unos dos kilos de cabello de ángel.)

622. Castañas en almíbar

Ingredientes:

1 kilo de castañas
850 gramos de azúcar
1 ¹/₂ litro de agua
1 barra de vainilla

Las castañas se pelan y se ponen a cocer en agua fría. Cuando se ve que la piel se desprende se van retirando con la espumadera y se pelan.

Con 850 gramos de azúcar, un litro y medio de agua y una barra de vainilla se prepara un jarabe que se deja cocer a fuego moderado durante diez minutos, espumándolo con frecuencia. En este almíbar se dejan cocer las castañas durante dos o tres minutos.

Se escurren y se enfrían. Luego se vuelve al almíbar y se dejan cocer de nuevo. Esta operación se repite hasta que estén blandas. Se conservan en el almíbar o envueltas en papel de estaño, después de escurridas. Si se van a envolver conviene dejarlas secar al aire o en la boca del horno.

623. Cerezas confitadas

Ingredientes:

3 kilos de cerezas o guindas
3 ¹/₄ kilos de azúcar
3 litros de agua
Carmín

Quitarles los huesos a las cerezas con una orquilla doblada o con la deshuesadora y echarlas en agua fría.

Poner a hervir agua, echar las cerezas y dejarlas cocer un cuarto de hora aproximadamente. Escurrirlas y colocarlas en un barreño con agua fría teñida de carmín. Dejarlas unas doce horas a remojo para que tomen color.

Con dos kilos de azúcar y tres litros de agua hacer un jarabe y dejarlo hervir diez minutos, entonces echar la fruta y cuando rompa a hervir de nuevo espumarlo y retirarlo del fuego. Se deja así hasta el día siguiente en que se le agregan 200 gramos de azúcar y se pone a calentar hasta que rompe el hervor y se retira. Esta operación se repite durante seis días y el último se pone al fuego sin echarle el azúcar, se dejan luego enfriar y se envasan.

624. Cerezas en aguardiente

Ingredientes:

2 kilos de cerezas
3/4 de kilo de azúcar
3 palos de canela en rama
Aguardiente de caña

Para poner en aguardiente las mejores cerezas son las claras y carnosas, que se dan en las Rías Bajas, aunque sirven también las negras y las coloradas. Las picotas son por lo general poco sabrosas y no quedan tan bien.

Se lavan las cerezas y se les quitan los rabos, se colocan en frascos con unas cucharadas de azúcar y una rama de canela (depende del tamaño), una vez llenos se cubren de aguardiente, se cierran y se dejan una larga temporada hasta que estén de color marrón, y el aguardiente ha tomado el sabor característico. Si se hacen en frasco grande puede luego embotellarse el aguardiente, pues de abrir y cerrar el frasco, va perdiendo fuerza.

Las cerezas están muy bien como postre o para tomar después de comer con el café.

625. Cerezas en almíbar

Ingredientes:

3 kilos de cerezas
1/2 kilo de azúcar
1/2 litro de agua
2 limones

Deshuesar las cerezas con una orquilla doblada o con la deshuesadora y lavarlas en agua fría.

Con un trozo de la parte amarilla de la corteza del limón, el zumo, el agua y el azúcar, hacer un almíbar. Cuando lleve unos minutos cociendo echarle las cerezas y dejarlo al fuego unos minutos más, depende de lo maduras que estén las cerezas y de su tamaño. No conviene que cuezan demasiado para que no se arruguen.

Se dejan enfriar y se sirven o se meten en frascos de cristal para conservarlas.

Si se quiere que queden rojas se puede añadir un poquito de colorante de carmín.

626. Cerezas y uvas en licor

Ingredientes:

Cerezas y uvas (1 kilo de cada)
250 gramos de azúcar
¹/₄ litro de agua
Licor

Cortar los rabos a las cerezas y las uvas después de lavadas y colocarlas en tarros de cristal.

Hacer un almíbar con el azúcar y el agua, cuando esté frío verterlo en los frascos de las frutas y terminar de cubrirlas con el licor, que puede ser: aguardiente mezclado con coñac o ron, o bien Kirsch con Marrasquino, u otro licor, según el gusto.

627. Ciruelas en aguardiente

Ingredientes:

1 kilo de ciruelas
¹/₂ kilo de azúcar
1 rama de canela
Aguardiente blanco

Lavar las ciruelas y repartirlas en tarros con unas cucharadas de azúcar y un trocito de canela. Cubrirlas de aguardiente. Tapar los tarros y dejarlas sin abrir unos seis meses para que coja sabor el aguardiente.

Hay que procurar que estén bien enteras las pieles y no demasiado maduras para que no se arruguen.

Sirven cualquier tipo de ciruelas verdes, amarillas, moradas y también los mirabeles. Es conveniente que no sean excesivamente grandes.

Si lo que interesa es el licor poner menos ciruelas en frascos grandes, llenos hasta la mitad poco más o menos. Si nos interesan más las ciruelas llenar frascos pequeños de fruta y cubrirlas luego con el aguardiente.

628. Ciruelas en almíbar

Ingredientes:

1 kilo de ciruelas
2 ¹/₂ kilos de azúcar
Agua

Poner a cocer las ciruelas en una cazuela con agua para que ablanden. Cuando estén tiernas escurrirlas y echarlas en agua fría.

Clarificar el azúcar con agua, dejar hervir un poco, apartarlo del fuego y cuando esté templado verterlo sobre las ciruelas. Dejarlas en el almíbar unas cuatro horas, escurrirlas, calentar el jarabe de nuevo y verterlo sobre la fruta. Repetir esta operación hasta que las ciruelas estén bastante cubiertas. Entonces se escurren y se ponen a secar o se colocan en tarros de cristal y se cubren con el almíbar.

629. Compota de manzanas

Ingredientes:

1 kilo de manzanas
750 gramos de azúcar
1 ramita de canela
Agua

Mondar las manzanas. Quitarles los corazones y cortarlas en gajos.

Colocarlas en una cazuela. Cubrirlas de agua y echarles el azúcar y la canela. Dejarlas cocer a fuego lento hasta que estén tiernas.

Servir en compotera.

630. Compota de manzana camuesa

Ingredientes:

1 kilo de manzanas camuesas
1/2 litro de vino blanco
1 rama de canela
300 gramos de azúcar

A las manzanas se les quita el corazón y la piel, y partidas en trozos se ponen a cocer en el vino blanco, con la canela y el azúcar. Dejándolas a fuego lento hasta que se haya evaporado parte del líquido.

Se sirven frías o templadas en compotera de loza o cristal.

631. Compota de naranjas

Ingredientes:

8 naranjas
700 gramos de azúcar
1 copa de ron
Agua
Canela

Pelar seis naranjas, separar los gajos y quitarles las pepitas.

Colocar en una compotera una capa de naranjas y otra de azúcar, sucesivamente hasta que estén todos los gajos colocados. Dejar en maceración unas horas.

Con el zumo colado del resto de las naranjas, el azúcar, y un poco de agua si fuera necesario, hacer un almíbar. Aña-

dirle el ron y verterlo sobre las naranjas. Servirlas espolvoreadas de canela.

Si se quiere puede dejarse que los gajos de naranja cuezan
unos minutos en el almíbar antes de perfumarlos con el licor.

632.   Compota de peras

Ingredientes:

1 kilo de peras
700 gramos de azúcar
1 limón (ralladura)
1 vasito de vino blanco
¹/₄ litro de agua
Canela en polvo

Pelar las peras y limpias de pepitas y cortadas en gajos,
colocarlas en una tartera.

Hacer un almíbar con el azúcar y el agua. Echarlo sobre
las peras. Añadirle las ralladuras de limón y el vino blanco.
Dejar cocer a fuego lento durante una media hora.

Servir en compotera, espolvoreada de canela.

633.   Confitura de calabaza, calacú o botefa

Ingredientes:

1 kilo de calabaza, calacú
o botefa
750 gramos de azúcar
Agua

Cortar en trozos grandes la calabaza y ponerla a cocer en
agua.

Una vez cocida cortarla en rodajas finas y echarla en un
jarabe a punto de hebra floja, formado con el azúcar y cuarto
litro de agua. Dejarla cocer con el azúcar diez o doce minutos
y ya está lista para envasar.

634.   Confitura de castañas

Ingredientes:

1 kilo de castañas
1 limón
¹/₄ litro de agua

Las castañas se mondan y se colocan en una tartera, con la
pulpa de un limón y se cubren de agua. Se acercan al fuego y
cuando rompe el hervor se baja la llama y se dejan cocer muy
lentamente hasta que se les desprende la piel, una media hora

750 gramos de azúcar
2 gramos de cremor tártaro

poco más o menos. Se retiran de tres en tres y se pelan y se ponen en un almíbar a punto de hebra foja hecho con el azúcar y el cuarto litro de agua, al que se ha agregado dos gramos de cremor tártaro. Se dejan cocer moderadamente diez minutos y se envasan en tarros de cristal o de barro.

635.   Confitura de nueces verdes

Ingredientes:

1 kilo de nueces
2 ¹/₂ litros de agua
Sal
5 gramos de ácido cítrico
2 kilos de azúcar
Vainilla

La nuez para prepararla en confitura necesita estar fresca, de modo que pueda ser atravesada con un alfiler grueso.

Se mondan las nueces y se va echando en dos litros de agua con sal y el ácido cítrico. Se dejan cocer unos veinte minutos, se colocan al chorro de agua fría y se escurren.

Con el azúcar y medio litro de agua se forma un jarabe a punto de hebra floja, con una barra de vainilla. Se echan las nueces y se pone a cocer a fuego moderado unos diez minutos. Se deja enfriar y se envasa.

636.   Confitura de sandía

Ingredientes:

3 kilos de corteza de sandía
3 ¹/₄ kilos de azúcar
3 litros de agua
5 gramos de bicarbonato de sosa
Sal

Las cortezas de la sandía se ponen en un barreño con agua y sal (50 gramos por litro), y se dejan a remojo veinticuatro horas. Luego se les tira el agua, se aclaran al chorro de agua fría y se pinchan.

Ponerlas a hervir cubiertas de agua y con el bicarbonato, para que resulten más verdes y transparentes. Dejarlas a fuego moderado hasta que estén cocidas. Refrescarlas de nuevo con agua fría.

Con dos kilos de azúcar y tres litros de agua se forma un jarabe, después de que ha cocido diez minutos se le agrega la sandía y se deja que siga cociendo otros cinco. Luego retirarla del fuego.

Al día siguiente se vuelve a hervir cinco minutos y así tres días. Al cuarto día se le incorporan 200 gramos de azúcar y al romper a hervir el jarabe se retira. Se hace lo mismo los cuatro días siguientes y al octavo si se quiere conservar mucho tiempo se le incorporan 100 gramos de glucosa por cada litro de jarabe.

Colocar en tarros cubriéndola con el almíbar y una vez fría tapar con cierre hermético o con papel satinado impregnado en alcohol. Se tapa el tarro con el papel y se sujeta con bramante. Se conservan en sitio fresco.

(De esta misma forma se pueden confitar naranjas enteras o en gajos, albaricoques, peras, manzanas, etc.)

637. Dulce de higos

Ingredientes:

4 kilos de higos
3 palos de canela
4 kilos de azúcar
Agua

Se cogen los higos verdes y duros pero ya desarrollados y que todavía suelten leche. Se pincha cada higo dos veces con un tenedor de dientes muy punzantes y se dejan en agua veinticuatro horas. Se le cambia el agua varias veces. Puede colocarse en un barreño de barro y sobre ellos unas tapaderas o unos platos pues tienden a subir a la superficie y conviene que estén cubiertos por el agua.

Se escurren del agua del remojo se colocan en una tartera grande, se cubren de agua y se les da un hervor. Se tira parte de agua y se dejan sólo cubiertos hasta la mitad, se les echa el azúcar y la canela y se les da otro hervor y se dejan a reposo hasta el día siguiente para que vayan cogiendo el almíbar. Pasadas las veinticuatro horas se vuelven a cocer, teniendo cuidado de revolverlos para que no se peguen y se vuelven a dejar en reposo. Se repite esta operación tres días más hasta que al cocerlos ya no formen espuma, y tengan todos un color verde, y no estén amarillentos por algún lado, como ocurre en las primeras cocciones. Se dejan enfriar y se envasan en tarros pequeños pues se conservan mucho mejor. (Sirven los de cristal de mermelada.) Deben de quedar cubiertos totalmente por el almíbar. Puede dejárseles algún trozo de canela que les va muy bien.

También se pueden secar al aire y quedan como escarchados.

NOTA: Todos los dulces deben removerse con cuchara grande de palo o con espátula.

638. Dulce de limón

Ingredientes:

¹/₄ *kilo de limones*
¹/₂ *kilo de azúcar*
50 gramos de mantequilla
6 huevos

Rallar los limones y exprimirlos.

Batir los huevos y añadirles el azúcar, el zumo y las ralladuras de los limones. Una vez bien mezclado todo se le incorpora la mantequilla, y a baño maría se cuece hasta que el azúcar esté bien disuelto, moviendo constantemente para el mismo lado con espátula o cuchara de madera.

Conservar en nevera.

Puede tomarse como postre o como mermelada en desayunos y meriendas. Si se quiere más consistente basta con agregarle dos hojas de cola de pescado previamente remojadas, antes de ponerlo al fuego.

639. Dulce de manzana

Ingredientes:

1 kilo de manzanas
¹/₂ *kilo de azúcar*
1 rama de canela
Agua

Lavar las manzanas y quitarles los corazones. Cortarlas en trozos pequeños y colocarlas en un recipiente con un poquito de agua en el fondo y la canela. Ponerlas al fuego hasta que estén blandas. Pasarlas por el pasapurés y luego por la batidora. Añadir el azúcar y dejar cocer removiendo constantemente hasta que se solidifique la masa.

Verter en moldes y cubrir primero con una gasa dejándolo al aire hasta que se endurezca. Colocar luego un papel de celofán, una vez retirada la gasa, y tapar la lata, cubrir con papel de pergamino y atarlo con bramante.

640. Dulce de manzanas y naranjas

Ingredientes:

1 kilo de manzanas
6 naranjas
750 gramos de azúcar
Agua
Canela

Mondar las manzanas, cortarlas en trozos y ponerlas a cocer en agua con una ramita de canela. Cuando estén blandas, escurrirlas y pasarlas por tamiz que no sea metálico para que no se oscurezcan.

Pesar la pulpa y poner la misma cantidad de azúcar y el zumo de seis naranjas. Dejar cocer a fuego lento hasta que adquiera consistencia y deje de formar espuma, removiendo constantemente con espátula de madera, para que no se agarre.

Dejarlo enfriar y guardarlo en tarros de cristal o en cajoncitos forrados de papel. No debe taparse hasta que esté completamente frío.

641. Dulce de membrillo

Ingredientes:

1 kilo de membrillos
750 gramos de azúcar
Agua

Pelar los membrillos y pesarlos. (Reservar las mondas y los corazones para hacer jalea.)

Colocar la carne de los membrillos en una tartera con el fondo cubierto de agua. Arrimarla al fuego y dejarlos cocer. Cuando estén tiernos pasarlos por la batidora. Añadirle el azúcar y poner la pasta al fuego, y desde que rompe a hervir dejarla cocer entre 25 y 30 minutos, removiendo constantemente para que no se pegue.

Dejarla enfriar y colocarla en moldes cubiertos con una gasa y dejarla al aire unos tres días para que se endurezca. Cubrirlo con papel de pergamino o de celofán y cerrar las latas o atarlo con bramante para impedir el paso del aire.

Puede conservarse mucho tiempo.

(También hay quien hace el dulce cociendo los membrillos enteros, después de limpiarlos bien con un paño para quitarles la pelusa. Una vez cocidos se pelan o se le separan los corazones, siguiendo luego el mismo procedimiento para hacer el dulce. Es más cómodo si no se quiere hacer la jalea.)

642. Dulce de membrillo (otra)

Ingredientes:

2 kilos de membrillos
2 kilos de azúcar
2 litros de agua
Canela en rama

Se mondan los membrillos, se parten en trozos y se les quita el corazón y las pepitas, que se reservan junto con las mondas. En dos litros de agua se cuece la carne de los membrillos. Una vez tierna se escurre y se reserva el agua, la compota se pasa por la batidora o por el chino. Se le agregan dos kilos de azúcar y la rama de canela y se dejan cocer removiendo constantemente. Si resulta muy espeso se le echa un poco de agua de la cocción. Debe de cocer hasta que no forme espuma. Se deja enfriar un poco y se echa en moldes de cristal o de lata cubiertos con papel pergamino o de aluminio. Conviene dejarlo secar unos días para que endurezca.

643. Dulce de naranja

Ingredientes:

6 naranjas
Azúcar
Agua

Las naranjas se pelan y las mondas se ponen a remojo durante cuarenta y ocho horas, cambiándoles el agua dos o tres veces. Luego se ponen a cocer en agua hasta que estén bien blandas. Se dejan escurrir hasta cuando no suelten nada de agua y se pican muy finas con la media luna o con un cuchillo.

Se pesan las mondas, se le echa la misma cantidad de azúcar y se dejan cocer hasta que se ha incorporado totalmente el azúcar.

Envasar en tarros y cuando se vaya a servir el dulce formar unas bolas, semejantes a naranjas, que se rebozan en azúcar y se colocan en cazuelitas de papel.

644. Dulce de pera

Ingredientes:

1 kilo de peras
1 kilo de azúcar

Mondar las peras dejándoles los rabos. Pincharlas y colocarlas en una cazuela con el azúcar, el aguardiente o el alcohol vínico y la vainilla. Dejarlas en maceración unas doce horas.

1 cucharada de aguardiente o
de alcohol vínico
1 barrita de vainilla

Poner a cocer a fuego suave durante unas tres horas. Retirar el almíbar con cuidado de que no se deshagan las peras y dejar que este siga cociendo durante bastante tiempo. Dejarlo enfriar y verterlo sobre las peras colocadas en los tarros en que se van a guardar.

Las manzanas pueden prepararse de la misma forma.

645. Dulce de tomate

Ingredientes:

4 kilos de tomates maduros
4 kilos de azúcar
1/2 limón
Canela en rama o vainilla
Agua

Pelar los tomates después de haberlos escaldado en agua caliente y echarlos en agua fría. Si tienen muchas semillas retirárselas con una cucharilla y volverlos al agua fría.

En una cazuela colocar el azúcar y un poco de agua. Arrimarla al fuego y cuando rompa a hervir añadirle los tomates troceados, la parte blanca de la corteza del limón y la canela o la vainilla.

Dejar cocer a fuego lento unas tres horas moviendo de vez en cuando con la espátula para que no se agarre. Cuando el almíbar haya adquirido punto de hebra, se retira, se deja enfriar y se envasa en tarros de cristal bien cerrados.

646. Dulce de «toronxa» o de naranja amarga

Ingredientes:

3 kilos de toronjas
Azúcar
Agua

Se mondan las «toronxas», se parten en cuatro y se ponen a cocer hasta que se les pueda incar la cabeza de un alfiler gordo, o un tenedor. Se echan en agua fría, se dejan varios días cambiándoles las aguas hasta que no amarguen. Entonces se pesan y se ponen a cocer en un almíbar hecho con un kilo y cuarto de azúcar por uno de «toronxas». Se pone a cocer durante un buen rato removiendo constantemente con cuchara de palo. Luego se retira, se deja reposar y no se termina de hacer hasta el día siguiente.

(Se puede hacer lo mismo con la naranja y el limón.)

647. Fresas confitadas

Ingredientes:

3 kilos de fresas
3 litros de agua
3 ¼ kilos de azúcar

Quitarles los rabos a las fresas, no muy maduras, y colocarlas en un barreño con agua fría para que suelten la tierra y queden bien limpias.

Colocarlas en una escarchadora o en un embudo grande, tapado con un corcho por la parte de abajo. (Así se le puede retirar el jarabe sin que se dañe la fruta.)

Hacer un jarabe con el agua y dos kilos y medio de azúcar. Cuando esté hirviendo echarlo encima de las fresas y dejarlas en sitio fresco veinticuatro horas. Retirar entonces el almíbar. Ponerlo a hervir con el resto del azúcar y verterlo de nuevo sobre las fresas dejándolas en este baño otras veinticuatro horas.

Envasar en tarros de cristal.

Si se van a consumir pronto pueden cubrirse de una en una con un almíbar a punto de hebra fuerte, casi de caramelo. Quedan muy ricas y son muy decorativas.

648. Fresas en almíbar

Ingredientes:

2 kilos de fresas
2 kilos de azúcar
2 litros de agua
Canela

Lavar las fresas enteras y dejarlas escurrir. Con el agua, el azúcar y la canela formar un almíbar a punto de hebra bastante fuerte. Cuando haya alcanzado el punto echarle las fresas y dejar que cuezan un poco en el almíbar.

Retirar del fuego. Dejarlas enfriar y una vez frías envasarlas en tarros de cristal.

649. Jalea de fresas

Ingredientes:

2 kilos de fresas
2 kilos de azúcar
1 ½ litros de agua

Después de bien lavadas y sin rabo se ponen al fuego las fresas con el agua, el azúcar, la cola de pescado remojada o la gelatina y se dejan cocer durante una media hora hasta que el almíbar alcance el punto de hebra floja.

4 hojas de cola de pescado o 4
cucharadas de gelatina

Se pasa por el colador chino o por pasapurés y se vierten en moldes si la jalea se va a utilizar como postre, o se pone en tarros que se cierran una vez fríos.

Si se va a consumir pronto puede enfriarse en nevera y después de desmoldada adornarla con nata montada.

650. Jalea de membrillo

Ingredientes:

Mondas y corazones de membrillo
Agua de la cocción del membrillo
Azúcar
Canela en rama

Se ponen a cocer las mondas, los corazones y las pepitas de los membrillos con el agua sobrante de la cocción de la carne de membrillo y la canela. Cuando estén bien tiernos se cuelan, se reserva el jugo y se mezcla un litro de jugo en 500 gramos de azúcar y se deja cocer espumándolo de vez en cuando hasta obtener el punto de hebra fuerte. En este punto se echa en los moldes.

(Para que la jalea quede transparente conviene colar el jugo por el chino y un paño antes de echarle el azúcar.)

Con lo que queda en el paño y los restos, sin las pepitas, de la cocción de las mondas, bien pasado por el chino y cocido con azúcar en proporción, se obtiene una pasta entre jalea y carne de membrillo de color obscuro y muy sabrosa, que tiene la consistencia de una mermelada.

651. Licor de café

Ingredientes:

1 litro de aguardiente blanco
¼ litro de café fuerte
½ kilo de azúcar
¼ onza de chocolate puro
½ limón (la corteza)
½ vaso de agua

Con el azúcar y el agua se hace un almíbar, dejando que dé un hervor. Se deja enfriar y se mezcla al resto de los ingredientes. A los diez días se filtra y se embotella.

652. Licor de café (otro)

Ingredientes:

1 litro de aguardiente blanco
½ kilo de azúcar
50 gramos de café
½ limón

Moler la mitad del café y dejar el resto en grano. Ponerlo en el aguardiente con el azúcar y el medio limón entero. Dejarlo en infusión durante nueve días, removiéndolo una vez al día.

Pasado este tiempo colarlo poniendo un paño fino en el colador, o por la manga de café. Embotellarlo y cerrar bien la botella.

653. Licor de naranja

Ingredientes:

1 litro de aguardiente
6 naranjas (la monda)
¾ de kilo de azúcar
6 granos de pimienta negra

La monda de las naranjas se pone en maceración en el aguardiente con el azúcar y la pimienta. Se deja nueve días removiéndolo de vez en cuando para que se disuelva todo el azúcar. Luego se filtra y se embotella.

654. Membrillos en almíbar

Ingredientes:

2 kilos de membrillos
750 gramos de azúcar
1 ¹/₂ litros de agua

Mondar los membrillos y quitarles los corazones. (Reservar las pieles y los corazones para la jalea.)

Ponerlos a cocer en litro y medio de agua. Cuando se haya reducido parte del agua, añadir el azúcar y dejar cocer hasta que se forme un almíbar espeso.

Dejar enfriar y servirlos en compotera o meterlos en tarros para su conservación.

655. Mermelada de albaricoque

Ingredientes:

1 kilo de albaricoques
900 gramos de azúcar

Los albaricoques maduros se trocean, se pasan por tamiz y la pasta formada se mezcla con el azúcar, se pone en una cazuela al fuego y cuando haya cocido un cuarto de hora se retira. Hay que remover constantemente con espátula o cuchara de madera para que no se pegue.

La mermelada, una vez fría se envasa en tarros de cristal.

(Si al cocer la pulpa le echamos los huesos de la fruta le da más sabor.)

656. Mermelada de calabaza

Ingredientes:

2 kilos de calabaza
2 kilos de azúcar
3 litros de agua
2 hojas de cola de pescado
(unos 10 gramos o gelatina)

Pelar la calabaza, cortarla en trozos y ponerla a cocer en el agua con el azúcar. Cuando esté blanda se pasa por colador o por pasapurés y se pone de nuevo al fuego con la cola de pescado previamente remojada en agua durante una hora. Se deja cocer removiendo constantemente con espátula de madera hasta que espese.

Puede echarse en moldes de barro o cristal y servirla como postre o envasarla como las otras mermeladas.

Se le puede dar aroma de canela o vainilla echándole una ramita al cocerla.

657. Mermelada de ciruela

Ingredientes:

1 kilo de ciruelas
900 gramos de azúcar o miel de abejas

Partir las ciruelas, trocearlas y ponerlas a cocer con el azúcar o la miel, dejando que hiervan un cuarto de hora o algo más hasta que la mermelada esté clarificada.

Dejar enfriar y envasar.

658. Mermelada de limón

Ingredientes:

1/2 litro de zumo de limón
La corteza de un limón
1 kilo de azúcar
2 hojas de cola de pescado (unos 10 gramos o menos)

Colar el zumo de limón.

Separar la parte blanca de la corteza y cortar la amarilla, con unas tijeras, en tiritas muy finas. Ponerlas en un cazo y agregarle el azúcar, el zumo de limón colado y la cola de pescado previamente remojada en agua durante una hora. Dejar cocer a fuego vivo hasta que tome punto de hebra fuerte.

Una vez fría la mermelada envasarla en tarros de cristal.

659. Mermelada de limón
(Para consumo inmediato)

Ingredientes:

3 limones (la ralladura)
3 huevos
50 gramos de maicena
225 gramos de azúcar
1 tacita de agua hervida
canela

Rallar los limones y exprimirlos. Pesar el zumo y la ralladura (125 gr.).

Batir los huevos con el azúcar. Añadirle la maicena y la canela, luego el zumo de limón con las ralladuras y por último el agua hervida (aunque esté algo caliente no importa). Ponerlo todo en un cazo al fuego y desde que rompa a hervir contar cinco minutos y retirarlo. Hay que remover constantemente con espátula o cuchara de palo y siempre para el mismo lado.

Verter en los recipientes en que se vaya a conservar y ponerlo en el frigorífico cuando esté frío.

660. Mermelada de manzanas tabardillas

Ingredientes:

*1 kilo de manzanas tabardillas
(reineta)
650 gramos de azúcar
1 cucharada de zumo de limón
1/2 vaso de agua*

Pelar las manzanas y cortarlas en trocitos pequeños y no muy gruesos.

Ponerlas a cocer con medio vaso de agua unos veinte minutos. Pasarlas por el pasapurés. Añadir a la pasta formada por el azúcar y el zumo de limón. Dejar cocer hasta que rompa a hervir.

Colocarla en tarros de cristal y cerrarlos cuando esté fría.

661. Mermelada de naranja y limón

Ingredientes:

*10 naranjas
3 limones
2 kilos de azúcar
Agua*

Mondar cuatro naranjas y un limón. Con unas tijeras picar muy fina la piel y ponerlas a cocer en agua hasta que estén transparentes. La pulpa de estas frutas, sin las pepitas, pasarla por la batidora hasta conseguir una pasta fina.

Partir el resto de las naranjas y los limones por la mitad, y exprimirles el zumo. Colocarlo en una cazuela junto con la pulpa, el azúcar y las mondas cocidas y troceadas. Dejar cocer a fuego lento removiendo con espátula, y espumándolo. Cuando ya no tenga espuma y se haya formado una pasta transparente, es que la mermelada está en su punto.

Retirarla del fuego, dejar que enfríe un poco y echarla en tarros de cristal. Tapar los frascos cuando esté completamente fría.

662. Mermelada de «pexegos» (pérsicos)

Ingredientes:

*1 1/2 kilos de «pexegos» (pérsicos)

1 kilo de azúcar*

Pelar los «pexegos», quitarles los huesos, pesar la carne y ponerla a macerar durante veinticuatro horas con la misma cantidad de azúcar. Pasado este tiempo ponerla al fuego y dejar que cueza removiendo constantemente con espátula de palo, hasta que la mermelada adquiera consistencia (unos quince o veinte minutos).

Dejar enfriar y envasarla en tarros de cristal.

663. Mondas de naranja confitadas

Ingredientes:

1 kilo de mondas de naranja
750 gramos de azúcar
1 rama de canela
Agua

Mondar las naranjas. (Utilizar preferentemente las del país porque tienen una monda muy gruesa.) Cortar la monda en trozos como de un centímetro de ancho y dejarlas en agua dos o tres días cambiándoles el agua dos veces al día.

Escurrirlas y dejarlas cocer con el azúcar, la canela y medio vasito de agua, hasta que estén blandas y la parte blanca transparente.

Pueden guardarse en tarros o dejarlas al aire algún tiempo hasta que se sequen y queden escarchadas. Entonces se envuelven en papel de celofán o de aluminio.

Quedan muy ricas si se cubren con un baño de chocolate.

Se pueden utilizar como postre, como aperitivo y para adornar tartas y pasteles.

664. Moras de zarza en aguardiente

Ingredientes:

¹/₂ kilo de moras de zarza
¹/₂ kilo de azúcar
1 litro de aguardiente
(aproximadamente)
1 rama de canela
1 copa de licor (coñac, kirsch, etcétera)

Lavar las moras y dejarlas escurrir. Colocarlas en tarros repartiendo el azúcar, la canela y el licor y cubrirlas con el aguardiente.

Hay que dejarlas varios meses y guardarlas en frascos herméticamente cerrados.

Forman un licor oscuro muy sabroso.

Las moras se pueden utilizar para adornar postres.

665. Nueces y almendrones confitados

Ingredientes:

2 kilos de nueces verdes, en leche, o almendrones
3 kilos de azúcar
9 litros de agua

Las nueces o los almendrones es necesario que estén en leche, a fin de que la cáscara no haya secado y resulten tiernas.

En una cacerola se echan 50 gramos de sosa y tres litros de agua. Se arrima al fuego y cuando rompe a hervir se echan los

50 gramos de sosa
3 cucharillas de bicarbonato de sosa
Vainilla o canela

almendrones o las nueces, según el dulce que queramos hacer. Cuando se desprenda la piel se ponen bajo el chorro de agua fría.

Se pinchan por varios sitios para que se impregnen bien del almíbar, y se ponen a cocer en tres litros de agua con bicarbonato de sosa, cuando estén blandos al tacto se sacan a un barreño de agua fría, y se deja dos o tres minutos. Se escurren y se echan en un jarabe formado con tres litros de agua y dos kilos de azúcar, que hemos tenido hirviendo un cuarto de hora. Se cuecen cinco minutos y se retira del fuego.

Al día siguiente se hierven otros cinco minutos y así tres días. Al cuarto día se pone al fuego el perol y se le echa 200 gramos de azúcar y se deja romper al hervor, así se hace hasta el día octavo, echando cada día 200 gramos de azúcar.

Si se quieren conservar tiempo, el día octavo se le debe de echar 100 gramos de glucosa por cada litro de jarabe.

Una vez confitadas las nueces o los almendrones se colocan en tarros de cristal con el jarabe y se tapan con papel satinado impregnado en alcohol. Se tapa el tarro con el papel, se sujeta con bramante y se conserva en sitio fresco.

(El jarabe se puede perfumar con vainilla o canela en rama.)

666. Pasas en aguardiente

Ingredientes:
1/2 kilo de pasas
1/2 litro de aguardiente de caña o de hierbas

Se les quitan los rabos a las pasas y se colocan en un recipiente de boca ancha y se cubren de aguardiente. Se tapa el frasco y se conservan.

Pueden tomarse como postre o acompañando al café. Y sirven paara hacer dulces, tortas, budines, bizcochos, etc.

667. Peras al natural

Mondar las peras, partirlas en dos, frotarlas con un limón esprimido y echarlas en agua fría.

2 kilos de peras poco maduras
3 kilos de azúcar
2 litros de agua
2 limones
Vainilla

Ponerlas a hervir en cinco litros de agua con la pulpa de dos limones y una vez cocidas, pero no muy blandas, refrescarlas en agua fría.

Hacer un jarabe con kilo y medio de azúcar, la vainilla y dos litros de agua. Dejar cocer diez minutos y echar la fruta. Cuando dé un hervor retirar la tartera del fuego y después de enfriadas colocar las peras en tarros de cristal y cubrirlas con el almíbar. Luego cerrar bien los tarros.

De esta misma forma pueden ponerse los melocotones.

668.   Peras en almíbar

Ingredientes:

2 kilos de peras
1 ¹/₂ litros de agua
2 kilos de azúcar

Pelar las peras y ponerlas a cocer en el agua. (Enteras o partidas en gajos.) Retirarlas y echarlas en agua fría.

Poner a hervir el agua con dos vasos de azúcar. Cuando se haya disuelto completamente el azúcar retirarlo del fuego y al estar templado verterlo sobre las peras. Dejarlas unas cuatro horas en el almíbar, escurrirlas y volver a calentarlo, echándolo nuevamente sobre la fruta. Repetir la operación varias veces.

Cuando están las peras bien recubiertas de almíbar, dejarlas secar si se quieren confitadas y que queden escarchadas.

Para conservarlas con el almíbar, basta rociarlas dos veces con el jarabe y colocarlas en tarros herméticamente cerrados.

669.   «Ponche de leite»

Ingredientes:

1 litro de leche
2 litros de aguardiente blanco
12 limones
750 gramos de azúcar

Se machacan una docena de limones en dos litros de aguardiente. Se hace un almíbar con el azúcar al que se añade el zumo de los limones. Se filtra bien y se mezcla al aguardiente un litro de leche hirviendo. Se deja enfriar y se embotella.

670. «Queimada»

Ingredientes:

1 litro de aguardiente
1 limón
150 gramos de azúcar

Colocar en un recipiente propio para queimada o en una tartera de porcelana o de hierro, el azúcar y dos trozos de corteza de limón. Reservar dos cucharadas de azúcar y ponerlas en el cucharón. Echar el aguardiente, poner un poco en el cucharón y prenderle fuego, incorporándolo ardiendo al resto de la queimada. Dar algunas vueltas sin tocar demasiado el fondo. Coger del fondo azúcar. Escurrirle el aguardiente y dejar que se queme con el mismo fuego. El caramelo así formado le da un color tostado. Podemos dejar que arda el tiempo que queramos, eso va en gustos. Cuanto menos se queme resulta más fuerte. Se apaga soplando fuerte o con una tapadera.

Hay quien le incorpora a la queimada ya al empezar a hacerla, unas rodajas y el zumo de limón. Otros le ponen unos granos de café y la apagan con café o vino tinto.

Los ingredientes que indicamos son los fundamentales. Los demás son variaciones que se introducen al «xeito» del que hace la queimada.

(Para hacer el caramelo podemos reservar un poco del azúcar y no mojarlo con el aguardiente, estando seco se dora con más facilidad.)

671. «Sopas de cabalo cansado»

Ingredientes:

Pan de maíz caliente
Vino tinto caiño
Azúcar

Cuando se hace el pan de maíz y sale caliente del horno, es costumbre cortar un trozo y echarlo en vino tinto caiño frío con mucha azúcar y beberlo durante la comida.

También se hace con el pan frío metiendo al horno a calentar la «cunca» de vino.

Los días de fiesta se le echa una manzana asada caliente que se toma de postre.

672. «Sopas de viño»

Ingredientes:

1 ¹/₂ litro de vino tinto
6 cucharadas de miel
2 rebanadas de pan de maíz

En seis «cuncas» grandes se desmigaja el pan de maíz, se pone en cada una de ellas una cucharada de miel y se llenan de vino tinto muy caliente.

673. Tomates confitados

Ingredientes:

2 kilos de tomates
3 kilos de azúcar
2 ¹/₂ litros de agua

A los tomates poco maduros, más bien pequeños y a poder ser de un tamaño similar, se les quita el pedúnculo, se echan en agua hirviendo y se pelan. Luego se pinchan con una aguja.

Con dos kilos de azúcar y dos litros y medio de agua se hace un jarabe que se deja cocer unos diez minutos. Poner en el almíbar los tomates, darles un hervor y retirarlos.

Al día siguiente añadirle 200 gramos de azúcar y darles otro hervor. Hacer lo mismo en días sucesivos y al quinto una vez fríos envasarlos.

674. Trepezada

Ingredientes:

Manzanas
Peras
Naranjas amargas
Azúcar
Agua

El dulce de trepezada lleva una mezcla de espino, pera y manzana.

Para hacer el espino, a las naranjas agrias se les separa, con una navaja la parte amarilla y el resto de la monda se echa a remojo en agua unos tres días (según el calor que haga, si hace mucho, menos tiempo para que no fermente), y se le muda el agua cada 24 horas.

Ponerlas a escurrir y con un mazo plano machacarlas sobre una superficie dura hasta que todo quede reducido a una pasta fina. Pesar la pasta y con la misma cantidad de azúcar y un poco de agua hacer un almíbar fuerte, cuando alcance el punto, agregarle la pasta y sin dejar de revolver con espátula o cuchara de palo, dejarlo hervir unos veinte minutos. Retirarlo y reservarlo.

Cortar la manzana y la pera al medio sin mondarlas. Quitarles el corazón y ponerlas a hervir. Una vez cocidas, retirarlas y dejarlas escurrir. Pasarlas luego por tamiz, hasta que queden reducidas a una pasta fina y cuando esté casi fría se le incorpora una cuarta parte del espino, que debe estar hecho ya anteriormente. Se pesa toda la mezcla y con la misma cantidad de azúcar y un poco de agua se hace un almíbar al que se agrega la pasta, cuando alcance el punto de hebra fuerte. Se deja hervir veinticinco minutos sin dejar de moverlo.

Se vierte el dulce sobre moldes cubiertos con papel de pergamino o de aluminio o en tarros de cristal, loza o barro. Se deja secar y se cierra.

La fruta conviene que esté sobre lo verde y que sea mayor la cantidad de manzana que de pera, y que estas últimas no sean acuosas.

NOTA: Receta cedida por las Monjas de Santa Clara, de Pontevedra.

675. Uvas en aguardiente

Ingredientes:

1 litro de aguardiente
1 kilo de uvas de moscatel
250 gramos de azúcar
Canela en rama

Lavar las uvas y quitarles con cuidado los rabos procurando que no se rompa el pellejo. Colocar en frascos y echarles el aguardiente, el azúcar y canela en rama.

(Puede hacerse un almíbar con el azúcar, en lugar de echarlo molido.)

676. Zanahorias confitadas

Ingredientes:

1 kilo de zanahorias
1 kilo de azúcar
Agua

Pelar las zanahorias. Cortarlas a lo largo en tiritas finas. Colocarlas en una tartera cubiertas de agua y ponerlas a cocer unos minutos, agregarles el azúcar y dejar que prosiga la coción hasta que estén blandas y se haya formado un almíbar espeso.

Dejarlas enfriar y envasarlas.

Pueden tomarse como postre y sirven para hacer empanadas, empanadillas dulces y para adornar tartas.

LA COCINA GALLEGA
A TRAVES DE LOS LIBROS

Una Bibliografía hecha y comentada por Antonio Odriozola

I. PROPOSITO

La versión castellana de esta obra sobre cocina gallega, una de las más logradas y atractivas entre las del gran escritor Alvaro Cunqueiro, recientemente fallecido, se me ocurrió que merecía el homenaje de un complemento bibliográfico en forma de un paseo o recorrido a través de los libros que anteriormente se han ocupado del tema, bien en recetarios o en trabajos de mayor alcance gastronómico y al autor le agradó mucho la idea.

Para llevarla a la práctica tuve que realizar previamente una bibliografía con cuatro apartados dedicados respectivamente a reseñar: A) los libros y folletos sobre cocina gallega (que son muy pocos); B) los escritos de cocina de un famoso escritor gallego, José María Puga y Parga, más conocido por el seudónimo de «Picadillo»; C) unos pocos libros generales que dedican cierta atención a la cocina gallega; y D) los recetarios y guías de cocina regional española que han ido apareciendo durante el último medio siglo.

Esta bibliografía, que forma el capítulo VI o final, lleva una numeración correlativa a lo largo de los cuatro apartados, con objeto de que estos números se citen entre paréntesis en el recorrido sobre los libros, sin agobiar al lector con los datos concretos sobre cada uno, interrumpiendo la lectura. Dentro de cada uno de los cuatro apartados sigo el orden cronológico de publicación y también suelo señalar las distintas ediciones de cada obra, pero sin asignarles número. En varios aspectos considero que esta bibliografía tiene algún interés, pues es la primera vez que se presenta reunido el conjunto de libros que se ocupan de la cocina de las diversas regiones españolas, prescindiendo de los que sólo se refieren a una sola región (salvo, naturalmente, los de cocina gallega) y de los numerosos que llevan el título de cocina española, pero que no la enfocan desde el aspecto regional. También es la primera vez que se ofrece la lista detallada de las 16 ediciones del clásico libro de «Picadillo», muy popular en Galicia, tarea muy difícil, ya que las 10 primeras ediciones es prácticamente imposible hallarlas en las bibliotecas públicas o a la venta en las librerías (ni siquiera en las de ocasión), pues su lugar ha sido siempre la propia cocina.

El recorrido se basa en los libros de los cuatro apartados, según convenga en cada momento y comprende tres capítulos: el primitivo, desde un clásico libro español de 1895, *El Practicón* de Angel Muro (21) hasta la *Guía del buen comer español* de Dionisio Pérez (27), escrita en 1929 y que inicia el concepto de gastronomía regional; el de expansión de la cocina regional que abarca un cuarto de siglo, de 1940 a 1964; y el de los años recientes, desde 1965 a hoy, en que las cocinas regionales (y concretamente la gallega) han sido atendidas cuidadosamente por destacados escritores, aunque de manera desigual. Estas etapas van precedidas de una rápida hojeada a aquella en que aún no existía el concepto de cocina regional ni quien escribiese sobre ella, por lo que no queda reflejada en la bibliografía final.

II. LA «PREHISTORIA»

La admisión de la existencia de unos guisos peculiares de las diversas regiones naturales dentro de un país, y el interés por los mismos es muy reciente, concretamente de nuestro siglo. En los anteriores, los autores de libros de cocina, que son casi exclusivamente recetarios de los guisos, no sienten la necesidad de señalar y describir tales guisos, aunque sin duda existían y se consumían.

En consecuencia, no los hallaremos en los libros hispanos renacentistas que tratan aspectos gastronómicos en relación con la salud humana, regulando que es lo que se debe comer, la cantidad aconsejable y la frecuencia y momento adecuado, como son *Menor daño de medicina* de Alonso Chirino (Toledo 1505), el *Libro de medicina llamado Macer que trata de los mantenimientos,* atribuido a Arnaldo de Vilanova (Granada 1518), el anónimo *Thesoro de los pobres en romance con el Tratado o Regimiento de sanidad* (Burgos 1524), otro *Regimiento de sanidad de todas las cosas que se comen y beben* del médico Miguel Savonarola de Ferrara (Sevilla 1541) o el delicioso *Vergel de sanidad que por otro nombre se llama Banquete de nobles caballeros* de Luis Lobera de Avila (Augsburgo 1530 y después Alcalá 1542).

Tampoco hallaremos cocina con denominación regional en los auténticos recetarios del XVI y XVII, que suelen reflejar en su texto y en las peculiaridades de lenguaje que se elaboraron en siglos anteriores, como el *Llibre de Coch* o *Libro de guisados* del Mestre Rupert de Nola (Barcelona 1520, en catalán y Toledo 1525, en castellano, ambos con numerosas reediciones), el mucho más breve *Livro de Cocinha da Infanta D.ª María de Portugal,* no impreso en su época pero sí modernamente (Coimbra 1967), el *Arte de Confitería* de Miguel de Baeza (Alcalá 1592) y las *Artes de Cocina* de Diego Granado (Madrid 1599, reeditado recientemente en Madrid 1971), de Domingo Hernández de Macexas (Salamanca 1607) y la tan divulgada de Francisco Martínez Montiño, acaso gallego, aunque no lo refleja su cocina (Madrid 1611 y numerosas reediciones), o la portuguesa de Domingos Rodrigues (Lisboa 1680 y reediciones).

Ni siquiera en el siglo XVIII muestran preocupación por la cocina regional Juan Altimiras (Madrid 1745), Juan de Mata (Madrid 1747) (ambos reeditados en 1981 por la Editorial Tusquets) y un anónimo hispalense (Sevilla s.a. ¿1757?) y otro tanto ocurre con los maestros de cocina durante gran parte del siglo XIX.

Las escasas denominaciones geográficas de los libros mencionados suelen ser «a la tudesca», «a la flamenca», «a la portuguesa», «de Aragón» y alguna otra y a lo largo del siglo XIX los recetarios suelen aprovechar o saquear los equivalentes libros franceses, de manera que se soslaya la cocina peculiar española, que sin duda se consideraba, en todos los sentidos, como de «mal gusto», en comparación con la francesa.

Hay que llegar hasta el inteligente y ameno escritor Angel Muro para encontrar no sólo a uno de los primeros divulgadores de los guisos de Galicia, sino al recopilador del primer folleto dedicado íntegramente a la cocina gallega.

En el preciado tesoro que forman los 32 pequeños tomitos de sus *Conferencias culinarias,* publicados entre abril de 1890 y febrero de 1895, que contados bibliófilos poseen en su totalidad y se reunieron en 1901 en dos panzudos volúmenes, dio Angel Muro dos recetas de cocina gallega, «Pote gallego» y «Vieiras al estilo de Vigo», que repitió en el divulgado *El Practicón* (21) añadiendo otras cuatro recetas, «Merluza guisada como en Vigo», «Vieiras de mi tierra» (receta escrita en verso por el humorista vigués Luis Taboada, divulgada posteriormente por «Picadillo» y otros libros), «Queso de Piedrafita» y «Almejas a la gallega». No es de extrañar la insistencia en los guisos vigueses, si consideramos que Muro veraneó varios años en Bouzas (en las cercanías de Vigo) y allí falleció en agosto de 1897, de un «cólico miserere», como entonces se denominaban, quizá derivado de algún exceso gastronómico.

Pero aún alcanzó mayor relieve en la gastronomía gallega, pues fue el impulsor y recopilador del primer librito dedicado enteramente a la cocina gallega y que es justamente el último de las mencionadas *Conferencias culinarias* (1) correspondiente a febrero de 1896 y que apareció en el mes de marzo. Este tomito recoge una docena de artículos de prensa, de los que se cruzaron entre 1893 y 1895 en un torneo periodístico que «La Correspondencia de España» definía así en noviembre de 1894:

«La Voz de Galicia» de La Coruña y «El Derecho» de Orense, mantienen una erudita y curiosa correspondencia culinaria relativa a los condimentos y manjares gallegos, bajo el punto de vista histórico y práctico y en armonía con las costumbres galaicas».

Esta atractiva controversia periodística en la que llevaba la mejor parte un distinguido escritor orensano, Modesto Fernández y González, que firmaba con el seudónimo de «Camilo de Cela», es hoy totalmente desconocida, dada la rareza del tomito de Muro y sería muy interesante su reedición. La colección de uno de los diarios «La Voz de Galicia», está afortunadamente completa desde su fundación en enero de 1882, en el propio periódico, pero mis gestiones para localizar una colección de «El Derecho» en Madrid, Orense y otras ciudades gallegas resultaron totalmente infructuosas hasta que tuve la suerte de dar con ella en la biblioteca del Monasterio mercedario de Poyo, a un paso de Pontevedra y espero publicar un tomito (3) que recoja no solamente los mencionados 12 artículos que dio a luz Muro, sino otros cuarenta y tantos, igualmente interesantes, hasta completar unos 60.

Pocos meses después del tomito de Muro, salió a luz otro folleto que recoge tres de los artículos (2) que no he podido hallar en parte alguna, pero que existió, pues está reseñado en la prensa de aquellos días.

Esta exaltación y revaloración periodística de la cocina gallega en 1894-5, fue seguida de una década de desinterés por la misma, hasta la aparición de un famoso hidalgo gallego, don Manuel Puga y Parga, mucho más conocido por el seudónimo de «Picadillo», que popularizó, primero en sus colaboraciones en el diario de La Coruña *El Noroeste*, y después en los diversos libros que se detallan en la bibliografía (Núms. 15 a 20).

Personaje muy conocido en la vida coruñesa de la época, por su bondad y campechanía y que llegó a ser alcalde de La Coruña, era poseedor de un Pazo en las cercanías, el Pazo de Anzobre, y fue un perfecto conocedor de la vida gallega, campesina y ciudadana y experto en el manejo de los útiles de cocina y en el amplio disfrute de los goces gastronómicos, tanto como utilizando la pluma. Dada su gran corpulencia, estaba abonado, en el teatro de La Coruña, a dos butacas contiguas, habiendo hecho quitar la separación entre ellas para alojarse sin problemas.

Es habitual que mucha gente identifique la cocina popular gallega con las recetas que contiene el voluminoso libro *La Cocina Práctica* (15) que, desde su aparición en 1905 se ha difundido nada menos que en 16 ediciones y en esa etapa ha gozado del favor del público y ha estado presente en buena parte de las cocinas de las ciudades y aun aldeas de Galicia. Es un libro escrito con ágil y desenvuelta pluma que se lee con gran agrado, pero ni en el propósito del autor ni en la realidad de sus recetas, tanto por lo que omite, como por lo que contiene, puede considerarse una recopilación de la auténtica cocina gallega, sino como un buen libro de cocina, con predominio de la que entonces se consideraba «alta cocina» y ¡eso sí! con la garantía de que no se trata de conjunto de recetas copiadas de otros libros, sino de guisos experimentados todos personalmente por el autor. En el prólogo que escribió en 1905 para la 1.ª edición doña Emilia Pardo Bazán (también coruñesa), expresaba la esperanza de que el autor escribiese: «Otra obra que nos falta: La Cocina regional gallega. En ella no debieran incluirse sino recetas populares, de las cuatro provincias, de las cuatro mil aldeas y casas donde se observan curiosas variantes aun en el caldo de pote y el arroz con leche»; pero «Picadillo» falleció en 1918 sin haber escrito ese libro y la tarea no se ha cumplido hasta nuestros días con el extenso recetario recopilado por Araceli Filgueira Iglesias para esta edición.

Las primitivas ediciones de *La Cocina Práctica* no destacan por su belleza tipográfica y lo normal es que lleven unas toscas y feas encuadernaciones muy acordes con el utilitario fin de conservar unidas las hojas de un libro cuyo lugar adecuado es la cocina, mejor que el estante de la biblioteca, pero tengo gran estima por las ediciones que he logrado reunir, incluidas cuatro de las cinco primeras, las más raras. Si un día llegase a mis manos algún ejemplar de ellas en rústica, esto es, con sus cubiertas originales y en buen estado, me daría su hallazgo mayor alegría que el de un plumbeo y bien impreso incunable.

Escribió también «Picadillo» dos folletos sobre guisos cuaresmales del bacalao (16) y (17), rarísimos en las ediciones originales, otros dos sobre el rancho de los cuarteles (18) y sobre comidas de vigilia (20), no tan raros como los anteriores, pero muy poco frecuentes y un primoroso libro netamente literario *Pote aldeano* (19) que es una serie de escenas de ambiente gallego, casi siempre relacionadas con temas gastronómicos. El libro pertenece a una «Biblioteca de Escritores Gallegos» que se inició en 1910 con *Las mieles del rosal*, una antología de don Ramón del Valle-Inclán.

Es posible que doña Emilia Pardo Bazán se sintiese, desde el prólogo citado, tentada de escribir un libro de cocina gallega, pues en su granja de Meirás, como ella la llamaba a fin de siglo (las Torres y la pomposa denominación vinieron más tarde) y en su casa madrileña le gustaba obsequiar a sus invitados con primorosos guisos, el hecho fue que hacia 1912 los editores de la «Biblioteca de la Mujer», que hasta entonces había publicado 9 tomos de obras suyas y de otros autores, le propusieron la publicación de un recetario de cocina que doña Emilia realizó rápidamente y se editó en 2 tomos con los títulos de *La Cocina española antigua* (22) y *La Cocina española moderna* (23).

Del interesantísimo Prólogo del primero se deduce claramente lo que la autora quiso separar como antigua y moderna: en la primera «el deseo de tener encuadernadas y manejables varias recetas antiguas o que debo considerar tales, por haberlas conocido desde mi niñez y ser en mi familia como de tradición». Y más adelante precisa que se refería principalmente a la cocina regional española al decir que «no presumo de haber recogido ni siquiera gran parte de los platos tradicionales en las regiones. Sería bien precioso el libro que agotase la materia, pero requeriría viajes y suma perseverancia, pues, en bastantes casos, las recetas en las localidades se ocultan celosamente, se niegan o se dan adulteradas. En mi propio país hay recetas muy típicas que no he logrado obtener». En cuanto al libro (23) también está en este Prólogo perfectamente definido su cometido, al decir que «bien está que sepamos guisar a la francesa, a la italiana y hasta a la rusa y a la china, pero la base de nuestra mesa, por ley natural, tiene que reincidir en lo español. Espero que en el tomo de *La Cocina moderna*, se encuentre alguna demostración de cómo los guisos franceses pueden adaptarse a nuestra índole».

Por ello, el tomo que interesa aquí especialmente es el de *La Cocina antigua* (22) el más copioso para el momento en recetas gallegas, aunque no haya caído en el error posterior de llamar «callos a la gallega» a los callos con garbanzos que coloca en la cocina andaluza con la correcta denominación de «Menudo a lo gitano».

Además de la rarísima reedición en folletín de *El hogar y la moda*, se ha hecho otra reedición en 1981 en folio y muy ilustrada.

En la década larga posterior no parece que su magnífica lección haya calado en los vulgares recetarios que aparecen, pero al fin, en 1929 surgen 2 obras excepcionales de carácter muy diferente: la primera el librito de Julio Camba (24) que pacientemente fue extrayendo don Pedro Sainz Rodríguez (a la sazón director de la C.I.A.P. o sea Compañía Ibero Americana de Publicaciones, donde editó en la Colección «Los Clásicos Olvidados» una magnífica edición de Roberto de Nola) de la indolencia de Camba, que parece sólo se animaba a escribir cuando no tenía más remedio que hacerlo para obtener algún dinero.

El resultado fue esa obra maestra de la gastronomía que es *La Casa de Lúculo o El arte de comer* (24), perfectamente asequible hoy en sus numerosas reediciones en la Colección Austral y que aunque no trate de ser un libro específicamente gallego, tiene numerosas relaciones con la patria del escritor y geniales aciertos de humorismo y gastronomía.

El segundo libro es el de Dionisio Pérez (27), ya aludido, que lleva a feliz término la idea de doña Emilia Pardo Bazán con un perfecto equilibrio entre lo que son descripciones y nombres de los platos típicos de la cocina regional y las propias recetas de los mismos en muchos casos. Es un libro tan unánimemente apreciado, que ha merecido recientemente el honor de una reedición en facsímil cual si se tratase de un valioso incunable.

En el mismo año 1929 editó Dionisio Pérez un curiosísimo folleto (28) que he incluido en la bibliografía por su rareza, pero que a pesar de su título no pasa de ser un proyecto, con sus 32 páginas explicando lo que proyectaba y no llevó a término por faltarle la colaboración y el apoyo económico de los posibles anunciantes.

Nada menos que otra década de silencio transcurre desde el libro de Dionisio Pérez hasta la aparición en enero de 1940, recién terminada la guerra civil, de un librito en 4.º mayor al parecer anónimo, primero de una colección dirigida por Gonzalo Bosch Vierge (29) que quizá sea el autor del texto. Este librito, ignorado por los especialistas de cocina, tiene el mérito de ser el iniciador de una división del territorio español en regiones gastronómicas que, en este caso y con relación a dos de ellas, me parecen bastante disparatadas, pero que van a originar más tarde otras divisiones mejor establecidas. Con excesivo simplismo sólo se consideran cuatro: Cocina castellana que incluye desde Aragón hasta Extremadura, Ciudad Real y Albacete, pasando por las provincias centrales de Salamanca, Avila, Segovia, Soria, Guadalajara, Toledo y Cuenca; cocina levantina que incluye la región catalana y levantina con Murcia; cocina norteña que comprende, además del País Vasco, Santander, Asturias y Galicia, a León, Zamora, Palencia, Valladolid, Burgos, Logroño y Navarra, y cocina andaluza con las 8 provincias de la región. Quedan fuera los territorios insulares. Y dentro de la cocina norteña se incluyen tres recetas específicamente gallegas (al menos en la denominación). Huevos escalfados gallega, Caldeirada gallega y Ternera lechal gallega.

El gran cocinero Ignacio Domenech, excelente especialista en cocina regional catalana publicó en 1942 un pequeño mosaico de cocina regional (30) en el que solo un plato representa a Galicia, el inevitable Pote gallego.

Nótese, cómo va poco a poco introduciéndose el concepto de cocina regional y cómo va creciendo el número de recetas gallegas en los libros 29 a 34 (véase el cuadro adjunto). Así, en un modesto libro de Genoveva Bernard de Ferrer, formando parte de la Biblioteca Molino, muy divulgada en aquella época (32). aparecen ya 5 que pasan a 11 en el libro de Villa (33) y que se convierten ya en cuarenta y tantas en los de Wehrli, *Lecciones de Cocina Regional* y Huertas, que marcan el apogeo de la cocina regional y, por tanto, de la gallega.

El Wehrli (36) es un libro en francés (los títulos de las recetas en español) enfocado hacia los turistas de ese idioma que nos visitan y me parece aceptable, aunque en la parte gallega llevan la preferencia pescados y mariscos con sólo 3 recetas de carnes, el lacón con grelos y 2 que me parecen chocantes, unas chuletas de foie-gras con gelatina de Oporto y unas Carbonadas que estoy seguro jamás ha probado ni probará un gallego.

Las *Lecciones de Cocina Regional* (37) son el resultado de reunir en un tomo las recetas que sin duda fueron solicitadas por las dirigentes de la Sección Femenina de Falange a sus afiliadas de provincias y es hasta ese momento el

Algunos recetarios generales o de cocina regional española y número de recetas gallegas y del total del libro (o de cocina regional) que contienen. El signo +g significa que además de las recetas de cocina regional tiene otras de cocina general.

Número (de la bibliografía), autor y año	Recetas gallegas	Total del libro
15. Picadillo, La Cocina Práctica. 1905	31	
22. Pardo Bazán, La cocina esp. antigua. 1912	67	583
29. (Bosch?), Cocina regional esp. 1940	3	67
30. Domenech, Mi plato. 1942	1	67
32. Bernard. 1953	5	125
33. Villa. 1955	11	196
34. Sirvar. 1956	3	123
36. Wehrli. 1958	44	348
37. Lecciones de Coc. Regional. 1958	49	660
7 y 38. (Huertas), Cocina gall. y ast. 1959	40	623
41. Nebot (sólo repostería). 1963	4	77
42. S. de Sans. 1963	17	303
43. Repollés. 1963	1	98?
46. Bueno. 1968	25	222
48. Cabané-Domenech. 1969	10	115 +g
51. Rueda. 1970	10	161
52. (Cabané-Domenech) en Luján-Perucho. 1970	21	196
53. (Cabané?) en Cándido. 1970	9	175 +g
54. Calera. 1971	20	251
55. Calera-Repollés. 1972	62	790
56. Castillo. 1972	15	382 +g
58. Centeno. 1974	38	633
63. Centeno. 1979	19	336
11. Vázquez Montalbán. Galicia. 1981	82	82
12. Sueiro, Comer en Galicia. 1981	87	87
12bis. Calera, Cocina Gallega. 1981	300	300
— (Araceli Filgueira) en este libro. 1982	676	676

intento más eficaz grastronómicamente y el primero en que las recetas de Galicia están asignadas a cada una de las cuatro provincias (Coruña, 24; Lugo, 6; Orense, 10, y Pontevedra, 9).

Casi a la vez aparece el segundo intento de la Editorial Molino, no reducido a un tomito para todas las cocinas regionales, hecho ya por Genoveva Bernard (32) sino que es una colección de 8 tomitos (38) de los cuales uno de ellos (7) es el específico para la cocina gallega y asturiana. Como autora de todos figura Isabel de Trevis, que me informaron es seudónimo del catalán José María Huertas. La selección de Galicia da la sensación de estar tomada más de otros libros que de la realidad. De nuevo con carácter general para todas las cocinas, pero ceñido a los postres es el tomito de Nebot (41) también de la Editorial Molino. Un cierto retroceso en cuanto a recetas lo marcan el libro de S. de Sans (42) y el diminuto de Repollés (43).

Paralelamente han ido apareciendo guías literarias sobre la cocina regional sin carácter de recetarios, así la muy elemental de Fontefrías (31), las dos de Juan Antonio de Vega (35) y (39) y la de Sordo (40).

Los libros de Vega son muy personales, quizá con menor acierto para la parte gallega que para la vasca, que era la suya. En el primero, ocupa pocas páginas Galicia y en el segundo, un capítulo. El de Sordo es sencillo pero bien hecho. Y muy atractivo es el de Cunqueiro (8), texto de una conferencia sobre los itinerarios gastronómicos de la provincia de Pontevedra.

Carácter singular tienen el folleto de Canosa (4) que es un artículo que obtuvo en 1950 el Premio «Pérez Lugín» de la Asociación de la Prensa de La Coruña y contiene un convencional elogio de la cocina gallega y el libro en que colaboran José María Castroviejo sobre la caza gallega y Alvaro Cunqueiro sobre los guisos de la misma, que en su primera aparición es un libro de alta bibliofilia y fino humor en la portada (5) y que, posteriormente, se ha divulgado, con más sencillo título en la Colección Austral (6).

V. EL MOMENTO ACTUAL. DE 1965 A 1981

Los reducidos capítulos de este recorrido bibliográfico cada vez van abarcando un menor período de tiempo, símbolo revelador de que la marea de publicaciones va aumentando. El capítulo II *La Prehistoria* comprendía los siglos XVI, XVII, XVIII y casi todo el XIX, el capítulo III: *Etapa primitiva*, unos 35 años que sólo son 25, en el capítulo IV: *Expansión de la cocina regional*, y que en el V: *El momento actual*, son solamente los últimos 17 años, pródigos en publicaciones que voy a examinar con cierta concisión.

El año 1965 marca el interés de las entidades oficiales de Turismo por la gastronomía regional con la aparición de un logrado folleto a todo color con texto de Vega (44) que alcanzó numerosas reediciones y que se daba gratuitamente en las oficinas turísticas y pienso ha cumplido una eficaz labor. Del mismo año es otro folleto (45) con lista de establecimientos y platos de cocina regional. Aún escribe Vega otra de sus guías sobre España (47), esta vez muy divulgada por la colección a que pertenece. Otros libros más bien anodinos y poco significativos para la cocina gallega son los de Bueno (46) y Rueda (51).

Un libro excelente de cocina general colaborando Juan Cabané y Alejandro Domenech (hijo de Ignacio) tiene la novedad de tener una parte dedicada a la cocina regional y fruto de la misma colaboración es la parte de recetas del libro de Luján y Perucho (52) del que hablaré después. Probablemente Cabané es también el autor de las recetas del monumental libro de Cándido (53).

Una aportación interesantísima la dan los libros extranjeros de Feibleman (49) en inglés y de Dumay (50) en francés. El primero, en gran folio, con magníficas fotografías en color demuestra un criterio propio para juzgar nuestros guisos populares lo mismo que el de Dumay que es lástima sea tan parco en el comentario a la cocina gallega. Más tarde aparece el de Pohren, en inglés (57) que dedica mucha atención a los vinos españoles y muy reciente el de González Amezúa, también en inglés (66). Existen otros muchos libros extranjeros sobre cocina española que no incluyo, por no referirse especialmente a las cocinas regionales.

He aludido antes al libro que en 1970 dedicaron Néstor Luján y Juan Perucho a la cocina española. Con muy erudito enfoque histórico y magníficamente ilustrada edición (52). Tratándose de tan distinguidos escritores, ya era de esperar que su libro fuese lo que es, una maravilla dentro del conjunto que estoy comentando.

El libro *La Cocina Española* de Cándido (53), también con magnífica presentación y fotografías en color, es fruto de la colaboración de la vieja sabiduría culinaria del Mesonero Mayor de Castilla con otros distinguidos cocineros y con aportaciones de distintos literatos, que van presentando cada una de las cocinas regionales. La de Galicia y Asturias la hace Cunqueiro y es una página antológica.

De carácter más sencillo y ceñidos a recetarios regionales son el libro elemental de Ana María Calera (54) y el de la misma autora en colaboración con Repollés (55), mucho más extenso, con 62 recetas de cocina gallega. El de José del Castillo y Asunción Jaén, aunque lleva el despistante título de *La buena cocina* (56), es en realidad un libro sobre cocina regional con una parte introductoria para cada región y las consiguientes recetas estando muy bien hecha la parte gallega.

Dos libros sobre marisco, el de Villaverde sobre los de Galicia (25) y el reciente de Sueiro de carácter más general (26) pero en el que domina la parte relacionada con Galicia, tienen muy apreciables recetas culinarias y pienso que tienen lugar en esta bibliografía por derecho propio.

Y hemos llegado a la obra cumbre de la cocina gallega (9), que es justamente la que en versión castellana tiene en las manos el lector. Está considerado por todos como un libro magistral, tanto por su perfecto contenido gastronómico como por el magnífico gallego del autor, que gran literato, igualmente en castellano, ha vertido a este idioma.

Una obra extensa en dos tomos de Centeno y varios colaboradores (58) contiene una parte estimable de recetas gallegas. Lo que no entiendo es por qué cinco años después aparece una obra análoga con otro título (63), en un solo tomo y con extensas reducciones del texto original. Por ejemplo, las 38 recetas de cocina gallega se han quedado en 19.

El libro de Entrambasaguas (59) tiene la peculiaridad de contener en dos tomos una gran colección de diapositivas en color, de los diversos platos y unos breves e inteligentes textos como presentación, que siguen el orden alfabético de las ciudades, con lo cual quedan desmembradas las diversas ciudades de cada región. El atractivo librito de Sampelayo (60) es de simple iniciación.

Para una Semana Gastronómica que se celebró en Pontevedra en 1976 se editó un librito (10) con detalles sobre los actos y curiosos textos relacionados con la gastronomía, por diversos autores.

Dos libros con el mismo título tienen muy distintas características: el de Sol (61) va enumerando algunos restaurantes de cada región, calificándolos en número de tenedores y dando dirección, teléfono, fechas de cierre, así como una breve historia y platos principales que sirven. Es una Guía muy selectiva y para Galicia sólo menciona 32 restaurantes (en Santiago y Pontevedra sólo 2 y 1 respectivamente), cifras que considero muy exiguas. El libro de Pascual (62) es una de las Guías más divertidas y bien informadas que se pueden manejar y el voluminoso libro de Posada (14) sobre los vinos gallegos es una excelente obra de consulta donde el autor ha expuesto gran parte de lo muchísimo que sabe sobre el tema y el buen sentido que le caracteriza.

Aunque no encuentren reflejo expreso en la bibliografía, sería imperdonable no citar aquí los admirables artículos semanales de Xavier Domingo en *Cambio 16* y los del distinguido escritor que firma «Punto y coma» en los suplementos dominicales de *El País*. Ambos con apreciaciones personales y generalmente muy agudas con las que frecuentemente coincido, han solido tocar con maestría puntos concretos de cocina gallega.

En 1978 se divulgó una colección de 42 fascículos sobre cocina general con el título común de *Comer bien* (26 bis) que contienen bastantes recetas de cocina regional, entre ellas 16 de cocina gallega que me parecen bien seleccionadas y en 1980 surge un nuevo libro sobre *Hostelería y gastronomía regional* (64) que aún no he logrado hallar, así como tampoco el (66). También de 1980 es un nuevo libro de Sordo (65) que viene a ser una especie de 2.ª edición, muy aumentada en recetas, que son 180 (de ellas 10 gallegas) del libro de 1960 (40).

En 1981 se publica un libro recopilado por Eugenio Domingo, *Comer en carretera* (67), enfocado hacia el automovilista que recorre España y en el que diversos autores se han encargado respectivamente de Andalucía (Gonzalo Sol), Asturias (E. Méndez Riestra), Castilla y León (Eugenio Domingo), Cataluña y Aragón (Carmen Casas), País Vasco (J. José Lapitz), Rioja (Eduardo Gómez), Galicia (J. V. Sueiro), Valencia (Antonio Vergara) y Guía de vinos (José Peñín). Supongo que el propósito es implantar una especie de *Guía Michelín* para España.

Y como si el libro de cocina gallega de Cunqueiro (9) hubiese puesto de moda el tema, en 1981 han aparecido tres libros sobre gastronomía gallega y se anuncia otro para el año próximo. El de Vázquez Montalbán (11) después de una brevísima introducción, decepcionante para quienes apreciamos su sabiduría gastronómica, ofrece 82 recetas de cocina gallega (8 de ellas con ilustración fotográfica en color) y eso es todo. La selección me parece acertada en general y casi la mitad la ocupan los pescados y mariscos (37 recetas), cosa lógica, de las que yo eliminaría la «Tortilla de cangrejos», con cierta pena, pues como alavés soy muy aficionado a ellos, pero que desgraciadamente no los veo en Galicia. Las recetas tienen unos signos convencionales, 1, 2, 3 gorros, según sean fáciles, de dificultad media o difíciles, pero no encuentro más que una receta de 1 gorro, la del «Caldo gallego».

El libro de Sueiro (12) es muy amplio, con cuatro partes dedicadas, respectivamente, a una hojeada sobre Galicia y los gallegos, a la propia cocina gallega, sin olvidar los vinos y aguardientes, que ocupa la mitad del libro y es quizá lo mejor de él, a las recetas de los guisos en número de 87, tomadas de diversas fuentes y una cuarta que es un recorrido con calificaciones y datos de 62 importantes restaurantes de los 350 que calcula el autor existen en Galicia.

En diciembre de 1981 ha aparecido el último, de Ana M.ª Calera (12bis) en una colección popular; basándose en la parte gallega de un libro anterior (55) ha completado las 66 recetas de cocina de este libro hasta alcanzar las 300 distribuidas en grandes grupos de la manera siguiente: 34 de mariscos, 69 de pescados, 28 de sopas y caldos, 38 de legumbres, horalizas y ensaladas de las que 4 al menos (2 de lacón con grelos, 1 de lacón con chorizo y 1 de cocido gallego) pienso debieran pasar a otros grupos, 12 de empanadas, 52 de aves, caza y carnes, 39 de salsas, huevos, tortillas, arroz y varios y 28 de postres.

Y está previsto para 1982 el libro de la distinguida periodista viguesa María del Carmen Parada (13), muy fina comentadora de la actualidad, que principalmente será un amplio repertorio de recetas de cocina gallega.

VI. BIBLIOGRAFIA GASTRONOMICA GALLEGA

A) Libros y folletos dedicados a la cocina gallega (o a sus vinos)

1. Angel Muro, *Nuevas Conferencias culinarias. Tomo dedicado a Galicia.* Cuarta Serie. Febrero 1895. Madrid 1895. Librería de Fernando Fe.
2. *Menestra gallega aderezada y servida por tres ingenios culinarios orensanos.* Orense (¿o Madrid?). Mayo de 1895.
   Contiene tres artículos de Camilo de Cela, Dr. Lisardo y un hijo de la Burga.
3. *La cocina gallega a fines del siglo XIX.* Recopilación de artículos publicados en la prensa con introducción de Antonio Odriozola. (En preparación.)
4. Ramón Canosa, *Birlibirloque de la cocina gallega.* Vivero 1950. Imprenta Fojo.
5. José M.ª Castroviejo y Alvaro Cunqueiro, *Teatro venatorio y coquinario gallego.* Vigo 1958. Ediciones Monterrey.
   Castroviejo escribe sobre caza de pluma y pelo y Cunqueiro sobre sus guisos.
6. Id., *Viaje por los montes y chimeneas de Galicia. Caza y cocina gallegas.* Madrid 1962, Espasa Calpe. (Col. Austral n.º 1318).
   Es la misma obra del n.º 5 con otro título.
   2.ª ed. en Madrid 1969; 3.ª edición revisada y ampliada (con 6 adiciones en el texto de Castroviejo) en Madrid 1978.
7. Isabel de Trevis, *Cocina gallega y asturiana.* Barcelona 1959. Editorial Molino. (Biblioteca Ama de Casa n.º 51.) Véase n.º 38.
   Isabel de Trevis es seudónimo del escritor catalán José María Huertas.
8. Alvaro Cunqueiro, *Itinerarios turístico-gastronómicos de la provincia de Pontevedra.* Vigo 1964. Talleres Faro de Vigo. (Contiene además: Gaspar Massó, *Pesca y conservas.*)
9. Alvaro Cunqueiro, *A Cociña galega.* Vigo 1973. Editorial Galaxia.
   2.ª ed. (especial para la Caja de Ahorros de Vigo) en Vigo 1973; 3.ª ed. Vigo 1980. Editorial Galaxia (con nueva cubierta).
10. *Semana de la Gastronomía Gallega* 1976. Pontevedra 1976. Artes Gráficas Portela. Es una recopilación de artículos de temas gastronómicos por varios autores.
11. Manuel Vázquez Montalbán, *Las Cocinas de España (Galicia).* Madrid 1980. Editorial Sedmay.
12. Jorge-Víctor Sueiro, *Comer en Galicia.* Prólogo de Alvaro Cunqueiro. Madrid 1981. Ediciones Penthalon.
12bis. Ana M.ª Calera, *Cocina Gallega.* Barcelona 1981. Editorial Bruguera (Bruguera libro Práctico 1504-168).
13. María del Carmen Parada, *La Cocina de Galicia.* (En prensa.)
14. Xose Posada, *Os viños de Galicia.* Vigo 1978. Editorial Galaxia. 2.ª ed. en Vigo 1979.

B) Las obras de Manuel María Puga y Parga

a) El libro famoso y popular de «Picadillo»

15. Manuel María Puga y Parga «Picadillo», *La Cocina Práctica*. La Coruña 1905.
    Tip. de «El Noroeste».
    2.ª edición. La Coruña 1908. Tip. de «El Noroeste».
    3.ª edición. La Coruña 1910. Tip. de «El Noroeste».
    4.ª edición. La Coruña 1913. Tip. de «El Noroeste».
    5.ª edición. La Coruña 1917. Tip. de «El Noroeste».
    6.ª edición. La Coruña 1922 (en la contracubierta). Litografía e Imprenta Roel.
    7.ª edición. La Coruña 1926 (en la contracubierta). Litografía e Imprenta Roel.
    8.ª edición. La Coruña s.a. (1930?). Litografía e Imprenta Roel.
    9.ª edición. Madrid 1941. Ediciones Españolas.
    10.ª edición. Madrid 1943. Ediciones Españolas.
    11.ª edición. La Coruña 1944. Editorial Roel.
    12.ª edición. Santiago de Compostela 1961. Librería Galí.
    13.ª edición. Santiago de Compostela 1963. Librería Galí.
    14.ª edición. Santiago de Compostela 1966. Librería Galí.
    15.ª edición. Santiago de Compostela 1972. Librería Galí.
    16.ª edición. Santiago de Compostela 1981. Librería-Editorial Galí.

b) Las obras menores de Puga y Parga

16. *36 maneras de guisar el bacalao*. La Coruña 1901. Tip. de «El Noroeste». Reedición en
    La Coruña s.a. (1930?). Litografía e Imprenta Roel.
17. *Las 56 maneras de hacer el bacalao*. Madrid s.a. (c. 1906?). Imp. R. Velasco.
18. *El rancho de la tropa*. La Coruña 1909. Tip. de «El Noroeste».
19. *Pote aldeano*. Madrid 1911. Libr. Sucesores de Hernando. (Biblioteca de Escritores
    Gallegos Vol. 8).
20. *Vigilia reservada*. Minutas y recetas. La Coruña 1912. Tip. de «El Noroeste». Ree-
    dición en La Coruña s.a. (1930?). Litografía e Imprenta Roel.

C) Algunos libros generales que dedican atención a la cocina gallega

21. Angel Muro, *El Practicón. Tratado completo de Cocina al alcance de todos...* Madrid
    1894.
    Existen hasta 35 ediciones en años posteriores.
22. Emilia Pardo Bazán, *La Cocina española antigua*. Madrid s.a. (1912). Editorial Re-
    nacimiento.
    Reedición en Barcelona s.a. (1921?). Folletín encuadernable de la revista *El Ho-
    gar y la Moda*.
    Reedición en Madrid 1981. Ediciones Poniente.
23. Emilia Pardo Bazán, *La Cocina española moderna*. Madrid s. a. (1916?). Editorial
    Renacimiento.
24. Julio Camba, *La casa de Lúculo o El arte de comer*. Madrid 1929. C.I.A.P. Reedición
    en Buenos Aires 1937. Espasa Calpe Argentina. (Col. Austral n.º 22).

Rarísima edición con el n.º 22 dentro de la Col. Austral.

Reedición en Buenos Aires 1943. Espasa Calpe Argentina. (Col. Austral n.º 343). Y otras muchas posteriores hasta la 8.ª edición en Madrid 1979.

25. Luis Villaverde, *Mariscos de Galicia*. La Coruña 1974. Ediciones del Castro.

26. Jorge Víctor Sueiro, *Manual del Marisco*. Prólogo de Domingo García Sabell. Madrid 1981. Penthalon Ediciones. (Col. Textos lúdicos de Pantagruel, 15).

26 bis. *Comer bien*. Madrid 1978. Editorial Sarpe. Son 42 folletos independientes, numerados de 1 a 42.

D) Recetarios y Guías de Cocina regional española en su conjunto

27. Dionisio Pérez («Post Thebussem»), *Guía del buen comer español*. Madrid 1929. Patronato Nacional de Turismo.
Reproducción en facsimil fotográfico en Madrid 1976. Editorial Velázquez.

28. «Post-Thebussem», *España Gastronómica. Dónde comerá usted bien... Guía del viajero inteligente a través de las cocinas regionales*. Madrid 1929. C.I.A.P.

29. *Cocina Regional Española*. Barcelona 1940. Editorial Hogar. (Biblioteca Gastronómica y del Hogar. Director Gonzalo Bosch Vierge).

30. Ignacio Domenech, *Mi plato. Cocina regional española*. Barcelona s.a. (1942). Quintilla, Cardona y Cía. S. L. Editores.

31. Luis de Fontefrías, *Mapa Gastronómico* (de España). Madrid 1953. Publicaciones Españolas. (Temas españoles, n.º 33).
2.ª ed. en Madrid 1956.

32. Genoveva Bernard de Ferrer, *Platos regionales españoles*. Barcelona 1953. Editorial Molino. (Biblioteca Ama de Casa n.º 32).
2.ª ed. en Barcelona 1962.

33. Concepción Villa López, *Cocina española. Platos más selectos y populares*. Barcelona 1955. Ediciones Toray.
Reediciones en Barcelona 1963, 1963, 1965, etc.

34. Anita Sirvar, *Cocina española*. Barcelona 1956. Editorial Bruguera.
2.ª ed. en Barcelona, diciembre 1958.

35. Luis Antonio de Vega, *Guía Gastronómica de España*. Madrid 1957. Editora Nacional. 2.ª y 3.ª ed. en Madrid 1967 y 1970.

36. Beatrice Wehrli, *Guide Gastronomique de l'Espagne*. Barcelona 1968. Edit. Teyde.

37. *Lecciones de Cocina Regional*. Sección Femenina de F.E.T. y de las J.O.N.S. Madrid 1958. Ediciones Almena.
Reediciones en Madrid 1963, 1966, 1973 y 1976 (5.ª ed.)

38. Isabel de Trevis (es seudónimo de José María Huertas), *Cocina regional española*. Barcelona 1959. Editorial Molino. 8 folletos (Biblioteca Ama de Casa núms. 45-52.

N.º 45 Cocina regional catalana.
N.º 46 Cocina regional andaluza.
N.º 47 Cocina manchega, castellana y leonesa.
N.º 48 Cocina aragonesa y riojana.
N.º 49 Cocina levantina y balear.

N.º 50 Cocina navarra, vasca y santanderina.

N.º 51 Cocina gallega y asturiana (véase el n.º 7 de esta bibliografía).

N.º 52 Cocina extremeña y canaria.

Reediciones de los 8 folletos en Barcelona s. a. (1963).

39. Luis Antonio de Vega, *Viaje por las cocinas de España.* Madrid 1960. Col. Las Gemelas.

40. Enrique Sordo, *Arte español de la comida.* Barcelona 1960. Editorial Barna.

41. Mary D. Nebot, *Golosinas típicas de España.* Barcelona 1963. Editorial Molino. (Biblioteca Ama de Casa n.º 53.)

42. Carmen S. de Sans, *La cocina típica española.* Barcelona 1963. Editorial Sintes. Reediciones en años posteriores, la 7.ª en 1975.

43. José Repollés, *Cocina española.* Barcelona 1963. Editorial Bruguera.

44. (Luis Antonio de Vega), *España Gastronómica.* Madrid s.a. (1965?). Dirección General de Promoción del Turismo. Numerosas reediciones posteriores.

45. *Cocina y Restaurantes Típicos.* Suplemento al Noticiario Turístico. Supl. n.º 89. Madrid 1965. Dirección General de Promoción del Turismo. Reedición en 1968, como Suplemento n.º 240.

46. María del Pilar Bueno, *Cocina española.* Barcelona 1968. Ediciones de Gassó.

47. Luis Antonio de Vega, *Viaje por la cocina española.* Madrid 1969. Salvat Editores con la colaboración de Alianza Editorial. (Biblioteca Básica Salvat de Libros RTV n.º 36). Reedición en Madrid 1974.

48. Juan Cabané y Alejandro Domenech, *Nuestra Cocina.* Barcelona 1969. Editorial Bruguera.

49. Peter S. Feibleman, *The Cooking of Spain and Portugal.* New York 1969. Time-Life Books. Reedición en New York 1971. Existe también edición en francés.

50. Raymond Dumay, *Guide du Gastronome en Espagne.* París 1970. (Editions) Stock.

51. J. L. Rueda, *Guía Gastronómica de España. Las mejores y principales recetas típicas regionales.* Barcelona 1970. Editorial El Mueble.

52. Néstor Luján y Juan Perucho, *El libro de la Cocina Española.* Barcelona 1970. Ediciones Danae. 1 vol. 3.ª ed. en Barcelona 1977. 2 vols.

53. Cándido (y colaboradores), *La Cocina española.* Barcelona 1970. Ed. Plaza y Janés. Reediciones en años posteriores, la 8.ª en Barcelona 1980

54. Ana María Calera, *Cocina regional.* Barcelona 1971. Ediciones Rodegar y Editorial de Gassó Hermanos.

55. Ana María Calera y José Repollés, *La Cocina Española.* Barcelona, 1972. Ediciones de Gassó.

56. José del Castillo y Asunción Jaén, *La buena cocina.* Barcelona 1972. Edisven.

57. D. E. Pohren, *Adventures in taste: The wines and folk food of Spain.* Morón de la Frontera (Sevilla) 1972. Society of Spanish Studies.

58. José Centeno Roman (y colaboradores, *Cocinado a la española.* Bilbao 1974. Editorial Cantábrica. 2 vols.

59. Joaquín de Entrambasaguas Peña, *Gastronomía Española.* Madrid 1975. Editorial La Muralla. 2 vols.

60. Juan H. Sampelayo, *Gastronomía Española*. 3.ª ed. Madrid 1976 (depósito legal en 1977). Publicaciones Españolas.

61. (Gonzalo Alfonso Sol de Liaño), *Guía Gastronómica de España*. (Diciembre 1976). Madrid 1976. Guías Gastronómicas Sol.

62. Carlos Pascual, *Guía Gastronómica de España*. Madrid 1977 (en colofón 1978). Al-Borak S.A. de Ediciones.

63. José Centeno Roman (y colaboradores), *Cocina regional*. Bilbao 1979. Editorial Cantábrica. 1 vol.

64. Javier Cerra Culebras, *Hostelería y Gastronomía regional de España*. Madrid 1980. Instituto Vox.

65. Enrique Sordo, *Cómo conocer la cocina española*. Barcelona 1980. Editorial Argos Vergara.

66. Clara González de Amezua, *The regional Cooking of Spain*. Madrid 1980. Editorial Castalia.

67. *Comer en carretera*. Edición a cargo de Eugenio Domingo. Madrid 1981. Penthalon Ediciones.
    Varios capítulos a cargo de Gonzalo Sol, Eduardo Méndez Riestra, Eugenio Domingo, Carmen Casas, J. José Lapitz, J. Víctor Sueiro, Eduardo Gómez, Antonio Vaquero y José Peñín.

Antonio ODRIOZOLA

ÍNDICE ALFABÉTICO

CH

Torta
- aldeana, **591**.
- de chicharrones, **605**.
- de maíz con pasas, **606**.
- gallega, **607**.

Tortas
- de chicharrones, **611**.
- de leche, **608**.
- de polvorón, **609**.

Tortilla
- al ron, **610**.
- de berberechos, **137**.
- de camarones, **133**.
- de colas de gambas o de cigalas, **133** y **137**.
- de grelos, **134**.
- de chicharrones, **135**.
- de «liscós», **136**.
- de ostras, **137**.
- de patatas guisada, **138**.
- de santiaguiños, **133**.
- de tocino, **136**.
- guisada, **139**.

«Tortiña de rixóns», **611**.

Tostadas de pan rellenas, **140**.

Tostón, **481**.

Trenza barata, **616**.

Truchas
- al horno, **341**.
- en escabeche, **300** y **301**.
- fritas, **342**.

U

Urogallo asado, **482**.

Uvas
- en aguardiente, **675**.
- en licor, **626**.

V

Vaca (ver también ternera)
- asada, **351**.
- estofada, **483**.
- filetes a la parrilla, **381**.
- guisado de aldea, **386**.
- guiso de carne, **387**.

Vieiras
- al albariño, **52**.
- con jamón, **53**.
- empanada de, **217**.

X

«Xardas»
- en escabeche, **300** y **301**.
- en salsa de vieira, **302**.
- en salsa verde, **303**.
- lañadas, **337**.

«Xibia»
- con arroz, **54**.
- con patatas, **55**.

«Xoubas»
- empanada de, **207** y **218**.
- fritas, **344**.
- guisadas, **343**.

Z

Zamburiñas
- a la marinera, **56**.
- al jerez, **57**.
- empanada de, **217**.
- fillas rellenas de, **96**.
- fritas, **58**.
- tortilla de, **137**.

Zanahorias en dulce, **676**.

Zorza, **86**.
- empanada de, **219**.
- ternera en, **476**.